Georges Bernanos

MAX MILNER

Georges Bernanos

DESCLÉE DE BROUWER

PARIS

Abréviations

Anglais : *Lettre aux Anglais.*
Balthasar : H. Urs von Balthasar, *Le Chrétien Bernanos.*
Béguin : Albert Béguin, *Bernanos par lui-même.*
Bul. : *Bulletin de la Société des Amis de G. Bernanos.*
Chemin : *Le Chemin de la Croix des Âmes.*
C. R. : *Georges Bernanos. Essais et témoignages* (Cahiers du Rhône).
Crépuscule : *Le Crépuscule des Vieux.*
Enfants : *Les Enfants humiliés.*
Ét. : *Études bernanosiennes* (Numéros spéciaux de la *Revue des Lettres modernes*).
Français : *Français, si vous saviez.*
L'Herne : *L'Herne.* Numéro spécial consacré à Bernanos (1961).
Jeanne : *Jeanne, relapse et sainte.*
Liberté : *La liberté pour quoi faire ?*
Mauvais Rêve : *Un Mauvais Rêve.* Édition critique (Plon 1950).
Nous autres : *Nous autres, Français.*
Ouine : *Monsieur Ouine.* Édition critique (Club des Libraires, 1955).
Peur : *La Grande Peur des Bien-Pensants.*
Pl. : *Œuvres Romanesques* (Bibliothèque de la Pléiade).
Présence : Luc Estang, *Présence de Bernanos.*
Robots : *La France contre les Robots.* Édition critique (Club Français du Livre, 1955).
Scandale : *Scandale de la Vérité.*

Préface

Ce livre n'aurait pas vu le jour si Albert Béguin n'était pas mort prématurément. Qui eût osé, lui vivant, tenter cette première étude d'ensemble sur la vie et l'œuvre de Bernanos qu'il était seul qualifié pour mener à bien ? Il suffit d'évoquer son nom pour qu'apparaissent les modestes ambitions de ce travail. La biographie de Bernanos qu'Albert Béguin eût écrite aurait mis en œuvre la connaissance intime et minutieuse de l'homme et de l'écrivain que ce grand critique avait acquise par une fréquentation quotidienne de sa correspondance et de ses manuscrits ; l'interprétation qu'il eût donnée de son œuvre aurait prolongé, complété et systématisé les lumineuses exégèses qu'il prodiguait presque trop généreusement chaque fois qu'on lui demandait de parler de ce romancier, qu'il plaçait parmi les plus grands.

Puisqu'il nous faudra sans doute attendre encore longtemps une synthèse de cette valeur, il m'a paru qu'il ne serait pas inutile de rassembler l'essentiel de ce que l'on sait sur la personnalité de Bernanos et d'essayer de s'en servir pour éclairer son œuvre. Sans doute cet éclairage ne peut-il être que provisoire tant que sa correspondance n'aura pas été entièrement publiée. Mais il n'est pas question, pour l'heure, de livrer intégralement au public des lettres intimes dont Bernanos n'aurait pas envisagé un seul instant – son exécuteur testamentaire et le confident de ses derniers jours nous l'a formellement affirmé – qu'elles pussent être éditées dans les années qui suivraient sa mort.

Dans cette correspondance, Albert Béguin avait d'ailleurs opéré, avec le discernement qui lui était habituel, un choix des lettres ou des fragments de lettres qui lui paraissaient les plus propres à éclairer le travail du romancier et l'évolution de l'homme intérieur. C'est cette évolution que je me suis efforcé de retracer, en essayant de suivre d'un seul regard la progression de l'œuvre, sur le plan thématique comme sur le plan technique, et le dialogue de l'artiste – qui se doublait d'un prophète au sens biblique du terme – avec le monde et avec Dieu. Pourtant, la place que j'ai réservée à l'œuvre polémique est sensiblement moins grande que celle que j'ai faite à l'œuvre romanesque. Si pleine d'enseignements que soit la première, et si nécessaire pour comprendre

*les vraies dimensions du génie de Bernanos, c'est dans la seconde qu'il
a mis le plus pur de lui-même, y compris ce qu'il a essayé de dire, d'une
façon souvent plus diffuse et plus imparfaite, dans ses pamphlets et
dans ses articles. Roman et polémique s'alimentent d'ailleurs, chez lui,
à une source commune, qui est une imagination visionnaire. Aussi
est-ce à l'exploration du contenu et des structures de son univers imaginaire que j'ai consacré la part la plus importante et la plus personnelle
de ce travail.*

*Pour des raisons indépendantes de ma volonté et de celle de mon
éditeur, la présente étude, achevée depuis trois ans, voit le jour seulement
aujourd'hui. Durant cet intervalle, la recherche bernanosienne a été
très active, grâce à l'impulsion donnée par les* Études bernanosiennes
et leur directeur Michel Estève, qui a publié en 1965 un excellent
Bernanos *dans la « Bibliothèque idéale » de la librairie Gallimard,
grâce aussi à l'équipe de chercheurs formée à la Faculté des Lettres
d'Aix-en-Provence par le doyen Bernard Guyon. Bien que je me sois
efforcé de tenir compte, principalement dans mes notes, des résultats
de cette recherche, on ne s'étonnera pas trop, j'espère, que je ne m'en
sois pas nourri davantage.*

Chapitre premier

« L'enfant que je fus »

Je suis né le 20 février 1888 à Paris où mes parents résidaient pendant l'hiver, mais j'ai passé les meilleurs jours de mon enfance et de ma jeunesse dans une vieille propriété de campagne, appartenant à mon père, au petit village de Fressin (Pas-de-Calais), dans un pays de grands bois et de pâturages où j'ai plus ou moins fait vivre depuis tous les personnages de mes romans.
Ma famille paternelle est de lointaine origine espagnole, mais française depuis le début du XVIIe siècle et fixée depuis en Lorraine. La famille de ma mère est berrichonne[1].

Ainsi commence la notice autobiographique que Bernanos, sur le point de quitter le Brésil, rédigea à l'intention de son ami Ofaire, éditeur à Rio de Janeiro. Une chose nous frappe, dans la sécheresse voulue de ce début : c'est l'accent presque tendre avec lequel Bernanos, effaçant le paysage parisien des jours d'hiver, évoque son pays d'élection[2]. Paris, où il habitera, avec quelques interruptions, jusqu'en 1924, occupe très peu de place dans sa vie, dans ses souvenirs et dans son œuvre. Il n'a jamais manifesté, envers la capitale, cette « haine de paysan[3] » dont parle Alain-Fournier, mais il a fait mieux, il l'a ignorée. Presque pas un mot sur elle dans les évocations de son enfance, qui seront nombreuses à partir des *Grands Cimetières sous la lune*. Parmi ses romans, seuls *L'Imposture* et *Un Mauvais Rêve* laissent deviner, dans un arrière-plan bien imprécis et combien peu rassurant, quelque chose du paysage parisien. Pourquoi ce dédain ? On serait tenté d'y voir une volonté d'enracinement dans le terroir français un peu analogue au mouvement qui ramène Barrès vers la Lorraine, ou encore cette fidélité à ses origines paysannes qui entre pour une bonne part dans le génie de Péguy.

1. « Autobiographie », *La Nef*, août 1948, p. 3. Texte reproduit dans *Bul.*, n° 48.
2. Cf. *Cimetières*, p. 44 : « J'habitais, au temps de ma jeunesse, une vieille chère maison dans les arbres, un minuscule hameau du pays d'Artois, plein d'un murmure de feuillage et d'eau vive. »
3. *Correspondance avec J. Rivière*, t. I, p. 226. Lettre du 13 janvier 1906.

Les ancêtres paternels de Bernanos[1] (fixés en Moselle au XVIe siècle et non au XVIIe comme il le pense) sont en effet des gens du peuple, vignerons, tonneliers, cordonniers, manœuvres, avec quelques échappées du côté de la magistrature et de l'Église. Le grand-père de l'écrivain a été le premier, en 1852, à se fixer à Paris, où son fils Jean-François, ordinairement prénommé Émile, exerce avec succès le métier de tapissier-décorateur. Du côté maternel, les origines paysannes sont plus proches encore, puisque la mère de Georges, née Marie-Clémence Moreau, est originaire de Pellevoisin, dans l'Indre, où elle repose aux côtés de son fils.

Prenons garde pourtant. La prédilection manifestée par l'auteur du *Journal d'un curé de campagne* pour les paysages de l'Artois et pour ses humbles habitants n'a pas le caractère d'un retour aux sources de la race. Malgré l'extraordinaire intuition qui lui a permis de se glisser à l'intérieur de leurs vies, il est toujours resté parmi eux comme un étranger. Les quelques vieilles personnes qui se souviennent encore de l'enfant qu'il fut et des longs séjours qu'il fit à Fressin après son mariage[2] le représentent comme très peu mêlé à la vie du village. Pour eux, il est toujours resté le parisien, l'habitant, volontiers plongé dans ses pensées, de la grande maison bourgeoise acquise par son père, qui n'avait aucune attache avec l'Artois. Rien ne ressemble moins à Bernanos que l'image d'un écrivain enraciné, vivant à l'aise parmi ceux qu'il considère comme les siens et dont le contact est pour lui une source d'inspiration. C'est après avoir quitté définitivement l'Artois – son père ayant été obligé de vendre la vieille maison – qu'il en évoque pour la première fois l'atmosphère et les paysages dans *Sous le Soleil de Satan*, et l'image qu'il en garde, au lieu de s'estomper, ne fera que gagner en intensité à mesure que les années éloigneront la réalité où elle prend sa source.

Loin de trouver dans un enracinement quelconque de quoi exciter sa verve créatrice, Bernanos s'ingénie, avec une sorte d'instinct infaillible, à couper, pour écrire, à mesure qu'ils renaissent, tous les liens matériels qui pourraient le rattacher à un milieu, à une province ou même à une maison, au point d'aller chercher dans

---

1. Cf. H. TRIBOUT DE MOREMBERT, *Les Origines lorraines de Georges Bernanos. Bul.*, nº 21.

2. Nous avons recueilli les souvenirs d'une voisine, habitant presque en face de la maison des Bernanos, et d'une vieille paysanne qui a servi pendant plusieurs années chez eux en qualité de cuisinière. L'une et l'autre ont insisté sur l'originalité de cet enfant « pas comme les autres », que confirment les témoignages recueillis par Albert Béguin (*Bernanos*, p. 28). La tendance, dont parle ce dernier, à prendre pour cibles de tir à la carabine les poules des voisins a laissé au village des souvenirs mélangés...

d'anonymes salles de café le dépouillement total qui est pour lui la condition première du départ imaginatif. Jamais – sauf au Brésil où sa situation d'exilé justifie cette exception – il ne décrira le paysage dans lequel il vit, même lorsque celui-ci est mille fois cher à son cœur. C'est ce qu'il note, dans *Les Enfants humiliés*, à propos de la nostalgie du pays natal qu'il observe chez certains de ses compatriotes :

> Certaine nostalgie des déracinés m'inspire [...] plus de dégoût que de compassion. Ils pleurent les habitudes perdues, ils geignent sur des moignons d'habitudes encore vifs et sanguinolents, ils ont mal à la France comme le manchot au pouce de sa main amputée. Rien ne fera de moi un déraciné, je ne vivrais pas cinq minutes les racines en l'air, je ne serai déraciné que de la vie. Tant que je vivrai, je tiendrai au pays comme à l'enfance, et lorsque la sève ne montera plus, toutes les feuilles tomberont d'un seul coup. Ils me font rigoler avec leur nostalgie des paysages français! Je n'ai pas revu ceux de ma jeunesse, j'en ai préféré d'autres, je tiens à la Provence par un sentiment mille fois plus fort et plus jaloux. Il n'en est pas moins vrai qu'après trente ans d'absence – ou de ce que nous appelons de ce nom – les personnages de mes livres se retrouvent d'eux-mêmes aux lieux que j'ai cru quitter. Ici ou ailleurs, pourquoi aurais-je la nostalgie de ce que je possède malgré moi, que je ne puis trahir? Pourquoi évoquerais-je avec mélancolie l'eau noire du chemin creux, la haie qui siffle sous l'averse, puisque je suis moi-même la haie et l'eau noire[1]?

Cette page nous apporte une lumière admirable sur ce que nous devons nommer les racines de Bernanos, et, au-delà de celles-ci, sur la véritable nature de son culte pour la patrie. La notion matérialiste de race, à laquelle il lui arrivera, sous l'influence du maurrassisme, de faire la part un peu trop belle[2], n'y joue aucun rôle. Bernanos ne se sent pas lié à son pays comme le membre au corps, il ne se considère pas comme une partie de sa patrie. Sa patrie, elle est en lui-même, elle est une composante de son monde intérieur. De là son refus de toute nostalgie : on ne regrette pas ce qu'on porte en soi-même ; et de là aussi – ce qui eût été, je pense, inconcevable pour Péguy – son refus d'un enracinement selon la chair au profit d'un enracinement selon l'esprit, qui va bien au-delà d'une préférence affective, puisque Bernanos déclare, avec une vigueur tout à fait surprenante, qu'il *préfère* la Provence à l'Artois. Toute fidélité – et cela explique bien des malentendus à propos de ses

---

1. *Enfants*, p. 37-38.
2. Cf. *Chemin*, p. 13, et le commentaire de *Balthasar*, p. 513.

apparentes variations – est chez lui fidélité à une *image* qui s'est identifiée à tel point à sa propre substance qu'il serait vain d'essayer d'y distinguer la part de la réalité et la part du rêve. L'enfance est la somme, ou plus exactement la source de toutes ces images.

Il importe de bien mesurer les dimensions de ce mystère de l'enfance, si l'on veut se représenter ce que fut celle de Bernanos et le rôle qu'elle a joué dans la conduite de sa vie et dans l'élaboration de son œuvre. Nul écrivain n'a sans doute parlé de l'enfance avec plus d'émotion et plus de profondeur. Nul n'a proclamé de façon plus éclatante sa dette envers « l'enfant que je fus[1] ». Et pourtant on chercherait en vain, dans les pages ferventes qu'il a consacrées à cette époque de sa vie, des souvenirs d'une précision comparable à celle que Marcel Proust, Alain-Fournier, André Gide, ou bien, tout près de nous, Julien Green ont su atteindre lorsqu'ils ont fait revivre les jours oubliés. C'est que – comme le pays natal et pour la même raison – l'enfance n'appartient pas pour lui au passé. Il ne saurait être question, à son sujet, de nostalgie, et lorsqu'il se tourne vers elle, ce n'est jamais dans le dessein de faire revivre une réalité dont le charme est celui des choses abolies, mais en fixant son attention sur ce qui demeure en elle éternellement actif. Même lorsqu'il lui arrive de regretter une certaine pureté, perdue « à l'heure où l'adolescence étend ses ombres, où le suc de la mort, le long des veines, vient se mêler au sang du cœur[2] », même lorsqu'il constate avec tristesse que « le plus mort des morts est le petit garçon[3] » qu'il fut, ou que « la crise d'adolescence fait presque toujours retomber dans la nuit les précieuses, irremplaçables et incommunicables expériences de l'enfant[4] », le sentiment qui l'anime n'est pas l'attachement à un passé qui aurait valeur en tant que passé, mais le désir d'être encore vivifié par une source dont le tarissement n'est pas fatal, puisque certains, sur qui Bernanos a sans cesse les yeux fixés, n'ont pas cessé d'y boire :

> Le nombre est petit de ceux d'entre nous qui savent vieillir, et pourtant le passage est autrement difficile de l'enfance à l'âge mûr. Nul homme ne peut se flatter de l'avoir franchi impunément, sinon peut-être les saints ou les génies [...]. Les saints et les héros sont des hommes qui ne sont pas sortis de l'enfance, mais qui l'ont peu à peu comme agrandie à la mesure de leur destin[5].

1. *Cimetières*, p. 79.
2. *Ibid.*, p. IV.
3. *Ibid.*, p. IV-V.
4. Interview à *Samedi-Soir. Bul.* 39-40, p. 28.
5. *Français*, p. 270 (L'Intransigeant, 25-12-1947).

Ces phrases, écrites par Bernanos moins d'un an avant sa mort, montrent parfaitement dans quelle ligne se situe sa fidélité à l'enfance. Cette ligne dessine deux trajectoires qui correspondent, au fond, à une exigence unique. Sur le plan de la vie, il ne s'agit pas tellement de ne pas démériter, de rester, comme le voulait Alain-Fournier, à une « hauteur » permettant au miracle de se renouveler, que de poursuivre, avec les moyens et malgré l'indignité de l'homme adulte, un rêve que Bernanos se refuse catégoriquement à baptiser illusion :

> Si loin que je remonte vers le passé, je ne me souviens pas d'avoir eu beaucoup d'illusions. L'illusion, c'est le rêve à bon marché, fil et coton, le rêve trop souvent greffé sur une expérience précoce, le rêve des notaires futurs. J'ai fait des rêves, oui, mais je savais bien qu'ils étaient des rêves. L'illusion est un avorton de rêve, un rêve nain, proportionné à la taille de l'enfance, et moi, mes rêves, je les voulais démesurés – sinon, à quoi bon les rêves ? Et voilà précisément pourquoi ils ne m'ont pas déçu. Si je recommençais la vie, je tâcherais de les faire encore plus grands, parce que la vie est infiniment plus grande et plus belle que je n'avais cru, même en rêve, et moi plus petit. J'ai rêvé de saints et de héros, négligeant les formes intermédiaires de notre espèce, et je m'aperçois que ces formes intermédiaires existent à peine, que seuls comptent les saints et les héros [...]. Bref, c'est par les saints et les héros que je suis, les héros et les saints m'ont jadis rassasié de rêves et préservé des illusions [1].

C'est en se référant à ces rêves qu'il peut s'écrier :

> Qu'importe ma vie ! Je veux seulement qu'elle reste jusqu'au bout fidèle à l'enfant que je fus [...], l'enfant que je fus et qui est à présent pour moi comme un aïeul [2].

Comprenons bien qu'il ne s'agit pas de ressusciter l'enfance, mais de lui répondre et d'en répondre, de la justifier face à un monde qui la nie. Ce dialogue, obstinément poursuivi en dépit des démentis d'une dure expérience mais aussi grâce à eux – car sans cela il n'y aurait pas de dialogue –, c'est tout Bernanos :

> J'écris pour me justifier. – Aux yeux de qui ? – Je vous l'ai déjà dit, je brave le ridicule de vous le redire. Aux yeux de l'enfant que je fus. Qu'il ait cessé de me parler ou non, qu'importe, je ne conviendrai jamais de son silence, je lui répondrai toujours [3].

1. *Enfants*, p. 199-200.
2. *Cimetières*, p. 79.
3. *Enfants*, p. 195.

Quelle page étonnante! Aucun créateur n'a donné une telle réalité aux êtres issus de son imagination. Seul Balzac, peut-être... Encore sommes-nous bien au-delà du légendaire : « Il faudrait appeler Bianchon. » Car il y a ici, du fait de l'éclairage surnaturel, plus que la confusion, plus ou moins voulue, de l'imaginaire et du réel. Comment Bernanos peut-il supposer à ses créatures une destinée supraterrestre à l'égal des hommes vivants qui lisent ses livres, leur donner rendez-vous dans le royaume du Père, auquel il sait bien que seuls auront accès les êtres issus du vouloir créateur de Dieu? Est-ce là paroxysme inconscient d'orgueil prométhéen? Certainement pas, tant apparaît profonde, à travers tout le texte, l'humilité du créateur. En réalité, si Bernanos peut supposer que les personnages de ses romans participent au mystère du salut universel, c'est dans la mesure où leur vie, profondément ancrée dans ses expériences d'enfant, fait partie intégrante de l'histoire de son propre salut. Ce sont eux qu'il a chargés de sauver son enfance, dont tant de choses infranchissables le séparent. C'est en allant vers eux qu'il a rencontré, dans le mystère de la compassion et de la charité, les âmes de tant de lecteurs qui cheminaient sans le savoir à ses côtés. Seule la limpidité d'un regard d'enfant était capable de pressentir les contours de ces visages prédestinés.

Car c'est bien durant son enfance, il l'affirme formellement à plusieurs reprises, que ce sont ébauchés dans son imagination les personnages futurs de ses romans. A une châtelaine des environs de Fressin qui s'est plainte d'avoir reconnu dans le comte du *Journal d'un curé de campagne* des traits de son père, il écrit : « Dès que je prends la plume, ce qui se lève tout de suite en moi, c'est mon enfance [1]. » Protestant contre un projet d'adaptation du *Journal d'un curé de campagne* dont l'esprit lui paraît profondément infidèle à l'inspiration de l'œuvre, il donne sa définition du « véritable romancier » : « un homme qui a réellement rêvé son livre, en a tiré la plupart des situations ou des personnages de ce fonds d'expérience subconsciente qui est certainement pour moi celui des précieuses, irremplaçables et incommunicables expériences de l'enfant [2]. » C'est dans le même sens qu'il peut écrire à son ami, le moine bénédictin Dom Gordan : « Quant à mes livres, ce qu'ils ont de bon vient de très loin, de ma jeunesse, de mon enfance, des sources magiques de mon enfance [3]. »

Il y a pourtant un mystère que ces affirmations répétées ne nous permettent guère de percer. C'est, tout d'abord, même très appro-

1. *Lettre à Mme de La Noue* (1935). *Bul.*, I, p. 5.
2. Interview à *Samedi-Soir*. *Bul.*, 39-40, p. 28.
3. *Bul.*, V, p. 6.

ximativement, le moment de l'enfance où ces rêves, auxquels son
œuvre doit tant, ont commencé à prendre forme. Bien que l'adolescence lui apparaisse, nous l'avons vu, déjà recouverte par un
obscurcissement mortel, comment croire que des figures comme
celles de Cénabre, de Donissan et de combien d'autres, ne doivent
rien à cette période trouble? Mais la question que nous posons
n'a peut-être pas de sens dans la mesure où nous ne savons absolument pas – et c'est là le plus épais du mystère – quel est le rapport
exact entre le personnage et le rêve qui lui a donné naissance. Ce que
Bernanos écrit dans la suite de sa lettre à Mme de La Noue permet
d'avoir quelque idée de la distance qui sépare l'un de l'autre. Sans
doute affirme-t-il :

> Que voulez-vous? A partir d'un certain moment je n'invente rien,
> je raconte ce que je vois,

mais il corrige aussitôt :

> Des êtres que j'ai aimés passent sur l'écran, et je ne les reconnais
> que longtemps après, quand ils ont cessé d'agir et de parler, ou
> même je ne les reconnais pas du tout, parce qu'ils se sont trans-
> formés peu à peu, font, mêlés à d'autres, une nature imaginaire
> plus réelle pour moi qu'un vivant[1]...

Cette distance a des chances d'être plus grande encore lorsqu'il
s'agit non pas de personnages connus et aimés ou admirés dans
la vie, mais de personnages rêvés. Que Bernanos, en leur donnant
plus tard un visage, un nom, une histoire, ait été au-devant d'une
impression d'enfance, qu'il ait cherché à exprimer à travers eux ses
inquiétudes ou ses élans d'alors, il n'en faut pas conclure – comme on
pourrait le faire en lisant trop rapidement la préface des *Grands
Cimetières* – que Mouchette, Cénabre, Donissan, Chantal aient
été, tels que l'œuvre les a plus tard révélés, les compagnons de
l'époque dont nous parlons. C'est dans un article sur le peintre
Georges Cornélius que Bernanos a le mieux montré ce qu'il y a
à la fois d'infaillible et d'incertain dans ce retour de tout artiste digne
de ce nom vers son univers enfantin, dont l'exploration apparaît
beaucoup moins ici comme un retour vers le passé que comme une
navigation à la recherche d'une terre inconnue :

> La plupart des hommes ont fait à leur insu, d'instinct, l'effort
> indispensable pour se dégager du rêve où leur premier âge est

---

1. *Bul.*, I, p. 5.

baigné. Effort inconscient, dont ils ne gardent aucun souvenir, non plus que de cette plénière et prodigieuse angoisse qui précéda sans doute leur naissance, au dire des physiologistes, et à laquelle correspond peut-être, à l'autre bout de la route, l'épisode ultime de l'agonie, non moins secret. Quel artiste, au contraire, est jamais sorti tout à fait de l'enfance ? Disons mieux : il s'y enfonce un peu plus chaque jour, c'est au cœur même de l'enfance, comme à la source de tous les rêves, qu'il va chercher sa terre inconnue. La trouvera-t-il ?... Ah ! bien sûr, il ne la trouvera jamais, cela va de soi. Il ne trouvera pas ce qu'il cherche, mais autre chose. Et on ne pensera qu'à la joie de la découverte, à la rare minute heureuse où ce n'est pas ça, hélas ! mais où « on croit que c'est ça », oubliant le monotone voyage à travers un monde aussi inconnu des autres hommes qu'au sédentaire de Villemomble, Honolulu ou Chandernagor – les limbes du rêve, l'univers en perpétuel mouvement, sans route et sans repère, si parfaitement comparable à la grande houle creuse où danse la coquille de noix, dans la brume... Oh ! la naïve illusion du public qui croit que cent fois et cent fois nous fîmes le point jusqu'au but marqué d'une épingle, sur la carte ! Alors que les meilleurs d'entre nous se sont jetés à la côte, brusquement, à la minute même où ils désespéraient d'y atteindre jamais, et ne savent l'œuvre achevée qu'en entendant grincer la quille sur les cailloux du rivage [1].

On voit par où se rejoignent les deux directions que nous avons esquissées. Être fidèle à son enfance, c'est à la fois, pour Bernanos, maintenir envers et contre un monde qui les nie les valeurs de fierté, d'héroïsme, de don de soi qui se sont révélées à lui dans ses rêves d'enfant, et donner forme aux personnages que ces rêves appelaient vaguement à l'existence, reparcourir en esprit, pour y trouver à la fois la même chose et autre chose, les routes de jadis. L'unité de ces deux mouvements, qui est l'unité de ses deux carrières de polémiste et de romancier, nous la lisons clairement dans ces lignes qu'il écrivit sur l'album d'une jeune fille brésilienne, et où il remarquait malicieusement que les hommes importants – cardinaux, théologiens, historiens, essayistes, romanciers – avaient tout juste fait l'aumône de leur signature alors que les poètes avaient donné sans compter :

N'oubliez plus désormais, ajoutait-il, que ce monde hideux ne se soutient encore que par la douce complicité – toujours combattue, toujours renaissante – des poètes et des enfants.

1. Article publié dans *La Revue Générale* du 15 mars 1930 et reproduit dans *L'Herne*, 1962, p. 90.

Soyez fidèle aux poètes, restez fidèle à l'enfance! Ne devenez jamais une grande personne! Il y a un complot des grandes personnes contre l'enfance, et il suffit de lire l'Évangile pour s'en rendre compte. Le Bon Dieu a dit aux cardinaux, théologiens, essayistes, historiens, romanciers, à tous enfin : « Devenez semblables aux enfants. » Et les cardinaux, théologiens, historiens, essayistes, romanciers, répètent de siècle en siècle à l'enfance trahie : « Devenez semblables à nous. »

Lorsque vous relirez ces lignes, dans bien des années, donnez un souvenir et une prière au vieil écrivain qui croit de plus en plus à l'impuissance des Puissants, à l'ignorance des Docteurs, à la niaiserie des Machiavels, à l'incurable frivolité des gens sérieux. Tout ce qu'il y a de beau dans l'histoire du monde s'est fait à l'insu de nous par le mystérieux accord de l'humble et ardente patience de l'homme avec la douce Pitié de Dieu [1].

Si c'est parce qu'elle est le lieu privilégié ou plus exactement la source irremplaçable du rêve que l'enfance possède un pouvoir vivifiant, il peut paraître vain de rechercher ce qui, dans celle de Bernanos, préfigure le visage d'éternité de l'écrivain. Comment suivre ce regard tourné vers l'intérieur? Comment pénétrer dans cet univers autrement que par l'intermédiaire de l'œuvre où il trouve son accomplissement? Et dès lors à quoi bon ce que la biographie ne nous permet de saisir que du dehors?

Il y a pourtant, entre ce dehors et ce dedans, quelques passages qui nous permettent d'approcher d'un peu plus près le secret, sans doute à jamais impénétrable, de ces années. Tout d'abord le visage, dont les traits nous ont été conservés à de multiples exemplaires grâce à la passion du père de Bernanos pour la photographie. Visage inoubliable, à cause des yeux, immenses, limpides, pleins de rêve. Ce sont les yeux de la mère, mais avec quelque chose de globuleux, et déjà ces poches sous la paupière inférieure, qui effacent un je ne sais quoi de dureté paysanne perceptible dans le clair regard maternel. La bouche moqueuse, le menton volontaire, le port de tête souvent altier sont aussi des traits de Mme Bernanos. C'est à elle que son fils doit l'impétuosité de son caractère et, avec sa première formation religieuse, cette extraordinaire patience à la tâche qui saute aux yeux lorsqu'on feuillette ses manuscrits inlassablement raturés, et qui s'alimente dans le sentiment que rien n'est jamais fini, sûr remède contre l'orgueil d'être ce qu'on est : « Nous avons été élevés par de trop bonnes mères, trop patientes, trop courageuses, si dures à la besogne, si dures et si douces, avec leurs tendres cœurs vaillants, inflexibles. 'On n'en a jamais fini!' disaient-

1. *Bul.*, 12-13, p. 3-4.

elles. C'est bien vrai qu'on n'en a jamais fini. Quand les jours sont trop courts pour le travail de tous les jours, il n'y a pas de quoi être fiers [1] ! »

De son père, il a hérité le front large, la carrure imposante, le goût de la bonne chère [2] et un premier fonds d'idées politiques qu'il ne reniera jamais. Grand admirateur de Drumont, Émile Bernanos n'hésitait pas à faire à son fils la lecture à haute voix de la *Libre Parole*, et le souvenir de cette précoce initiation à la révolte et à la colère devant les turpitudes du siècle est resté assez vivace pour qu'il l'évoque avec émotion devant Michel Dard en 1931 :

> Il me raconte la conversation quotidienne de son père, le matin, à l'heure où celui-ci lui faisait la lecture de la *Libre Parole*, où, petit enfant turbulent, il écoutait respectueusement la haute voix grave, faite de noblesse tendre et de tranquillité désolée (celle-là même qu'il retrouve sans doute lorsqu'il me lit son travail), avec laquelle Drumont peignait la bassesse irrémédiable, les turpitudes du XIXe siècle expirant. « Comprenais-je bien les explications de mon pauvre papa? Sans doute n'étaient-elles pas de mon âge, elles non plus. Pourtant, c'est alors que j'ai tout appris, et pas dans les collèges, croyez-moi. C'était une autre nourriture que celle des curés, leur lavasse bénite, refroidie dans les cratères de la lune! Et puis quoi, qu'est-ce que c'est qu'une enfance sans risque? Celui qui, de son âme d'enfant, n'a pas flairé l'embûche ne sera toute sa vie qu'un aveugle ou un lâche [3]. »

Nous aurons plus loin l'occasion de préciser la dette de Bernanos envers Drumont. Prenons seulement pour l'instant la mesure du « risque » auquel l'enfant nerveux et sensible était exposé. Il est grave de prendre contact avec le mal à travers la révolte des autres, surtout si cette révolte emprunte les intonations marquées de tristesse et de lassitude d'une voix aimée. « Seul le mystère de l'ordination permet de considérer face à face ce mystère du mal », écrit Urs von Balthasar, résumant l'attitude en face du mal que postule toute l'œuvre bernanosienne [4]. Sans doute y a-t-il une grâce d'enfance qui permet de considérer le mal sans en devenir inconsciemment complice. C'est elle que Bernanos invoque quand il rappelle, dans les *Grands Cimetières*, son premier contact personnel avec l'œuvre du pamphlétaire :

1. *Nous autres*, p. 14.
2. Si l'on en croit Henri Massis (*Maurras et notre temps*, t. I, p. 174) à qui Bernanos a souvent parlé de son père.
3. *C. R.*, p. 298-299.
4. *Balthasar*, p. 368.

Lorsque, dans ma treizième année, je lisais pour la première fois la *France juive*, le livre de mon maître, – si sage et si jeune à la fois, d'une jeunesse éternelle, d'une jeunesse religieuse, la seule capable de retentir au cœur des enfants – m'a découvert l'injustice, au sens exact du mot, non pas l'Injustice abstraite des moralistes et des philosophes, mais l'injustice elle-même toute vivante, avec son regard glacé. Si j'avais soutenu seul ce regard, sans doute mon destin eût-il été celui de tant d'autres qui, à travers les siècles, sont venus se briser tour à tour sur la poitrine d'airain. J'ai compris depuis que les solitaires étaient d'avance la proie de ce Satan femelle, dont le mâle s'appelle Mensonge [1].

Mais l'ardeur de la dénégation dissimule mal l'incertitude du plaidoyer. Pour préserver un enfant du scandale, dont les paroles mêmes du Christ disent l'extraordinaire gravité [2], sa pureté naturelle ne suffit pas, elle n'est jamais assez complète, il y faut une lumière surnaturelle. Cela, Bernanos le sent admirablement. Mais attribuer cette lumière surnaturelle à Drumont, même si l'on ne voit pas seulement en lui – ce qui serait injuste – l'apôtre forcené de l'antisémitisme! parler de « jeunesse religieuse » à propos d'un homme qui n'a jamais considéré le monde du point de vue de la foi et qui a mêlé inévitablement à ses attaques les ressentiments d'une existence trop humaine! Cela, c'est le miracle de la voix paternelle qui l'accomplit, et on voit ce que ce miracle pouvait avoir de dangereux. Cette voix qui enseignait au jeune Bernanos la haine du Mensonge, et qui sans doute haïssait elle-même le mensonge en toute sincérité, lui apportait, en même temps que cette très haute exigence, une vision du monde déformée par la haine. Bernanos, dans sa fidélité à cette trompeuse révélation du vrai, mettra très longtemps à sentir la discordance, et, en ce qui concerne la pensée de Drumont, il ne la sentira jamais complètement. C'est la conscience du risque encouru, et imparfaitement surmonté, qui lui fera pourtant mettre sur les lèvres du curé de Torcy, ces paroles, à l'adresse de son jeune confrère :

Tais-toi! Tu ne sais pas ce que c'est que l'injustice, tu le sauras. Tu appartiens à une race d'hommes que l'injustice flaire de loin, qu'elle guette patiemment jusqu'au jour... Il ne faut pas que tu te laisses dévorer. Surtout ne va pas croire que tu la ferais reculer en la fixant dans les yeux, comme un dompteur! Tu n'échapperais pas à sa fascination, à son vertige. Ne la regarde que juste ce qu'il faut, et ne la regarde jamais sans prier [3].

1. *Cimetières*, p. 80.
2. *Matthieu*, 18, 5.
3. *Pl.*, p. 1077.

N'allons pas sous-estimer pourtant ce qu'il y avait de positif dans l'enseignement paternel, et reconnaissons que le culte de Drumont entretenait dans la famille de Bernanos, en même temps qu'un attachement très sincère à une image quelque peu idéalisée de l'ancienne France, un anticonformisme qui permettrait, au moment voulu, les plus libres sursauts. C'est ce qu'il dira dans la note autobiographique déjà citée :

> Si je voulais résumer en quelques mots, pour des amis, l'essentiel de ce que fut ma formation religieuse et morale, je dirais que j'ai été élevé dans le respect, l'amour, mais aussi la plus libre compré-hension, non seulement du passé de mon pays, mais de ma religion. Comprendre pour aimer, aimer pour comprendre, c'est bien là, probablement, notre plus profonde tradition spirituelle nationale, c'est ce qui explique notre horreur de toute espèce de pharisaïsme. Dans ma famille catholique et royaliste, j'ai toujours entendu parler très librement et souvent très sévèrement des royalistes et des catholiques. Je crois toujours qu'on ne saurait réellement « servir » – au sens traditionnel de ce mot magnifique – qu'en gardant vis-à-vis de ce qu'on sert une indépendance de jugement absolue. C'est la règle des fidélités sans conformisme, c'est-à-dire des fidélités vivantes [1].

Ce que pouvait être cette image de l'ancienne France que les parents de Bernanos lui apprirent à vénérer, nous pouvons en avoir quelque idée par l'un des rares « souvenirs d'enfance » que l'on rencontre dans son œuvre. Il se trouve dans les *Grands Cimetières*, aussitôt après l'évocation de la « vieille chère maison » :

> Chaque lundi, les gens venaient à l'aumône, comme on dit là-bas. Ils venaient parfois de loin, d'autres villages, mais je les connaissais presque tous par leur nom. C'était une clientèle très sûre. Ils s'obli-geaient même entre eux : « Je suis venu aussi pour un tel, qui a ses rhumatisques. » Lorsqu'il s'en était présenté plus de cent, mon père disait : « Sapristi! les affaires reprennent!... » Oui, oui, je sais bien, ces souvenirs n'ont aucun intérêt pour vous, pardonnez-moi. Je voulais seulement vous faire comprendre qu'on m'a élevé dans le respect des vieilles gens, possédants, ou non-possédants, des vieilles dames surtout, préjugé dont les hideuses follettes septuagé-naires d'aujourd'hui n'ont pu me guérir. Eh bien! en ce temps-là je devais parler aux vieux mendiants la casquette à la main, et ils trouvaient la chose aussi naturelle que moi, ils n'en étaient nullement émus. C'étaient des gens de l'ancienne France, c'étaient des gens qui savaient vivre, et s'ils sentaient un peu fort la pipe ou la prise,

1. *Bul.*, 48, p. 1-2.

ils ne puaient pas la boutique, ils n'avaient pas ces têtes de bouti-
quiers, de sacristains, d'huissiers, des têtes qui ont l'air d'avoir
poussé dans les caves. Ils ressemblaient beaucoup plus à Vauban,
à Turenne, à des Valois, à des Bourbons, qu'à M. Philippe Henriot
par exemple – ou à n'importe quel autre bourgeois bien-pensant [1]...

Retenons cette orientation franchement populaire d'un royalisme
qui fait bon marché des titres de noblesse et de l'argent, même si
Bernanos, à l'époque où il écrit cette jolie page, a un peu tendance
à forcer le trait.

Élevé dans un respect de la religion exempt de servilité, Bernanos
a vu défiler dans la maison paternelle bien des figures de prêtres.
Nous en avons la preuve dans les nombreuses photographies
d'ecclésiastiques, tantôt seuls, tantôt en groupe, une fois même jouant
aux échecs sous l'œil intéressé du petit Georges, que nous devons à
la bienheureuse manie d'Émile Bernanos. Faut-il voir dans cette
collection quelque complexe paternel auquel l'œuvre du fils, comme
il arrive, donnerait l'exutoire de l'œuvre d'art ? Je ne le pense pas.
Photographier des voisins ou des amis (il y a aussi beaucoup de
paysans dans la collection) était un geste amical assez courant à
cette époque où la photographie était encore un peu une rareté.
Disons seulement que les Bernanos comptaient beaucoup de prêtres
parmi leurs connaissances et nous comprendrons mieux, peut-être,
que les rêveries de l'enfant aient pu faire leur place à des fantômes
auxquels un Donissan, un Cénabre ou un Chevance donneront plus
tard un corps et un visage.

Mettre leur fils dans un collège religieux ne devait faire aucun
problème pour des parents entretenant avec les gens d'Église des
relations si suivies. L'établissement choisi fut tout d'abord celui
des Pères Jésuites de la rue de Vaugirard, où Georges entra en
1898, au début de sa sixième, en qualité d'externe. Nous sommes mal
renseignés sur les trois années qu'il y passa. Selon Albert Béguin,
il en garda « un souvenir si épouvanté que jamais il ne put se réconcilier tout à fait avec ces messieurs de la Compagnie », et il est bien
vrai que l'hostilité aux jésuites est l'une des constantes les plus
remarquables de cette vie où l'admiration et l'inimitié sont sujettes
à des variations souvent déconcertantes. Sans doute faut-il assigner
à cette attitude des raisons diverses : opposition à un « humanisme
chrétien » dans lequel Bernanos verra toujours une trahison de
l'Évangile et une coupable faiblesse devant l'esprit du siècle,
méfiance envers l'Action catholique, dans laquelle les jésuites
jouèrent un rôle prépondérant, ressentiment envers la sévérité

---

1. *Cimetières*, p. 44-45.

avec laquelle les Pères de la Compagnie rendirent compte de ses ouvrages[1]. Mais le principal des reproches qu'il leur fait est d'avoir instauré un système d'éducation et un idéal de vie chrétienne qui écrasent les libres aspirations de l'individu[2] et imposent à l'opinion catholique « le dressage du cirque[3] ». C'est à eux, bien entendu, que s'adresse en premier lieu l'imprécation qui revient comme un refrain durant quinze pages de *Nous autres Français* : « Vous avez mis les peuples au collège[4] », et il est évident que l'ardeur de l'accusation n'est pas uniquement motivée par des considérations historiques, par le regret de l'ancien homme chrétien auquel les jésuites ont substitué « le bon élève docile, studieux, appliqué », et « le plus singe des singes, le plus effronté des singes, le prêtre humaniste, ou plutôt l'humaniste prêtre, tout grouillant de vers latins comme un cadavre d'asticots[5] ». C'est de sa propre expérience que Bernanos s'inspire, de son horreur presque viscérale pour l'atmosphère servile de la classe, de l'« étude crasseuse », où « la funèbre ironie du professeur » contre le cancre désarmé est accueillie par les rires des élèves domestiqués[6]. Pour manifester une telle répulsion, il faut avoir été le libre petit garçon « qui trottait à travers les pâturages ruisselants d'eau, le cœur plein de la rentrée prochaine, des préaux funèbres où l'accueillerait bientôt le noir hiver, des classes puantes, des réfectoires à la grasse haleine, des interminables grand'messes à fanfares où une petite âme harassée ne saurait rien partager avec Dieu que l'ennui[7] ». Le sentiment d'une agression injuste et inexplicable contre sa liberté et contre sa conscience justifie son opposition à un système qui, dira-t-il, « semblait uniquement construit pour vous prendre en défaut, pour cultiver la mauvaise conscience et, vous rappelant des vacances au moment même où la douce illusion de la liberté commençait à naître, vous tançait, retenait, punissait ; on était sans défense, exposé, désarmé. – Il m'en est resté le souvenir d'une vraie panique[8] ! »

Il semble pourtant que ces trois premières années de collège, les seules durant lesquelles Bernanos eut à faire aux Jésuites, n'aient pas été les pires. Michel Estève déclare, mais malheureusement sans en apporter la preuve, que l'enfant supporta très bien sa

---

1. Cf. notamment les *Études* du 20 avril 1936 et du 20 mai 1938.
2. Cf. *Balthasar*, p. 516.
3. *Enfants*, p. 153.
4. *Nous autres*, p. 153-168.
5. *Ibid.*, p. 165.
6. *Enfants*, p. 153.
7. *Cimetières*, p. 79.
8. Interview de 1938, cité dans *Bernanos*, p. 34.

condition d'externe[1]. Il était, en tout cas, encore à Vaugirard lorsqu'il fit sa première communion le 11 mai 1899, et l'abbé Pézeril, qui l'a assisté au moment de sa mort, atteste toute l'importance que cet acte devait avoir pour le reste de son existence : « Nul ne dira assez, écrit-il, dans quelle dépendance toute l'âme et toute la vie de Bernanos se trouvèrent par rapport à cette démarche religieuse initiale[2]. » C'est à ce moment-là aussi, comme nous le verrons dans un instant, que commença à s'éclairer surnaturellement pour lui le problème angoissant de la mort et de la vocation. Un de ses condisciples l'a décrit, tel qu'il lui apparaissait alors : « C'était un garçon plein de feu, surtout en paroles, discutant à perte de vue et avec agrément, sympathique dans l'ensemble, malgré un physique un peu ingrat (comme l'âge du même nom), teint brouillé, cheveux hirsutes et vaguement en brosse. Les yeux un peu exorbités, mais éloquents[3]. »

En 1901, les jésuites furent obligés, à cause de la loi sur les associations, de quitter leurs établissements[4], et les parents de Bernanos le mirent interne au petit séminaire de N.-D. des Champs. Maxence de Colleville, qui le connut alors et devait devenir l'un des meilleurs amis de sa jeunesse, témoigne qu'il y fut très malheureux, mal vu des professeurs, qu'indisposaient l'originalité et l'indépendance de son esprit et qui, loin de soupçonner ses dons littéraires, lui donnaient des notes minimes en français, peu aimé de ses camarades, sauf Yves de Colleville, son condisciple direct, qui le prit un peu sous sa protection. Le tension devint telle, entre l'enfant révolté et ses professeurs, que le supérieur conseilla un beau jour aux parents de faire abandonner à leur fils les études classiques pour se consacrer, par exemple, au commerce[5].

Cette douloureuse expérience de la vie scolaire ne contribua sans doute pas peu à rendre chère au cœur de Bernanos la libre et

1. *Pl.*, XXXVIII. Béguin, de fait, opère une confusion en parlant des témoignages des « camarades de Bernanos à Vaugirard » alors que le témoignage auquel il fait allusion concerne l'époque de N.-D. des Champs. Il ressort en tout cas des recherches que le P. Giuliani a bien voulu faire pour nous aux archives de la Province de Paris S. J. à Chantilly que Bernanos n'a jamais remporté, durant les quatre années qu'il passa à Vaugirard, le moindre prix ni le moindre accessit.

2. *C. R.*, p. 343.

3. Louis CHAIGNE, *Georges Bernanos*, Éditions Universitaires, 1960, p. 9.

4. Le collège de Vaugirard continua à fonctionner, sous la direction du chanoine Orain et de M. De Gaulle, ancien professeur, avec des maîtres laïcs. Mais les parents de Bernanos tenaient sans doute à ce que leur fils eût des éducateurs religieux (cf. Pierre DELATTRE, *Les établissements des Jésuites en France*, t. III, col. 1384).

5. *C. R.*, p. 254-255.

douce atmosphère de Fressin. C'est là que se situe la grande découverte de sa treizième année, qui devait, si on l'en croit, avoir une influence décisive sur son avenir. C'est lui-même qui raconte la chose à Frédéric Lefèvre en 1926. Le journaliste lui ayant demandé : « Quel fut le maître de votre adolescence ? », Bernanos répond sans hésiter :

> Balzac. Je l'ai lu à l'âge où les petits garçons dévorent les romans d'aventure... Ah! c'est toute une histoire. J'avais volé la clef de la bibliothèque paternelle. Depuis si longtemps, je voyais à travers les vitres côte à côte, sur deux rangs égaux, ces livres inaccessibles! Mon père les aimait tant! Il les lisait tous, je crois bien, chaque année, il les relit encore [...]. J'avais treize ans... Je revois notre vieille maison familiale [...]. Je revois la grande pièce aux quatre fenêtres drapées de vieux caramani aux belles couleurs. A droite et à gauche les arbres la serraient, la tenaient tout entière blottie au creux de leur ombre... Mon Dieu! qu'elle était profonde, secrète, sûre, faite pour qu'on y subît le prestige du magicien de génie, du visionnaire assiégé par le rêve auquel il a donné la vie et qui veut, qui exige de nous, avec une espèce de cruauté magnifique, que nous courions son risque, que nous partagions, malgré nous, l'angoisse du cauchemar lucide qui l'assaillait de toutes parts, sans seulement faire chanceler sa haute raison! Oui, je n'étais qu'un petit garçon, mais j'étais tout de même aux côtés de mon grand ami. Je tenais fidèlement sa main. J'entrais avec lui dans ce monde silencieux emporté d'un mouvement frénétique... Parfois, je n'en pouvais plus, je m'arrêtais bouleversé, je croyais étouffer, mourir. Et j'allais naïvement me regarder dans la glace, rassuré parce que je n'étais qu'un peu pâle, mais vivant... bien vivant. Ah! quel réveil[1]!

Ce qui est remarquable, autant que l'enthousiasme de la découverte, c'est que le petit Bernanos ait senti d'emblée le côté visionnaire, halluciné du génie balzacien, qui avait tant frappé Baudelaire, mais que la critique, jusqu'à ces dernières années, avait négligé au profit de son réalisme. L'influence de Balzac sur Bernanos, qu'il faudra un jour préciser, c'est certainement avant tout cette attitude fondamentale à l'égard du monde romanesque : le romancier comme un roc battu par le rêve et résistant de toute la force de sa raison à l'assaut des fantômes que son imagination engendre ; l'accueil à la fois lucide et frénétique d'un monde étrange.

Pour mettre fin aux difficultés scolaires de leur fils, les parents du petit Georges l'orientèrent non vers le commerce, fort heureusement,

---

1. *Crépuscule*, p. 63-64.

mais vers un autre établissement. Mme Bernanos recevait régulièrement chez elle un prêtre du Berry, l'abbé Signargout, qui préparait
avec son ami l'abbé Lagrange une licence ès lettres à Paris. Lorsque
ceux-ci, leurs études terminées, rentrèrent dans leur province pour
enseigner au petit séminaire de Bourges, l'abbé Signargout proposa
à Mme Bernanos de faire entrer son fils, pour son année de rhétorique,
dans cet établissement. Cette décision, qui fut prise au mois
d'octobre 1903, devait avoir les plus heureuses conséquences.
Certes, Bernanos demeura un élève indocile, chahuteur et excen-
trique. – « On ne peut pas dire qu'il ait été un modèle, écrit l'abbé
Lagrange, qui fut son professeur de lettres. Il n'était pas toujours
prêt à l'heure. On le voyait parfois en marge. Ses devoirs arrivaient
souvent en retard. Sa tenue vestimentaire était d'ordinaire assez
négligée, ses cheveux en bataille [1]. » D'un niveau général assez moyen,
il était faible en mathématiques et avait horreur du grec, si bien qu'il
échoua à l'oral du baccalauréat en juin et en octobre 1904. Mais
fortifié par la sympathie de l'abbé Lagrange, accepté, malgré ses
singularités, par un brave homme de supérieur que ses réflexions
amusent, adopté par ses camarades qui apprécient son humeur de
boute-en-train [2], il se sent enfin à son aise dans le milieu scolaire.
En outre, grâce à l'abbé Lagrange, il commence à donner sa mesure
en français : « Il soignait les dissertations. Il en ciselait le style.
Aussi les remettait-il après l'heure. Et, pour justifier son retard, il
disait au professeur : « Vous savez, je l'ai 'chinée'. » Il attendait avec
fièvre le jour de la correction. En classe, le professeur rendait compte
des copies les unes après les autres. Il appréciait la fantaisie et
l'abondance verbale de son élève. Mais il ne laissait rien passer.
Il prenait même un malin plaisir à relever certaines fautes de goût
– péchés de jeunesse! – chez le jeune écrivain, et à le mordre pour
une période manquée. Georges, les bras croisés sur son pupitre,
le menton sur les deux mains, les yeux plantés dans les yeux du
juge, sifflait entre ses dents : 'Serpent!' [3]. »

Lorsqu'à la rentrée de 1904 Bernanos fut inscrit, sur la recommandation du curé de Fressin, au collège Sainte-Marie d'Aire-sur-
la-Lys, il demeura en relations épistolaires suivies avec son ancien
professeur, qui fit, de surcroît, deux séjours à Fressin à l'époque
des vacances. Cette correspondance, qui dura de décembre 1904

    1. *C. R.*, p. 251.
    2. Cf. le témoignage de son condisciple l'abbé Bougrat, cité dans *Dialogues
des Carmélites*, éd. Jean Boly, Paris, L'École, 1960, p. 17.
    3. *C. R.*, p. 251.

à décembre 1906, est d'une importance capitale pour la connaissance de l'adolescent[1].

Elle permet d'abord de se faire une idée des conditions extérieures dans lesquelles Bernanos passa sa seconde année de rhétorique (à la fin de laquelle il fut reçu, mais seulement en novembre), et son année de philosophie. L'atmosphère d'Aire-sur-la-Lys est sensiblement plus lourde que celle de Bourges : un supérieur austère et solennel, un directeur colérique, des camarades qui vivent – sauf deux parisiens – « dans l'inconscience et dans l'indifférence de tout ce qui n'est pas ripaille ». Mais on sent le collégien suffisamment mûri pour ne pas attribuer désormais trop d'importance à ces inconvénients. C'est qu'il traverse, surtout durant l'année 1904-1905, une crise dont il analyse les soubresauts avec une singulière lucidité.

Il a conscience d'avoir donné de lui-même, à Bourges, une image qui ne correspond nullement à son être le plus profond. « Vous savez si j'étais léger, l'année dernière, et insouciant en fait de piété », « vous m'avez cru un dilettante, sans affection bien sincère et bien forte, sans grande foi, préoccupé d'art parce que telle est la mode, et que les compliments à ce sujet flattent agréablement la vanité. Peut-être vous disiez-vous aussi qu'il manquait un idéal à ma vie, un but autre qu'une existence froidement heureuse, dans un joli petit appartement Louis XV, où l'on puisse lire des vers gentils et modern' style. C'était, au reste, mon plaisir de le faire croire, mais je me mentais à moi-même[2] ». Ce Bernanos léger, préoccupé de plaire, quelque peu infatué de lui-même, à la fois impertinent et enjôleur, mais tout cela pour donner le change et dissimuler des préoccupations plus profondes, il est encore présent dans la première lettre de la série, et on le devine par éclairs, malgré une profonde évolution, dans les suivantes. On ne se réforme jamais complètement, et il y aura encore longtemps dans l'écrivain, jusqu'au moment où les épreuves en élimineront les dernières traces, une petite dose de dandysme sur laquelle l'*Action Française* ironisera lourdement au moment de sa rupture avec Maurras[3].

Ce dilettantisme n'est pas seulement un masque : il a été, il est encore, dans une certaine mesure, une tentation, à laquelle Bernanos avec une remarquable profondeur assigne une origine très précise : la crainte, la hantise de la mort.

---

1. Ces lettres ont été publiées une première fois dans le *Bernanos* des Cahiers du Rhône, et une seconde fois, de façon plus complète, dans l'édition de la Pléiade (p. 1723-1738).

2. *Pl.*, p. 1727, mars 1905.

3. Cf. les articles intitulés *Le Dandy de la mangeoire* dans l'*Action française* des 18, 19 et 20 novembre 1932.

Depuis longtemps – à cause de ma jeunesse maladive et des précautions qu'on me faisait prendre, je crains la mort, et par malheur, peut-être mon ange gardien me dirait par bonheur, j'y pense toujours. La plus petite indisposition me semble le prélude de cette dernière maladie, dont j'ai si peur. Et ce sont des mélancolies sans fin, contre lesquelles je n'avais pendant longtemps, et encore l'année dernière, qu'un remède : m'étourdir. Et je m'en acquittais comme je pouvais, vous l'avez vu [1].

Bernanos revient sans cesse, dans ces lettres, sur la crainte de la mort : « pendant les premiers mois de mon séjour à Aire, je me suis mortellement ennuyé et, étant toujours un peu malade, j'ai pensé très souvent à cette mort que je crains tant, et qui peut arriver d'un moment à l'autre, comme une voleuse [...], j'ai tant peur de la mort et de cette corruption inévitable et qui me fait presque dresser les cheveux sur la tête [2] » ; « si vous saviez comme j'en ai peur de la 'camarde' et comme j'y pense pendant les longs jours d'hiver où je n'ai ni bicyclette ni 'bouquins' pour me distraire [3] ».

Cette hantise, résultant pour une part d'une santé fragile et d'un tempérament anxieux que nous verrons se manifester plus tard sous d'autres formes, joue un rôle capital dans l'évolution spirituelle de Bernanos ; elle restera, écrit Balthasar, « le ton fondamental et comme la basse mélodique de toute sa vie [4] ». C'est par rapport à elle que se dessinent quelques-unes des orientations constitutives de son être adulte. C'est elle qui, d'emblée, donne un sens à sa vie :

Au moment de ma première communion, la lumière a commencé de m'éclairer. Et je me suis dit que ce n'était pas surtout la vie qu'il fallait s'attacher à rendre heureuse et bonne, mais la mort, qui est la clôture de tout. Et j'ai pensé à me faire missionnaire, et, dans mon action de grâces, à la fin de la messe de première communion, j'ai demandé cela au Père comme unique cadeau.

Il ne faudrait pas voir dans cette décision de se consacrer à Dieu le seul souci de « faire une bonne mort » en évitant les pièges de l'existence terrestre, mais, comme le montre la suite de la lettre, un sentiment très fort de la vanité d'une vie où l'absolu divin ne serait pas l'unique référence : « je reconnais plus que jamais que la vie, même avec la gloire, qui est la plus belle chose humaine, est une chose vide et sans saveur quand on n'y mêle pas, toujours,

1. *Ibid.*
2. *Pl.*, p. 1729-1730, 31 mai 1905.
3. *Ibid.*, p. 1733, 1ᵉʳ décembre 1905.
4. *Balthasar*, p. 418.

absolument, Dieu. D'où il m'apparaît logiquement que, pour être heureux, il faut vivre et mourir pour lui, aidant à ce que son règne arrive selon votre âge, selon votre position, vos moyens, votre fortune, vos goûts. Et ainsi je n'aurai plus peur de cette affreuse mort[1]... ».

Le problème de la mort pose ainsi, d'une manière inéluctable, celui de la vocation, la seule manière d'échapper à l'angoisse de mourir étant d'ordonner sa vie tout entière au service d'un Dieu qui a vaincu la mort. Comme Bernanos le dit à son ami dans une formule teintée de stoïcisme, « le meilleur moyen d'arriver au mépris de la mort est l'offrande de la vie et de la mort[2] ». Cette vocation, il l'avait envisagée, au moment de sa première communion, sous la forme du sacerdoce. La décision, ou plus exactement le souhait n'a rien d'exceptionnel si l'on tient compte du milieu et des circonstances. Ce qui est beaucoup plus remarquable c'est que Bernanos, sans s'attarder à répondre à la question angoissante : « Ai-je perdu ma vocation par ma faute[3] ? », envisage avec beaucoup de bon sens et de fermeté la possibilité d'une vie qui ne serait pas moins consacrée à Dieu tout en se déroulant dans le siècle. « Si je n'ai pas l'intention de me faire prêtre, dit-il, c'est d'abord parce qu'il me semble ne pas en avoir la vocation, et qu'ensuite un laïque peut lutter sur bien des terrains où l'ecclésiastique ne peut pas grand-chose[4]. » La sagesse de son confesseur d'alors entre sans doute pour beaucoup dans cette orientation nouvelle d'une perspective dont l'essentiel n'a pas varié. C'est grâce à lui, il le dit expressément, qu'il est revenu, après des années de tiédeur, aux « idées de [sa] première communion » sans s'engager pour autant dans une voie pour laquelle il ne se sent point d'attrait. Mais cette idée d'un appel individuel qui marque le chrétien d'un signe impératif quels que soient les moyens par lesquels il doit contribuer au salut des âmes et à l'avènement du royaume de Dieu, est l'une de celles sur lesquelles il reviendra avec le plus d'insistance durant toute sa vie. A peu près invariablement, il soulignera par l'emploi du mot latin – *vocatus* – ce qu'il y a de concret et de personnel dans cette interpellation de l'homme par Dieu : « Toute vocation est un appel – *vocatus* – et tout appel veut être transmis[5]. » « A mesure que je vieillis, je comprends de mieux en mieux que ma modeste vocation est vraiment une vocation – *vocatus*. Le Bon Dieu doit m'appeler chaque fois qu'Il a besoin de moi

---

1. *Pl.*, p. 1727-1728.
2. *Ibid.*, p. 1729-1730.
3. *Ibid.*, p. 1727.
4. *Ibid.*, p. 1730.
5. *Cimetières*, p. III.

(et beaucoup de fois, et sur un ton comminatoire[1]!). » A un jeune berrichon qui lui demande conseil, il dira en 1945, d'une façon encore plus précise et en s'inspirant évidemment de son expérience personnelle : « Une vocation d'écrivain est souvent – ou plutôt parfois – l'autre aspect d'une vocation sacerdotale[2]. »

Pour l'instant, cependant, l'avenir ne se dessine pas pour lui d'une manière aussi nette. L'appel qu'il entend lui indique surtout les solutions qu'il doit écarter : le commerce, vers lequel son père voudrait l'orienter (contre son avis il décide d'entreprendre des études de droit parce que c'est « nécessaire pour faire des choses efficaces »), et surtout la résignation à une vie médiocre, repliée, avare, l'abandon de ses aspirations à un don entier de soi-même : « Si j'arrivais jamais à considérer la vie comme quelque chose dont il faut user avec parcimonie, pour soi et les siens, plutôt que de la jeter magnifiquement et de tout cœur dans la mêlée... Voilà ce qui me fait peur[3]. » A ces craintes font écho magnifiquement, quarante ans plus tard, les lignes suivantes :

> On se dit avec épouvante que des hommes sans nombre naissent, vivent et meurent sans s'être une seule fois servi de leur âme, fût-ce pour offenser le bon Dieu. Qui permet de distinguer ces malheureux ? En quelle mesure n'appartenons-nous pas nous-mêmes à cette espèce ? La Damnation ne serait-elle pas de se découvrir trop tard, beaucoup trop tard, après la mort, une âme absolument inutilisée, encore soigneusement pliée en quatre, et gâtée comme certaines soies précieuses, faute d'usage[4] ?

En effet, Bernanos – et c'est là encore un des traits de sa remarquable lucidité –, ne se dissimule nullement les résistances que doit rencontrer l'exigence totale à laquelle il a décidé de s'ouvrir. Ces résistances sont, pour l'essentiel, celles d'un tempérament porté à la rêverie et d'une imagination versatile : « Allez donc penser aux choses sérieuses, même aux discussions qui vous 'amusent tant', lorsque cette diablesse d'imagination trottine, trottine dans le 'bleu' défraîchi depuis quelques milliers d'années qu'on s'en sert ? [...] Ne savez-vous point que je change de pôle bien des fois par jour, et que mes 'états d'âme' ne se peuvent plus compter ? Un rayon de soleil, et me voici prêt à mordre à la vie comme Ève

---

1. *A Dom Gordan. Bul.*, V, p. 6. Sur ce problème de la vocation, cf. *Balthasar*, p. 122 sq.
2. *Bul.*, II-III, p. 24.
3. *Pl.*, p. 1729.
4. *Liberté*, p. 282-283. Conférence faite à Alger, en 1947, aux Petites Sœurs de Foucauld.

à la pomme, je ne pense plus à mes amis ; mais qu'un peu de brouil-
lard tombe et je songe au petit trou noir où je serai quelque jour, en
tête à tête avec mille choses désagréables, et je deviens meilleur
qu'avant[1]. » Peu graves en elles-mêmes, ces rêveries sentimentales
autour d'un visage émouvant rencontré sur une plage, ces tentations
de dilettante rêvant de « faire de jolis livres pour de jolis yeux dans
une jolie maison » menacent directement les « résolutions viriles »,
les « espoirs d'avenir », les « ambitions » de l'adolescent.

C'est certainement parce qu'elles lui donnent l'occasion de se
raidir contre les penchants romantiques de sa nature que les idées
de l'*Action française* exercent sur lui, dès l'instant où il les découvre,
une emprise dont il restera longtemps marqué. Il n'est que de voir
en quels termes il en parle à l'abbé Lagrange, plutôt attiré, de son
côté, par l'idéologie du *Sillon* :

> Pour moi, j'admire de tout mon cœur ces vaillants de l'Action
> française, ces vrais fils de Gaule, avec du bon sens et de la foi,
> qui ne reculent devant aucune idée, qui s'imposent gaillardement,
> qui se définissent sans phrases. Comme c'est clair! Comme c'est
> emporte-pièce! On y croit ou l'on n'y croit pas, mais on les entend
> toujours. Plaise à Dieu qu'on puisse en dire autant de vos petits
> employés du *Sillon*[2]!

Rien de plus significatif que de rapprocher cette profession de foi
tranchante et un peu sommaire de cette confidence extraite d'une
lettre qui date du mois suivant :

> L'énergie me faisant défaut, je crois que le bon Dieu se retire de
> moi. Je n'ai plus le goût de prier, je suis envahi et comme noyé
> dans une tiédeur désolante, anémique et « douteuse ». Pour bien
> croire, il me faut lutter. Ma conviction monte à mes lèvres quand
> je la défends, sinon elle dort en moi[3].

N'allons pas en conclure trop vite que le maurrassisme est resté
dans la personnalité de Bernanos comme un corps étranger. Autant
prétendre que Flaubert n'a pas été vraiment un réaliste parce que
son réalisme visait à brider les excès d'un tempérament romantique.
Les armes que nous prenons pour résister à nos tendances ne font

1. *Pl.*, p. 1731-1733.
2. *Ibid.*, p. 1736.
3. *Ibid.*, p. 1737. Il faut aussi faire entrer en ligne de compte des facteurs
sociologiques pour expliquer l'adhésion de Bernanos à l'*Action française*.
D'origine modeste (sa mère était une paysanne et son père, à ses débuts,
un tout petit artisan) il a l'impression de se classer socialement en adhérant
au parti qui est celui de la « vieille France ».

pas moins partie de notre être que ces tendances elles-mêmes. Mais on comprendra mieux que Bernanos se soit détaché des idées de Maurras au moment où, par suite de son évolution intérieure et de l'affermissement de sa pensée, il a éprouvé moins impérieusement le besoin d'une contrainte.

Il semble bien que leurs divergences de vues sur la politique aient amené Bernanos et l'abbé Lagrange à détendre insensiblement leurs relations. Celles-ci ne se prolongeront guère au-delà de l'année 1906. C'est durant ses séjours à Fressin que l'abbé a partagé le plus intimement la vie de son ancien élève. Écoutons-le évoquer le souvenir de cette proximité : « Ces journées de Fressin étaient pleines de charme. On s'y perdait en causeries interminables dans les chemins creux. On rendait visite à MM. les Curés, et Georges, dès lors, commençait à s'intéresser à leur psychologie, à leurs idées, à leurs activités sacerdotales. Il était même un peu sévère pour ceux qui ne lui plaisaient guère. De retour à la maison, on s'installait dans la bibliothèque. Et pendant que l'abbé se reposait dans un fauteuil en récitant son bréviaire, Georges, à plat ventre sur un épais tapis, lisait Balzac. Au long de ses séjours à Fressin, il l'a certainement relu plusieurs fois[1]. » Dans les lettres d'Aire-sur-la-Lys, il est question d'autres lectures : *L'Homme*, les *Physionomies de Saints* et *Le Siècle* d'Ernest Hello[2], *André Cornélys* de Paul Bourget, Octave Feuillet. Nous savons par ailleurs qu'il lut également durant ces années Barbey d'Aurevilly, Michelet, Chateaubriand, Victor Hugo, Pascal, et, bien entendu, Édouard Drumont.

Toujours brouillé avec les sciences mais fort intéressé par la philosophie (il remporta le premier prix de sa classe), il fut reçu définitivement, le 2 juillet 1906, à son baccalauréat. A la rentrée, il alla continuer ses études à Paris.

---

1. *C. R.*, p. 252.
2. La dette de Bernanos envers Hello aurait besoin d'être étudiée de façon précise – Jean de Fabrègues (*Bernanos tel qu'il était*, Mame, 1963) signale quelques points communs : l'honneur conçu comme vertu chrétienne, la dénonciation de l'homme médiocre, la condamnation des idolâtries que suscite le monde moderne, l'appel au passé.

Chapitre II

Les « hommes de guerre »

Sur les études de Bernanos à Paris, les renseignements que nous avons sont, jusqu'à maintenant, fort peu nombreux. Nous savons seulement qu'il prépara et obtint ses licences de droit et de lettres et qu'il suivit des cours à l'Institut catholique.

Aussi bien n'est-ce pas là l'essentiel de ses préoccupations. Dès son installation à Paris, il se met en contact avec les milieux royalistes, et c'est en publiant de petites nouvelles dans *Le Panache*, « revue royaliste illustrée », qu'il commence à servir la bonne cause. Contrairement à une opinion assez répandue, sa vocation d'écrivain n'est donc pas tardive et postérieure à une vocation de lutteur politique et de journaliste, qui lui aurait mis, pour ainsi dire, le pied à l'étrier.

Mais peut-on parler de vocation à propos de ces petits textes, qui paraissent de février à décembre 1907, et qui s'intitulent : « *On passera!...* », *Pour préserver les lys, La Pitié du Chouan, Le Geste du Roi, Ce qui ne meurt pas, Les deux fils, Mademoiselle Triomphe* [1]. Rien, à vrai dire, ne permet de pressentir le futur auteur de *Sous le Soleil de Satan* dans ces contes historiques vivement menés, dont le panache est bien, comme le laisse attendre le titre de la revue, le caractère principal : histoires à la fois exaltantes et attendrissantes de faits d'armes au service du Roi, déroutes transformées en victoires à la seule vue du dauphin, charges héroïques pour l'honneur, dévouements sublimes, rien dans tout cela ne dénote autre chose qu'une imagination nourrie de « bonnes lectures », si ce n'est peut-être l'insistance avec laquelle presque chacun de ces contes exalte le mépris de la mort tout en insistant sur le caractère obsédant de sa présence : « On entendait par moments des rafales prodigieuses de cris inarticulés et de frémissements de fer : c'étaient des régiments à l'agonie [2]... » ; « Les chevaux piaffèrent. Un grand frisson courut le long de leurs robes luisantes, et, les naseaux

---

1. On trouvera ces textes dans *Bul.*, 26 et 27. On trouvera également dans ce dernier numéro le premier pamphlet de Bernanos, *Les aristos de la R. F.*, paru dans *Le Panache* du 2 juin 1907.

2. *Bul.*, 26, p. 1 et 2.

palpitants, les oreilles droites, ils tournèrent leurs têtes fines
éclaboussées d'écume, vers la Mort[1]. » ; « Au-dessous d'eux, les
régiments passaient et mouraient dans un nuage[2]. » Pas moins de
huit agonies dans ces courtes pages, et toujours ce don de la vie
qui permet de surmonter la crainte de la mort.

Mais il fallait à Bernanos des occasions de manifester d'une
façon plus énergique et plus risquée son attachement aux idées
monarchiques. Il alla au-devant d'elles en s'enrôlant, en décembre
1908, parmi les Camelots du Roi. Son idéal y trouvait son compte,
mais aussi, et largement, une certaine turbulence naturelle, un besoin
irrépressible de hauts faits, de manifestations violentes, de horions,
de défis aux autorités par où s'exprimait un tempérament dont tous
ses amis d'alors soulignent l'exubérance, la vitalité et le charme
conquérant. L'un d'eux, Maxence de Colleville, qui a partagé sa
vie non seulement à Paris, mais aussi, parfois, durant les vacances,
à Fressin, nous a laissé un témoignage amusant sur les inventions
saugrenues et les exercices violents qui plaisaient à son compagnon :

« Poussés par je ne sais quelle fantaisie, nous avions fabriqué
un jour avec un tuyau de fer un canon d'un calibre respectable
qui, après avoir été bourré jusqu'à la gueule et muni d'un projectile
de fortune, fut installé dans un coin retiré du jardin. Le feu ayant
été mis à notre pièce improvisée, celle-ci éclata et les débris informes
en furent retrouvés à 80 pas en arrière. Le fracas fut à ce point
infernal que le bon curé de Planques, paroisse voisine de Fressin,
nous raconta le lendemain qu'il avait entendu au loin 'une déto-
nation puissante dont il ne s'expliquait pas la cause' [...]. Je n'omet-
tais pas d'apporter mes gants de boxe quand je venais à Fressin
et le grenier de la vieille maison a vu plus d'un magnifique knock
out, où, ni l'un ni l'autre, nous n'usions d'aucun ménagement dans
nos attaques. Un autre de nos exercices favoris était le tir au
pistolet, que nous pratiquions à outrance en déclarant que c'était
très amusant et que 'ça pouvait toujours servir'[3]. »

Ces dispositions devaient faire merveille aux Camelots du Roi.
Bernanos groupa autour de lui un petit noyau d'amis qui s'intitu-
laient, pour bien marquer leur refus de tout conformisme et leur
goût de l'action poussée jusqu'au bout, les « hommes de guerre » :
Guy de Bouteiller, Ludovic de Postis, Yves et Maxence de Colleville,
Charles et Ernest de Malibran. « A l'intérieur de notre groupe,
écrit ce dernier, Bernanos était véritablement l'aîné, le mentor,
par ses sarcasmes parfois violents il nous maintenait dans cette

1. *Bul.*, 26, p. 4.
2. *Ibid.*, p. 8.
3. *C. R.*, p. 258-259.

voie exempte de compromission que nous nous étions tracée[1]. »
Son physique, son éloquence, le feu intérieur qui le brûlait, le
désignaient pour exercer un ascendant irrésistible sur ses camarades.
Georges Morizot se le rappelle « merveilleusement beau, mince,
grand, blond. Ses yeux bleus étincelaient. Déjà émanait de lui cette
aura qui n'a fait que s'accentuer à mesure qu'il avançait en âge[2] ».
Henri Tilliette, qui l'a connu en Artois, complète le portrait :
« Sa voix était un peu pointue, sa diction distinguée et ses propos
déjà fulgurants. Il portait une grande pèlerine noire, dont il ren-
voyait un pan sur l'épaule. Il devait se raser nerveusement, car
ses joues étaient tailladées de petites lignes rouges[3]. »

Discussions interminables et arrosées parfois d'abondantes
libations, plans de bataille, bagarres au quartier latin où l'on descend
le boulevard Saint-Michel « la fleur à la bouche, la matraque au
poing, suivi par les femmes et des camarades éblouis[4] », sièges
soutenus à l'imprimerie de l'*Action française*, rue du Croissant,
ou aux bureaux du journal, chaussée d'Antin –, telles sont les
occupations des jeunes gens lorsque leurs études ne les absorbent
pas. Au mois de mars 1909, à la suite d'une manifestation organisée
contre un professeur de la Sorbonne, Thalamas, qui s'était rendu
coupable d'irrévérence envers Jeanne d'Arc, Bernanos est arrêté
et incarcéré pendant quinze jours à la Santé. Georges Morizot,
qui a été son compagnon de captivité, a évoqué l'atmosphère peu
ordinaire qui régnait dans la prison. Il y avait là, au régime politique,
non seulement des jeunes gens appartenant à des groupements
d'extrême-droite, mais des militants du bord opposé, « une trentaine
de syndicalistes, des costauds, des durs, que Georges essayait de
convaincre ». « Un jour, raconte Morizot, une bagarre folle ! J'arrive
juste à temps pour voir Bernanos pris à la gorge par un géant qui,
le poing levé, s'apprêtait à lui écraser la figure. Je bondis, attrape
une chaise, et, les forces décuplées par la rage, la casse sur la tête
du costaud qui s'effondre. Bagarre générale. Les gardiens accourent
avec leur revolver. Tout le monde est mis en cellule[5]. »

Les vacances universitaires n'apportaient guère de relâche à cette
vie turbulente, car Bernanos continuait, en franc-tireur, son activité
militante à Fressin[6]. Ses expéditions n'avaient pas toujours un but
politique très défini. Il s'agit tantôt d'aller troubler l'office du curé

1. *C. R.*, p. 261.
2. Souvenirs rapportés par François Le Grix, *C. R.*, p. 283.
3. *Bernanos en Artois. Bul.*, 14, p. 13.
4. Michel DARD, *Journal avec Bernanos, C. R.*, p. 294.
5. *C. R.*, p. 284.
6. *Bul.*, 14, p. 13-15.

« cultuelliste » du village voisin[1], tantôt de porter la contradiction à une conférence de Sébastien Faure sur la Sainte Vierge (et le député Broutchoux, mineur de son métier, rend hommage à l'intrépidité du contradicteur), tantôt d'interrompre un discours du radical Ferdinand Buisson au théâtre d'Arras, ou bien d'aller vendre l'*Action française* à la criée dans des conditions prohibées.

S'il se dépensait sans compter pour l'*Action française*, Bernanos, note Henri Tilliette, « ne paraissait pas se soucier beaucoup de ses bases théoriques et maurrassiennes ». Nous aurons tout à l'heure à nuancer cette impression. Mais c'est un fait que tous ceux qui l'ont connu à ce moment-là font état du décalage qui se manifeste dès cette époque entre les dispositions de Bernanos et les positions adoptées par les théoriciens du mouvement. Il est indispensable de prendre la mesure du malentendu pour comprendre les évolutions futures. Il réside, pour l'essentiel, dans le fait que Bernanos est, sinon plus royaliste que le roi (et après tout la formule ne lui conviendrait pas si mal!) du moins, plus activiste que les leaders de l'*Action française*. Il reproche volontiers à Maurras, rapporte Morizot, de se laisser accaparer par des « folles et des vieilles rombières » et de se préoccuper davantage de définitions dogmatiques que d'action. L'année 1911, où Bernanos revient au quartier latin après avoir fait son service militaire à Évreux, dans le 6e dragons, semble autoriser tous les espoirs, tant l'*Action française*, à laquelle se sont ralliés presque tous les groupes d'extrême-droite, manifeste d'initiative et d'agressivité dans ses campagnes. Pas encore assez, cependant, au gré de Bernanos et de ses amis, qui pensent avec nostalgie à ce condottière, le marquis de Morès, dont Drumont avait fait son second, et à ses bandes de « bravi » et de bouchers de la Villette, dans les beaux jours de la *Ligue Nationale antisémitique de France*. Cette impatience ne fit que s'accroître au cours de l'année 1912 : « Les combattants de 1911, écrit Ernest de Malibran, voyaient le 'coup de force' s'estomper, nous avions l'impression d'une sorte de trêve, voire même d'être au service d'un 'arrivisme arrivé'[2] ». C'est ainsi que le petit groupe fut amené à tremper, sans l'aveu de l'*Action française*, dans une conjuration qui avait pour but de rétablir le prétendant don Miguel sur le trône du Portugal. Les vingt-cinq conjurés, dont Bernanos faisait partie, devaient se rendre

---

1. On peut se demander si le souvenir de ce « mauvais prêtre » de Sains-lès-Fressin, dont l'évêque d'Arras avait voulu contrebalancer l'influence en envoyant dans le même village un « saint prêtre » qui logeait dans une ferme et célébrait les offices dans une grange, n'a pas eu quelque influence sur la création du couple Cénabre-Donissan.

2. *C. R.*, p. 263.

maîtres de la flotte dans la rade de Lisbonne, tandis qu'un autre groupe opèrerait en Angola[1]. Inutile de dire que l'équipée avorta.

Il ne faudrait pourtant pas se représenter le Bernanos de cette époque comme un pur homme de main. Le journalisme l'attire, et il offre sa collaboration, en 1909, à un petit journal hebdomadaire, paraissant au quartier latin, sous le titre de *Soyons Libres*. Celui-ci s'annonçait comme l'« organe du libéralisme intégral », et il portait en exergue cette phrase de la Déclaration des Droits de l'Homme et du Citoyen : « *Il y a oppression contre le corps social lorsqu'un seul de ses membres est opprimé.* » Le directeur de cette publication était un basque pieux et violent, grand admirateur de Lamennais, sur lequel il avait écrit un livre en collaboration avec le P. Gaffre[2]. On peut s'étonner de voir le camelot du roi participer à la rédaction d'un journal dont l'orientation paraît assez éloignée du maurrassisme. Voyons-y la preuve de la sympathie qu'il éprouvera toute sa vie pour ceux qui se réclament sincèrement de la liberté. Mais il est non moins significatif de le voir développer sans concession, dans le seul article qu'il fit paraître dans *Soyons Libres*, des idées auxquelles le plus pointilleux disciple de Maurras n'aurait sans doute trouvé rien à redire. Il s'agit d'une critique assez féroce de l'œuvre de Marcel Prévost, très intéressante pour connaître la pensée de Bernanos à cette époque, surtout si on la rapproche d'un article sur *Léon Daudet romancier* qui date probablement de la même année, mais demeura inédit, peut-être, tout simplement, parce que *Soyons Libres* cessa de paraître peu de temps après que Bernanos eut commencé d'y collaborer. L'article sur Marcel Prévost, intitulé *Les Effets du préjugé démocratique dans le monde des lettres*, déborde en effet très largement la personnalité de l'auteur des *Demi-vierges*. Bernanos y résume les thèses essentielles de Maurras sur la nocivité du romantisme, conçu comme le fruit empoisonné de l'idéologie jacobine. Marcel Prévost n'y intervient que comme le premier exemple – que d'autres devaient suivre – du pouvoir dissolvant d'une école qui sape à la fois la tradition et le sens moral. Tout cela n'aurait guère d'originalité, si Bernanos ne laissait apparaître, vers la fin de son article, les raisons profondes de son panégyrique de l'ordre. Il y avoue en effet ses complaisances envers un certain romantisme sentimental, dont les savantes corruptions analysées par Prévost ne sont que la postérité dégénérée : « Il fut un temps – vers 1830 – où beaucoup de femmes mouraient en vers, et, bien

---

1. Sur cette affaire, et sur les polémiques qu'elle suscita au moment de la rupture de Bernanos avec l'*Action française*, cf. *C. R.*, *ibid.*, et *Bul.*, 17-20, p. 41 sq.

2. Cf. les souvenirs de Léo Crozet dans *Bul.*, 14, p. 2-3.

qu'il m'en coûte de l'avouer, j'aime leur charmante, naïve et menteuse agonie[1]. » L'aveu ne saurait nous surprendre après les lettres à l'abbé Lagrange et ce que Bernanos y dévoile de ses tendances au vague à l'âme. Mais nous savons aussi comment il se raidit contre ce qu'il considère comme une menace mortelle pour l'homme qu'il se sent appelé – *vocatus* – à devenir. C'est exactement pour la même raison qu'il lutte de toutes ses forces – comme il le lui avouera en 1926 – contre les résonances qu'éveille en lui la poésie d'Anna de Noailles :

> Je ne puis seulement ouvrir l'un de vos livres sans rougir de vous avoir laissé ignorer qu'ils sont depuis longtemps mes ennemis familiers, que je repousse de toutes mes forces le grand bruit que vous faites de mer lointaine et de feuilles remuées, et qu'un des buts de ma pauvre vie est de vous renoncer parfaitement[2].

Contre ces menaces d'amollissement et de dispersion, la riposte pourrait être le refus de la sensibilité et le retranchement dans les zones glacées de l'intellectualité pure. Tel n'est pas du tout le sens dans lequel les idées de Maurras orientent Bernanos. S'il songe à ordonner sa sensibilité, ce n'est point pour la briser, mais bien au contraire pour la rendre plus intense et pour lui donner cette concentration qu'ignoreront à jamais ceux qui ne sont occupés que de multiplier et de rendre plus rares leurs sensations. Ce sont eux que Bernanos prend à partie dans la conclusion de son article qui, d'être écrite à la Santé, gagne encore en ardeur démonstrative et en exaltation nietzschéenne de la pure énergie :

> Guerre à cette race d'énervés! Ces voluptueux ne savent point sentir. Car il ne s'agit point de multiplier à l'infini des sensations successives, et de nature diverse ou contradictoire, mais en les resserrant avec force autour d'une grande passion, d'exalter les puissances de notre sensibilité. Malheur à ceux qui n'ont point connu le rude plaisir d'écouter au fond de soi le choc d'une insulte, et tous les nerfs s'accorder en cadence, au rythme d'une haine unique! Que troublés de plaisirs délicieux mais fugitifs, ils ne se lassent point de rallier ces convictions simples et fortes à qui nous devons de voir parfois notre unité intérieure nous apparaître comme en un coup de tonnerre.
>
> Laissons ces fous à leurs songes. Au moment où j'écris ces lignes (derrière les murs de la Santé), un gardien s'efforce à ma porte de pousser les verrous. Mais il a beau faire. Le geste inutile et bruyant m'a rempli le cœur, non point du sentiment de mon impuissance, mais d'une orgueilleuse liberté. Je rends grâce à ma conviction

1. *Bul.*, 14, p. 6.
2. Lettre du 18 octobre 1926. *L'Esprit des Lettres*, mai-juin 1955.

d'avoir si bien tout ordonné en moi, que chaque événement de ma vie me pousse à elle, et elle à mon but. Tel est le privilège des âmes organisées. Le troupeau des rhéteurs peut en rire : je souhaite à tous les écrivains tiraillés de désirs divers, à toutes les âmes menacées de dissolution, une discipline mentale de camelot du roi[1].

C'est cette concentration de toutes les puissances d'un être sollicité par une imagination fougueuse et par « une sensibilité affinée jusqu'au martyre » que Bernanos admire chez Daudet. Qu'il se représente un peu l'auteur des *Morticoles* à l'image de lui-même – d'un lui-même qui ne s'est pas encore révélé mais qui viendra peu à peu au jour – c'est ce que prouvent les phrases où il nous le montre assiégé par les personnages qu'il crée : « Ils paraissent tirer non de leur auteur, mais d'eux-mêmes, de leur propre substance, leur effrayante réalité. » Et, à propos de la douloureuse gestation des pages qui doivent être écrites : « Ah! quand elles étaient encore dans les limbes, prévues et non conçues, qu'elles devaient obséder l'écrivain, qu'elles devaient charger sa pensée!... Et de les avoir écrites, quelle délivrance! » Le mérite de Daudet n'en est que plus grand d'avoir su discipliner ses fantômes, non à l'aide d'une contrainte extérieure, mais grâce à l'exigence insatiable de lumière que nourrit sa nature shakespearienne :

> Dédaigneux de composer un monde à sa convenance et d'y animer des personnages de fantaisie, il frappe à grands coups redoublés la porte de son enfer dantesque, pour l'ouvrir à la lumière et à la liberté. Le sens de l'ordre catholique et sa propre vitalité l'ont sauvé du sort de Tolstoï, dont le souvenir semble le hanter. Il rassemble ses héros pour les jeter à la conquête de l'ordre comme des soldats dans la mêlée. Il se bat à leurs côtés contre toutes les fatalités de la race et du destin, pour la conquête de ce libre arbitre, fondement de la conscience humaine, avec la Foi rédemptrice devant lui, derrière lui le désespoir et le néant[2].

Comment ne pas entendre dans cette conclusion la voix prophétique qui annonce l'œuvre future ?

Il est probable que l'activité journalistique de Bernanos entre 1909 et 1913 ne se borna pas à ces deux articles, dont l'un ne fut pas publié. « Georges courait les rédactions pour placer nos articles[3] », écrit Ernest de Malibran évoquant les souvenirs de 1913, où il

---

1. *Bul.*, 14, p. 6.
2. *Ibid.*, 14, p. 9.
3. *C. R.*, p. 264. Ajoutons que Bernanos publia aussi, en avril 1909, dans le *Bulletin de l'Association des Anciens Élèves du Petit Séminaire de Bourges*, le compte rendu d'un recueil de contes berrichons, *Ceux de chez nous*. Cf. *Crépuscule*, p. 129-134.

partagea avec Bernanos, à partir du mois d'avril, un entresol boulevard Arago. On trouve en effet, sous la signature de celui-ci, un nouvel article sur Marcel Prévost dans *Le Mail* en 1913, ainsi qu'une nouvelle, *Virginie*, dont nous reparlerons, et, à la date du 2 septembre, dans l'*Action française*, un article, d'un romantisme assez exalté, sur la Malibran[1]. Mais les journaux de l'époque réservent sans doute d'autres trouvailles aux chercheurs. C'est en tout cas en 1913 que cette activité journalistique va devenir pour le chef des « hommes de guerre » une occupation régulière et (modestement) rémunératrice. En septembre de cette année, il est en effet appelé, sur la recommandation de Léon Daudet – qu'il vit pour la première fois, semble-t-il, à cette occasion[2] –, à la direction de *L'Avant-Garde de Normandie*, « Organe du Nationalisme Intégral en Haute-Normandie ». Il emmène avec lui, en qualité de secrétaire de rédaction, son ami et compagnon de chambre Ernest de Malibran.

Nul doute qu'il ait été enchanté de l'existence, si conforme à son tempérament d'écrivain et de lutteur, qui s'offrait à lui. Malibran a évoqué l'atmosphère amicale et sympathique qui régnait au journal. Bernanos lui-même, revenant sur cette période, parle des « plus beaux mois, des seuls mois radieux de ma vie[3] ». On comprendra mieux encore l'émotion avec laquelle il l'évoque lorsqu'on saura qu'il connut à Rouen celle qui allait devenir sa femme, la fille de Mme Talbert d'Arc, descendante authentique d'un des frères de Jeanne d'Arc, et présidente des dames d'Action française de Rouen.

A son travail de journaliste, il se donne, comme d'habitude, sans compter, écrivant un article presque chaque semaine et ajoutant souvent une revue de presse bien documentée. Ces articles n'ont pas encore été entièrement dépouillés, mais ce qui en a été publié permet de se faire une idée assez exacte du ton que Bernanos donne au journal[4].

Ce ton est extrêmement violent, et Léon Daudet, en recommandant le nouveau directeur dont il connaissait la fougue, comptait bien que cette violence réveillerait la somnolente avant-garde provinciale qui laissait mourir doucettement son journal. Bernanos

---

1. Reproduits l'un et l'autre dans *Crépuscule*, p. 143-144 et 177-181.
2. C'est ce qu'on peut conclure, sans prendre parti sur les faits mis en cause dans cette abjecte polémique, des déclarations de Léon Daudet dans l'*Action française* des 13 et 19 novembre 1932. (*Bul.*, 17-20, p. 39 et 48.)
3. *Figaro*, 17 novembre 1932. Cf. *Bul.*, 17-20, p. 44.
4. Cf. en particulier Georges VAURY, *A l'« Avant-Garde » de Rouen*, *C. R.*, p. 267-273. Ces articles doivent être publiés par Antoine Travers. Cf. aussi Joseph DAOUST, *Bernanos contre Alain*, dans *Écrits de Paris*, décembre 1953.

a évoqué lui-même, en présentant vers 1927 son ami Robert Vallery-Radot au public rouennais, l'impression que fit son passage dans la capitale de la Haute-Normandie :

> Mesdames et Messieurs, alors que je scandalisais avec mon petit journal votre bonne et vieille ville si attachée à ses traditions provinciales de prudence, de ménagement réciproque, de bienveillance un peu sceptique[1]...

Prudence, ménagement, bienveillance, ce n'est assurément pas là les qualités dont use Bernanos dans ses éditoriaux politiques de l'« Avant-Garde de Normandie ». Qu'il s'agisse de Marc Sangnier, sa vieille bête noire d'Aire-sur-la-Lys, du proconsul Sarraut, du scandale Caillaux et du procès qui lui fait suite après l'assassinat de Calmette par la femme du ministre, Bernanos se déchaîne avec une allègre férocité. Mais sa tête de turc préférée, l'adversaire avec lequel il aime se mesurer parce qu'il a de la classe et de l'influence, c'est le philosophe Alain, professeur au lycée Corneille, qui collabore à la radicalisante *Dépêche de Rouen*. Il le tutoie, le couvre d'injures, lui prête les pensées les plus basses :

> Ce n'est pas ton idée que je méprise, c'est toi-même, lui dit-il en réponse à un article où Alain a réclamé la démocratisation de l'armée. Qui n'a pas vu, dans les cours de nos casernes, errer ces pions stupides ? On les reconnaît au front étroit et têtu derrière le binocle professionnel, à leurs yeux sans fierté, à leur démarche gauche et oblique. Ces demi-illettrés, enflés d'un peu de morale civique, ne sauraient même pas en imposer au plus jeune des sous-lieutenants, sorti dernier de la promotion de Saint-Cyr[2].

Le désignant comme l'un des responsables des massacres qui feront couler le sang français, il s'écrie :

> C'est ta silhouette infirme et l'ombre de tes deux oreilles d'âne qui s'étendra, le soir de la défaite, sur nos champs sacrés couverts de morts. Tu auras pointé le canon Krupp droit au cœur de ta patrie. Le maître d'école allemand, c'est toi[3] !

Non moins significatifs que ces déchaînements polémiques sont les articles où Bernanos rend hommage aux maîtres de sa pensée. Celui qu'il adresse à Maurras est aussi remarquable par la sincérité de l'admiration qu'il manifeste que par la manière libre et poétique dont il explique le rayonnement de la pensée du maître :

---

1. *Bul.*, 12-13, p. 27.
2. *C. R.*, p. 269.
3. *Ibid.*, p. 270.

Charles Maurras, contre l'Étranger, défendit tout l'héritage : les claires images de nos poètes, la méthode de nos philosophes, la politique de nos rois, la religion qui forma nos consciences. Derrière lui, avec les héros constructeurs et défenseurs de notre nationalité, je vois le sol de la patrie, nos harmonieuses collines dans un ciel libre et léger, nos villes, nos villages, qu'un régime imbécile livrait au contact impur du conquérant, et que cette pensée vigilante et armée a mieux servi que nos canons.

Certes, avant que d'écouter les leçons d'un tel maître, par nos origines, par nos instincts profonds, par mille fibres, oui, nous appartenions à la France, mais il a discipliné cet amour et, doublant notre élan par l'accord de l'intelligence et du cœur, il nous a donnés [à elle] tout entiers [1].

Mais c'est encore à Léon Daudet que va le plus intime de son assentiment. Alors que, éclairée par Maurras, dit-il, « la vérité un peu austère vers qui nous tendions les bras menait encore au milieu des constellations sa danse savante et pure [...] l'ardent génie de Léon Daudet dota d'un corps palpable, d'une chair vivante, d'un jeune sang vermeil la vérité désirée [2] ».

A côté de ces noms célèbres et familiers, un nouveau nom apparaît sous la plume de Bernanos. C'est aussi celui d'un de ses maîtres, mais il ne le sait pas encore. Le 1er février 1914, il rend compte du dernier livre du moine bénédictin Dom Besse, *Les Religions laïques (Un romantisme religieux)*. Il se montre fort impressionné par « cette nature, vigoureuse jusqu'à la raideur, et que la plus ardente conviction vivifie, sans parvenir à l'agiter ». Pour résumer l'efficacité d'une pensée dans laquelle « en même temps que l'enthousiasme, la haine trouverait son aliment », il emploie cette formule compromettante : « Il tue sans effusion de sang [3]. » Le critique enthousiaste ne tardera pas à entrer en relations directes avec ce redoutable moine et à subir son ascendant.

L'un des caractères par où se marque, à l'« Avant-Garde de Normandie », l'influence du nouveau directeur, est la place relativement importante accordée à la littérature. Bernanos, à l'occasion, prend lui-même la plume pour saluer *La fausse étoile* de Léon Daudet ou *Les Déracinés* de Barrès, il met à profit la coïncidence qui amène le théâtre de Rouen à jouer *Le Fléau* de Verhaeren le jour de la mort de Mistral pour opposer les morbides obsessions du Belge à la vigueur lumineuse du Latin, il dénonce les ferments d'anarchie que recèle une pièce comme *Denise* de « l'Ancêtre

1. Article du 2 novembre 1913. *Bul.*, 17-20, p. 2.
2. Article du 6 juin 1914. Cf. *Crépuscule*, p. 162-164.
3. *L'Herne*, p. 16.

Dumas ». Mais il ne se contente pas de remplir, occasionnellement, le rôle de critique littéraire ou théâtral. Il publie également dans le journal trois brèves nouvelles dont il est l'auteur : *La Muette*, *La Tombe refermée* et *La Mort avantageuse du Chevalier de Lorges*. Avec *Virginie ou le Plaisir des champs*, publiée dans *Le Mail* en août 1913, elles nous permettent de mesurer le chemin parcouru depuis le temps du « Panache »[1].

Si l'on met à part *La Mort avantageuse du Chevalier de Lorges*, qui se rapproche beaucoup, par le ton et par le sujet, des nouvelles de 1907 (on y trouve cette belle vision funèbre : « il était mort après une heure d'agonie, dans un silence farouche, les yeux fixes, et comme retournés vers son cœur »), ces œuvres présentent entre elles des ressemblances assez frappantes. Il s'agit, chaque fois, de scènes à deux personnages, dont l'un incarne les puissances du sentiment et l'autre une certaine paralysie de l'âme : une avarice intérieure, une froideur ou une rusticité qui arrêtent tout épanchement et rendent impensable tout don de soi-même. La manière dont ces deux personnages se partagent les sympathies de l'auteur varie selon les trois nouvelles. L'héroïne de *Virginie* est une châtelaine romanesque qui s'apparente à ces beautés rêveuses et languissantes de 1830 pour lesquelles Bernanos avouait, non sans mauvaise conscience, avoir eu un faible. Entre elle et un mari terre-à-terre et égoïste, ne rêvant que guerre et chasse, mais sincère du moins dans sa recherche d'un bonheur à sa mesure – ce qu'on ne saurait dire de sa femme – l'auteur se refuse à choisir : « dans ce débat qui des deux l'emporte ? Moi, je trouve qu'ils poursuivent des ombres ». L'impuissance et la fermeture sur soi sont identiques chez la fausse idéaliste et chez le rustique viveur. L'idéalisme féminin se charge, dans *La Muette*, de caractéristiques nettement défavorables. Il est incarné par une romancière à la mode, Mme Romains, orgueilleusement repliée sur sa solitude malgré ses prétentions au sentiment. Par goût de la fleur bleue, elle pousse un officier à démissionner de l'armée pour faire un mariage d'amour. Son projet se heurte à la volonté de l'oncle de la jeune fille, un vieux militaire maladroit et bourru, mais animé envers son métier d'un sentiment aussi simple que profond : « Je ne discute point. J'aime… » Mortellement blessé par une chute de cheval, il arrache à la romancière la promesse de ne pas favoriser le mariage, en lui révélant qu'il l'a aimée dans sa jeunesse et qu'il a sacrifié cet amour au service de la patrie. Dans *La Tombe refermée*, les rôles sont inversés. C'est l'homme,

1. On trouvera le texte de ces quatre nouvelles dans *Pl.*, p. 1739-1748.

M. de Candolle, qui est incapable de véritable amour, non par
sentimentalisme, mais par scepticisme, par sécheresse de cœur et
par peur de la vie. Parce qu'elle croit à l'amour, sa partenaire
perce le secret de cette existence plus morte que la mort et se dérobe
au sortilège de ce nouveau *Colloque sentimental*.

A travers leur affabulation un peu naïve, ces trois nouvelles
laissent aisément transparaître les conflits intimes de l'auteur. En
face de l'univers passionnel, dont les forces lui sont depuis longtemps
familières, ses réactions sont ambivalentes. Méfiance d'une part,
envers un sentimentalisme qui se nourrit de chimères et sape les
fidélités profondes, instinctives, que ses traditions familiales et sa
formation maurrassienne lui ont appris à révérer. A tout prendre,
plutôt le dévouement sommaire de la vieille « culotte de peau »,
ou même l'attachement du hobereau rustique aux plaisirs de l'existence, que l'artificielle sensibilité de la romancière à la mode. Mais,
à l'opposé de cette sensibilité orgueilleuse et dévoyée, il y en a une
autre qui est faite d'humilité et d'adoration et qui accueille avec
une ferveur religieuse toutes les forces de vie à l'œuvre dans l'univers.
C'est en son nom que l'héroïne de *La Tombe refermée* crie à son
sceptique compagnon :

> Laissez l'amour [...]. En vain vous l'accuserez de mensonge :
> c'est pour multiplier son bienfait qu'il apparaît sous tant de traits,
> diligent, subtil et divers en la flamme, source visible à peine,
> torrent qui tout emporte, petite lumière dans la nuit, puis tout à
> coup fontaine de clartés jaillissantes, éblouissement des yeux,
> ferveur du monde. Peut-être, en bravant son pouvoir, auriez-vous
> quelque grandeur si, dans le même moment, il ne vous prodiguait
> ses dons. Ce que vous niez vous presse de toutes parts. O dérision !
> C'est en lui que vous prenez la force de le méconnaître et de le
> calomnier !

Ce monologue a déjà, dans sa conclusion, l'accent et la profondeur
des paroles que le curé d'Ambricourt adressera à une Chantal ou
à une comtesse désespérément dressées contre Dieu[1], de même que
se laissent pressentir, dans la figure de la romancière vidée de sa
substance et dans celle du vieil homme de lettres sceptique et avare
de lui-même, les personnages de Ganse, de Saint-Marin et même
de M. Ouine :

[1]. On rapprochera également cette conclusion des paroles de l'abbé
Donissan à Mouchette : « Ah ! voyez-vous, Dieu nous assiste jusque dans
nos folies. Et, quand l'homme se lève pour le maudire, c'est Lui seul qui
soutient cette main débile ! » (*Pl.*, p. 199-200).

Mme Romains ne cède jamais à la mélancolie, sinon la plume à la main – ou c'est qu'elle veut donner à ses sentiments un degré convenable d'exaltation, ou encore pour réveiller sa fierté – ainsi réchauffe-t-elle ses livres ingénieux et élégants, mais froids. Cependant, l'incomparable douceur du soir étend partout son empire et, pour un moment, l'écrivain vieilli retrouve dans son âme, au-dessous de beaucoup de cendre, des illusions obstinées [1]...

Plus grave encore est l'endurcissement de M. de Candolle, « homme d'État, diplomate, écrivain, ornement de la *Revue des Deux Mondes*, futur immortel ». Sa prétention jalouse à rester maître de lui-même en a fait un mort vivant :

Si les agitations de votre âme, si vos élans ne s'éparpillent point, lui dit sa partenaire, c'est qu'ils sont limités aux quatre coins du cercueil. Dans le tombeau, oui, vous vous concentrez, vous vous repliez sur vous-même – mais c'est que votre être se dissout. Lorsque vous atteindrez cette parfaite possession de soi qui est votre idéal, possession illusoire! vous finirez de vous abîmer dans le néant [2].

Contre cette dissolution, contre cette mort de l'âme, qu'elle provienne d'une sentimentalité factice ou d'une intellectualité stérilisante, le Bernanos de 1914 en appelle à une véritable sensibilité, c'est-à-dire à une sensibilité humble, adorante et prodigue d'elle-même.

Malgré leurs évidentes imperfections, les nouvelles dont nous venons de parler montrent que les dix mois passés à Rouen ont apporté à Bernanos autre chose que l'occasion de dépenser en polémiques outrancières une énergie encore incertaine de son emploi. Comment ne pas sentir, cependant, qu'il est encore loin d'avoir trouvé sa voie, et que celle dans laquelle il est engagé comporte, pour une personnalité comme la sienne, plus de tentations que d'incitations à rejoindre ce moi profond, à la recherche duquel il était parti d'un si bon pas au temps de sa correspondance avec l'abbé Lagrange ? Si l'exercice du journalisme lui a permis d'aiguiser une certaine verve de polémiste qui est sans aucun doute inséparable de son être même, il a aussi accentué en lui une manière péremptoire et hâtive de voir les choses, et, sous couleur de dévouement à la bonne cause, une inconsciente volonté de puissance et une certitude orgueilleuse d'être dans le vrai qui obscurcissent sensiblement la pureté de son regard.

1. *Pl.*, p. 1741.
2. *Ibid.*, p. 1745.

C'est alors que la guerre va l'obliger à un long tête-à-tête avec lui-même. Mais déjà s'est manifesté, au moment où elle éclate, une sorte de signe du destin. Poussés par leur esprit d'aventure, Maxence de Colleville, Guy de Bouteiller et Ernest de Malibran – ceux des « hommes de guerre » qui furent les plus proches de Bernanos – sont partis pour la République du Paraguay. N'est-ce pas le signe que les temps de la jeunesse sont finis et que les vrais combats doivent se livrer sur un théâtre plus vaste que celui d'un groupe d'amis ou d'un petit journal de province?

Chapitre III

La guerre des hommes

A voir l'insistance avec laquelle Bernanos, tout au long de son œuvre, revient sur ses années de guerre, oppose les illusions du front aux déceptions de la paix, les dispositions de l'Avant aux abjectes combinaisons de l'Arrière – du Derrière, comme il dit volontiers –, on serait tenté de se le représenter comme l'Ancien Combattant-type, celui qui n'a jamais pu se guérir d'avoir vécu quotidiennement, pendant quatre ans, une vie dure mais héroïque, éclairée par le sentiment du devoir indiscutable et réchauffée par la saine camaraderie qui rapproche les hommes.

Nous sommes loin du compte. Il a pris lui-même la peine, dans *Les Enfants humiliés*, de nous éclairer sur les conditions extérieures de son expérience de la vie militaire :

Je ne suis pas [...] de ceux que la guerre a révélés à eux-mêmes, tirés d'une boutique ou d'un bureau pour en faire de magnifiques aventuriers, puis rendus brusquement au bureau ou à la boutique. J'ai servi au sens le plus strict, servi comme un serviteur, un homme à tout faire, un homme de peine, un homme qui n'a pas de métier, un manœuvre. Réformé en 1908 après quelques semaines de présence au corps, engagé fin août 1914, grâce à l'obligeance du commandant de dépôt, et grâce à la même obligeance expédié huit jours plus tard à la brigade de spahis, en qualité d'agent de liaison cycliste, revenu fin décembre au quartier du 6ᵉ Dragons à l'expiration d'un congé de convalescence, reparti fin février sans que ma situation ait jamais été tirée au clair – catastrophe qui m'eût valu de suivre les cours, de « faire mes classes » avec les bleus, les récupérés, les mal fichus – je suis entré dans la grande usine, ignorant les principes dont l'observation vaut au cavalier en campagne son trésor le plus précieux, la bienveillante indifférence des officiers – incapable de plier un manteau, de bourrer une sacoche, de poser à plat une selle de x kilos, mais plein des illusions de l'équitation civile, de l'équitation d'amateur, qui me valurent, d'emblée, le mépris de mon cheval Haricot et celui de l'adjudant Vaudreville. J'ai commencé de servir au niveau le plus bas, les tempes déjà grises, et, n'honorant rien de plus au monde que la besogne bien faite, contraint de mal faire la mienne, de gâcher, avec le mien, le travail d'autrui [1].

Ajoutons, pour compléter les états de service de ce soldat, qui ne fut jamais, comme Péguy par exemple, très à l'aise dans l'armée, qu'il fut ensuite versé dans l'aviation [2] et promu au grade de brigadier. Et essayons de nous représenter ce que furent pour lui, intérieurement, ces quatre longues années.

On aimerait pouvoir – tant sont importantes les transformations qui s'opèrent en lui durant cette période – suivre de façon précise son évolution, mais c'est impossible, étant donné la manière très vague dont ses lettres de guerre sont datées. Tout ce qu'on peut dire – et encore cette constatation ne vaut-elle que de façon très globale – c'est que Bernanos a vécu les premières années de la guerre dans une obscurité et dans une révolte qui s'atténuent ou du moins qui prennent un sens à partir de 1917. Deux raisons, à première vue, à ce changement : son mariage, et sa correspondance avec Dom Besse, qui commence au début de cette année.

D'abord la révolte, le dégoût, le sentiment de l'inutilité du combat. Alors que de nombreux royalistes oublient leurs griefs contre la République pour consacrer toutes leurs forces à la défense de la patrie et adhèrent sans réticences à la mystique de l'Union Sacrée, Bernanos est de ceux chez qui la méfiance et la rancune ne se laissent pas réduire au silence. Non seulement il augure les pires catastrophes d'une politique qui livre les destinées du pays aux « braillards du parlement » et au « gueux adroit qui depuis deux ans se rit de la France et du monde [3] », mais il gémit de honte à voir « les royalistes français pactiser, même en apparence, avec la canaille hystérique qui fait échange de coups de poing et de verres d'eau devant nos ennemis attentifs [4] ». Il ne fait pas de doute pour lui que ceux qui tiennent les rênes du gouvernement sont mus par les seules préoccupations électorales et ne songent qu'à utiliser les sacrifices des combattants pour étayer un ordre moral dont ils sont les seuls bénéficiaires, « cet ordre moral dont ils ont inventé le nom pour cacher leurs anciennes lâchetés et qui est le contraire de l'ordre,

1. *Enfants*, p. 49-50.
2. Bernanos déclarera à Michel Dard qu'il a 46 heures de vol à son actif à bord de vieux Farman (*C. R.*, p. 294), et il évoquera devant André Laugier ses souvenirs d'aviateur (*C. R.*, p. 315). Mais il convient, disons-le à l'intention des chercheurs futurs, de ne suivre Bernanos qu'avec prudence sur le chapitre des souvenirs de guerre.
3. *Lettres de Guerre. Études*, mai 1949, p. 171. Le gueux en question est évidemment Poincaré.
4. *Ibid.*, p. 172.

puisqu'ils sanctionnent et sanctifient ce désordre dont ils sont res-ponsables ». Il est significatif de voir apparaître chez Bernanos, dès le début de la guerre, un thème qui restera jusqu'à la fin de sa vie, au centre de sa pensée politique, celui d'un ordre qui est le masque et l'alibi d'un désordre profond, et qui réconcilie des hommes unis par d'inavouables intérêts[1]. Non moins évidente est la naissance précoce de cette autre obsession du polémiste : celle de voir confis-quer et exploiter dans un sens immoral par les politiciens une victoire acquise par les hommes au cœur pur.

Mais, à vrai dire, il ne songe guère à la victoire et n'y croit guère, tant est faible sa confiance dans les gens qui tiennent entre leurs mains le sort du pays : « On parle de nous relever à la fin du mois, à cause de cette grande, victorieuse et décisive attaque qui nous doit donner l'empire du monde. Moi, vous savez, je veux bien. Depuis que les journaux m'ont appris que la Seine déborde, j'espère qu'elle ira jusqu'à la caverne d'Ali-Baba noyer les parlementaires[2]. »

Il était nécessaire d'évoquer ces dispositions profondément sceptiques en ce qui concerne la conduite et l'issue du combat pour comprendre le désarroi dans lequel Bernanos va vivre l'essentiel de ces années. Sans doute ce désarroi a-t-il d'autres raisons, mais il faut bien se dire que le combattant ne puise aucun réconfort dans la conscience de la cause pour laquelle il se bat. Quelles sont ces autres raisons ? Essentiellement un désordre intérieur qui fait apparaître ce qu'avait de factice et de provisoire la concentration de son moi autour d'une forte conviction, dont il était si fier au temps de l'action militante. Lorsqu'il écrit à sa fiancée, il a tendance à attribuer ce bouleversement à la violence de son amour : « Vous êtes cause que j'offense tous les jours les saintes vertus de l'obéis-sance, de la résignation, de l'espérance et de l'humilité. Vous êtes mon cher péché. » « Il n'y a plus d'ordre dans ma vie, tant je vous aime[3]. » Il est pourtant évident que le désordre qui s'est installé en lui a des causes plus générales et plus inquiétantes. L'ordre même qu'il croyait y constater naguère était-il autre chose qu'appa-rence trompeuse ? Évoquant le moment où il a pris conscience de cette vérité, il avoue à Dom Besse : « La dispersion de ma vie passée m'apparaissait effroyable, d'autant plus qu'elle contrastait

---

1. Cf. *Peur*, p. 98-102 ; *Cimetières*, p. 209-210, 334 ; *Anglais*, p. 125, 205 ; *Chemin*, p. 466 et sq., etc... Il faut pourtant préciser que le désordre auquel pense Bernanos en 1915 semble être surtout un désordre politique, alors que c'est, de plus en plus, l'injustice sociale qu'il accusera les « hommes d'ordre » de vouloir camoufler.

2. *Études*, p. 172.

3. *C. R.*, p. 28.

avec un dogmatisme hautain, bien ridicule[1]. » Et il invite le même correspondant, dans une des premières lettres qu'il lui adresse, à mesurer les tentations auxquelles il doit faire face : « Je me bats contre des ennemis beaucoup plus dangereux que les bonshommes du roi Guillaume. Il y a telle ou telle voix qui me tente dont l'accent est si noble et si justicier que je ne sais m'en défendre, mais elles soulèvent en moi une cohue... »

La cause profonde de tout ce trouble, n'est-ce donc pas cette disposition sombre et hautaine qui, sous couleur d'attachement à l'absolu, amène Bernanos à parier pour le néant et fait de lui, à la lettre, un désespéré? C'est bien ce qui semble ressortir de la lettre où, annonçant à Dom Besse la naissance de sa fille Chantal, il ajoute :

> Fasse le ciel qu'elle ne tienne pas de moi par le mauvais côté, ce coin noir où je me retire, aux heures mauvaises, pour ruminer contre le genre humain! Il y a là-dedans une foule de pensées rampantes, que je n'ai pas le courage d'écraser, et qui remuent toujours. L'âne romantique, en quittant son gîte, y a tout de même laissé sa litière empoisonnée.

Un désespoir total, compact, tel est bien l'état d'esprit que nous révèlent les premières de ses lettres à son ami J.-M. Maître. Le sentiment de la vanité du combat, dont nous connaissons les causes, y éclate avec une particulière dureté :

> Les événements ne sauraient m'arracher à mes sombres méditations. Ce siècle est trompeur, bon vieillard, et la vieille bonne gloire a menti. Je ne sais ce que je défends ni ce pour quoi je puis mourir. Étonnante stupidité! Par-dessus la tête du pauvre cavalier, qui n'a que sa cape et son sabre, Messieurs les diplomates roulent leurs appeaux dans leur sucre. Tenons bon seulement pour l'honneur, et parce qu'il ne faut pas que le fruit de nos travaux soit perdu. J'ai décidé que mon épitaphe porterait seulement ces deux lignes : *Ci-gît l'homme qui se battit et mourut pour sa satisfaction personnelle et pour faire enrager ceux qui ne se battent ni ne meurent*[2].

Cruelle satisfaction, et amer soutien! Non moins vide d'espérance nous apparaît ce passage d'une autre lettre, où le dessein de bien mourir relève beaucoup plus d'une volonté tendue à la manière stoïcienne que de l'abandon à la Providence divine :

---

1. Le texte des lettres à Dom Besse se trouve dans *Bul.*, 11, p. 2-10.
2. Lettre de septembre 1915, *C. R.*, p. 31.

Et il est vrai que nos forces morales sont à bout, et que jamais la plus brutale bêtise ne fut élevée sur un plus haut piédestal. Le monde se dispute entre la force aveugle et la niaiserie libérale. Nous n'y avons plus ni place ni lieu. C'est ici que Dieu nous attend.
Il nous reste aussi beaucoup d'injures à venger.
Restons fidèles à nos haines et à nos amitiés [...]. Il faut seulement se regarder mourir, quand il est temps. Pense que nous garderons éternellement ce visage que nous nous serons alors composé[1].

Non seulement il remâche la triste satisfaction d'avoir prévu la catastrophe[2], non seulement il constate avec horreur que « le cœur du pays n'est pas touché » par le châtiment et qu'il faudra de nouveaux bains de sang pour l'émouvoir[3], mais il éprouve une humiliation physique, une répulsion animale en face de la qualité de souffrance qui lui est octroyée : « Hélas! écrit-il à sa fiancée, il ne fut donné qu'à Dieu de consommer son sacrifice du haut d'une montagne! J'endure le mien dans des lieux aussi *sales*, aussi bas, aussi puants que vous pouvez croire, et j'en sens toute l'humiliation avec la triste perspicacité, la conscience nette et claire d'un homme – oui, d'un homme – ... et non pas vos douces âmes chimériques[4]. » Le début d'une de ses premières lettres à Dom Besse est baigné par cet écœurement qui s'enracine au-delà de la part rationnelle ou même sensible de l'être humain :

Ah! ce n'est pas seulement la raison ni le sentiment qui souffrent ici violence! La terre n'est pas tant bouleversée qu'irréparablement souillée. Le démon dans l'homme doit triompher de cette monstrueuse, de cette écœurante satiété qui paraît l'égaler à Dieu et ressemble affreusement au repos du septième jour. Décidément le *non occides* s'applique moins bien à cette orgie que le sixième commandement. Ce qu'il y a d'impur dans la guerre se manifeste à tous les yeux[5].

C'est au fond de ces ténèbres que se manifeste le salut. En éclairer parfaitement les voies serait pénétrer les derniers secrets

1. Lettre de mars 1917. *C. R.*, p. 32.
2. « Hélas! nous qui le sentions, nous qui l'avions prévu, nous qui devions sans doute consommer notre sacrifice sans ivresse et sans illusion... » (A sa fiancée, 1916, *Études*, p. 175).
3. 29 février 1916. *Ibid.*, p. 173.
4. *Ibid.*, p. 174-175.
5. *Bul.*, 11, p. 2. Selon Georges Poulet, l'expérience de la boue des tranchées aurait joué un rôle déterminant dans la constitution des images du mal chez Bernanos (*Le temps d'un éclair*, dans *Nouvelle revue française*, 1964, p. 44-63 et 250-266).

d'une âme. Il faut y renoncer. Du moins peut-on signaler les
événements qui ont concouru à le manifester.

Il y a tout d'abord, antérieurement à tout événement, une chose
qui paraîtra à celui qui s'efforce de regarder avec les yeux de la foi
la source et la condition de tout le reste. C'est que Bernanos, même
dans ses moments les plus désespérés, n'a pas cessé de prier, et,
autant que nous puissions en juger, de recevoir les sacrements.
La détresse qu'il avoue à sa fiancée, dans la lettre que nous venons
de citer, c'est au cours d'une station dans une église de campagne
qu'il l'a ressentie. Lorsqu'il a ouvert à Maître le fond de son âme,
où l'espérance paraît éteinte, il ne manque pas de le recommander
à Dieu et de l'assurer de ses prières. Et à la suite du passage très
sombre de la lettre à Dom Besse qu'on a lu à l'instant, il enchaîne :
« Il faut avoir dit son chapelet dans ces ténèbres pour savoir ce que
c'est que la salutation angélique... Et ce 'Magnificat' éblouissant
que je récite chaque soir et qui purifie l'air autour de moi ! » C'en
est assez pour faire comprendre que lorsque nous croyions déceler
en lui un vide d'espérance nous nous placions à un point de vue
humain qui ne permet aucunement, aux yeux de la théologie,
de préjuger de l'état d'une âme dans ses relations avec Dieu.

Passons maintenant aux événements. Il est naturel de penser
que son mariage, célébré le 11 mai 1917 – Léon Daudet fut témoin,
sur la recommandation de Dom Besse, semble-t-il[1] –, contribua à
le réconcilier avec lui-même et avec la vie. De quelle manière ?
C'est là encore un de ces secrets que nous n'avons ni le moyen ni
sans doute le droit de percer. Mais il est évident que parmi ses
lettres de guerre les seules qui laissent une place au sourire et à
un certain panache militaire sont celles qu'il adresse à sa fiancée
puis à sa femme. Sans doute faut-il voir là, parfois, le désir de ne
pas l'inquiéter, ou de s'accorder avec l'idée qu'elle aime à se faire
d'un guerrier. Mais même en tenant compte de cela, et du fait qu'on
y décèle un abandon à la Providence dont nous verrons à l'instant
d'autres composantes, il ne fait pas de doute qu'une lettre comme
celle-ci, envoyée en mai 1918, reflète une sorte d'équilibre et
d'assurance dans l'action qui sont dus, pour une part, à la personnalité de la destinataire :

> Mon beau régiment s'est admirablement cramponné aux positions
> qu'on lui avait confiées. Nous avons retraité au pas, comme à
> l'exercice sur le terrain de Vincennes. Nous avons combattu dix

1. C'est ce que dira Daudet au moment de la polémique de 1932.
Cf. *Bul.*, 17-20, p. 39.

contre un [...]. C'est une belle chose aussi d'avoir devant soi des ennemis vraiment magnifiques de foi et d'audace, mais eux et nous, va, nous nous sommes regardés dans les yeux!

J'ai fait deux jours le service de liaison entre ma section et ma compagnie. Le capitaine et le lieutenant me donnaient l'exemple, je t'assure. Ils m'ont cité tous les deux, avec des compliments que je ne mérite pas, car c'était le Bon Dieu qui agissait avec moi et en moi. J'ai circulé toute la journée de jeudi dans une plaine et un bois littéralement criblés de balles, et j'ai porté tous mes ordres au pas, la carabine en bandoulière, avec le sourire, je t'assure. Celui qui me gardait me gardait bien. Enfin, je suis très content que les prières de ceux qui m'aiment m'aient valu de courir ma chance et de combattre, comme je l'avais toujours rêvé, sans haine et sans colère, en conservant la paix dans mon cœur et cette lumière dans les yeux que tu aimes bien[1].

C'est également dans une lettre à sa femme, à la fin de 1917, que se trouve le plus beau, peut-être, et le plus poétique des actes d'abandon qui soient sortis de sa plume : « Je n'ai jamais été si paisible : je me laisse aller dans le lit de la vague et du vent[2]. »

Parmi les événements qui lui ont permis d'atteindre, fugitivement, cette paix, il faut faire une place importante à la lecture de Léon Bloy, en 1917. Léon Bloy écrivain pacifiant! Ce n'est évidemment pas ce que nous voulons dire... Ce que lui apporte Léon Bloy, c'est la proximité d'un être qui est allé aussi loin que lui dans la révolte et le désespoir, et qui pourtant ne se lasse pas de demander à Dieu, d'exiger de lui sa délivrance. « En quoi, écrira-t-il en 1934, suis-je plus révolté qu'hier, qu'en 1917, par exemple, lorsqu'ayant découvert le vieux Bloy au cours d'une convalescence à Vernon, je me roulais dans l'herbe au bord de la Seine, en pleurant de colère, littéralement[3] ? » Par la véhémence de son verbe, par l'accusation prophétique qu'il porte contre le monde moderne, par son sens surnaturel de la pauvreté et de la souffrance, Léon Bloy devient à partir de cette date, après Barbey d'Aurevilly et Villiers de l'Isle-Adam, qu'il avait découverts antérieurement, l'un des maîtres les plus incontestables de la pensée de Bernanos.

Mais c'est à Dom Besse qu'il revenait d'apporter à cette âme la seule paix qui fût à sa portée, c'est-à-dire une paix issue, en quelque sorte, d'une saturation par la souffrance. Comme il le lui écrira en août 1918, « ce n'est pas l'épreuve qui déchire, c'est la résistance qu'on y fait. Je me laisse arracher par Dieu ce qu'il voudrait que je

---

1. *C. R.*, p. 30.
2. *Ibid.*, p. 29.
3. Lettre du 2 juillet 1934. *Bul.*, 2-3, p. 21.

lui donne. Au premier geste de soumission, tout s'apaise. La douleur a retrouvé, dedans, son équilibre : elle s'est comme fixée dans la majesté de l'ordre... »

Si telle est la révélation qu'il lui apportait sur le sens de sa destinée et sur la manière de la rendre conforme à la volonté de Dieu, on comprend que Bernanos ait pu écrire à sa femme, après avoir reçu l'une des premières lettres du Bénédictin : « Enfin ! j'ai trouvé un maître et un commandement... Le terrible et calme moine m'est entré rudement dans le cœur, par effraction [1]. »

Mais – est-ce à cause de cette violence même ? – Bernanos se représente, dans un premier temps, la conversion qui lui est demandée comme une démarche où la volonté a encore beaucoup trop de part : « Ma résolution est prise cependant. Après quatre ans de solitude, de ruminations, de vaine dispute intérieure, on n'a, voyez-vous, même plus la ressource d'être médiocre. La guerre a mis la sensibilité sur les genoux. Il n'y a plus moyen de s'en servir. Il faut un rétablissement de la volonté, qui, je le sens, mène loin. Tout ou rien, voilà le mot d'ordre... »

C'est seulement à la fin de 1918 qu'il comprend que le salut passe par un dépouillement beaucoup plus profond. Mais déjà auparavant se manifeste chez lui la conviction que l'humilité est, pour une âme comme la sienne, la condition de tout progrès intérieur, et que la souffrance même est un piège lorsqu'elle sert de déguisement à l'orgueil.

> Demandez au bon Dieu pour moi, écrit-il à sa fiancée, premièrement l'humilité, secondement l'humilité et encore troisièmement l'humilité : quand je souffrirai humblement, je ne souffrirai plus. C'est que, par un effet de l'orgueil qui m'est *habituel*, je fais de toutes mes peines des grandes personnes si belles et si imposantes et si noblement désespérées, qu'elles tireraient des larmes à un tigre.

Les trois lettres à Dom Besse de septembre 1918 marquent une étape capitale dans son évolution vers le renoncement à soi-même et vers la paix. Bernanos s'aperçoit d'abord qu'il a fait fausse route en croyant qu'il pourrait se réformer par un acte de volonté, en opérant lui-même une sorte de tri entre ce qu'il y avait de pur et d'impur dans son être, en plaçant l'idée de Dieu au centre de sa nouvelle vie avec l'espoir qu'elle refoulerait toutes les autres. Il y avait là encore trop de présomption : « Je me faisais seulement illusion sur la valeur des matériaux que je pouvais mettre en œuvre. Dieu m'a laissé les rassembler, je suis désespéré maintenant de les trouver

1. *Études*, p. 176.

inutilisables : ils ont tant servi déjà, à tant d'usages! Que puis-je faire de ces débris ? Je vois trop bien, maintenant, qu'il ne faut pas ici construire, mais créer, et un autre a le secret de la parole qui crée. » Sans doute cette constatation s'accompagne-t-elle pour l'instant – tandis que cet Autre persiste à se taire – d'un sentiment d'impuissance profondément douloureux : « Les idées qui m'étaient les plus chères, les sentiments les plus riches, sont comme vidés de leur substance. Je me cramponne en noyé à quelques livres. Va pour l'humilité, mais il y a tout de même un minimum de confiance en soi qui est le ressort de la vie! Serai-je toujours, toujours, un serviteur inutile? Ce 'fiat' à prononcer est plus dur que les autres. » Mais c'est là une ultime purification, analogue à la nuit obscure des mystiques, qui permet de s'assurer que la volonté humaine n'a plus aucune part dans une transformation qui est remise entièrement à la libre initiative de Dieu. Bernanos l'a compris, lorsqu'il écrit à son directeur, à la fin du même mois :

> Il y a un verset de mon Imitation qui me sert pour crier au secours : « Je ne cesserai pas de prier, je ne me lasserai plus, jusqu'à ce que votre grâce me revienne, et que vous me parliez intérieurement. » C'est mon humiliation et mon espérance de me sentir si pauvre, si faible, dès que cette voix se tait dans mon cœur. Je ne puis plus me passer de Dieu un seul moment, *et il le sait.*

Toute une vie aura passé, mais l'orientation fondamentale restera la même, lorsque Bernanos écrira, dans son dernier agenda :

> Nous voulons réellement ce qu'Il veut, nous voulons vraiment, sans le savoir, nos peines, nos souffrances, notre solitude, alors que nous nous imaginons seulement vouloir nos plaisirs[1].

Mais il ne faudrait pas se représenter l'action de la grâce à l'image d'une thérapeutique psychique. Bernanos continuera à éprouver dans toute leur rigueur les effets des sombres dispositions dans lesquelles il a vécu ces années de guerre. Seulement, tout en continuant à en souffrir, il accueille désormais ces épreuves comme des signes, comme des preuves éclatantes de la nécessité où il est de se plier à une volonté qui le dépasse infiniment :

> Après quatre ans de solitude, écrit-il à Maître, la sensibilité n'en peut plus, tombe sur les genoux. L'angoisse est plénière et permanente. Il y a des jours affreux. Nous serions notés d'infamie pour l'éternité, si nous prétendions encore opposer nos faibles forces à la grâce foudroyante et impitoyable qui multiplie ses coups,

---

1. *C. R.*, pl. XXIII-XXIV.

comme si le temps lui était mesuré. Il l'est. Dans ces jours décisifs, avant le jugement, la Miséricorde impatiente ne sollicite plus les âmes : elles les ravit, elle les prend, les armes à la main. A grands coups, le troupeau pitoyable est ramené aux pieds de la Croix[1].

On comprendra aisément qu'ayant vécu la guerre avec si peu d'illusions, Bernanos ait accueilli la victoire avec la méfiance d'un homme qui n'a pas cessé de penser que les sacrifices des soldats avaient été, étaient et seraient utilisés pour le plus grand profit des gens de l'Arrière. Il dira plus tard le dégoût que lui ont toujours inspiré la phraséologie pompeuse, l'optimisme de commande, l'impudeur dans le mensonge qui furent en ce temps-là jugés nécessaires pour maintenir le moral des troupes. Le mythe du Poilu, « un type de héros, on peut dire grotesque, sinon abject », inventé par la Démocratie pour populariser l'idée d'un héroïsme sans honneur, d'un héroïsme bête[2], incarne pour lui toute la bassesse de la propagande officielle. Dans la conclusion de *La Grande Peur des Biens-Pensants*, Bernanos énumère avec verve les traits essentiels du mythe, en les illustrant en note par des coupures de presse de l'époque :

> Le Poilu n'a peur de rien ; son seul aspect frappe de stupeur les Barbares, les Huns, les Boches. Bien qu'il fasse de ces malheureux des hécatombes, au point que le peuple allemand finit par nourrir de cadavres ses cochons, il laisse aux alliés orientaux la responsabilité de certains exploits légendaires, fait la guerre en ouvrier consciencieux, syndiqué, capable de parler d'homme à homme aux ingénieurs et aux contremaîtres, et qui exige de la direction le respect des lois de l'hygiène, une nourriture saine, un exercice modéré. L'avènement de la Cité Future sera le prix de ses sueurs[3].

L'avènement de la Cité Future ! Ce n'est évidemment pas ce but radieux que Bernanos entrevoyait dans les sombres méditations où nous l'avons vu plongé. Il a essayé de dire, dans *Les Enfants humiliés*, pour quoi il a combattu, pour quoi ont combattu ceux au nom desquels il parle. Il s'agissait pour eux, dit-il, d'« une guerre d'expiation, de rédemption, d'expiation et de rédemption réciproques, chacun des partis rendant ce service à l'autre, comme les moines échangent les coups de discipline [...]. Nous faisions les frais d'une injustice qui devait être poussée jusqu'au bout, jusqu'à

---

1. Lettre du 17 septembre 1918. *C. R.*, p. 33.
2. Bernanos déteste particulièrement le mot d'ordre qu'on prête à ce héros : « Faut pas chercher à comprendre. » Cf. *Curé*, p. 1033 ; *Enfants*, p. 48 ; *Nous autres*, p. 143 ; *Robots*, p. 114, 217 ; *Croix*, p. 388.
3. *Peur*, p. 416-417.

l'absurde, se résoudre par l'absurde, en sorte que notre guerre serait la dernière, que nous dégoûterions de la guerre les générations à venir, comme un syphilitique altruiste léguerait son cadavre à un Musée Anatomique, dans le dessein d'inspirer aux jeunes gens la terreur de la vérole[1] ». Nous sommes loin, on le voit, de la fameuse formule « faire la guerre à la guerre », dans laquelle on identifiait naturellement la guerre avec les ennemis, considérés comme les seuls responsables de son existence.

Dans ces conditions, comment la paix, avec tout ce qu'on pouvait y deviner de calculs intéressés, de compromis boiteux et de menaces pour l'avenir, aurait-elle pu le satisfaire? On pourrait facilement remplir un volume avec les pages que Bernanos a consacrées à la grande déception de l'après-guerre. A vrai dire, le mot de déception convient mal à un homme dont le pouvoir de s'illusionner n'a jamais été le fort ; il vaudrait mieux parler de colère ou, mieux encore, d'humiliation, comme le suggère la formule qui a servi de titre à son journal de 1940, à ce journal où il commence, justement, par constater combien la victoire de la dernière guerre fut menteuse et combien les erreurs du passé pèsent sur le présent. Il est difficile d'analyser un sentiment dont la source est profondément irrationnelle. On ne saurait dire précisément pourquoi Bernanos a été bouleversé de colère et d'humiliation par la paix, et lui-même ne parvient à le dire, à travers tant et tant de pages, que d'une manière confuse et contradictoire. C'est pourquoi, chaque fois qu'il veut nous communiquer cette expérience indicible, il a recours à une mythologie personnelle dont il espère que la formidable charge affective emportera notre adhésion, et c'est dans cette expression mythique que nous devons le suivre si nous voulons avoir des chances de comprendre ce qu'a été pour lui le choc du retour à la vie civile.

Les images qu'évoque le début des *Enfants humiliés* sont nettement sexualisées et portent la marque d'une espèce de comique troupier :

> La Victoire ne nous aimait pas, mais nous lui rendions bien son mépris. Au temps de la Marne, alors que nous n'avions encore reçu que les ordres mineurs, nous l'aurions peut-être rendue heureuse. N'importe! En mil neuf cent dix-huit, parole d'honneur, elle faisait déjà plus vieux que nous. Quelle croupe, quel ventre, quels tétons! Ça aurait fait tant de plaisir aux copains morts [...] Pour nous, nous ne lui voulions ni bien ni mal, nous souhaitions seulement qu'elle ne parlât pas politique, mais elle ne tarissait pas là-dessus, elle savait par cœur tous les discours des Grands Citoyens, elle nous accablait de statistiques, même au lit. Comme nous

1. *Enfants*, p. 22.

n'avions jamais vu de Victoire, nous nous accusions de ne rien
comprendre à son caractère, et aussi de manquer de tempérament.
Les Grands Citoyens rencontrés parfois dans la rue nous interro-
geaient paternellement, leur grosse serviette sous le bras, d'un
air égrillard. Eux aussi ne semblaient pas avoir une opinion trop
favorable de nos capacités viriles. Tant pis! Nous brûlions de leur
demander : « C'est bien ça, la Victoire? Vous êtes sûrs? Vous ne
nous mettez pas dedans? » Ils nous auraient ri au nez. Les Grands
Citoyens l'avaient choisie pour nous, et le plus grand d'eux tous,
le Grand Citoyen Poincaré, avait lui-même rédigé le contrat.
Nous étions unis devant la Loi. Il eût été vain de leur dire que nous
vivions encore, elle et nous, comme frère et sœur, car ils le savaient
bien. Ils savaient bien qu'elle se réservait pour eux, chaque mardi
et chaque vendredi, de cinq à sept, vieux farceurs[1]!

Ailleurs, c'est sous les traits d'une enfant – d'une enfant muette –
qu'il la représente :

Notre victoire n'a jamais ouvert la bouche, elle n'a jamais dit seulement papa ou maman, elle n'a même jamais su pleurer ni rire.
Notre malheur est d'avoir fait cet enfant muet[2].

Dans la *Grande Peur*, les vainqueurs eux-mêmes entrent en
scène, sous les apparences de « ces vieillards trop décoratifs, parfois
même, hélas, décorés, dont on ne peut raisonnablement faire
que des huissiers à chaîne, des gardiens de square, des portiers »,
et le ministre qui est chargé de leur trouver un emploi leur dit,
après avoir bien cherché : « Camarades, vous avez gagné la guerre,
vous devez être contents. Hé bien, c'est tout ce que je vous demande,
moi, d'être contents! Seulement, voyez-vous, il faut le dire. Répétez-
le autour de vous : nous sommes contents, très contents! Vous serez
ainsi les professeurs d'optimisme de la jeunesse française[3]. »
   Ce serait mal connaître Bernanos que de croire ces sarcasmes
provoqués par le dépit de n'avoir pas été appelé à participer, après
la victoire, à la direction du pays en proportion des sacrifices
consentis. Il y a certes une frustration chez lui, mais ce n'est pas
celle de l'ancien combattant soucieux de faire respecter ses droits,
c'est celle d'un homme qui a touché, avec la guerre, à des absolus
(absolu du malheur et absolu du sacrifice) et qui ne peut pas
comprendre que, la guerre finie, la vie continue comme si l'absolu
n'existait pas. C'en est assez pour que, dans un tel monde, il ne se
sente plus jamais à sa place.

   1. *Enfants*, p. 15-16.
   2. *L'Action française*, 2 mai 1929. Cf. *Crépuscule*, p. 251.
   3. *Peur*, p. 408.

Chapitre IV

« Je me bats avec les images »

Il s'agit bien, cependant, pour l'instant, de trouver sa place dans la société, et c'est d'autant plus difficile que Bernanos a acquis, durant les années de guerre, la certitude qu'écrire lui est aussi nécessaire que respirer. Il le dit à sa fiancée dès 1914 : « Quand je serai devenu tout à fait incapable d'arranger mes romans dans ma tête et d'y faire aller et venir mes chers fantômes, votre pauvre ami sera mort[1]. » Il le répète en 1919 à Dom Besse, avec une assurance accrue, comme un homme qui a pris une décision sur laquelle il n'est pas question de revenir :

> La situation se complique de cette profession décorative et illusoire que j'ai choisie. Mais une fois encore, mon Dieu, non! Le métier littéraire ne me tente pas, il m'est imposé. C'est le seul moyen qui m'est donné de m'exprimer, c'est-à-dire de vivre. Pour tous une émancipation, une délivrance de l'homme intérieur, mais ici quelque chose de plus : la condition de ma vie morale. Nul n'est moins *art pour* [l']*art*, nul n'est moins amateur que moi. C'est pourquoi le mal est sans remède[2].

La suite de la lettre nous permet de prendre une première mesure des difficultés auxquelles cette décision, prise en vertu d'un appel irrésistible, va l'obliger à faire face. La solution qui semble la plus naturelle serait de reprendre là où il l'avait laissée son expérience de journaliste et de chercher, dans l'orbite de l'*Action française*, un gagne-pain qui lui permette de s'abandonner à son démon littéraire. A cela il se refuse pour deux raisons. D'abord parce qu'« il est bien désagréable de trouver en même lieu ses amours et sa gamelle », ce qui peut signifier, soit qu'il lui répugne de monnayer sa fidélité à l'idéal monarchiste, soit qu'il trouve gênant de mélanger la littérature alimentaire avec l'élaboration de son œuvre romanesque. Mais la raison principale de ce refus est que son admiration pour l'*Action française* n'a pas été épargnée par les déceptions de la

1. *C. R.*, p. 27-28.
2. *Bul.*, n° 11, p. 8.

guerre et de l'immédiat après-guerre. « Il tombe sous le sens, écrit-il
à Dom Besse dans cette même lettre, qu'après avoir été un instrument de conquête, la Ligue obéît à une loi historique en organisant
ce qu'elle a conquis. On la voit devenir un état qui, pour assurer
son avenir, substituera légitimement aux cadres de sa petite armée,
une hiérarchie de fonctionnaires. » Plus que jamais, en effet, il est
évident, aux yeux de l'ancien « homme de guerre », que les tenants
de Maurras tournent le dos à la perspective d'un coup de force.
La campagne électorale de 1919, qui aboutit à faire entrer à la
Chambre « bleu-horizon » des députés d'Action française (parmi
lesquels Léon Daudet) soulève chez lui une réprobation qu'il ne
cache pas à Maurras et qui l'amène à envoyer, en 1920, sa démission
à son ancien maître[1]. Même lorsque leur désaccord se sera aggravé
de motifs plus complexes, le principal grief de Bernanos contre le
chef de l'*Action française* sera toujours de se contenter d'une action
purement verbale, de dénoncer les faiblesses de la France, de s'en
réjouir, et de les favoriser au besoin, sans rien faire pour y porter
remède[2].

La décision de se consacrer à la littérature posait à Bernanos des
problèmes d'autant plus insolubles qu'à part les quelques nouvelles
dont nous avons parlé il n'avait encore, semble-t-il, jamais dépassé
le stade des ébauches. Dès cette époque, en effet, la création littéraire
lui coûte des peines inouïes : « Je travaille dans la nuit la plus opaque,
écrit-il à sa fiancée le 19 janvier 1916, je me bats avec les images et
les mots d'une bataille extraordinaire, chaque page écrite me coûte
un monde[3]. » Des poèmes qu'il composa pendant la guerre, du
drame qu'il commença durant le même période et qui fut perdu
par un ami, rien n'a été retrouvé.

Dans ces conditions, il ne pouvait guère être question pour
Bernanos de refuser une situation dans les assurances que son
beau-père, occupant un poste important dans cette branche, pouvait
lui obtenir. Il entre donc à la compagnie *La Nationale*, et se voit
confier l'inspection des départements de l'Est, ce qui l'amène, après
avoir vécu un certain temps à Paris, rue de l'Université, à s'installer

---

1. « Il vous souvient sans doute que dérouté par une certaine conception
de la politique religieuse et de l'Union Sacrée selon M. Clémenceau, comme
par votre surprenante campagne électorale de 1919, je vous envoyai ma
démission motivée, démission que je n'ai jamais reprise... » *Réponse de
Georges Bernanos à Charles Maurras. Ami du peuple* et *Figaro*, 22 mai
1932. Cf. *Bul.*, 17-20, p. 23.
2. Cf. en particulier *Crépuscule*, p. 340 ; *Nous autres*, p. 61 et sq. ;
Scandale, p. 28-29 ; *Chemin*, p. 255-256.
3. *Béguin*, p. 101.

à Bar-le-Duc. Son travail ne l'en oblige pas moins à de continuels déplacements, et, comme il ne s'arrête pas d'écrire, c'est dans les cafés, dans les hôtels, dans les gares, voire dans les wagons de chemin de fer qu'il remplit de sa fine écriture les cahiers d'écolier qui ne le quittent pas.

On peut croire que ce partage de son existence en deux, et la nécessité de se consacrer à une activité dans laquelle rien ne l'attirait, furent pour lui une épreuve très dure. A un jeune confrère dont il avait des raisons de penser qu'il connaîtrait les mêmes difficultés, il écrivait en 1945 : « faites face, même aux premières déceptions – ce sont les plus cruelles – faites face courageusement et simplement. Faites face sans négliger pour autant un autre aspect [...] de votre vocation d'homme, celui d'époux et de père qui vous fait un devoir de subvenir aux besoins de votre femme et de vos enfants (je puis vous parler comme je le fais, j'en ai élevé six et je n'ai pu ainsi écrire mon premier livre qu'à quarante ans. J'ai travaillé « dans les assurances » jusqu'en 1927, comme vous)[1]. » Une lettre de 1924 permet de se représenter non seulement la profondeur, mais aussi, pour ainsi dire, la couleur de son découragement :

> J'écris ceci, près de mon lit, à une heure du matin, après une journée de discussions monotones. Je n'ai véritablement plus assez de courage pour dormir. L'énergie dépensée à rien, à moins que rien, à des choses de néant, me laisse chaque soir abattu, mais la cervelle en rumeur et le cœur contracté... Et ces lits d'hôtel, à la longue, si détestés, si redoutés! On a envie de tirer les draps pour cracher dedans[2]!

Le dégoût d'un métier pour lequel il n'était pas fait a sans doute beaucoup compté dans la vie de Bernanos, durant les sept ans qui suivirent la guerre, mais il n'est que l'une des causes, parmi d'autres, qui contribuèrent à créer l'état d'esprit dont *Sous le Soleil de Satan* nous apporte le reflet.

Parmi ces causes, il en est une plus profonde et plus durable, qui tient au mystère du tempérament, de l'hérédité, des chocs reçus dans la petite enfance, des souffrances endurées pendant la guerre : c'est une prédisposition à l'angoisse dont les effets commencèrent à se faire sentir en 1921, alors que Bernanos habitait encore rue de l'Université. Michel Dard, à qui Bernanos a parlé de ces crises, les caractérise de la façon suivante : « Étranglement de la solitude, cœur suspendu, peur de mourir, sueurs froides, entrée en agonie[3]. »

---

1. *Béguin*, p. 149.
2. *Ibid.*, p. 110.
3. *C. R.*, p. 295.

Robert Vallery-Radot, écrivain catholique déjà célèbre à qui
Bernanos a été présenté par Dom Besse au début de 1919 et qui
devait devenir son ami le plus intime, parle aussi des « angoisses
nerveuses qui le réveillaient souvent la nuit, lui donnaient la
sensation de l'agonie » et faisaient qu'« il n'entrait dans les ténèbres
du sommeil qu'avec terreur[1] ». Bien des années plus tard, Dom
Gordan, que Bernanos rencontra au Brésil, témoignera de la persistance des mêmes troubles[2].

Que cette angoisse ait joué son rôle dans la configuration de
l'univers au milieu duquel il fera vivre ses personnages, il aurait
été, je pense, le dernier à le contester. Mais nous connaissons assez
ce qu'il pensait des « meilleures hypothèses psychologiques », qui
« dissimulent seulement à nos yeux un mystère dont l'idée seule
accable l'esprit[3] », pour avancer hardiment qu'il n'eût pas accepté
une seconde l'idée que ses angoisses puissent fournir une explication
de son univers romanesque. Comment ne pas lui donner raison ? Non
pas que ces angoisses aient été d'un contenu plus riche ou d'un autre
type que celles dont les psychiatres ont à s'occuper. Mais, comme
Jean Starobinski l'a très bien montré à propos de J.-J. Rousseau[4],
et comme on pourrait le montrer sans doute chaque fois que
l'on rencontre des éléments morbides dans un tempérament de
vrai créateur, le trouble psychique ne fait qu'exprimer, sur un registre
aberrant, une intentionnalité profonde que l'œuvre traduit à un
niveau supérieur et revêt d'une signification universelle. Dans le cas
de Bernanos, il est caractéristique que chacune de ces crises d'angoisse soit comme l'anticipation, comme la répétition générale de
l'agonie. Tout se passe comme s'il voulait vivre d'avance sa propre
mort, pour en retirer le seul savoir qui importe. Urs von Balthasar
note combien il a été fasciné par l'expression populaire « se voir
mourir[5] », et Albert Béguin a montré à merveille le lien qui unit
cette angoisse à la signification de son œuvre entière : « Cet état
de panique, fréquemment renouvelé, et dont Bernanos adulte
devait à plusieurs reprises éprouver les redoutables atteintes, dit-il
à propos de ses peurs d'enfant, fut bientôt générateur d'une interrogation, d'un retour en soi et de questions posées à la vie parce
qu'elles l'étaient à la mort. Il fallut trouver réponse, et cette réponse
vint, qui fut la grâce de savoir, obscurément encore, que la mort a

---

1. *Bul.*, 1, p. 10.
2. Cf. *infra*, p. 275.
3. *Soleil*, p. 83.
4. *Jean-Jacques Rousseau, La transparence et l'obstacle*, Paris, 1957.
5. *Balthasar*, p. 420.

un sens ; mieux, qu'elle donne un sens à ce qui n'en paraissait pas avoir[1]. »

Or c'est bien au moment où, après la guerre, ses crises d'angoisse réapparaissent, que se précise son interrogation sur le sens de la mort. Robert Vallery-Radot dit en propres termes qu'elles *coïncident* avec une *recherche,* dont le point de départ est « cette vérité que peu osent regarder en face, que nous rêvons notre vie au lieu de la vivre, peut-être parce que notre vie présente n'est que le songe d'une autre que nous ne connaissons que par-delà la mort[2] ». Ses dernières lettres à Maître, datées de 1919, montrent d'une façon frappante, même si on y trouve les traces d'un pathos dont il mettra quelque temps à se débarrasser, le sens religieux qu'il essaie de donner à cette conscience de vivre son agonie. Son ami lui ayant écrit : « tu as souffert, mais tu es resté fidèle et tu te crois sauvé », il regimbe violemment contre cette phrase dont il dit savourer l'amère, la divine ironie. Ah ! non ! il ne se croit pas sauvé ! Et, reprenant pour la récuser la belle image de paix qu'il avait inventée naguère :

> Si d'autres se laissent glisser encore dans le lit de la vague ou du vent, que nous importe, puisque nous ne connaîtrons plus ce repos – jamais ! Le divin regard s'est posé sur nous, si ferme et si tendre : alors, dans sa gaine d'instincts, d'habitudes acquises ou héréditaires, dans la chair et le sang, quelque chose s'est éveillé, a remué une fois, irréparablement. C'est fini. Nous ne pouvons maintenant nous tromper nous-mêmes. Il faut nous rendre libres ou mourir. Mon petit, cela est écrit dans l'angoisse de l'espérance, et tout sanglotant au pied de la Croix. – Tout ce qui reste de force, prodigué, gaspillé, jeté à pleines mains – cela s'appelle une agonie.

Et la fin de la lettre montre clairement comment cette mort si douloureuse du vieil homme n'est possible et ne prend un sens que parce que le Christ l'a vécue d'avance et lui a donné ce sens : « Du Jardin au Calvaire, sache que notre Seigneur a connu et exprimé par avance toutes les agonies, même les plus humbles, les plus désolées, – la tienne par conséquent[3]. »

Arrêtons-nous encore un peu à l'image que Robert Vallery-Radot nous donne de son ami au moment de leur rencontre. Elle permettra de corriger l'idée trop sombre qu'on risque de se faire de Bernanos d'après les traits sur lesquels j'ai été amené à insister.

1. *Béguin,* p. 33. Cf. également l'étude de Guy GAUCHER, *Le Thème de la mort dans les romans de Bernanos,* Paris, Minard, 1955.
2. *Bul.,* n° 1, p. 10.
3. *C. R.,* p. 37-38.

Rien ne serait plus faux en effet, que de se le représenter sous l'aspect d'un homme triste, accablé par la vie, durci par les déceptions, replié sur ses propres tourments. Tous ceux qui l'ont approché témoignent au contraire de sa force, de son pouvoir d'accueil, de la facilité avec laquelle il passait du chagrin ou de la colère à une joie communicative. Voici comment Robert Vallery-Radot l'a vu : « A trente ans, Bernanos était d'une beauté éclatante. Sous le front haut et droit, ses yeux bleu clair, d'un bleu de ciel qu'illuminait sans cesse un sourire d'enfant, frappaient tout de suite sur le visage mâle d'une pâleur mate ; ses traits réguliers n'avaient pas alors cet empâtement, il n'avait pas non plus cette corpulence, qui l'alourdirent dans son âge mûr, mais cette élégance du port que les romans-feuilletons qualifiaient autrefois d'élégance cavalière [...]. Il aimait les armes à feu, les épées, les chevaux, la chasse, les bons repas, surtout le gibier et les vins de France des belles années, tous les plaisirs naturels[1]. » C'est bien là l'homme qui écrira sur un exemplaire du *Journal d'un curé de campagne* cette dédicace : « Quand je serai mort, dites au doux royaume de la terre que je l'aimais plus que je n'ai jamais osé dire[2] » ; celui qui déclarera dans son discours du 14 juillet 1944 : « Nous aimons la vie. Nous croyons en elle. Nous savons qu'elle ne nous a pas menti, qu'elle ne faillira pas à ses promesses[3]. »

Robert Vallery-Radot nous donne également des renseignements précieux sur les lectures de son ami. Aux noms que nous connaissons déjà il ajoute ceux de Dostoïevsky et de Conrad, « surtout celui du *Cœur des ténèbres* ». « Peu de contemporains, à part Péguy. Il venait de découvrir Pirandello en même temps que Proust. Le Léon Daudet clinicien et analyste des états psychiques, celui de l'*Hérédo* et du *Monde des Images* l'intéressait vivement, ainsi que les études de psychanalyse de Freud. » De cet intérêt mitigé pour la littérature contemporaine, il ne faudrait pas conclure à un attachement excessif aux valeurs traditionnelles. « Je n'ai jamais pu, dit Vallery-Radot, lui faire entendre Racine, et un soir que je lui lisais Andromaque, il s'emporta dans une diatribe virulente contre les classiques, qui n'avaient pour lui d'autres raisons d'exister que d'être le gagne-pain des professeurs[4]. » On éprouve quelque scepticisme au sujet de cette prétendue fermeture à Racine lorsqu'on lit les profondes réflexions sur l'auteur de *Phèdre* que Bernanos confie à Frédéric

1. *Bul.*, I, p. 9-10.
2. Fac-similé dans *Béguin*, p. 53.
3. *Robots*, p. 133 (Édition Club français du Livre).
4. *Bul.*, I, p. 10.

Lefèvre en 1926[1] ; et les notes sur l'honnête homme qu'il rédigera en 1944 à l'intention de son ami Carneiro nous le révèlent parfaitement sensible aux vertus que développe dans l'esprit la fréquentation des écrivains du XVIIe siècle[2]. Retenons cependant que cette réceptivité aux leçons des classiques ne s'accompagne d'aucun fétichisme.

En dehors de la littérature, Vallery-Radot témoigne que Bernanos ne manifestait d'intérêt ni pour le théâtre, ni pour la musique, ni pour la peinture (sinon occasionnellement), mais qu'il fréquentait beaucoup les cinémas : (« le film était pour lui la chambre noire du rêve ») et qu'il suivait de très près la technique du septième art.

C'est à ce même ami, alors directeur du journal catholique *L'Univers*, que Bernanos confia ses premiers essais, « nouvelles obscures, hachées, elliptiques, qui dégageaient une *aura* de cauchemar ». Parmi celles-ci figurait probablement *Madame Dargent*, qui fut publiée dans *La Revue hebdomadaire* le 7 janvier 1922, et peut-être aussi *Une Nuit* et *Dialogues d'ombres*, qui ne parurent qu'en 1928, respectivement dans *La Revue hebdomadaire* et la *Nouvelle Revue française*, mais sont généralement considérées comme ayant dû être composées à la même époque que *Madame Dargent*.

Même si on les lit sans y rechercher systématiquement, comme on est tenté de le faire, l'ébauche de certains thèmes qui seront au centre de l'œuvre bernanosienne, on ne peut manquer d'être frappé par la maturation à la fois technique et intellectuelle que ces trois nouvelles reflètent. Qu'il s'agisse de la vocation de l'écrivain, de la mort, de la solitude, de l'orgueil, Bernanos s'exprime désormais d'une manière qui lui est tout à fait personnelle, parce que la crise spirituelle qu'il a traversée l'a mis en contact avec des zones de l'être humain qu'il explore sans guide et qu'il découvre par un regard tourné vers lui-même.

On ne s'étonnera pas que le thème de la mort occupe une grande place dans ses œuvres de cette époque. Deux de ces nouvelles, *Madame Dargent* et *Une Nuit*, racontent des agonies (une double agonie dans le second cas), et la mort apparaît chaque fois comme le moment de vérité, celui qui permet à un être de se regarder dans une lumière où il ne s'est jamais vu, ou bien de pressentir un monde surnaturel dont il a été toute sa vie séparé – et en somme ces deux modes de connaissance n'en font qu'un, car se connaître vraiment,

1. *Lettre à Frédéric Lefèvre. Crépuscule*, p. 13-14.
2. Cf. Albert BÉGUIN, *Bernanos et la raison*, dans *L'Esprit des Lettres*, nº 1, 1er janvier 1955.

c'est se connaître dans ses relations avec un monde qui dépasse l'humain, et pressentir ce monde c'est acquérir sur soi une connaissance qu'aucune introspection ne saurait atteindre.

Madame Dargent raconte l'agonie de la femme d'un écrivain qui « se voit mourir », contrairement à ce que prévoyait son mari, toujours curieux d'observations inédites, et fort déçu à la pensée qu'un être si proche s'achemine vers une mort aussi effacée que l'a été sa vie. Quel regret imprudent! Se voir mourir, c'est se voir dans sa vérité, et cette vérité est terrible. Dans son délire Mme Dargent s'imagine être au bord d'un lac :

> – Reste là, dit-elle, reste là toute la nuit. Je ne te vois plus. Il y a d'ailleurs une grande étendue d'eau, poursuit-elle avec beaucoup de gravité, ce doit être un lac. Impossible d'aller plus loin pour aujourd'hui. Attends... Attends que je me penche... Tiens-moi ferme!... Oh! Oh! Oh!
> Elle se penche en effet, puis elle se rejette en arrière, avec un gémissement contenu, profond, plus terrible que le cri [...].
> Elle pose sur lui un regard indéchiffrable, étrangement attentif et limpide, mais où passent et repassent les grandes ombres de la catastrophe intérieure.
> – C'est que je me suis vue, dit-elle, dans l'eau [1].

En effet, toute sa vie passée revient à sa mémoire. « A chaque seconde, un nouveau souvenir, le plus secret, le plus ancien, le mieux dissous dans le passé, remonte comme une bulle d'air et vient crever à la surface... » C'est cette image véridique d'elle-même que Mme Dargent force son mari à contempler : « Tu ne m'as jamais aimée. M'as-tu seulement regardée ? S'il y avait un autre monde, tu m'y reconnaîtrais pourtant, parce que je suis toi-même, entends-tu, toi-même [2]! » Mais nous touchons ici à un autre thème, que nous examinerons dans un instant.

Dans *Une Nuit*, dont l'action se passe en Amérique du Sud, l'agonisant est un métis, fils d'un bagnard évadé et d'une Indienne, qui a été empoisonné par la petite sauvageonne avec laquelle il vit. Il est sur le point de mourir, lorsqu'un Français dont le cheval s'est échappé pénètre dans sa cabane, au milieu de la forêt. Ce métis est un être abject, dont l'idée fixe est de ne pas être confondu avec les Indiens, « ces singes », et dont l'unique fierté est d'être le fils d'un

---

1. *Pl.*, p. 7. L'importance du thème de l'eau dans l'univers imaginaire de Bernanos a été récemment mis en relief par l'étude de Gerda BLUMENTHAL, *The Poetic Image of Georges Bernanos* (Baltimore, the John Hopkins Press, 1965).
2. *Ibid.*, p. 8.

blanc, dont il entoure les piteuses reliques d'une vénération religieuse. Il y a cependant, au fond de ce sentiment élémentaire, une revendication de dignité qui, au moment de sa mort, lui fait entrevoir confusément le moyen de réintégrer sa véritable patrie, dont la race blanche à laquelle il se rattache orgueilleusement n'est que l'image grossière. « Il y a un secret des hommes blancs, dit-il au visiteur. Comment l'aurais-je appris, sinon par Bisbillita, la chérie ? Oui, je sais que l'eau fut répandue sur sa tête, et que morte elle sera l'égale et la compagne des autres femmes pour une vie qui ne finit pas. » La petite Indienne a été, en effet, instruite par les Pères et baptisée. Mais elle est morte, tuée par le Français, et celui-ci, ayant tout oublié de sa religion, est incapable de satisfaire le vœu de l'agonisant, dont il perçoit tout à coup l'extraordinaire gravité. Il a la tentation de se sauver, rien ne l'en empêche, « nul obstacle que la parole d'un mourant, sans doute coupable de meurtre, fils de forçat, voleur lui-même. Et pourtant cette parole lui parut tout à coup la plus solennelle qu'il eût jamais entendue, qu'il entendrait jamais en ce monde, impossible à éluder, d'une autre espèce ». Alors il demande pardon au mourant d'avoir oublié ce qu'il faudrait dire pour le sauver :

> Naturellement, ajoute-t-il, il serait facile de te tromper. Je te verserais de l'eau sur la tête, en bégayant n'importe quoi. Ce n'est pas possible, non ! Mais écoute bien, camarade. Je sais du moins que ce Dieu est juste et bon. Il a pitié des hommes méchants et il est mort pour eux, cloué par les pieds et par les mains, en pleurant. Voilà ce que je sais. Recommande à lui ton âme. S'il existe, sois sûr qu'il a pitié de toi plus que moi-même, qu'il connaît ton désir, et qu'il a déjà posé sa main sur ton vieux cœur plein de péchés [1].

Le danger aurait été d'imaginer, à partir de là, une fin édifiante. Mais si l'approche de la mort permet au mourant de soupçonner ce qu'il a ignoré toute sa vie et à celui qui l'assiste de prendre conscience de son propre dénuement, elle n'opère pas de miracles. Le métis repousse le baiser que lui offre, faute de mieux, celui qui vient de lui annoncer si imparfaitement la bonne nouvelle. « Est-il croyable, lui dit-il avec rancune, que tu aies laissé perdre un secret merveilleux qui referait de moi un petit enfant ? » Il y a pourtant un geste que le Français peut encore faire pour adoucir la mort de son compagnon. Celui-ci garde très précieusement l'unique livre dans lequel il a vu lire son père. Lorsqu'il a jeté les yeux sur le titre : « Mille et une blagues à faire en société, suivi de cent manières

1. *Pl.*, p. 36-37.

de gagner l'apéro », le Français s'apprête à le lancer à travers la
pièce, mais il est arrêté par le regard du mourant : « La pitié surnaturelle, et aussi un désir de se punir, de s'humilier soi-même,
l'emporta sur le dégoût. « C'est donc là, se dit-il, le dernier message
du pays à l'enfant perdu, qui l'a tant cherché ?... Mais moi-même,
qu'ai-je de meilleur à donner ? » Il lui parut qu'ainsi la mesure était
comble, la misère parfaite, et que, dans l'extrême dénuement de cet
homme, la miséricorde d'un dieu allait éclater comme la foudre [1]. »
Et entre les mains du mourant, il dépose pieusement le livre stupide.

La réflexion sur la mort que révèlent *Madame Dargent* et *Une
Nuit* se caractérise par le refus de partir d'une idée toute faite du
surnaturel qui enlèverait à l'agonie quelque chose de sa mystérieuse
et déconcertante nouveauté. Si la mort apporte un savoir, ce n'est
pas la révélation, rassurante ou effrayante, d'un autre monde, c'est
la conscience de l'incommensurable dénuement dans lequel nous
sommes appelés à quitter la vie. C'est parce qu'il s'exerce depuis
longtemps à se contempler dans cette lumière du dernier instant
(« Il faut se regarder mourir », écrivait-il à Maître) que Bernanos
arrive, dans ses deux nouvelles, à faire de cette expérience-limite
la source d'un savoir abyssal qui postule le surnaturel, mais beaucoup
plus à la manière d'un appel au secours qu'à la manière d'une
démonstration rassurante [2]. Si bien qu'en les écrivant, il prolonge
cet « exercice de la mort », beaucoup plus qu'il ne nous en livre
après coup le résultat.

Au thème de la mort se trouve lié, dans *Madame Dargent*, un
autre thème, qui prolonge à coup sûr les méditations de Bernanos
sur sa vocation d'écrivain : c'est celui de la responsabilité du créateur vis-à-vis des êtres qu'il tire de son imagination. L'aveu que
Mme Dargent, avec l'implacable lucidité de l'agonie, force son mari
à entendre, c'est que, se sentant délaissée par lui au profit de ses
personnages imaginaires, elle s'est si bien identifiée à ceux-ci qu'elle
a vibré de leurs passions, vécu de leurs vies, et finalement assumé
leurs crimes :

> Ce que tu as rêvé, dit-elle, je l'ai vécu [...]. Sais-tu qui je suis ?
> Toutes celles, toutes celles que tu as rêvées, plus chères que des
> vivantes, Mme Guebla, Monique, Mlle de Sergy, la petite-fille du
> vieux Gambier, les héroïnes de ton théâtre et de tes romans,

---

1. *Pl.*, p. 37-38.
2. Michel Estève rapproche, dans son *Bernanos* (Paris, Gallimard, 1965),
l'insécurité qui résulte de cette expérience de la mort et de la finitude du
thème du réveil de la conscience et de l'appel à la vie authentique dans la
pensée de Kierkegaard et de Heidegger.

voilà mon partage, voilà ce que je fus! J'avais lu tes livres, moi! Je les ai poursuivies dans tes livres, avec quelle curiosité dévorante! Tu ne leur avais donné, avec tout ton génie, qu'une existence douteuse, une forme impalpable et légère – je leur ai donné mieux : un corps, de vrais muscles, une volonté, un bras [1]!

Identifiée à ces créatures imaginaires, armée de leur force et de leur cynisme, Mme Dargent a empoisonné l'enfant que son mari avait eu d'une de ses maîtresses, puis assassiné celle-ci. Comme elle lui en donne la preuve, il la tue, dans un irrépressible mouvement de colère.

On reconnaît aisément, dans cette histoire d'une pensée qui agit à distance et s'incarne dans un être de chair, l'influence de Balzac, de ce Balzac visionnaire que Bernanos préférait au romancier réaliste. Mme Dargent exécute les crimes rêvés par son mari, comme le militaire de l'Auberge rouge commet l'assassinat dont son voisin de chambre imagine, en dormant, tous les détails. Elle se laisse habiter, animer par la pensée d'un autre comme Lucien de Rubempré par celle de Vautrin, ou comme Mme Marneffe par celle de la cousine Bette. Mais si Balzac a ainsi transposé cette exigence de vie par délégation, qu'il satisfaisait pour son compte en écrivant des romans, il n'a jamais posé en termes de morale le problème de la responsabilité qu'assume le créateur d'un monde fictif. C'est au contraire cette responsabilité qui fascine Bernanos. Le romancier, en se délivrant de ses rêves, croit jouer un jeu parfaitement inoffensif : « S'il y avait une autre vie, dit Mme Dargent à son mari, je voudrais la vivre avec elles, tes filles tragiques, sans autre dieu que la forte sève de leurs veines, insatiables, âpres, hardies, libres comme des bêtes! Comme tu les as fournies d'audace! Que tu leur as prêté de vices! Combien de crimes ingénieux dont vous avez ensemble caressé la pensée! » Mais il se trompe s'il croit en être quitte avec ses créatures en mettant sur le compte d'une « élégante perversité » le besoin qui le pousse à leur donner la vie. Le redoutable pouvoir dont il est investi lance dans la vie des êtres qui sont à peine moins réels et mille fois plus durables que les êtres que nous rencontrons tous les jours. On a vu comment, au début des *Grands Cimetières sous la lune*, Bernanos s'adresse à ces « compagnons » que sont à la fois ses personnages et ses lecteurs, comment il leur donne rendez-vous dans le Royaume du Père. Nul doute que, dès l'époque où il écrit *Madame Dargent*, il se représente ainsi les êtres qu'il crée comme doués d'une vie autonome et prêts à s'unir mystérieusement

1. *Pl.*, p. 8-9.

à ceux qui les accueillent, de sorte que le romancier a, littéralement
et à un double titre, charge d'âmes.

Dans ces conditions, il n'y a pas de plus grande lâcheté que de se
dérober aux exigences que cette charge entraîne avec elle, que de
se libérer de ses fantômes, par plaisir, par amour de la gloire ou
par intérêt, sans éprouver, à la suite de cette multiplication de son
être, une multiplication proportionnelle de sa puissance de souffrir
et du risque surnaturel qu'on assume. C'est ce que fait M. Dargent
qui, après la confidence et le meurtre de sa femme, « a repris sa
course aux honneurs et à la gloire avec un vigoureux optimisme ».
C'est ce que fera le vieux Ganse, dont l'imagination pousse sa
secrétaire à commettre le crime dont il a besoin pour le dénouement
de son livre.

L'écrivain irresponsable, qui refuse de s'engager dans ce qu'il
écrit et d'en assumer virilement les conséquences, nous le retrouvons
dans *Dialogue d'ombres*. Du moins a-t-il ici conscience de sa lâcheté :

> Ah! je pense de mes livres ce que vous en pensez vous-même,
> dit-il à la femme qui s'apprête à tout quitter pour le suivre, je ne
> puis les relire sans honte. Plût au ciel qu'ils fussent tout à fait
> insincères! Mais il y a entre eux et moi une ressemblance mon-
> strueuse, que je n'avais jamais connue, que vous m'avez fait con-
> naître. Ils tiennent le secret de certains mensonges – les plus
> sournois, les plus vils – ceux qui m'ont servi. Par eux, j'ai pu être
> médiocre à l'aise, je n'ai même pas couru le risque de mes vices[1].

Cette sincérité envers soi-même s'accompagne d'une attitude
honnête et aimante envers celle dont il se propose de faire sa femme ;
mais cette dernière met un tel absolu dans son amour que la pâleur
de son compagnon en ressort davantage, et que nous retrouvons la
situation de cet autre dialogue d'ombres qu'était *La Tombe refermée* :
une âme de feu en face d'une âme refroidie. Françoise – c'est le nom
de l'héroïne – est un peu un double de la Mouchette de *Sous le
Soleil de Satan*, et si Bernanos n'avait pas affirmé que celle-ci s'était
présentée brusquement à son esprit[2], il serait tentant de voir dans
cette Françoise comme une première épreuve de Mouchette. Dans
un milieu social tout à fait différent (elle est la fille d'un aristocrate
vénitien) l'héroïne de *Dialogue d'ombres* nourrit le même acharnement contre son âme, le même besoin de s'humilier, de créer de
l'irrémédiable pour tuer en elle tout ce qui reste de fierté. Ce besoin
d'humiliation l'a poussée jadis à se donner sans amour à un homme

1. *Pl.*, p. 45.
2. Cf. *infra*, p. 78.

méprisable ; il l'a poussée à demander et à obtenir le pardon de Jacques, l'homme de lettres vieillissant qui se propose de l'épouser ; il la pousse maintenant à refuser ce mariage et à s'enfuir avec lui, comme sa maîtresse, aussi complètement déshonorée que possible.

L'origine d'une telle attitude est, comme dans le cas de Mouchette, profondément ambiguë. Lorsqu'il la compare à la sienne, Jacques y reconnaît avec raison une sorte de fébrilité spirituelle dont il n'a pas, pour sa part, la moindre expérience :

> Personne, je pense, ne s'est ennuyé comme moi ; c'est par l'ennui que je me connais une âme. Du moins ai-je fait chaque fois ce qu'il fallait pour la rendormir sitôt que l'ennui la réveillait. Au lieu que vous, chère petite folle, vous provoquez sans cesse la vôtre, vous ne lui laissez nul repos, ainsi qu'un dompteur avec ses fourches et son fouet, et elle finira par vous manger [1].

Il est bien vrai que Françoise se bat avec son âme comme si elle voulait en venir à bout. Mais quel est le sens de ce combat ? Par certains côtés il s'apparente à la sainteté. Cela aussi, Jacques le sent parfaitement :

> C'est vous, lui dit-il, c'est vous que vous détestez, ma chérie ! C'est sur ce que vous avez de plus douloureux, de plus vulnérable aussi – votre fierté – c'est sur votre fierté que vous prenez vos affreuses revanches. Vous êtes une petite sainte, Françoise, voilà le mot.

Et elle de renchérir :

> Les saints, dont vous parliez tout à l'heure, n'ont rien qu'au jour le jour, mais ils espèrent des biens éternels, leur compte est en règle sur les registres du Paradis. Que je sois plus pauvre que de la pauvreté des saints !

Ici, ce n'est plus à Mouchette, c'est à Donissan que nous pensons, et à son désir insensé de renoncer à l'espérance même, pour connaître le degré le plus absolu du dénuement. Aussi le conseil de l'écrivain à la jeune fille est-il le même que celui de l'abbé Menou-Segrais à son vicaire : « il ne faut pas tenter Dieu [2]. »

---

1 *Pl.*, p. 48.
2. *Ibid.*

Mais Françoise ne croit pas en Dieu. Elle n'est pas, comme Donissan, prête à renoncer à son amour par excès d'amour. « Je n'ai aucune idée de Dieu, dit-elle, je n'en veux pas avoir. Si je le trouvais jamais, ce serait dans un dénuement si absolu, au fond d'un désespoir si parfait, que je n'ose pas même l'imaginer, et il me semble que je le détesterais [1] ? »

« Vous êtes une petite sainte », lui dit son compagnon, mais il ajoute aussitôt : « seulement votre sainteté est sans objet. Sans connaissance et sans objet. » Que cherche-t-elle donc en allant au-devant de l'humiliation ? A tuer en elle quelque chose qui n'est pas elle, et qu'elle appelle son orgueil – un orgueil hérité de ses ancêtres ; mais n'est-ce pas justement le comble de l'orgueil que de vouloir se posséder soi-même entièrement ? Et à vouloir tuer en soi tout ce qui échappe aux prises de la volonté et de la conscience, ne risque-t-on pas de tuer son âme ? « Hélas ! d'où vient cet orgueil que je ne puis arracher ? Je l'arracherai ! D'où vient ce goût hideux d'une perfection impossible, inhumaine, du renoncement, du martyre ? Je l'étoufferai. Si c'est là mon âme, ange ou bête, je ne puis la supporter plus longtemps [2]. »

Ange ou bête, ange ou démon, tel est bien le problème, et aucune lumière naturelle ne permet de dire si la voix contre laquelle Françoise se débat est celle du ciel ou celle de l'enfer : « Non, je ne saurais croire en Dieu, ni aux âmes, mais je crois à un certain principe en moi, qui me blesse, qui usurpe ma volonté ou cherche à me suborner par ruse [3]. » En se donnant à un homme qu'elle n'aimait pas, elle a, dit-elle, cherché à rompre le cercle enchanté où la maintenaient l'intégrité, l'esprit de sacrifice, la sagesse de toute une lignée de femmes irréprochables. Comment démêler ce qu'il y a au fond de ce mouvement de révolte ? Un vertige de perdition qui mène droit au fond de l'abîme ? Ou bien un besoin désespéré de prendre conscience de soi-même et de récupérer, dans la honte, une liberté faute de laquelle il n'est pas d'existence spirituelle véritable ? Les deux explications nous sont suggérées à la fois lorsque Françoise essaie de rendre compte de ce mouvement qui la pousse à renoncer les vertus des femmes de sa race : « J'ai cédé une fois, je me suis donnée, non par amour, ni curiosité, encore moins par vice, seulement pour franchir ce cercle magique, rompre avec elles, me retrouver enfin, au fond de l'humiliation, du dégoût, de la honte, avoir à rougir devant quelqu'un [4]. »

1. *Ibid.*, p. 44.
2. *Ibid.*, p. 50.
3. *Ibid.*
4. *Pl.*, p. 52.

Le personnage de Françoise nous permet ainsi de saisir la parenté profonde qui unit Mouchette et Donissan dans *Sous le Soleil de Satan*, ou, si l'on veut, la source unique où Bernanos a puisé ce que le saint et la pécheresse ont en commun. Cette source, c'est la haine de soi, dont les abîmes, écrit avec justesse Urs von Balthasar, « ne sont pas pour lui des constructions imaginaires ni l'objet d'une pure curiosité d'observateur », mais « correspondent à sa propre expérience [1] ». Dans la mesure où cette haine de soi l'a amené à haïr non seulement son propre péché, mais encore sa propre suffisance, il ne fait pas de doute qu'elle l'a aidé à atteindre, dans un dénuement annonciateur de l'agonie, cette ouverture totale à la volonté divine qui lui permet de supporter, sinon de surmonter, la crainte de la mort, et de se consacrer à son métier d'écrivain, sans céder à la complaisance narcissique du créateur irresponsable. Mais il sait aussi, par expérience, ce qu'il entre dans cette haine de soi de vertige romantique de l'abîme et d'aspiration à un anéantissement qui ne débouche sur aucune résurrection glorieuse. C'est là, croyons-nous, que Bernanos a rencontré de la façon la plus personnelle non seulement la tentation, mais le Tentateur.

> Il y a dans l'homme, écrira-t-il en 1946, une haine secrète incompréhensible, non seulement de ses semblables, mais de lui-même. On peut bien donner à ce sentiment mystérieux l'origine ou l'explication qu'on voudra, mais il faut lui en donner une. Pour nous, chrétiens, nous croyons que cette haine reflète une autre haine, mille fois plus profonde et plus lucide, celle de l'Esprit indicible qui fut le plus rayonnant des astres de l'abîme, et qui ne nous pardonna jamais sa chute immense [2].

C'est cette figure de Satan que Bernanos place au centre de son premier roman, là où s'articulent l'un avec l'autre le mystère de la sainteté et celui de la perdition.

---

1. *Balthasar*, p. 480. Cf. la lettre à Dom Besse citée *supra*, p. 52.
2. *Liberté*, p. 252.

Chapitre V

Sous le soleil de Satan

« Ni vous ni moi, écrivait Bernanos à Vallery-Radot peu de temps après la publication de son premier roman, n'étions capables d'écrire un livre complet à trente ans. Nous avons mûri tard, voilà tout. Dieu sait ce que j'aurais écrit de sottises, il y a dix ans, si la Providence m'avait imposé, comme à vous, cette épreuve d'une célébrité rapide[1]! »

Des sottises, peut-être pas. Mais il est bien vrai que la grande période de maturation de Bernanos se situe aux environs de sa trentième année, et qu'il y a un abîme entre ce qu'il était capable d'écrire au début, ou même à la fin de la guerre et *Sous le Soleil de Satan*. Mieux encore, entre l'homme que nous avons essayé de faire revivre, si éloigné de toute banalité, si préoccupé de l'essentiel qu'il ait pu nous apparaître, et son premier livre, que d'inconnues! On aimerait pouvoir jeter quelques jalons sur cet abîme, identifier quelques-unes de ces inconnues, non point pour satisfaire une curiosité que l'œuvre entière de Bernanos condamne comme un des pires pièges du démon, mais pour approcher au plus près la source, pour entendre, à peine formée, la parole essentielle, que l'œuvre, dans l'exubérance de son accomplissement, achève mais disperse. Comme il le dit lui-même à propos de ce livre (mais en manière d'image, pour faire comprendre ce qui sépare une sainteté balbutiante d'une sainteté accomplie), « l'œuvre d'art achevée est pour nous prodiguer la certitude et l'ivresse. Mais c'est le manuscrit, avec ses manques et ses ratures, qui nous instruit[2] ».

S'il est permis de prendre l'image au pied de la lettre, disons qu'il est bien malheureux que le manuscrit de *Sous le Soleil de Satan* n'ait jamais été retrouvé, et que les indices nour permettant de suivre le travail de Bernanos soient si peu nombreux.

Ils existent pourtant, et malgré leur petit nombre et une certaine difficulté qu'il y a à les accorder, ils nous apportent beaucoup. Dans

---

1. *L'Esprit des Lettres*, janvier 1955, p. 31.
2. *Entretien avec Frédéric Lefèvre. Crépuscule*, p. 74. On sait que le texte de cet entretien fut rédigé par Bernanos lui-même.

une des nombreuses conférences qu'il fut invité à faire après la
sortie de son livre, l'auteur a raconté, avec la plus grande précision,
comment s'étaient imposés à lui les deux personnages sur lesquels
tout le roman repose :

> Je me vois encore, un soir de septembre, la fenêtre ouverte sur un
> grand ciel crépusculaire. Je pensais à l'ingénieux P.-J. Toulet,
> à sa fille verte, à ses charmants poèmes, tantôt ailés, tantôt boiteux,
> pleins d'une amertume secrète... Puis cette petite Mouchette a
> surgi (dans quel coin de ma conscience?) et tout de suite elle m'a
> fait signe, de ce regard avide et anxieux. – Ah! comme la naissance
> d'un livre sincère est chose légère, furtive et difficile à conter...
> J'ai vu la mystérieuse petite fille entre son papa brasseur et sa
> maman. J'ai imaginé peu à peu son histoire. J'avançais derrière
> elle, je la laissais aller. Je lui sentais un cœur intrépide... Alors
> peu à peu, s'est dessinée vaguement autour d'elle, ainsi qu'une
> ombre portée sur le mur, l'image même de son crime... La première
> étape était franchie, elle était libre.
> Mais libre de quelle liberté? Voyez-vous, j'avais beau faire : à
> mesure que se brisaient derrière elle, un par un, ces liens familiaux
> ou sociaux qui font de chacun de nous, même à l'avant-dernier
> degré de l'avilissement, des espèces d'animaux disciplinés, je
> sentais que ma lamentable héroïne s'enfonçait peu à peu dans un
> mensonge mille fois plus féroce et plus strict qu'aucune discipline.
> Autour de la misérable enfant révoltée, aucune route ouverte,
> aucune issue. Nul terme possible à cet élan frénétique vers une
> délivrance illusoire que la mort ou le néant.
> Comprenons-nous bien. Le dogme catholique du péché originel et
> de la Rédemption surgissait ici, non pas d'un texte, mais des faits,
> des circonstances et des conjectures. Le problème posé, aucune
> solution n'était possible que celle-là. A la limite d'un certain
> abaissement, d'une certaine dissipation sacrilège de l'âme humaine,
> s'impose à l'esprit l'idée du rachat. Non pas d'une réforme ni d'un
> retour en arrière, mais du rachat. Ainsi l'abbé Donissan n'est pas
> apparu par hasard : le cri du désespoir sauvage de Mouchette
> l'appelait, le rendait indispensable[1].

Non seulement cette manière de retracer le processus créateur
qui a donné naissance à *Sous le Soleil de Satan* est pleinement
satisfaisante pour l'esprit, mais elle explique des détails aussi sur-
prenants et aussi difficiles à justifier autrement que la référence à
P.-J. Toulet dans les premières lignes du roman, et elle concorde
à merveille avec ce que Bernanos nous dit par ailleurs de la façon
dont les personnages de ses romans s'imposent à lui, s'emparent de

---

1. *Satan et nous. Crépuscule*, p. 56-58.

lui : « On me demande souvent : 'Où avez-vous pris ce personnage ? Comment cette idée vous est-elle venue ?' Je n'ai jamais pris de personnage, c'est le personnage qui m'a pris [1]. »

Pourtant, Robert Vallery-Radot nous apprend que son ami composa d'abord la troisième partie, *Le Saint de Lumbres*, « parce qu'elle est à la fois le centre et le sommet de l'œuvre », puis la première, l'*Histoire de Mouchette*, puis la seconde, *La Tentation du désespoir* [2]. La contradiction, en elle-même, n'a rien d'insoluble : Bernanos peut très bien avoir conçu son œuvre dans un certain ordre et l'avoir réalisée dans un ordre différent. Mais elle nous amène à nous interroger de façon plus approfondie non seulement sur ce qui a donné l'impulsion première à son imagination, mais aussi sur le besoin auquel répond l'invention du roman.

Or, sur ce point Bernanos s'est exprimé, à plusieurs reprises, de façon formelle. Ce sont les déceptions et les colères de l'après-guerre, c'est le spectacle quotidien de l'avilissement universel, c'est l'effarante dévaluation des mots les plus nobles du langage humain qui l'ont amené à écrire son livre :

> ... je l'ai commencé peu de mois après l'armistice, déclare-t-il à Frédéric Lefèvre. Le visage du monde avait été féroce. Il devenait hideux. La détente universelle était un spectacle insurmontable. Traqué pendant cinq ans, la meute horrible enfin dépistée, l'animal humain rentré au gîte à bout de forces lâchait son ventre et évacuait l'eau fade de l'idéalisme puritain [...]. Les mots les plus sûrs étaient pipés. Les plus grands étaient vides, claquaient dans la main. On traitait communément, je ne dis même pas de héros, mais de saint, l'adjudant rengagé, tué par hasard au créneau [...]. Je savais bien que ce n'étaient pas les grandes choses, c'étaient les mots qui mentaient. La leçon de la guerre allait se perdre dans une immense gaudriole. C'était la descente de la Courtille. On promenait, comme à la mi-carême, des symboles de carton, le bœuf gras de « L'Allemagne paiera », le Poilu, la Madelon, l'Américain Ami-des-Hommes, La Fayette, tous des héros ! tous ! Qu'aurais-je jeté en travers de cette joie obscène, sinon un saint [3] ?

Tel que nous connaissons Bernanos, nous concevons très bien qu'il ait voulu, à la face d'un monde n'offrant plus que des caricatures de la vraie grandeur, lancer un saint authentique, ou plutôt un homme embarqué dans l'immense aventure de la sainteté. Sinon

---

1. *Journal de ce temps. La Plume*, déc. 1946 – janv. 1947. Cf. *Français*, p. 218-219.
2. *Bul.*, 2, p. 27.
3. *Entretien avec Frédéric Lefèvre. Crépuscule*, p. 66-68.

un portrait véridique du curé d'Ars, du moins, comme le dit encore
Vallery-Radot, un prêtre qui, « sans lui ressembler en tout, en
retraçât les principaux traits en face du conformisme religieux et
de la science athée ». Dans ce cas, on comprend très bien qu'il ait
commencé par écrire la troisième partie, car c'est, de toute évidence,
celle où la polémique avec le monde moderne a le plus de part. Le
curé de Luzarnes, ancien professeur de chimie, le type même du
prêtre médiocre qui a honte de sa foi parce qu'il a oublié le vrai
visage du Christ, le docteur Gambillet, médecin brillant et triste
sire, qui aide ses malades à « trépasser à la rigolade », l'Académicien
Saint-Marin enfin, portrait transparent d'Anatole France, viennent
tour à tour ou simultanément faire éclater l'incompatibilité qui
existe entre l'homme de Dieu et des esprits embourbés dans un
siècle sans grandeur.

Mais alors est-ce bien l'image de Mouchette qui a appelé à
l'existence celle de Donissan? Bernanos, saturé par le dégoût de
l'après-guerre, n'a-t-il pas imaginé d'abord la figure du saint, que
cet après-guerre postule dans la mesure même où il le repousse?
Quelque fondé qu'il soit à déclarer, dans sa conférence déjà citée
que l'équilibre du roman repose sur Mouchette, que Mouchette
est cet équilibre même, il est quand même étrange – et la critique
en a fait grief à l'auteur – que la troisième partie ne contienne aucune
allusion à son histoire, alors que dans les deux premières la destinée
du vicaire de Campagne et celle de la petite villageoise criminelle
se rejoignaient si naturellement. Faut-il en conclure que Bernanos
a mystifié son public en lui faisant croire que Mouchette, accusée
par certains d'être un personnage superflu, avait au contraire donné
le branle à tout le cortège des images?

Penser de la sorte, ce serait méconnaître à quel point le personnage de Mouchette est issu, *lui aussi*, des méditations de Bernanos
sur l'après-guerre. L'expérience qu'il a vécue durant ces quatre
années, nous avons vu dans quel état d'esprit, ne le pousse pas seulement à dresser une figure de saint contre la veulerie du siècle.
Elle l'amène à réévaluer, dans une lumière spirituelle, le mystère
de la souffrance dont il a eu une si intime communication.

L'épreuve sensible de la guerre, écrit-il dans une lettre à Frédéric
Lefèvre qui suivit de peu l'entretien déjà cité, avait éveillé dans
beaucoup d'âmes ce que j'appellerai le sens tragique de la vie, le
besoin de rapporter aux grandes lois de l'univers spirituel, de
faire rentrer dans l'ordre spirituel la vaste infortune humaine.
Le problème de la Vie est le problème de la Douleur[1].

1. *Crépuscule*, p. 11.

Or s'il y a une chose dont la guerre l'a convaincu, c'est que ce problème, à l'échelle où l'ont vécu ceux qui ont connu « cette extraordinaire aventure », ne se laisse absolument pas enfermer « dans le système rassurant de l'expérience et du bons sens cartésien [1] ». Cet ébranlement des certitudes familières retentit dans le domaine de la psychologie comme dans celui de l'histoire. Au niveau de cette dernière il conduit à entrevoir derrière les événements une Volonté perverse, un chef d'orchestre intelligent, ou plutôt un monstre insatiable :

> Je me moque de vos discours sur la vraisemblance et la crédibilité. Tâchez d'abord d'expliquer pourquoi l'humanité s'est dévorée pendant quatre ans, ne s'est encore qu'à peine assoupie sur les restes de son effroyable festin, le museau ruisselant de sang, épuisée, mais non assouvie... Ou vous ne voyez dans notre espèce qu'une race de singes malfaisants, ou vous ne me blâmerez pas de penser que nous sommes peut-être dupes de quelque effroyable partenaire dont l'Église catholique nous a d'ailleurs appris l'existence, et qui doit tricher au jeu [2]...

Mais la leçon vaut également au niveau de la psychologie individuelle, là où se développent les passions, dont l'analyse est l'objet propre du romancier :

> On m'avait fait croire, notamment, que les passions humaines étaient ces sortes d'abstractions, classées par ordre et par genre dans nos traités de psychologie, et que M. Lévy-Bruhl en avait le contrôle et le commandement. Mais quoi! Impossible de reconnaître de tels objets de laboratoire dans ces grandes choses hurlantes et désespérées qui venaient de frapper à tort et à travers sur toute l'étendue de la planète, et qu'on voyait encore fumer à l'horizon [...]. Étant né romancier, j'avais naturellement le goût de peindre les passions, mais j'aurais voulu les saisir, les surprendre dans leurs rapports et leur mouvement, enfin, je les voulais vivantes. C'est alors que la nécessité m'est apparue de les replacer dans un plan qui fût à leur mesure, dans cet univers spirituel dont les pions mélancoliques avaient jadis prétendu nous interdire l'accès... Et sitôt le seuil franchi de ce monde invisible où ces forces mystérieuses ont leurs racines, j'y ai rencontré le diable et Dieu [3].

Quel que soit l'ordre dans lequel ils se sont présentés à l'esprit de leur créateur, les personnages de Mouchette et de Donissan

---

1. *Une vision catholique du réel*, conférence prononcée à Bruxelles en mars 1957. *Crépuscule*, p. 28.
2. *Ibid.*, p. 26.
3. *Ibid.*, p. 29.

sont donc strictement complémentaires, parce qu'issus l'un et l'autre de cette grande interrogation sur la souffrance et le péché qui surgissait pour ainsi dire du massacre et des indignes mensonges par lesquels on essayait d'en camoufler les suites. Mais cette interrogation, on peut le croire, ne se présente pas à Bernanos sur le mode spéculatif. Qu'il poursuive l'image de l'héroïne enfoncée dans la révolte et l'humiliation volontaire ou celle du prêtre qui accepte d'être la proie de Satan pour mieux le vaincre, c'est à l'intérieur de sa propre conscience qu'il vit ce débat entre les deux grands adversaires qu'il découvre au fond de toute passion :

> J'ai écrit mon unique roman, confie-t-il au même public de Bruxelles, comme on court une aventure, au jour le jour. Chaque chapitre est pour moi ainsi qu'une auberge où j'ai bu, mangé et dormi, avec des fortunes diverses, de bonnes ou de mauvaises surprises, bref tout l'imprévu d'un voyage à travers ma conscience − une conscience qui ressemble à toutes les consciences, car je n'ai pas la prétention, comme cette pénitente du Père de Ravignan, de n'avoir commis que des fautes exquises, et de ne connaître que des remords distingués[1].

Et à Frédéric Lefèvre : « Quand on arrache ainsi un livre de soi, ligne après ligne, on peut compter qu'il est sincère : les loisirs ont manqué de se composer devant le miroir[2]!... »

Ainsi s'expliquent sans doute non seulement la complémentarité, mais aussi la parenté profonde, de deux personnages aussi dissemblables que Mouchette et Donissan. En chacun d'eux Bernanos a mis beaucoup de lui-même : c'est évident en ce qui concerne le prêtre, guetté par le désespoir, abordant le combat spirituel avec une tension de volonté qui risque d'être un des pièges du démon, sevré, par suite d'une vocation particulière, de toutes les joies de la vie intérieure, vivant, comme il le dit lui-même, « moins dans l'espérance de la gloire que nous posséderons un jour que dans le regret de celle que nous avons perdue[3] » et finalement tenté de passer de la haine du péché à la haine de la vie[4]. Mais les liens qui unissent l'auteur à Mouchette ne sont pas moins étroits. Selon un mot d'Henri Ghéon rapporté par Robert Vallery-Radot, « Bernanos, c'est Mouchette qui a la vocation sacerdotale », et l'ami intime du romancier de commenter : « Ce mot va très loin [...]. Il est vrai que

---

1. *Crépuscule*, p. 27.
2. *Ibid.*, p. 9.
3. *Pl.*, p. 225.
4. « J'ai haï le péché, se dit-il, puis la vie même, et ce que je sentais d'ineffable, dans les délices de l'oraison, c'était peut-être ce désespoir qui me fondait dans le cœur » (*Pl.*, p. 263).

Mouchette est une création extraordinaire et que son père spirituel n'a pu l''engendrer' sans avoir, avec un plaisir mêlé d'inquiétude, reconnu en elle des affinités obscures venues peut-être de *lointaines hérédités*. Il y avait en lui une nature féminine, nerveuse, irritable, coquette, que le mâle en lui dominait, mais qui par instants transparaissait[1]. »

Comment, dans ces conditions, ne pas sentir son expérience toute fraîche lorsque Bernanos reproche à son ami, peu de temps après avoir achevé *Sous le Soleil de Satan,* de se laisser empoisonner par ses mauvais rêves, au lieu de s'en délivrer en les faisant passer franchement dans son œuvre :

> Est-ce crainte ou pudeur ? Redoutez-vous la présence réelle de vos démons ? En restez-vous à la plus facile besogne de discipliner vos pensées, plutôt que de dompter, pour notre édification, vos bêtes ? Je crois qu'il faut cependant franchir le pas, mon ami, mon vieux camarade... Il faut sauter le parapet [...]. L'épreuve n'est-elle pas assez longue ? N'avez-vous pas traversé, sans tourner la tête, le vénéneux jardin ? A présent, purifiez-le par le feu, dans un livre. Brûlez avec lui cette image de vous, que vous redoutez toujours. Brûlez-la, mais après nous l'avoir donnée, chargée de vos plus mauvais rêves[2].

N'est-ce pas, justement, aux mauvais rêves dont Bernanos les a chargés que tient, pour une bonne part, la secrète ressemblance de Mouchette et de Donissan ? La même force les pousse l'un et l'autre à sortir des routes battues, à couper derrière eux tous les ponts, à s'enfoncer toujours plus profondément dans la solitude de leur aventure intérieure. A la haine de Mouchette envers elle-même[3] et à son insatiable appétit d'humiliation répond, chez le « saint de Lumbres », le masochisme qui le pousse à s'infliger des mortifications inhumaines et à commettre « une sorte de suicide moral dont la cruauté raisonnée, raffinée, secrète, donne le frisson[4] ». Comment ne connaîtraient-ils pas, dès lors, des tentations parallèles ? Tentation d'une chute sans fin, d'un ensevelissement définitif dans les ténèbres. « Vraiment ? dit Mouchette à Gallet, tu n'as jamais senti... comment dire ? Cela vous vient comme une idée... comme un vertige... de se laisser tomber, glisser... d'aller jusqu'en bas – tout à fait – jusqu'au fond[5]. » Ce vertige, Donissan le connaît aussi, au moment où de toutes parts on proclame sa sainteté : « Ce n'est

---

1. *Bul.*, 2, p. 28.
2. Lettres du 20 mars et du 2 mai 1925. *L'Esprit des Lettres*, janvier 1955, p. 24 et 26.
3. « Je sais que tu me hais... Moins que moi ! » dit-elle à Gallet (*Pl.*, p. 97).
4. *Pl.*, p. 159.
5. *Ibid.*, p. 97.

plus ce cloître qu'il désire, mais quelque chose de plus secret que la solitude, l'évanouissement d'une chute éternelle, dans les ténèbres refermées [1]. » Et il n'ignore pas non plus, lui qui a reçu la grâce d'une connaissance purifiée par la charité, l'appétit de cette autre connaissance, dont la curiosité est l'âme, et qui épuise son objet dans une étreinte destructrice. C'est cet appétit, si élevé qu'en fussent les motifs, qui l'a mis pour un temps au pouvoir de Satan au moment de leur face-à-face [2]. C'est lui qu'il retrouve au moment de la grande tentation, au début de la troisième partie, et c'est lorsqu'il est près de s'y abandonner qu'il contemple, à ciel découvert, ce Soleil de Satan dont le titre du roman évoque la présence : « Connaître pour détruire, et renouveler dans la destruction sa connaissance et son désir – ô soleil de Satan! – désir du néant recherché pour lui-même, abominable effusion du cœur [3]. »

On peut donc tenir pour certain que Bernanos a fait passer dans son premier roman à la fois l'interrogation sur la souffrance et le péché que suscitait l'expérience de la guerre et les « mauvais rêves » qui, au-dedans de lui, donnaient à cette interrogation une intensité tragique ou lui apportaient une réponse dangereuse. Mais l'artiste digne de ce nom ne se contente pas de traduire une expérience. Il lui donne un sens. Avec la matière de ses rêves, avec son angoisse, avec sa colère, avec les images de son enfance, il crée un langage susceptible d'être entendu par d'autres hommes, et de les toucher là où nul autre n'a pu les atteindre.

Mais comment créer, à partir des mots de tous les jours, et à partir des formes d'art traditionnelles, un langage qui renvoie à d'autres zones de l'expérience humaine que celles dans lesquelles les contemporains ont coutume d'évoluer? On ne peut manquer d'être frappé par le fait que Bernanos, répondant à Frédéric Lefèvre, présente son entreprise romanesque comme la reconquête d'un langage, dont tous ceux qui avaient quelque chose à dire avaient été dépouillés par les jongleries de la guerre et de l'après-guerre : « On nous avait tout pris. Oui! quiconque tenait une plume à ce moment-là s'est trouvé dans l'obligation de reconquérir sa propre langue, de la rejeter à la forge. Les mots les plus sûrs étaient pipés [...]. A quoi contraindre les mots rebelles, sinon à définir, par pénitence, la plus haute réalité que puisse connaître l'homme aidé de la grâce, la Sainteté [4]? » (Et il aurait pu ajouter, bien sûr : le

1. *Pl.*, p. 237.
2. « Ta curiosité te donne à moi pour un moment » (*Pl.*, p. 183).
3. *Pl.*, p. 237.
4. *Crépuscule*, p. 66-68.

péché, le mal, car tout se tient, dans le domaine spirituel, et tout est également indicible dès lors qu'on y discerne la lutte surnaturelle de Dieu et de Satan.) Ne prenons pas pour une image jetée au hasard l'expression « par pénitence », à laquelle Bernanos vient d'avoir recours. Il ne lui déplaisait certainement pas de penser que la peinture du combat entre la lumière et les ténèbres devait s'accompagner d'un combat contre la pesanteur des mots, d'un effort pour désenténébrer le langage humain, dont Satan joue avec une virtuosité consommée. Voyons-en la preuve dans la prière finale que Bernanos prête à son héros, mais qui est bien réellement la prière de l'écrivain :

> *Notre intelligence est épaisse et commune, notre crédulité sans fin, et le suborneur subtil, avec sa langue dorée... Sur ses lèvres les mots familiers prennent le sens qu'il lui plaît, et les plus beaux nous égarent mieux. Si nous nous taisons, il parle pour nous et, lorsque nous essayons de nous justifier, notre discours nous condamne. L'incomparable raisonneur, dédaigneux de contredire, s'amuse à tirer de ses victimes leur propre sentence de mort. Périssent avec lui les mots perfides!*

A plusieurs reprises, au cours du roman, Bernanos gémit de l'impuissance des mots à traduire une expérience dont le caractère immédiat défie tout équivalent discursif : « La langue humaine ne peut être contrainte assez pour exprimer en termes abstraits la certitude d'une présence réelle, car toutes nos certitudes sont déduites [...]. Nulle autre évidence que logique ne jaillit de la raison, nul autre univers n'est donné que celui des espèces et des genres. Nul feu, sinon divin, qui force et fonde la glace des concepts [1]. » En face de telles réalités, le langage de tous les jours n'est-il pas comme celui des pénitents de Lumbres, « à la fois fruste et perfide, qui n'embrasse que les contours des choses, riche de la seule équivoque, assez ferme quand il nie, toujours lâche pour affirmer [2] », alors qu'il y faudrait la voix du saint, « la voix souveraine, au-dessus de l'éloquence, qui crevait les cœurs les plus durs, impérieuse, suppliante, et, dans sa douceur même, inflexible [...]. Parole simple, reçue dans le cœur, claire, nerveuse, elliptique à travers l'essentiel, puis pressante, irrésistible, faite pour exprimer tout le sens d'un commandement surhumain [3] » ?

Faute de pouvoir parler un tel langage, Bernanos essaie de suggérer, indirectement, ce que les mots ne peuvent pas nommer.

---

1. *Pl.*, p. 197-198. Cf. aussi p. 219.
2. *Ibid.*, p. 276.
3. *Ibid.*, p. 243.

Dans le cas le plus simple, il procède par une succession de négations, qui cernent l'objet indicible à la manière des concepts de la théologie négative. Ainsi pour décrire les sentiments de Donissan au moment où il découvre Satan face à face : « Ce que le visage exprimait désormais, c'était d'ailleurs moins la crainte qu'une curiosité sans bornes. On eût pu dire la haine, mais la haine suscite une flamme dans le regard humain. L'horreur, mais l'horreur est passive [...]. Le vain appétit de savoir n'a pas non plus cette dignité souveraine [1]. » Ou bien pour peindre la pitié que Mouchette inspire au prêtre qui voit son âme : « Non pas cette pitié qui n'est que le déguisement du mépris, mais une pitié douloureuse, ardente, bien que calme et attentive. Rien ne trahissait l'effroi, ni même la surprise [2]. » Ou pour faire sentir la manière dont la grâce de Dieu accompagne le vicaire : « Ce n'était pas la présence, et c'était quelque chose de plus que le souvenir [3]. »

Bien plus souvent c'est à des images que Bernanos a recours pour nous faire pénétrer dans le monde intérieur de ses héros. « Je voudrais, dans mes livres, lancer des escadrons d'images », confiait-il un jour à Robert Vallery-Radot [4]. Notons l'accent conquérant de l'expression. Il s'agit bien d'une bataille, d'un assaut contre l'inexprimable. Chacun des personnages de *Sous le Soleil de Satan* use d'un registre d'images particulier où il exprime quelque chose de son âme [5]. Il ne saurait être question de passer ici en revue la totalité de ces registres. Nous essaierons seulement de donner une idée de la façon dont Bernanos évoque les grands mouvements

1. *Pl.*, p. 176. On remarquera que l'expression est encore indirecte à un autre titre, car c'est sur le visage de Donissan que se lisent ses sentiments.

2. *Ibid.*, p. 193.

3. *Ibid.*, p. 190. Cf., au sujet de cette approche négative de la vérité, le chapitre sur le style de Bernanos dans Jean SCHEIDEGGER, *Bernanos romancier*, Neuchâtel, Attinger, 1956.

4. *Bul.*, 2, p. 11.

5. Par exemple, les images qui se rapportent à Mouchette sont généralement des images animales : « Ce joli gibier-là, voyez-vous, c'est comme un râle de genêt dans la luzerne (p. 65) », « ces discours aussi brusques que le crochet d'un lièvre (p. 80) » (ces deux images, employées par le marquis, portent en outre la trace de ses habitudes de chasseur) ; « un jeune animal féminin, au seuil d'une belle nuit, essaie timidement, puis avec ivresse, ses muscles adultes, ses dents et ses griffes (p. 75) » ; « ce corps frêle... respirait quelque chose de la majesté des bêtes (p. 97) » ; « A la porte de la boucherie centrale, tu vois des bœufs manger leur foin à deux pas du mandrin, devant le boucher aux bras rouges, qui les regarde en riant. J'envie ça, moi (p. 105)! » ; « dans ma fameuse mare de Vauroux, je vois des bêtes très drôles, très singulières ; ça ressemble un peu à des mille-pattes, mais plus longs [...]. Hé bien! ils nous ressemblent (p. 109). »

de la vie intérieure. Il est important de noter qu'une même catégorie d'images exprime aussi bien l'aventure du salut que celle de la perdition. Cela n'est pas pour nous surprendre étant donné ce que nous savons des liens qui unissent Donissan à Mouchette. Ainsi c'est à la caravelle de Christophe Colomb que Bernanos compare cette dernière lorsqu'il veut nous faire sentir l'immensité de son égarement[1]. Mais les mêmes images de mer et de navire servent à évoquer la solitude de Donissan, son vertige devant l'abîme au-dessus duquel il est placé, ou son abandon à une volonté qui le dépasse infiniment : « Ce lien brisé, où le flot l'entraînerait-il ?... Parfois ce lien se relâche, et, comme un navire qui chasse sur ses ancres, son être est ébranlé jusqu'au fond[2]... » Ou encore : « Celui qui, noué des deux mains à la pointe extrême du mât, perdant tout à coup l'équilibre gravitationnel, verrait se creuser et s'enfler sous lui, non plus la mer, mais tout l'abîme sidéral[...] ne sentirait pas au creux de sa poitrine un vertige plus absolu[3]. » Cette idée d'une chute dans le vide on la retrouve, appliquée à Mouchette, d'abord sur un registre plus modeste : « elle sentit son cœur défaillir, comme à la descente de l'escarpolette[4] », puis avec une intensité comparable : « La vie un moment ouverte, déployée de toute l'envergure, le vent de l'espace frappant en plein..., puis repliée, retombant à pic comme une pierre[5]. »

C'est encore le sentiment de l'immensité d'un espace – offert cette fois à la découverte d'un regard neuf – qui nous est suggéré lorsque Bernanos nous parle du don de lire dans les âmes que Donissan vient de recevoir : « Ainsi, l'aveugle-né à qui la lumière se découvre tend vers la chose inconnue ses doigts tremblants, et s'étonne de n'en saisir la forme ni l'épaisseur[6]. » Et plus loin : « Ainsi l'homme qui s'éveille devant un paysage inconnu, tout à coup découvert, à la lumière de midi, alors que son regard s'est déjà emparé de tout l'horizon, ne remonte que par degrés de la profondeur de son rêve[7]. »

---

1. *Pl.*, p. 69.
2. *Ibid.*, p. 146. La même image du navire à l'ancre revient à la fin du roman à propos du lit de l'enfant mort (p. 265). Bernanos la reprendra dans sa conférence *Satan et nous* : « Mais sitôt que la pauvre poitrine exténuée s'est remplie d'un solennel silence, le lit le plus vulgaire m'apparaît comme un miraculeux petit navire qui chasse tout à coup sur ses ancres... » (*Crépuscule*, p. 53).
3. *Pl.*, p. 177.
4. *Ibid.*, p. 90.
5. *Ibid.*, p. 95.
6. *Ibid.*, p. 188.
7. *Ibid.*, p. 193.

Ailleurs, c'est au monde des sons que sont empruntés les équivalents nécessaires pour faire comprendre les mouvements de l'âme. La joie s'empare brusquement de celle de Donissan, « comme un seul cri à travers l'immense horizon ne dépasse pas le premier cercle de silence[1] ». Après une nouvelle vague de tentations, le silence se fait en lui : « C'était comme, au travers d'une foule innombrable, ce bourdonnement qui prélude à l'étouffement total du bruit, dans la suspension de l'attente[2]. » Mais il faut des images plus subtiles encore pour évoquer des impondérables comme les approches de la grâce au moment où la conscience claire ne peut encore en recueillir aucune preuve. C'est à la musique que Bernanos les emprunte :

> Ce fut d'abord une joie furtive, insaisissable, comme venue du dehors, rapide, assidue, presque importune. Que craindre ou qu'espérer d'une pensée non formulée, instable, du désir léger comme une étincelle ? Et pourtant, ainsi que dans le déchaînement de l'orchestre le maître perçoit la première et l'imperceptible vibration de la note fausse, mais trop tard pour en arrêter l'explosion, ainsi le vicaire de Campagne ne douta pas que cela qu'il attendait sans le connaître était venu[3].

En vertu d'une équivalence qui nous est déjà familière, la même image de l'orchestre nous fera sentir comment, dans l'esprit de Mouchette, la multitude des crimes de ses ancêtres, s'ordonne peu à peu au point de constituer une vision unique du mal : « pourtant, comme à travers un orage de sons monte la dominante irrésistible, une volonté active et claire achevait d'organiser ce chaos[4]. »

Mais parfois, c'est à tous les registres sensibles qu'il faut avoir recours en même temps, pour exprimer des états dont l'intensité et les caractères contradictoires paraissent défier le langage humain. Ainsi lorsque Donissan, usant du don qui lui a été accordé, se prépare à lire dans l'âme de Mouchette :

> De nouveau il avait entendu l'appel doux et fort. Puis, comme le rayonnement d'une lueur secrète, comme l'écoulement à travers lui d'une source inépuisable de clarté, une sensation inconnue, infiniment subtile et pure, sans aucun mélange, atteignait peu à peu jusqu'au principe de la vie, le transformait dans sa chair même. Ainsi qu'un homme mourant de soif s'ouvre tout entier à la fraîcheur aiguë de l'eau, il ne savait si ce qui l'avait comme transpercé de part en part était plaisir ou douleur[5].

1. *Pl.*, p. 141-142.
2. *Ibid.*, p. 144.
3. *Ibid.*, p. 145.
4. *Ibid.*, p. 206.
5. *Ibid.*, p. 193.

Un autre moyen dont use Bernanos pour nous faire pénétrer dans l'univers intérieur de ses personnages consiste à plonger ceux-ci dans un cadre qui nous accorde avec leurs pensées ou avec leur drame. Souvent, et en particulier au début du roman, il s'agit de cette orchestration spontanée par laquelle nombre de romanciers modernes commentent et amplifient les états d'âme qu'ils décrivent. Lorsque Mouchette rencontre pour la première fois le marquis de Cadignan, la claire nature de juin a quelque chose de frais, de splendide et d'intact qui ressemble à ses rêves d'enfant. Après sa dispute avec son père, elle aperçoit par la fenêtre, au-delà des étroites limites du jardin, le toit de chaume du dernier mendiant de la commune, qui est pour elle un symbole de liberté. Ce même jardin, élargi et approfondi sans mesure par l'obscurité, l'invite à faire les premiers pas qui la conduisent loin des certitudes familières. Puis, durant sa visite au marquis, dans le désordre de la pièce où finissent de pourrir de vieux meubles, la bise venue de la haute mer qui fait voler les feuillets sur la table et filer la lampe apporte avec elle comme un pressentiment du drame.

Mais à mesure que se précisent les conditions du combat spirituel qui est à l'arrière-plan du jeu des passions, c'est un véritable paysage métaphysique que nous sommes invités non seulement à contempler, mais à habiter avec le héros. Cela ne veut pas dire, bien entendu, que ce paysage soit dénué de réalisme. Mais il est, par sa morphologie même, comme prédestiné à devenir le champ clos où s'affrontent des forces sans proportion avec l'homme. Ainsi la « muette étendue plate » à travers laquelle le vicaire de Campagne se hâte, « sans dévier d'une ligne » vers la petite ville où ses pénitents l'attendent devient tout naturellement, une fois l'obscurité tombée, cet espace maudit dans lequel il tourne en rond, ce labyrinthe au centre duquel l'attend l'Ennemi. Un peu plus tard, au moment de la rencontre avec Mouchette, ce que Bernanos appelle expressément « le lieu du nouveau combat » est un chemin creux, qui « ressemble plutôt à un ravin, ou un trou d'eau », « une tache d'ombre dans l'ombre ». L'étroitesse des lieux jette l'un contre l'autre les deux interlocuteurs. Obligée de passer la première, Mouchette se sent poursuivie, traquée par l'homme de Dieu. Seul Kafka peut-être, parmi tous les romanciers, utilise de la sorte les contraintes physiques de l'espace pour suggérer le désarroi d'une âme prisonnière. Au moment où le vicaire commence à lire dans celle de la jeune femme, ils débouchent dans la plaine. L'élargissement de l'espace correspond au sentiment de délivrance qu'éprouve Mouchette lorsque lui est révélée l'inanité de son péché, mais aussi au vide que fait en elle la parole libératrice. Ne pouvant pas supporter ce vide, qui dissout sa pseudo-personnalité dans l'anonymat des fautes ancestrales, elle s'enfuit à travers la plaine, décidée à mourir, et elle se réfugie « derrière une porte bien close, à l'abri, seule », car « le dehors, l'horizon familier, le ciel même appartenaient à son ennemi[1] ».

Le parallélisme entre le monde extérieur et le monde intérieur n'est pas moins frappant au moment où le « Saint de Lumbres » livre son dernier combat. Le soleil, l'air léger, le jardin que les abeilles traversent comme des flèches, favorisent une exaltation par laquelle le raisonnable Sabiroux se laissera lui-même gagner. L'attente du miracle, cette dernière carte que Satan s'apprête à jouer contre son vieil adversaire, la nature elle-même semble y participer : « La brise de mai, roulant au ciel ses nuages gris, bloquait parfois au-dessous de l'horizon leur immense troupeau. C'est alors qu'un jet de lumière éblouissante, pareil à l'éclair d'un sabre, rasant toute la plaine assombrie, venait éclater dans la haie splendide. » « Je me sentais, écrira plus tard l'abbé Sabiroux, comme sur une cime isolée, exposé sans défense aux coups d'un invisible ennemi... Et lui, redevenu silencieux, fixait le même point dans l'espace. Il avait l'air d'attendre un signe, qui ne vint pas[2]. » Cette même atmosphère printanière, devenue pesante à l'intérieur de la chambre mortuaire, où règnent le parfum des lilas et l'odeur de la cire, est le milieu dans lequel la vie et la mort, la nature et la surnature, se rencontrent et se mêlent, en une proximité qui rend moins improbable l'idée du miracle :

> Le silence, qui n'est plus celui de la terre, que les bruits extérieurs traversent sans le rompre, monte autour d'eux, de la terre profonde. Il monte, comme une invisible buée, et déjà se défont et se délient les formes vivantes, vues au travers ; déjà les sons s'y détendent, déjà s'y recherchent et s'y rejoignent mille choses inconnues. Pareilles au glissement l'un sur l'autre de deux fluides d'inégale densité, deux réalités se superposent, sans se confondre, dans un équilibre mystérieux[3].

S'il est possible à Bernanos, en faisant appel à l'expression négative ou indirecte, d'évoquer la réalité spirituelle qui est le véritable objet de son récit, cette réalité n'est pas statique, et une nouvelle série de problèmes résulte de la nécessité où il se trouve de nous faire participer, avec des moyens narratifs adaptés à la peinture des actions humaines, à un drame surnaturel.

En ce domaine, les possibilités offertes au romancier se situent

1. *Pl.*, p. 207.
2. *Ibid.*, p. 258.
3. *Ibid.*, p. 265.

entre deux extrêmes. A l'un des extrêmes, il y a la vision de la vie humaine telle qu'elle s'offre au regard de la sainteté. De même que le saint dispose d'une parole essentielle susceptible d'atteindre directement les zones profondes de l'être humain, de même il voit la destinée des hommes dans la seule perspective qui compte, c'est-à-dire dans celle de leur salut, de leur situation par rapport à Dieu. Or, cette perspective introduit dans la vision du saint une déconcertante simplicité. Elle en bannit tous les accidents auxquels s'attache ce qu'on est convenu d'appeler le romanesque. Ce qu'il est donné au vicaire de Campagne de déchiffrer, c'est « l'histoire de Mouchette non point dramatisée par le metteur en scène, enrichie de détails rares et singuliers, mais résumée au contraire, réduite à rien, vue du dedans [1] ». La même simplification s'opère lorsqu'il contemple, au-delà du crime commis par la fille du brasseur, la longue et monotone génération de péchés qui l'ont précédé : « Ce que la voix racontait d'un accent tout uni, peu d'oreilles l'entendirent jamais – l'histoire saisie du dedans – la plus cachée, la mieux défendue, et non point telle quelle, dans l'enchevêtrement des effets et des causes, des actes et des intentions, mais rapportée à quelques faits principaux, aux fautes mères [2]. »

A l'extrême opposé, il y a la vision des hommes dont le sens spirituel est oblitéré, et qui sont par conséquent incapables de donner une signification aux événements qu'ils vivent ou auxquels ils assistent, de percevoir le tragique d'une situation, même lorsqu'ils y sont eux-mêmes plongés. « C'est en vain qu'ils retournent pas à pas, de souvenir en souvenir, qu'ils épellent leur vie, lettre à lettre. Le compte y est, et pourtant l'histoire n'a plus de sens. Ils sont devenus comme étrangers à leur propre aventure ; ils ne s'y reconnaissent plus. Le tragique les a traversés de part en part, pour en tuer un autre à côté [3]. » Tel est le curé de Luzarnes, mais tels sont aussi, selon Bernanos, les immoralistes qui se prétendent indifférents au bien et au mal, ou les psychologues qui ne saisissent que la surface de la vie psychique. Pour eux « la misérable petite aventure de la vie ne sera qu'une succession d'anecdotes, que relie entre elles la seule recherche toujours déçue du plaisir. L'univers du psychologue curieux ressemble à l'univers moral comme une mappemonde couverte de signes ressemble au globe frémissant qui vole à travers l'espace vide et noir, vers la constellation du Centaure, et un destin plus mystérieux qu'aucune étoile du ciel infini [4] ».

1. *Pl.*, p. 200.
2. *Ibid.*, p. 205.
3. *Ibid.*, p. 249.
4. *Une vision catholique du réel. Crépuscule*, p. 33-34.

Le romancier ne saurait évidemment déployer devant nous la
vision du saint, qui, d'ailleurs, transcende toute forme d'art et ne
peut s'accomplir que dans le silence ; c'est à travers l'anecdote,
dans « l'enchevêtrement des effets et des causes, des actes et des
intentions », et non sans avoir recours parfois à la dramatisation et
à la mise en scène, qu'il doit essayer de saisir quelques reflets du
drame surnaturel, d'orienter son esprit et celui de ses lecteurs vers
ces cimes de la sainteté qu'aucun langage humain ne saurait prétendre décrire. C'est pourquoi Bernanos se défend si vigoureusement,
devant Frédéric Lefèvre, d'avoir voulu recomposer la vie du curé
d'Ars, ou même d'un saint imaginaire : « ce serait folie de vouloir
forcer les mots à exprimer ce qui est, par sa nature, inexprimable,
la paix au-dessus de tout langage [...]. Non ! je désirais simplement
– mais passionnément, j'avais passionnément besoin – de fixer ma
pensée, comme on lève les yeux vers une cime dans le ciel, sur un
homme surnaturel dont le sacrifice exemplaire, total, nous restituerait
un par un chacun de ces mots sacrés dont nous craignions d'avoir
perdu le sens[1]. »

Il en résulte que le romancier ne saurait décrire la sainteté, mais
un combat dont la sainteté est l'enjeu, et que ce combat ne saurait
être décrit, lui aussi, que de façon indirecte, oblique, par une
succession de perspectives à l'intersection desquelles doit se trouver
l'inaccessible expérience du saint. La structure du roman fait
apparaître clairement cette succession de perspectives. La première
partie, l'*Histoire de Mouchette,* ne nous présente que la face humaine,
pour ainsi dire, d'un drame dont les coordonnées spirituelles ne
nous seront révélées que plus tard. Le récit est alors mené sur le
mode dramatique traditionnel, c'est-à-dire selon l'enchaînement des
causes et des effets, des intentions et des actes. C'est seulement à
travers certains trous du récit que nous entrevoyons, comme à
travers une étoffe usée, un autre plan de réalité, et c'est alors aussi
que se manifeste une nécessité tragique dont une stricte causalité
ne saurait expliquer parfaitement l'orientation inflexible. Ainsi, au
moment où Mouchette, venue auprès du marquis de Cadignan
pour lui parler d'enlèvement, s'entend proposer une sorte de rente :
« Avoir, une heure plus tôt, franchi la nuit d'un trait vers l'aventure,
défié le jugement du monde entier, pour trouver au but, ô rage !
un autre rustre, un autre papa lapin ! Sa déception fut si forte, son
mépris si prompt et si décisif qu'en vérité les événements qui vont
suivre étaient déjà comme écrits en elle. Hasard, dit-on, mais le
hasard nous ressemble[2]. » Quel est cet autre plan de réalité que

1. *Entretien avec F. Lefèvre. Crépuscule,* p. 73.
2. *Pl.,* p. 83.

révèle ici la disproportion entre l'effet et la cause ? Bien que Bernanos parle, d'une façon assez balzacienne, du « brusque essor d'une volonté longtemps contenue », il précise aussitôt que la source de tels phénomènes est inaccessible au psychologue, car ses hypothèses « dissimulent seulement à nos yeux un mystère dont l'idée seule accable l'esprit ». De même la conduite de Mouchette envers le Docteur Gallet pourrait à la rigueur être expliquée par l'hystérie, mais le fait même que ce soit à cette explication-là que le docteur s'arrête nous prouve qu'elle n'est pas la bonne.

Cette méthode de présentation directe et dramatique ne pouvait pas suffire dans la seconde partie, *La Tentation du désespoir*, car le combat qui y est évoqué ne met pas aux prises des adversaires agissant selon une causalité matérielle ou psychologique. En présentant sur ce mode une scène comme celle de la rencontre du vicaire avec Satan, Bernanos a sans doute commis une faute, en dépit des mérites poétiques de tout le passage. Mais il a eu soin de disposer d'autres éclairages qui ajoutent à cette seconde partie une sorte de troisième dimension. Ce sont d'abord les deux entretiens avec l'abbé Menou-Segrais, dans lesquels ce qui va arriver ou ce qui est arrivé à l'abbé Donissan s'éclaire à la lumière de sa vocation surnaturelle[1]. Ce sont ensuite les signes de cette vocation qui sont disposés tout au long du récit, sous forme d'anticipation et, quelquefois, de retour en arrière. On peu se demander en effet pourquoi Bernanos multiplie des indications comme : « celui qui fut depuis le curé de Lumbres », « un mot échappé beaucoup plus tard à l'abbé Donissan... », « Vingt ans plus tard, au P. Charras, futur abbé de la Trappe d'Aiguebelle [...] le curé de Lumbres disait... », etc. On pourrait n'y voir que le souci de donner à son récit une allure historique. Mais comment ne pas être frappé alors par la maladresse avec laquelle le point de vue du chroniqueur intervient dans un domaine qui échappe absolument à la chronique ? Ces anticipations me semblent avoir au contraire pour but de détruire l'illusion chronologique en déployant au-dessus de l'événement un plan de référence surnaturel où Donissan est, de toute éternité, le « saint de Lumbres ». Passé, présent et avenir se compénètrent dans le dessein de Dieu, que les actions de l'homme inscrivent dans la trame des jours. Ainsi, dans une même page, voyons-nous se superposer différentes images de Donissan, dont la grâce est en train de faire un autre homme : « *Autrefois*, prenant sa place au coin le plus noir et pétrissant son vieux chapeau dans ses doigts, le malheureux *cherchait*

---

1. Sur cet éclairage surnaturel, cf. l'excellent commentaire de *Balthasar*, p. 232-237.

longtemps en vain une transition adroite [...]. *A présent* il *a* trop
à faire de lutter contre lui-même [...]. *Ainsi que jadis*, il *traverse*
la cour du même pas rapide [...] *Comme autrefois* le *même* marmot
[...] l'*observe* [...]. *Mais déjà*, quand il paraît sur le seuil, chacun se
lève en silence [...]. *C'est toujours* ce prêtre honteux qu'un sourire
déconcerte aux larmes et qui arrache à grand labeur chaque mot de
sa gorge aride. Mais de cette lutte intérieure, rien ne *paraîtra* plus
au-dehors, *jamais*. »

Plus difficiles encore sont les problèmes que posait du point
de vue de la narration la troisième partie, *Le Saint de Lumbres*, où
le substratum psychologique du drame s'amenuise de plus en plus
et où le héros, même s'il est encore en butte à des tentations et
exposé à des chutes, s'enfonce dans une expérience de la sainteté
de plus en plus indicible. Contre cette impuissance, Bernanos use
d'un remède, si j'ose dire, homéopathique. En donnant la parole
au plus inintelligent des confrères du curé de Lumbres, au moins
préparé, en tout cas, à recevoir ses révélations, en faisant du curé
de Luzarnes le témoin et le confident de la lutte suprême, il gagne
sur deux tableaux : d'une part en effet, dissimulé derrière le plus
épais des observateurs, il nous invite à voir dans le récit de ce dernier
une sorte de décalque négatif de la réalité, et d'autre part, comme il
s'agit d'un esprit réaliste, « scientifique », on peut tenir pour certain
que les faits rapportés sont authentiques. Mais nous savons qu'au-
delà de ces faits se tient une vérité que l'aveuglement du curé de
Luzarnes nous incite à considérer comme infiniment transcendante
à ce qu'il voit. De même, l'intervention de Saint-Marin, dans cette
troisième partie, n'a pas seulement pour but de ridiculiser une certaine forme de pensée et d'art. Elle permet de mesurer l'abîme qui
sépare la sainteté authentique de l'image édulcorée que s'en font les
esprits lâches. Mais l'emploi de tel éclairage ou de telle méthode de
présentation n'a jamais, pour Bernanos, rien de systématique. Le
témoignage obtus de Sabiroux s'interrompt sans raison apparente,
à plusieurs reprises, pour céder la place à la voix du narrateur. Les
paroles du Saint de Lumbres nous sont rapportées tantôt directement, comme si nous assistions à la conversation, tantôt par l'intermédiaire de son ridicule compagnon. Il n'est pas rare non plus que
nous soient communiquées les plus intimes pensées du thaumaturge.
Lorsqu'à la fin il a disparu de la scène, c'est son cadavre qui parle, et
avec quelle éloquence ! « Tu voulais ma paix [...] viens la prendre !... »
Cette diversité de points de vue contribue grandement à créer une
impression de relief, qu'une présentation uniforme ne parviendrait
sans doute pas à donner.

Il faut maintenant parler de la substance de cet univers dont Bernanos s'est fait, par les moyens qu'on vient de voir, l'explorateur. Nous le ferons brièvement, beaucoup plus brièvement que ne l'exigerait la très grande densité de ce premier roman, car les suivants nous donneront l'occasion de préciser, dans ses traits essentiels, une vision du monde qui s'offre à nous, d'entrée de jeu, avec une richesse et une cohérence exceptionnelles. Désireux de fixer les caractères spécifiques de cette étape, nous insisterons surtout sur ce qui, dans une telle vision du monde, est destiné à évoluer ou à être dépassé.

Sous le Soleil de Satan nous propose, en gros, trois approches de la vérité : une approche psychologique, une approche fantastique, et une approche théologale. Bien qu'elle nous mette en contact avec une réalité qui est, théoriquement, plus profonde que celle dont l'analyse psychologique nous révèle l'existence, nous commencerons par l'approche fantastique, qui est la plus inadéquate. Bernanos y renoncera d'ailleurs complètement après ce premier roman. Elle intervient ici à deux moments capitaux de l'action : au moment de la rencontre de l'abbé Donissan avec Satan, et, d'une façon beaucoup plus fugitive, au moment du miracle manqué. Grand admirateur de Barbey d'Aurevilly et de Villiers-de-l'Isle-Adam[1], Bernanos a sans doute pensé que la meilleure manière de proclamer sa foi en l'invisible à la face d'un monde qui le rejette avec dédain, était d'amener l'invisible à se manifester corporellement. C'était là un mauvais calcul, car il entre, dans le fantastique le plus réussi, une certaine part de convention artistique qui l'empêche de créer chez le lecteur autre chose qu'une suspension du jugement – ce qui ne va pas sans un certain scepticisme[2]. Bernanos a d'ailleurs si bien senti cette nécessité inhérente au fantastique qu'il se garde bien d'affirmer que la rencontre avec Satan a réellement eu lieu. Tout, au contraire, dans la manière dont il l'introduit, nous porte à croire que la scène est rêvée : « Il se mit à marcher – ou plutôt il lui sembla depuis qu'il avait marché très vite, sur une route irréprochablement unie, à pente très douce, au sol élastique. Sa fatigue avait disparu et il se retrouvait, à la fin de sa longue course, remarquablement libre et léger[3]. » De même, à la fin de la scène, incapable d'aucun mouvement, ne vivant que par l'ouïe, Donissan paraît s'éveiller d'un songe. Il y a donc là du fantastique, et du meilleur, particulièrement en

1. Il les cite lui-même en les appelant « nos maîtres » dans son entretien avec Frédéric Lefèvre (p. 77), comme des exemples d'auteurs qui ont rencontré l'incompréhension du public catholique.

2. Sur ces problèmes, cf. P.-G. CASTEX, *Le conte fantastique en France, de Nodier à Maupassant*, Paris, José Corti, 1950.

3. *Pl.*, p. 163.

ce qui regarde la forme sous laquelle Satan se manifeste : celle d'un maquignon jovial, goguenard, ignoblement familier, et dont la présence physique a quelque chose de gluant. On peut se demander en revanche s'il était bien utile de prêter au personnage des traits traditionnels, tels que le fameux rire, le feu d'artifice tiré d'une pierre, ou les bonds qu'il est obligé d'accomplir devant l'être consacré.

Mais ce n'est pas là le plus grave. En mettant en relief le caractère *mythique* de cette représentation de Satan, Urs von Balthasar touche à l'essentiel[1]. Ce qui est grave c'est de faire de Satan un être doué d'une personnalité semblable à celle des hommes, car il est impossible d'imaginer qu'il n'y ait pas dans un tel être quelque chose à sauver. Faire de Satan le partenaire réel d'un dialogue c'est lui prêter une action positive qui implique un soupçon de manichéisme et le priver d'un de ses principaux pouvoirs, qui est de converser avec l'homme en se glissant à l'intérieur de sa pensée et en lui offrant comme un reflet de sa propre personne[2].

Le recours au fantastique présente beaucoup moins d'inconvénients dans la scène du « miracle » parce que, celle-ci nous étant présentée du point de vue du curé de Lumbres[3], tout semble indiquer que ce qu'il prend pour un miracle est une hallucination, dernier piège de Satan qu'il a imprudemment et orgueilleusement défié. Il reste que, même illusoire, une telle intrusion du surnaturel dans la réalité a quelque chose de matériel et d'extérieur, que Bernanos évitera désormais.

Moins directement liée à l'existence d'un monde qui dépasse l'humanité, l'exploration psychologique nous livre une vérité, en

---

1. Cf. *Balthasar*, p. 331-332.

2. On notera que, dans la scène en question, Satan présente à Donissan son double, mais d'une manière momentanée, et encore trop extérieure. Dans un roman de James Hogg, que Bernanos n'a pas dû connaître car il ne fut révélé au public français qu'en 1948 par André GIDE et Dominique AURY, *La Confession du pécheur justifié*, c'est constamment sous la forme de son double que Satan apparaît au « pécheur justifié ». En ce qui concerne les problèmes posés par le dialogue de l'homme avec Satan, je me permets de renvoyer à mon article « Le dialogue avec le diable dans quelques œuvres de la littérature moderne » (*Entretiens sur l'Homme et le Diable*, Paris, Mouton, 1966), où sont comparées les différentes modalités de ce dialogue chez Cazotte, James Hogg, E. T. A. Hoffmann, Dostoïevsky, Thomas Mann et Bernanos. Le problème du double y est étudié dans son aspect satanique.

3. « Il a vu, deux fois, les yeux s'ouvrir et se fermer... », écrit Bernanos, ce qui peut s'appliquer aussi bien à une vision réelle qu'à une illusion. La dernière phrase du chapitre : « Mais Dieu ne se donne qu'à l'amour... » montre bien que la résurrection n'a pas vraiment eu lieu.

fin de compte, plus consistante. Le dédain que Bernanos professe dès son premier livre pour les psychologues professionnels[1] ne doit pas nous faire croire qu'il répudie toute investigation de l'âme humaine remontant des effets aux causes. Nous connaissons déjà son intérêt pour les théories de Freud, pour l'œuvre de Proust, pour les analyses d'états morbides qu'on trouve dans les romans de Léon Daudet. Quelque décevantes qu'elles lui paraissent, les promesses de tous les pionniers qui se proposent de descendre au fond du gouffre et d'y débrouiller le chaos du psychisme humain le fascinent, et l'orientation de sa recherche ne paraît pas, à certains moments, très éloignée de la leur. Ainsi, lorsqu'il écrit : « certes, notre propre nature nous est partiellement donnée ; nous nous connaissons sans doute un peu plus clairement qu'autrui, mais chacun doit *descendre* en soi-même et à mesure qu'il descend, les ténèbres s'épaississent jusqu'au tuf obscur, au moi profond, où s'agitent les ombres des ancêtres, où mugit l'instinct, ainsi qu'une eau sous la terre[2] », il paraît admettre qu'une investigation remontant jusqu'à ces éléments *naturels* fournirait une explication sinon exhaustive, du moins adéquate, de ce qui affleure à la surface de notre être. De même lorsqu'il affirme que « les sentiments les plus simples naissent et croissent dans une nuit jamais pénétrée, s'y confondent ou s'y repoussent selon de secrètes affinités, pareils à des nuages électriques », il met « les meilleures hypothèses psychologiques » au défi de percer ce mystère, mais le vocabulaire et les images qu'il emploie montrent que ces phénomènes inaccessibles ne laissent pas, pour lui, d'obéir à des lois.

Il n'est donc pas étonnant que Bernanos s'aventure, d'emblée, dans la peinture d'états d'âme qui relèvent jusqu'à un certain point de la psychopathologie, et qu'il prenne plaisir à noter des réactions qui, sous un illogisme apparent, cachent le jeu de forces échappant à une observation superficielle. C'est dans ce domaine que l'influence de Dostoïevsky, difficile à évaluer avec précision au niveau de ce premier livre, est le plus sensible[3]. Ainsi le comportement de

---

1. Cf., outre *la* phrase déjà citée sur le caractère superficiel des hypothèses psychologiques, l'attitude de Mouchette après son internement : « Dès le premier instant de lucidité, elle écoutait discuter son cas avec une ironique curiosité. Que savaient-ils, ces messieurs, de la terrible aventure ? », ou bien le dédain de l'abbé Menou-Segrais : « Nous ne sommes plus au temps des miracles [...] la mode est aux sciences – comme ils disent – neurologiques. » (*Pl.*, p. 218.)

2. *Pl.*, p. 188.

3. On trouvera dans *Présence* (p. 37-45) un intéressant parallèle entre Bernanos et Dostoïevsky. Mais il faudrait une étude très précise pour déterminer ce que *Sous le Soleil de Satan* doit à l'auteur de *L'Idiot*. Certains

Mouchette devant le docteur Gallet, avec ses trois crises dont la
dernière détermine son internement, présente des symptômes et
se rattache à des causes qui relèvent de la pathologie mentale.
La seconde crise, par exemple, est déterminée par la porte fermée
à clef, qui plonge Mouchette dans une situation identique à celle
qu'elle avait connue pendant la nuit du meurtre. De même, lorsque
Donissan la rencontre, attendant près du château de Cadignan la
venue du marquis qu'elle a tué, il n'est pas déraisonnable d'assigner
à cette « habitude déjà ancienne » des motifs morbides assez évidents.

Mais cette réalité psychologique n'est que l'enveloppe d'une
autre réalité qui donne seule à l'action humaine, dans la direction du
bien comme dans celle du mal, sa véritable signification. Coupé de
cette réalité prégnante, le psychique pur s'épuise dans le rêve,
c'est-à-dire dans le pressentiment ou la nostalgie d'un objet définitivement inaccessible. La certitude grandissante d'avoir rêvé son
crime plonge Mouchette dans le désespoir et la détermine finalement
au suicide. Mais Donissan n'est pas moins qu'elle menacé par le
désespoir lorsqu'il se convainc que son grand combat avec Satan
n'a été qu'un rêve :

> « Ai-je donc rêvé ? » se dit-il. Ou plutôt il s'efforça de prononcer les
> syllabes, de les articuler dans le silence. C'était pour faire taire une
> autre voix qui, beaucoup plus nettement, avec une terrible lenteur,
> au-dedans de lui, demandait : « Suis-je fou ? »
> Ah ! l'homme qui sent fuir, comme à travers un crible, sa volonté,
> son attention, puis sa conscience, tandis que son dedans ténébreux,
> comme la peau retournée d'un gant, paraît tout à coup au-dehors,
> souffre une agonie très amère, en un instant que nul balancier ne
> mesure. Mais celui-ci – pauvre prêtre ! – s'il doute, ne doute pas
> seulement de lui, mais de son unique espérance. En se perdant, il
> perd un bien plus précieux, divin, Dieu même. Au dernier éclair
> de sa raison, il mesure la nuit où s'en va se perdre son grand amour [1].

Ainsi quelle que soit la profondeur à laquelle puisse descendre
l'analyse du psychisme humain, c'est finalement la situation de
chaque âme par rapport à Dieu, à ses promesses, à son amour, qui
exprime la vérité de son être. C'est pourquoi « la charité, comme la
raison, est un des éléments de notre connaissance [2] », et même son

---

critiques (ainsi G. Picon, *Pl.*, p. x) déclarent que Bernanos ne lut Dostoïevsky
qu'après avoir écrit *Sous le Soleil de Satan*, mais les souvenirs de Vallery-
Radot et les déclarations de Bernanos lui-même à Frédéric Lefèvre démen-
tent cette affirmation. Le *Bernanos* de Michel Estève apporte (p. 58-65)
quelques indications supplémentaires.

    1. *Pl.*, p. 191.
    2. *Ibid.*, p. 198.

élément essentiel, lorsqu'il s'agit de la connaissance d'autrui, car le regard de la charité intègre sans cesse ce qui est regardé dans le dessein sauveur de Dieu. Tel est le regard que Bernanos s'efforce de jeter sur ses personnages, du moins sur ceux (trop peu nombreux dans ses premiers romans) qui ne sont pas de simples marionnettes. Ce que lui livre cette approche, que nous avons qualifiée de théologale, peut se ranger sous deux rubriques étroitement solidaires, celle du péché et celle de la sainteté.

L'image du péché que nous propose *Sous le Soleil de Satan* est d'une netteté, d'une profondeur et d'une simplicité extraordinaires. Bernanos est arrivé sur ce point à une certitude par rapport à laquelle il ne déviera pratiquement plus. Le péché, c'est le choix du néant, c'est-à-dire, dans un monde qui est soutenu sans cesse par la volonté de Dieu et réchauffé par son amour, « un déicide [1] ». Le péché de Mouchette, on le sent dès les premières pages, n'est pas de s'être abandonnée au marquis et de l'avoir tué, mais de s'être enfoncée dans le mensonge et d'avoir cédé au désespoir. Plus exactement, c'est dans la mesure où son impureté et son crime sont déterminés par le mensonge et le désespoir que l'essence du péché se trouve réalisée en eux. Bernanos est, sur ce point, très éloigné de Mauriac, pour qui le péché comporte toujours un certain abandon à la nature, et ce n'est pas seulement en raison d'une solide antipathie personnelle qu'il poursuivra de ses sarcasmes les « inquiétudes » de son confrère et sa complaisance pour les états troubles où celui-ci croit percevoir le conflit de la nature et de la grâce [2]. Il est évident que la tentation de la chair entre pour peu de chose dans la première faute de Mouchette, et qu'elle n'en constitue pas l'élément funeste. Ce que la jeune fille nourrit en elle, au moment où elle rencontre le marquis, c'est « la curiosité du plaisir et du risque, la confiance intrépide de celles qui jouent toute leur chance en un coup, affrontent un monde inconnu [3] ». De plus en plus, à mesure qu'elle s'enfonce dans le mal, s'affirmeront son rêve d'une fuite rectiligne en dehors de toute route connue [4], son besoin de vivre dans le mensonge et de le sécréter autour d'elle, comme les bêtes de la mare de Vauroux, qui « s'enfoncent tout à coup, et, à leur place, monte un nuage de boue [5] », sa haine de la lumière que répand en elle le regard du

1. *Lettre à Frédéric Lefèvre. Crépuscule*, p. 16.
2. Cf. *Crépuscule*, p. 297 et sq. ; *Liberté*, p. 131-132 ; *Lettre à Amoroso Lima* du 16 juin 1942 dans *Esprit*, août 1950.
3. *Pl.*, p. 68.
4. Cf. *Pl.*, p. 70, 75, 85.
5. *Pl.*, p. 109 ; cf. p. 89, 90, 100, 111.

prêtre, et finalement son effort désespéré pour sombrer dans la folie afin d'esquiver la vérité qu'elle ne peut pas souffrir[1].

Ce choix délibéré du néant, comment l'homme puiserait-il en lui-même les forces nécessaires pour l'accomplir? Au nom de quel instinct formulerait-il cette malédiction dont il est la première victime? C'est ici qu'intervient Satan. A côté de l'image fantastique du diable, encore imprégnée de mythologie romantique, le premier roman de Bernanos fait une large place à la figure théologique du Tentateur, conçu, essentiellement, selon la plus stricte orthodoxie, comme le « père du mensonge ». A l'Ange rebelle vaincu, en effet, « Dieu n'a laissé pour défense qu'un unique et monotone mensonge[2] ». Satan ne possède aucun pouvoir sinon celui de voiler, aux yeux de l'homme, le sens divin de la création, d'amener ses victimes à rechercher le néant là où éclate la plénitude de l'être. « S'il ne savait abuser des dons de Dieu, il ne serait rien de plus qu'un cri de haine dans l'abîme, auquel aucun écho ne répondrait[3]. » C'est pourquoi Bernanos fait si souvent intervenir son rire, qui n'est pas seulement un signe distinctif attribué au diable par une longue tradition, mais la résonance même du vide au moment où l'homme se laisse duper par les apparences dont Satan se revêt : « l'immense duperie, le rire immense du dupeur [...], la dérision de Satan, mon ami! Le rire, l'incompréhensible joie de Satan[4]!... ».

Au fond de tout péché, il y a donc cette curiosité qui débouche sur le vide, ce risque assumé pour rien, cette gratuité de la perdition qui est l'image renversée de la gratuité de l'amour et qui fait que le pécheur se comporte envers Satan comme un serviteur ou comme une amante. Nul besoin pour cela de forfaits voyants, de crimes sans nombre et sans mesure. De même que « les plus grands saints ne sont pas toujours des saints à miracles », l'excellence dans le péché ne se mesure pas à la taille des péchés, et les vies les plus ordinaires connaissent, à un moment ou à un autre, ces épousailles avec Satan. C'est pourquoi Bernanos peut, à partir du cas de Mouchette, généraliser :

> La voilà donc sous nos yeux, cette mystique ingénue, petite servante de Satan, sainte Brigitte du néant. Un meurtre excepté, rien ne marquera ses pas sur la terre. Sa vie est un secret entre elle et son maître, ou plutôt le seul secret de son maître. Il ne l'a pas cherchée parmi les puissants, leurs noces ont été consommées dans le silence

1. *Pl.*, p. 211.
2. *Ibid.*, p. 246.
3. *Ibid.*, p. 228.
4. *Ibid.*, p. 206, 255.

[...]. Hélas! il n'est pas d'homme qui, sa décision prise et le remords d'avance accepté, ne se soit, au moins une minute, rué au mal avec une claire cupidité, comme pour en tarir la malédiction, cruel rêve qui fait geindre les amants, affole le meurtrier, allume une dernière lueur au regard du misérable décidé à mourir, le col déjà serré par la corde et lorsqu'il repousse la chaise d'un coup de pied furieux[1].

Est-il besoin d'insister une fois de plus sur le parallélisme qui unit l'expérience de Mouchette à celle de Donissan? Cette « paix muette, solitaire, glacée, comparable à la délectation du néant », que le démon procure à Mouchette au terme des noces qui viennent d'être évoquées, le Tentateur les propose aussi au curé de Lumbres « à cette minute où Satan pèse de tout son poids, où s'appliquent au même point, d'une seule pesée, toutes les puissances d'en bas[2] » ; et les paroles que le curé de Campagne adresse à son vicaire, lorsqu'il constate que « le diable est entré dans [sa] vie », reprennent, en les amplifiant et en insistant sur leurs contreparties lumineuses, les thèmes que nous venons de rencontrer appliqués au cas de Mouchette : gratuité de l'élan qui nous pousse vers le mal, universalité d'une expérience qui fait de tous les hommes, à un certain moment de leur vie, des criminels, caractère mystique d'une attitude qui n'est pas le résultat d'un calcul ou d'un raisonnement, mais suppose une union de volonté à volonté :

Chacun de nous [...] est tour à tour, de quelque manière, un criminel ou un saint, tantôt porté vers le bien, non par une judicieuse approximation de ses avantages, mais clairement et singulièrement par un élan de tout l'être, une effusion d'amour qui fait de la souffrance et du renoncement l'objet même du désir, tantôt tourmenté du goût mystérieux de l'avilissement, de la délectation au goût de cendre, le vertige de l'animalité, son incompréhensible nostalgie. Hé! qu'importe l'expérience, accumulée depuis des siècles, de la vie morale. Qu'importe l'exemple de tant de misérables pécheurs et de leur détresse! Oui, mon enfant, souvenez-vous. Le mal, comme le bien, est aimé pour lui-même, et servi[3].

On voit combien est étroite la solidarité entre la sainteté et le péché. L'une est exactement l'image renversée de l'autre, et l'on pouvait s'attendre à ce que Bernanos développât toutes les conséquences de cette complémentarité.

1. *Ibid.*, p. 213.
2. *Ibid.*, p. 238.
3. *Pl.*, p. 221.

Or, l'image de la sainteté qu'il nous propose dans *Sous le Soleil de Satan* est, il faut l'avouer, beaucoup moins convaincante que celle qu'il nous offre du péché.

Cela tient d'abord, semble-t-il, à un certain flottement dans son dessein initial. Nous avons vu avec quelle vigueur il s'est défendu d'avoir voulu écrire la vie d'un saint, même imaginaire, et ses scrupules se comprennent parfaitement. Son expérience intérieure le préparait beaucoup plus à dépeindre les tortures d'une âme qui perçoit, au milieu de grandes tentations, l'appel de la sainteté, que la paix – même relative et traversée d'orages – d'un être vivant en parfaite union avec Dieu.

Il s'est pourtant inspiré assez largement, pour créer le personnage du curé de Lumbres, d'un saint authentique, le curé d'Ars. Comme Jean-Marie Vianney, Donissan est d'origine paysanne, peu doué pour les études et considéré au début, par la plupart de ses confrères et de ses supérieurs, comme un prêtre difficilement utilisable. Lui-même se juge profondément indigne des responsabilités dont il est chargé[1]. Il se soumet à des mortifications excessives qu'il estimera plus tard à leur juste valeur[2]. Le démon se manifeste à lui d'une façon matérielle. Son confessionnal, où il passe le plus clair de son temps, attire les foules, et il lit avec une lucidité surnaturelle dans l'âme de ses pénitents[3]. Parmi les épreuves et les souffrances que Bernanos fait subir à son personnage, il en est certaines qui semblent inspirées également de la vie du curé d'Ars : tristesse, allant parfois jusqu'aux larmes, devant les péchés que la confession l'oblige à contempler[4], croix de toutes sortes, tentation du désespoir[5],

---

1. « Ah ! que c'est effrayant d'être prêtre ! La confession ! Les sacrements ! Quelle charge ! Oh ! si l'on savait ce que c'est d'être prêtre, on s'enfuirait comme des saints dans le désert pour ne pas l'être !... » *Le Curé d'Ars, vie de M. Jean-Baptiste-Marie Vianney*, par l'Abbé Alfred Monnin, Paris, Douniol, 1861, t. II, p. 274.

2. Cf. le témoignage de Catherine Lassagne reproduit dans les *Annales d'Ars* (1912-1914) : « Il n'était pas rare de trouver son linge ensanglanté aux épaules et surtout à la place de l'épaule gauche. Il y avait aussi à ce linge du pus mêlé de sang comme s'il était sorti de dessus une plaie. » Cf. d'autre part ces paroles du curé d'Ars : « Le démon se moque de la discipline et des autres instruments de pénitence. » Monnin, t. I, p. 375.

3. Sur la lucidité du Curé d'Ars, cf. B. Nodet, *J.-M. Vianney*, Le Puy, Mappus, 1959, p. 37.

4. « Non ! il n'y a rien au monde de plus malheureux qu'un prêtre ! A quoi se passe sa vie ? à voir le bon Dieu offensé. Le prêtre ne voit que cela. » (Monnin, t. II, p. 278.) « Oh ! mon ami, je pleure de ce que vous ne pleurez pas. » (Monnin, t. II, p. 195.)

5. « Ah ! si seulement je n'étais pas tenté de désespoir. » (Monnin, t. II, p. 624. Cf. p. 267.)

et même, acceptation de la damnation par une sorte de paroxysme de soumission à la volonté de Dieu[1].

Mais s'il a choisi, dans la vie du curé d'Ars, un certain nombre de traits qui allaient dans le sens de ses propres épreuves et de ses propres angoisses, il a négligé en grande partie ce qui équilibre les aspects austères, abrupts et désolés de la physionomie du saint. On ne voit guère Donissan, marqué du « signe de la colère » et pour qui « toute joie vient de Satan », dire, comme le curé d'Ars : « Si j'étais triste, j'irais me confesser tout de suite[2]. »

Imaginé à partir de la vie d'un saint, mais rejeté, par suite de ce que l'auteur projette en lui de ses propres angoisses, en deçà de la sainteté, le curé de Lumbres est ainsi une figure assez ambiguë et d'une cohérence discutable. Sans faire de lui un saint (mais en laissant entendre qu'il en est un et en lui prodiguant généreusement des grâces exceptionnelles), Bernanos espère maintenir, grâce à lui, son regard fixé sur la sainteté. Mais l'idéal de sainteté qu'il contemple à travers le combat de son héros est-il parfaitement purifié ?

Nous avons vu que le chemin qui conduit vers la paix a passé, pour Bernanos, par un dépouillement annonciateur de celui de l'agonie. A partir de cette expérience incomplète, il était tentant d'imaginer que la victoire définitive sur le vertige qu'inspirent l'abîme de la mort et du péché appartenait à qui était capable d'aller jusqu'au bout du dépouillement, c'est-à-dire de se livrer tout entier aux forces négatives qui menacent la sécurité spirituelle de la créature de Dieu. Le seul moyen d'être revêtu de la force du Christ n'était-il pas en effet d'affronter, dans une solitude comparable à la sienne, en renonçant volontairement à tout secours et à toute consolation, l'Ennemi qu'Il avait affronté entre la nuit du Calvaire et le matin de Pâques ? Cela conduisait à considérer le saint non seulement comme l'athlète qui participe, armé des dons de l'Esprit, au combat de Dieu, mais comme un être sacrificiel, un nouveau Christ, qui accepte d'être consumé par les forces du mal, en oubliant que ces forces ont été vaincues une fois pour toutes : « Entre Satan et Lui, dit le curé de Lumbres, Dieu nous jette, comme son dernier rempart[3]. » C'est là une vue presque blasphématoire, dans la mesure où elle compte pour rien le rempart que la miséricorde divine a dressé elle-même contre les entreprises du démon. Claudel n'a pas tort, dans ce sens, de dire à Bernanos dans une lettre par ailleurs fort

---

1. « Si l'on devait être damné, ce serait une consolation que de pouvoir dire : j'ai du moins aimé le Bon Dieu sur cette terre. » (Monnin, t. II, p. 575.)
2. NODET, *op. cit.*, p. 15.
3. *Pl.*, p. 256.

élogieuse, que « jamais un chrétien, surtout un saint, n'a eu peur du diable [1] ».

Pousser l'imitation du Christ jusqu'à renoncer aux fruits de son sacrifice pour connaître une solitude égale à la sienne, c'est aborder le combat contre Satan avec une tension de volonté qui nous rappelle les dispositions que Bernanos confessait à Dom Besse en 1918, et dont il accusait alors l'insuffisance. Comment une telle attitude ne donnerait-elle pas prise à l'orgueil? Cela, Claudel le note également, et Bernanos serait sans doute le dernier à le contester, puisqu'il nous montre son héros cédant à des mouvements d'orgueil aux trois étapes capitales de sa lutte : dans son tête à tête avec Satan, lorsqu'il s'enhardit jusqu'à défier inutilement son adversaire, dans son dialogue avec Mouchette, lorsque, par dépit d'avoir perdu la grâce qui lui permettait de la voir, il l'écrase brutalement de son mépris et provoque ainsi son désespoir et son suicide, enfin au chevet de l'enfant mort, lorsqu'il exige le miracle avec plus de volonté de conquête que d'amour. Dira-t-on que ce sont là des défaillances passagères, un tribut payé à la faiblesse humaine, qui ne mettent pas en cause l'attitude fondamentale du « saint de Lumbres »? Mais il est trop clair que ces fautes découlent directement de ce qui, dans son choix initial, le plaçait, par l'excès même du dépouillement, en marge de la communauté des saints et du corps mystique du Christ.

Il faut rattacher à la même source ce qui subsiste d'ambigu dans le pouvoir que reçoit Donissan de lire jusqu'au fond des êtres. Sans doute une telle connaissance est-elle une « dilatation de la charité », sans doute achève-t-elle de faire de lui « la proie » des âmes et le place-t-elle dans une situation de « voyant » qui est aussi éloignée que possible de l'attitude égoïste du « voyeur », et sans doute aussi trouve-t-elle son achèvement et sa destination surnaturelle dans l'exercice pastoral de la confession. Mais il reste que dans ce premier livre, comme le note très justement Urs von Balthasar, Bernanos a été tellement fasciné par le phénomène de la voyance spirituelle « qu'il en est presque venu à confondre, tant il les a rapprochées, la vision céleste et la vision satanique [2] ». Il en résulte qu'il insiste trop, malgré tous les correctifs qui viennent d'être évoqués, sur les aspects spéculatifs de ce don, qui n'apparaît, dans la vie des saints, que strictement ordonné au service des âmes, et exercé de façon en grande partie inconsciente [3]. Bernanos n'a pas

---

1. *C. R.*, p. 65. Lettre du 25 juin 1926.
2. *Balthasar*, p. 377.
3. Ainsi chez Jean-Marie Vianney : « Le saint Curé, lui, s'apercevait à peine de ce don peu commun. Les faits qu'il ignorait, s'imposaient en

pu dépouiller entièrement son héros de la curiosité du romancier, dont le point de vue, quelque « sacerdotale » que soit sa vocation, ne peut pas être exactement celui du prêtre.

Enfin, le dépouillement hyperbolique dont il a gratifié l'abbé Donissan coupe celui-ci, dans une mesure qu'on peut juger excessive, du foyer de grâces et de forces spirituelles que constitue pour un chrétien la vie de l'Église. Il y a là, certes, un trait du saint bernanosien qui subsistera à travers toute son œuvre (exception faite des *Dialogues des Carmélites*), et l'on aurait mauvaise grâce à lui reprocher de ne pas avoir imaginé des figures de saints entretenant d'excellents rapports avec la hiérarchie, et confortablement installés dans une société ecclésiastique qui les aurait dès ici-bas canonisés. Mais ce n'est pas de cela qu'il s'agit ici. Dans la solitude de sa lutte, Donissan paraît escompter un mince profit des forces surnaturelles que lui apportent, en vertu du sacrifice du Christ, les innombrables chrétiens qui ont mené et qui mènent le même combat aux avant-postes. On ne voit guère non plus comment et jusqu'à quel point sa vie intérieure se nourrit des sacrements et de la parole de Dieu. Il ne faudrait pas exagérer ce reproche. Urs von Balthasar a bien montré l'importance de l'abbé Menou-Segrais, qui prend en charge et intègre dans la vie de l'Église, par le jeu de l'obéissance, la vocation exceptionnelle de son vicaire. On ne saurait oublier non plus cette participation intime (mais un peu unilatérale) à la vie du corps mystique que constitue l'exercice assidu de la confession. Mais il reste que la vocation de l'abbé Donissan porte la marque d'un individualisme, d'une tension héroïque de la volonté et d'une sorte de nihilisme désespéré qui correspondent à une étape de l'évolution de Bernanos. Étape capitale, et dont il ne faudrait pas sous-estimer les fruits, car elle achève de le détacher du « dandysme » de son adolescence et l'amène à adhérer, de toute la force de son angoisse, à la déréliction du Christ, et à enfouir dans la méditation de sa passion cette crainte de la mort dont il est encore obsédé.

Mais il semble que l'imagination soit chez lui, à cette époque, en avance sur la grâce, si bien qu'il prolonge impatiemment, dans un sens héroïque et volontaire, un cheminement vers la nudité spirituelle qui devait, pour le conduire vers un plus parfait abandon, emprunter d'autres voies, des voies plus simples, plus humbles, plus éloignées de ce style flamboyant par le biais duquel se réintroduit une certaine complaisance envers soi-même. Ce progrès spirituel

effet doucement à son esprit comme un souvenir ordinaire. Il lui semblait qu'il en avait été averti ou qu'il les avait déduits d'une confidence, et souvent il en était le premier étonné, quand on le lui faisait remarquer. » (Nodet, *op. cit.*, p. 37.)

sera en même temps un progrès artistique, car il faut avouer, après tout ce que nous avons dit de sa densité et de sa profondeur, qu'il y a, dans *Sous le Soleil de Satan*, de l'enflure et du pathos, comme si les vides d'une expérience incomplète ne pouvaient être comblés que par un certain éclat verbal. La vie va se charger de hâter cette évolution.

Chapitre VI

« La miséricordieuse épreuve... »

La composition de *Sous le Soleil de Satan* a-t-elle apporté à Bernanos une délivrance et une certitude ?

Le ton de ses lettres, pendant toute la période de la rédaction, reste très sombre. A cette tristesse les maladies, les embarras matériels ont eu une large part. Au printemps de 1923, il a souffert d'une perforation intestinale qui a mis sa vie en danger et nécessité un long séjour à Fressin. (Une horrible statue de Jeanne d'Arc, dans l'église du village, témoigne encore de la reconnaissance de la famille pour une guérison regardée comme quasi miraculeuse.) A l'automne de 1925, nouvelle maladie, qui, contre les « méchancetés du sort », lui arrache cette plainte : « *Jamais* la farce assidue de la vie ne m'a paru plus haïssable[1]. » Au début de 1926, c'est une congestion pulmonaire de sa fille aînée, coïncidant avec une otite double de son petit garçon. Bernanos « serre les dents » et fait un retour sur soi qui n'est pas sans rapport avec la signification du livre qu'il vient de terminer : « ... comme je suis drôlement organisé [...]! Je vous assure (vous savez que je ne fais pas de phrases), je vous assure que j'éprouve une espèce de joie féroce à ces complications du malheur. Je ne suis évidemment pas fait pour la joie... » Cette constatation lui permet de répondre d'avance au reproche qu'on ne manquera pas d'adresser à son roman : « Dieu paraît sans doute dans mon livre un maître assez dur ! Et après ? Que dire de Celui qu'on trouve au fond de n'importe quelle souffrance, et presque toujours absent de nos joies[2] ? »

Si la vie lui apporte ainsi de nombreux sujets de tristesse, son travail d'écrivain, de son côté, ne lui procure pas la paix. La création revêt pour lui un aspect douloureux, non point par manque d'inspiration, mais parce qu'il conçoit le roman comme un terrain de lutte et comme un moyen d'ascèse. A Vallery-Radot, qui n'a produit jusque-là que des essais ou des poèmes, il conseille (on serait même tenté de dire : il ordonne, à la façon d'un médecin ou d'un confesseur)

---

1. *C. R.*, p. 39. 9 octobre 1925.
2. *Ibid.*, p. 40. 12 février 1926. Le destinataire est Henri Massis.

le roman, comme une discipline susceptible de contraindre son
exubérance et de conjurer sa facilité. Et nous avons à peine besoin
de savoir que Bernanos a « véritablement trop de part » avec son
ami, pour comprendre que c'est sa propre expérience qu'il essaie
de lui faire partager :

> Il s'agit de vous libérer, c'est-à-dire de vous surmonter. Il s'agit
> d'expier votre richesse, ou, si vous voulez, votre facilité. Lorsque
> je vous encourageais à lâcher vos livres pour un roman, je ne
> pensais qu'à cette indispensable pénitence. Dans vos poèmes comme
> dans vos essais, vous recherchiez d'instinct la forme littéraire la
> plus souple, la plus lâche. Mais un roman est impitoyable. Le
> moindre écart, la moindre tentation d'esquiver la difficulté, y est
> punie aussitôt sévèrement [1].

Discipline d'imagination, mais aussi discipline de composition
et d'écriture. Nous trouvons ici le premier d'une série d'aveux qui
jalonnera toute la carrière de l'écrivain :

> J'ai juré de vous tirer de là. J'ai connu des détresses pareilles avant
> que je ne me fusse résigné à travailler jour après jour, ligne après
> ligne, dans une perpétuelle contrainte. Je vous montrerai mes
> manuscrits. Vous y verrez les ratures et les surcharges. Mais elles
> ne vous donneront qu'une faible idée du temps perdu. J'ai appris
> à me désespérer devant une page blanche un jour entier, plutôt que
> de lâcher une idée juste, et tandis que l'inspiration surabonde, que
> je n'aurais qu'à dévier ma pensée pour retrouver l'enthousiasme et
> la joie [2].

Cette conception pénitentielle du travail d'écrivain s'étend à
l'orientation même de la pensée. A Robert Vallery-Radot, il ne cesse
de conseiller d'« humilier son âme », de « piétiner [...], râcler,
brûler – faire place nette », de renoncer aux molles effusions, aux
évocations complaisantes d'une volupté équivoque. Il se montre
particulièrement sévère contre une certaine idéalisation de la sexualité, contre laquelle il semble animé d'une rage dont on devine mal
l'origine. Au « zozo qui, pleurant d'ignobles larmes, suspend des
guirlandes à son bas-ventre », il déclare préférer « le misérable qui
garde dans la débauche une lucidité désespérée [3] ». Il met en garde
son ami contre la tendance de tout le XIXᵉ siècle à prolonger l'ado-

---

1. *L'Esprit des Lettres,* janvier 1955, p. 23 et 29. Lettres du 20 mars 1925
et du 28 décembre 1926.
2. *L'Esprit des Lettres,* p. 30.
3. *Ibid.,* p. 27.

lescence, « l'âge femelle de notre vie ». Ce sentimentalisme par lequel il se sentait attiré à l'époque d'Aire-sur-la-Lys, il en perçoit mieux maintenant l'impureté fondamentale, il mesure mieux à quelles honteuses complaisances il conduit : « L'air que nous respirons depuis notre premier cri n'est pas pur. Non! il n'est pas pur[1]! »

Abordée avec de telles exigences, son œuvre ne pouvait guère être pour lui l'objet d'une contemplation satisfaite, et l'on ne s'étonne guère de la déception qu'il confie à Vallery-Radot, le 25 février 1925, après avoir achevé une première rédaction de son roman : « Oui! j'ai terminé mon livre. La dernière lecture m'a écœuré. Non, je n'ai pas délivré mon furieux rêve! On voit sa face passer et repasser derrière les barreaux, ou sa grande ombre sur le mur infranchissable. Fera-t-il peur ou pitié[2]? »

Ne soyons pourtant pas dupes d'une réaction qui est celle de tout écrivain exigeant envers soi-même. Quelle que soit l'austérité des conseils qu'il prodigue à Vallery-Radot, on ne peut manquer d'être frappé par l'assurance, la tranquille supériorité[3] avec lesquelles cet auteur qui n'a pas encore publié son premier roman s'adresse à un écrivain qui est de deux ans son aîné et qui occupe depuis longtemps une situation en vue dans le monde des lettres. Cette assurance n'est pas celle d'un orgueilleux, ou simplement d'un homme conscient de son génie en face d'un écrivain médiocre, mais celle d'un homme qui s'est libéré, en face d'un ami encore prisonnier : « Vous ne vous êtes pas encore exprimé, mon ami, je vous le jure! lui dit-il. Vous êtes empoisonné par le livre que vous n'avez pas écrit, que vous n'osez pas écrire[4]. » Bernanos, lui, a osé, et on sent, à travers ses conseils, l'expérience de quelqu'un qui a parcouru le chemin où il voudrait entraîner son ami. Lorsqu'il l'exhorte à ne pas fermer au lecteur son « imagination sensuelle, qui est le signe même du don de créer », à « dompter [ses] bêtes », à brûler son image après nous l'avoir donnée « chargée de [ses] plus mauvais rêves », à donner « des noms, des visages et des aventures à [ses] diables », on le sent pénétré, malgré tout, du bienfait que lui ont procuré ces libérations purificatrices, et l'on comprend, même s'il l'accompagne de restrictions, le mouvement de fierté qui lui échappe dans une lettre à Henri Massis : « J'ai conscience d'avoir mis vingt ans à créer dans ma tête un monde imaginaire d'une singulière grandeur. J'ai hâte de le découvrir à ceux qui méritent de le con-

1. *L'Esprit des Lettres*, p. 23.
2. *Béguin*, p. 154.
3. Supériorité sur le plan intellectuel, qui n'empêche nullement Bernanos d'avoir, comme il le dit, « le sentiment de [sa] propre dégradation ».
4. *L'Esprit des Lettres*, p. 24.

naître, et je sais que la réalisation m'égalerait aux plus grands si[1]... »

La certitude qu'il a atteinte intérieurement, en se pliant aux difficiles exigences de sa vocation d'écrivain, rencontre celle que lui apporte, de l'extérieur, l'immense succès de son roman, mis en vente à la fin de mars 1926. Succès d'autant plus inespéré et plus flatteur qu'il était obtenu en allant à contre-courant, sans la moindre concession au goût d'un public que Bernanos avait choisi de traiter sans ménagement. « Vous aurez en France cinq cents lecteurs, vous venez trop tôt ou trop tard », lui avait prédit Daniel Halévy. Six mois après il en avait cent mille[2]. Les six mille exemplaires du premier tirage avaient été enlevés le premier jour, et le nouveau tirage se vendait encore, trois semaines plus tard, à raison de sept cents exemplaires par jour[3].

Ce succès éclatant fut provoqué en partie, on le sait, par les deux articles enthousiastes dans lesquels Léon Daudet saluait Bernanos comme « une nouvelle étoile », « une grande force intellectuelle et imaginative » apparue au firmament des lettres, et où il prédisait à celui qu'il n'hésitait pas à nommer « le romancier de l'après-guerre » non seulement une célébrité certaine, mais une influence comparable à celle de Flaubert[4]. Mais la perspicacité d'Henri Massis ne joua pas un rôle moindre que la fougue de Léon Daudet. C'est lui qui décida la maison Plon à publier le roman dans la collection du « Roseau d'Or », qu'il dirigeait conjointement avec Jacques Maritain, Frédéric Lefèvre et Stanislas Fumet. C'est lui aussi qui, sur la demande de Bernanos – comme il se plaît à le rappeler dans ses souvenirs – demanda à Daudet de parler du roman[5].

Ce succès devait avoir une première conséquence dans la vie de Bernanos : assuré – et on le serait à moins – de pouvoir vivre de sa plume, il abandonne sa situation pour se consacrer tout entier au métier d'écrivain. Rien ne l'obligeant désormais à résider à Paris ou dans l'Est, il s'installe pendant l'été à Ciboure, puis, au mois de septembre, à Bagnères-de-Bigorre : premières étapes d'une longue pérégrination à la recherche de la tranquillité, du soleil, de la vie moins chère, qui le conduira sous bien des cieux. Et, puisqu'écrire est son gagne-pain, il se met immédiatement à un nouveau roman, au milieu des affres familières : « Je travaille dans le plus parfait dénuement intérieur, à tâtons. Ce que j'écris me semble un bal-

1. *C. R.*, p. 38.
2. *Chemin*, p. 56.
3. Cf. *Bul.*, 17-20, p. 5.
4. Ces deux articles, parus dans *L'Action française* le 7 et le 26 avril 1926, sont reproduits dans *Bul.*, 17-20.
5. *Maurras et notre temps*, t. I, p. 112.

butiement misérable. Il ne tiendrait qu'à moi de rouler commodément en palier. Mais j'aime mieux tâcher de grimper ; j'aime mieux grimper. Si je rate la côte, il reste à suivre l'exemple du vieux camarade Rimbaud[1]. »

Mais le travail dans lequel il s'enfonce va être immédiatement troublé par un événement dont on a peine à imaginer à quel point il fut ressenti, par Bernanos et ses amis, comme la pire des catastrophes.

Le 27 août 1926, le cardinal Andrieu, archevêque de Bordeaux, publie dans la *Semaine religieuse* de son diocèse, une déclaration où il condamne vigoureusement les positions doctrinales de l'Action française, accusant en particulier le paganisme de son directeur d'infléchir dans un sens antichrétien toute l'action du mouvement. Devant les polémiques qui s'élèvent aussitôt, le pape Pie XI écrit au cardinal, le 5 septembre, une lettre où il approuve son intervention.

Il n'est pas dans notre intention de suivre dans tous ses détails une affaire qui provoqua et provoque encore des controverses passionnées. Nous chercherons seulement à comprendre comment Bernanos a vécu cette crise et quelles en ont été les conséquences dans l'orientation de sa pensée et de sa vie. Nous nous efforcerons pour cela de suivre scrupuleusement les textes, qui sont assez nombreux pour que certains points puissent être établis en dehors de toute discussion possible.

On serait tenté de croire que c'est la condamnation de *L'Action française* qui ramène Bernanos vers la polémique, dont il se tenait éloigné depuis 1914. Henri Giordan a montré que cette vue n'était pas tout à fait exacte[2]. En réalité, le succès de *Sous le Soleil de Satan* l'avait amené, six mois avant cet événement, à renouer avec le public un dialogue, qui déborda d'emblée le terrain strictement littéraire. Les passages que nous avons cités de l'*Entretien avec Frédéric Lefèvre* et de la lettre adressée au même journaliste suffisent à montrer dans quel sens Bernanos était prêt à s'engager aussitôt qu'on lui demandait de s'expliquer sur ses intentions.

Cette tendance à revenir à la politique se concrétise dès le printemps de 1926 par la promesse d'une lettre à la *Gazette française* que ce périodique d'extrême-droite annonce le 12 avril. La lettre ne sera publiée – sous le titre de *Leurs gueules* – que le 2 septembre,

1. A Henri Massis. Août 1926. *C. R.*, p. 41.
2. *Bernanos et l'Action française. Documents inédits*, dans *Bul.*, 43, p. 6.

mais il est évident que Bernanos l'a écrite avant la déclaration du cardinal Andrieu, auquel elle ne contient aucune allusion. Son thème général est une critique virulente de la politique du Rallie- ment, une charge d'une amère ironie contre ces « catholiques modé- rés » qui font la cour à la République en trahissant ceux de leurs frères qui n'acceptent pas de transiger avec la Foi : « Voici tantôt quarante ans que ces Messieurs nous offrent en victimes expiatoires à la démocratie anticléricale, dans l'illusion de l'apaiser. Pareils à ces menins des tsarévitchs, à chaque crime de l'adversaire, nous sommes fessés et refessés. » A ces catholiques politiciens, Bernanos prête l'intention de remplacer le nom de Dieu, pour complaire à leurs adversaires, par un synonyme tel que « Justice, Progrès, Démocratie », et il met dans leur bouche, à l'adresse des catholiques intransigeants, qui parlent du Christ quand on allait justement l'oublier, cet avertissement plein de prudence : « Aujourd'hui vous faites des fanatiques, demain vous ferez des martyrs. Tout sera perdu[1]. »

Les dispositions que révèle cette lettre nous aideront à comprendre la réaction de Bernanos lorsqu'éclate la bombe du 26 août. Ce n'est pas le royaliste, en lui, qui est le plus atteint, c'est le chrétien. Dans la condamnation de *L'Action française*, il voit moins un acte politique dont il faudra esquiver les conséquences et pour lequel il faudra imaginer une riposte, qu'un acte religieux, une victoire du modernisme, un retour offensif de l'esprit de compromis et de démission qu'il a stigmatisé dans sa lettre à la *Gazette française*. Maurras est moins pour lui le défenseur de l'intégrité de la patrie, le mainteneur de la cité terrestre, que le dernier rempart contre un athéisme démocratique auquel il est seul capable de faire mordre la poussière.

C'est ce qui ressort de la lettre qu'il lui adresse aussitôt la condam- nation connue, et que la *Gazette française* publie le 16 septembre. Il y rappelle les méfaits du modernisme, l'amitié manifestée à Maurras par Pie X, ce Pape « à qui nous devons d'avoir vu jetés dehors ou réduits à l'impuissance des malheureux, prêtres ou laïques, qui rêvaient une réconciliation de la religion et de la science en accord avec leurs conceptions de primaires... », et, ayant rappelé tout ce que Maurras a fait contre ces pseudo-avancés, il lui adresse ce témoignage de reconnaissance : « Votre œuvre demeure et quel- ques blasphèmes, que nous désavouons de toutes nos forces, n'en effaceront pas le bienfait. Pas un ennemi de l'Église qui ne vous honorera de sa haine. Cela vous sera compté devant Dieu, Maurras.

1. *Bul.*, 23, p. 14, 13.

Cela vous fera un beau cortège lorsque vous paraîtrez devant Lui. Cela vaudra mieux, pour vous, qu'un siège à l'Institut, ou une cravate de commandeur, ou l'amitié de M. Dumay [1]. » Nous ignorons si Maurras fut enchanté de cet éloge qui rappelait peu opportunément ses « blasphèmes » et lui interdisait péremptoirement l'Académie, à laquelle il n'allait pas tarder à poser sa candidature. Pour qui connaît la suite de ses relations avec Bernanos, il est tentant de voir dans ce premier rendez-vous, encore amical, au jugement dernier – « Cela vous sera compté devant Dieu, Maurras » – la préfiguration du célèbre « A Dieu, Maurras » de 1932. Il est certain, en tout cas, que Bernanos considéra aussitôt l'affaire d'un point de vue exclusivement religieux, qui n'était pas celui du directeur de *L'Action française* [2].

En face de la condamnation, trois réactions étaient possibles pour un catholique : temporiser et essayer de minimiser la portée de l'anathème, ce que fit Maurras dans les premiers temps ; faire passer avant l'action de masse l'approfondissement spirituel et le témoignage personnel en faveur de la vérité, ce qui fut assez rapidement l'attitude de Maritain ; et enfin « faire front, [...] faire front partout ». Inutile de dire que cette formule est de Bernanos [3] et qu'elle représente la solution selon son cœur. Mais il faut bien comprendre que ce n'est pas là seulement réaction de tempérament ou d'humeur. Parce qu'il considère le maurrassisme comme la dernière digue préservant les catholiques du flot immonde du modernisme et de la démocratie, il considère que la défense de Maurras est *avant tout* l'affaire des catholiques, que loin de faire le gros dos sous l'orage ceux-ci doivent se porter en avant et attirer sur eux la foudre. C'est ce qu'il dit à Massis dans une première lettre, au début de septembre 1926 : « Pourquoi laissons-nous réduire l'affaire aux proportions d'une simple querelle entre Rome et une association suspecte ? Il s'agit de bien autre chose ! Ce n'est pas en tant que royalistes, mais en tant que catholiques que nous sommes absolument résolus à briser toute nouvelle tentation de ralliement. L'Action Française à terre, il est facile de prévoir que les autres organisations de défense et de combat seront vite à leur tour cul-

---

1. *Bul.*, 17-20, p. 8.
2. Henri Giordan donne pour preuve de cette différence de point de vue la façon dont *L'Action française* rend compte de la lettre de Bernanos à la *Gazette française* du 2 septembre, sans souffler mot du contenu religieux de cette lettre (*Bul.*, 43, p. 7).
3. Dans une lettre à Henri Massis d'octobre-novembre 1926, *Bul.*, 17-20, p. 12. Nous renvoyons une fois pour toutes à ce numéro pour l'ensemble de cette correspondance.

butées. » Il répétera le même argument dans une lettre au même correspondant en octobre-novembre 1926 : « Vous savez si l'œuvre de redressement entreprise par vous et par Jacques [Maritain] m'a toujours paru indispensable, mais elle devient impossible, inconcevable même, Maurras écrasé. » Quant à sa tactique, consistant à pousser les chrétiens au premier rang pour montrer que c'est l'essence même du catholicisme qui est en cause, il la précisera dans une lettre de novembre : « J'ai cherché, selon mes moyens dérisoires, à créer un scandale, comme, dans certaines maladies, un médecin favorise la fièvre. A tout prix, j'eusse voulu tirer les catholiques d'un silence intolérable. Dès lors que le pape avait parlé, Maurras devait passer à l'arrière-plan ou plutôt (je m'exprime mal) on ne devait plus entendre que nous. Nos cris d'indignation et de douleur eussent sans doute amené à des éclaircissements, à des précisions indispensables. »

Cette dernière phrase résume l'attitude magnifiquement imprudente qui est celle de Bernanos dès le début de la crise et qui va, lorsque Rome aura vraiment parlé, le priver de toute échappatoire, et le conduire bien près du désespoir. Au lieu de biaiser, de se maintenir dans l'équivoque, de s'abriter à l'ombre de Maurras en espérant que les coups dirigés contre lui n'atteindront pas les catholiques qui le suivent, il implore une sentence de Rome, il veut que le Pape lui dise si un catholique peut être ou non d'Action française, et il l'assure d'avance de sa soumission : « S'il se trouve dans nos propres écrits quelque chose à reprendre, écrit-il le 24 septembre dans une lettre au journal *Comoedia*, on verra comment savent obéir au Père commun des catholiques qui n'ont jamais perdu leur temps dans les antichambres des ministères, ou embrassé M. Buisson[1]. » C'est qu'en réalité il ne peut pas imaginer une telle condamnation, il ne peut pas imaginer qu'une doctrine et une fidélité sur lesquelles il a édifié toute sa vie, dans lesquelles il a été confirmé par un Dom Besse, qui lui ont permis d'étouffer en lui les ferments d'anarchie puissent être déclarées malfaisantes par le Père des chrétiens. Aussi sa mise en demeure se fait-elle, à mesure que le temps passe, plus impatiente et plus passionnée : « En deux mots comme en mille, écrit-il dans une lettre à *La Vie catholique* un mois plus tard, si ce que nous nommions, avec le cardinal Sevin, la doctrine de l'ordre est une synthèse de toutes les hérésies, ainsi que l'affirme le cardinal Andrieu, toute notre vie est à refaire. Nous la referons. Nous demandons seulement qu'on veuille bien nous parler comme à des hommes [...]. Est-ce un sacrilège d'implorer

1. *Bul.*, 43, p. 11.

cette parole indubitable, comme voudraient le faire croire des flatteurs à gages [1] ? » On sent d'avance quel sera le désarroi de Bernanos quand cette parole indubitable aura été prononcée sans ambages.

Mais, derrière ces déclarations retentissantes, il faut suivre de plus près l'évolution de ses réactions intimes. Même s'il se représente volontiers, avec ses amis, le cardinal Andrieu et même le Pape comme les jouets d'une machination montée par des ennemis depuis longtemps démasqués, il a trop le sens du sacré pour ne pas lire en filigrane à travers les événements, si déconcertants soient-ils, un mystérieux dessein de la Providence. C'est sur ce dessein qu'il s'interroge dans sa deuxième lettre à Henri Massis, datée d'octobre 1926 :

Mon bien cher ami,

Écrivez-moi par charité. Tenez-moi au courant. Je suis beaucoup plus atteint que vous ne pensez par cette affreuse capucinade, cette sorte de farce *où Dieu est cependant*, bien que nous ne puissions clairement le connaître parmi la troupe abjecte qui ricane et nous crache dans les yeux.
Si l'un de nos coups s'égarait sur la Face ensanglantée !
[...]
Certes ! une obéissance « négative » est indigne de nous. Elle laisse au cœur trop d'amertume, elle *fait trop mal* pour être réellement bénie. Mais quoi ! si l'évidente injustice de l'archevêque de Bordeaux appartient, telle quelle, au plan de la Providence, notre témoignage pour la grande âme écrasée n'était-elle pas aussi dans les desseins de Dieu ? J'ai droit à présenter cette objection, moi qui n'eus jamais pour Maurras (vous le savez) qu'une admiration sans tendresse.

On voit s'esquisser dans cette lettre les deux directions dans lesquelles Bernanos va s'engager vis-à-vis de *L'Action française*. D'une part une manière d'examen de conscience au sujet des raisons qui ont pu, au-delà de son injustice évidente, motiver la condamnation. Cet examen de conscience aura principalement pour objet, bien entendu, l'attitude des chrétiens d'*Action française*, mais s'étendra aussi, et de façon grave, à tout le mouvement. D'autre part, dans le moment même où se dessine ainsi chez Bernanos une attitude assez critique vis-à-vis du mouvement, le sentiment de l'honneur, la reconnaissance et la pitié envers un homme malheureux, enfin la conscience d'une sorte de responsabilité surnaturelle

1. *Bul.*, p. 14.

vis-à-vis de lui amènent l'ancien Camelot du Roi à se rapprocher de Maurras comme il ne l'avait jamais fait jusque là et à lui apporter une collaboration qu'il lui refusait depuis la fin de la guerre. Essayons de suivre ces deux mouvements séparément.

L'examen de conscience, nous le voyons apparaître dès la troisième lettre à Massis, qui date d'octobre-novembre 1926 : « En un sens, l'Action française n'a pas volé ce coup dur. Elle s'est laissée compromettre par les beaux esprits qui jouent les libertins du XVIIIᵉ dans les salons, y multipliant les sentences et les gaffes. » Faut-il penser, avec Henri Massis, que cette critique n'atteignait en rien les doctrines maurrassiennes, mais seulement ce qu'elles avaient pu devenir « dans la cervelle de certains nigauds et dans les articles qui sortaient de leurs plumes [1] »? La suite de la lettre ne nous permet pas de nous en tenir à cette interprétation lénifiante : « Le mot d'ordre, y lisons-nous, était : réaction partout. La réaction (la fameuse restauration du goût) a été consciencieusement sabotée. Ce sabotage a, de biais, atteint les âmes. Il nous a tenus à l'écart de la grande réaction catholique, dont le génie claudélien nous fournissait pourtant les éléments. Il ne s'agit plus de querelles de pédants, mais du dessèchement de la sensibilité, de sa véritable déchéance, au sens pathologique [2]. »

Cet esprit c'est bien Maurras, l'antiromantique, l'admirateur d'Anatole France, qui l'a répandu parmi ses disciples. Mais, chose symptomatique, Bernanos n'accuse pas Maurras d'avoir exercé cette influence, car la sensibilité, pense-t-il, n'était pas du ressort de cet empiriste et de cet agnostique ; il accuse les catholiques d'Action française d'avoir gravement manqué à leur devoir en ne réagissant pas contre ces tendances desséchantes et en s'abstenant de l'effort créateur nécessaire pour doter le mouvement d'une véritable spiritualité. En ce sens, ils n'ont pas volé l'épreuve qui s'abat sur eux, et celle-ci est pour eux une incitation providentielle à remonter la mauvaise pente : « Ce pouvait être le point de départ d'un renouvellement spirituel dont l'A. F. avait bien besoin, car elle manque déplorablement de vie intérieure. » Henri Massis, à qui il adresse ces lignes en novembre, a longuement expliqué les espoirs que Bernanos fondait sur lui depuis les premiers temps de leur amitié, pour prendre la tête de cette grande opération de redres-

1. *Maurras et notre temps*, t. I, p. 186.
2. Cf. la lettre de Bernanos au Dr Tournay citée par Jean de Fabrègues (*op. cit.*, p. 97) et datée par lui de septembre ou d'octobre 1926 : « Le rigolo de l'affaire est que *je ne suis pas maurrassien et que les ridicules excès de l'intellectualisme des disciples de la dernière heure me dégoûtent.* [souligné par Bernanos]. »

sement. Le fait est que Bernanos manifeste à cette époque à Massis une confiance et une admiration qui s'expriment de façon presque délirante[1].

Mais il ne tarde pas à s'apercevoir que son rêve ne sera pas réalisé, et c'est alors que s'installent en lui le sentiment de la défaite, de la déchéance, de l'humiliation. A la fin de la lettre de novembre que nous venons de citer, il écrit : « J'ai une furieuse envie de foutre le camp en Amérique ou ailleurs, le plus loin possible de cette part de moi-même, qui n'est plus à présent qu'un cadavre. » Cette image du cadavre reviendra, appliquée à l'ensemble des catholiques d'Action française, dans une lettre à la *Revue fédéraliste* publiée dans le numéro de décembre : « Que compte, dans ce monde de cadavres camouflés, le cadavre d'un homme vivant ? Et que reste-t-il d'ailleurs en nous de vivant ? Ah ! n'avons-nous pas trop attendu[2] ! »

Ce regret des faiblesses passées et cette tristesse de l'occasion perdue s'accompagnent d'un sentiment de responsabilité envers Maurras lui-même dont l'expression la plus pathétique se trouve dans cette même lettre à la *Revue fédéraliste*. Par une intuition qui s'enracine dans une sorte de sentiment hyperbolique de la communion des saints, Bernanos rend les catholiques d'Action française responsables non seulement de l'insuffisance religieuse du mouvement, mais aussi de la non-conversion de Maurras auquel il rend ici le plus net, le plus sincère et le plus émouvant des hommages :

Je vous demande pardon, Maurras, au nom des catholiques que vous avez associés, au moins de cœur, à votre œuvre immense. Tout ce que le génie peut dispenser de lui-même, vous l'aurez prodigué sans mesure ! Nul ne sait mieux que nous la puissance et la portée de votre effort, lorsqu'une admirable générosité intellectuelle et votre étonnante dialectique vous conduisaient jusqu'aux frontières même de la foi. Mais le génie a eu sa part de la malédiction jadis portée contre notre nature, il doit être aussi racheté. Or cela qui vous manquait, nous l'avions, nous. Nous étions ce levain qui travaille la pâte du dedans, et rend efficace le labeur de l'ouvrier. Vous nous donniez le génie, nous vous apportions l'indispensable, la Divine Charité. Hélas, une fois de plus, nous n'avons pas assez agi, assez prié, assez aimé. La bénédiction que nous demandions

1. *Maurras et notre temps*, t. I, p. 197-201. Telle est du moins l'impression que l'on retire des citations de Bernanos que l'auteur accumule dans ces pages. Toutefois Jacques Chabot a élevé des doutes qui paraissent fondés sur l'authenticité de ces citations où l'on démêle mal ce qui est lettre ou fragment de lettre et ce qui est conversation reconstituée approximativement à bien des années de distance (« Georges Bernanos au tribunal de l'inquisition maurrassienne », *Ét.*, n° 7, 1966, p. 113-138).

2. *Bul.*, 23, p. 15.

pour vous, et pour l'œuvre commune, nous l'aurons sans doute implorée en vain, d'un cœur trop lâche. Voilà que nous sommes, au contraire, pour votre grande âme dévorée d'inquiétude, dans son tragique isolement, un scandale intolérable. Comptables de vous à Dieu, nous vous demandons pardon[1].

Au moment où Bernanos écrit ces lignes, la parole qu'il implorait de Rome est arrivée : c'est une nouvelle condamnation, prononcée par Pie XI dans son allocution consistoriale du 20 décembre 1926. Le 29 décembre, un décret du Saint-Office rendra publique la mise à l'Index de *L'Action française*, et le 8 mars 1927, un *Décret de la Sainte Pénitencerie* précisera la condamnation. La douleur de Bernanos ne connaît pas de bornes. Rien ne le fera mieux sentir que d'en enregistrer, sans commentaire, quelques témoignages :

décembre 1926 – A Massis : « Je ne vous parle pas des événements récents. Il semble de plus en plus qu'il y a une véritable conspiration contre nos âmes. »

décembre 1926 – A la *Revue fédéraliste* : « Personne n'a pris la peine, avant de nous jeter aux chiens, de rechercher dans nos paroles ou nos écrits publics une ligne qui témoigne des fameuses infiltrations du paganisme maurrassien. Qu'est-ce que vous voulez que ça me fasse ? Inébranlablement résolus à donner à l'Église tout ce qu'elle exigera, sans réserves ni restrictions mentales, nous nous agenouillons volontiers – que dis-je! nous nous couchons à plat ventre et le cœur content. »

janvier 1926 – A Massis : « Vous avez raison. Nous sommes assaillis de toutes parts. On me cite un mot du Père de Clérissac : 'Il faut avoir souffert non seulement pour l'Église, mais par l'Église.' »

28 mars 1927 – « Vous devez avoir de la peine aujourd'hui. C'est l'instant, ou jamais, de nous souvenir que notre Père est dans les cieux.
Que peut-il nous arriver de pire ? Quel plus grand effort a jamais été fait pour arracher, pour déraciner des âmes ? Je meurs de honte et de dégoût.
J'ai peur de ces gens d'Église tout écumants. Je mets mes deux mains sur les yeux pour ne plus les voir. Je ne veux plus être qu'un pauvre pécheur dans les plis du manteau de Notre-Dame. Qui viendra nous chercher là ? »

Ces quelques lignes diront mieux que toute autre chose la peine que Bernanos eut à se soumettre. Mais jusqu'à quel point accepta-t-il de se soumettre ? Il le dira lui-même dans une lettre adressée

---

1. *Bul.*, 23, p. 16.

aux étudiants d'Action française à l'occasion de leur réunion de rentrée le 10 décembre 1927 : « Je vous parle en catholique qui a poussé la soumission aussi loin qu'il est possible sans se renier soi-même. Mais nous ne disposons pas de ce pays : c'est lui qui dispose de nous [...]. Nous ne disposons pas de notre honneur : c'est lui qui dispose de nous [1]. » Bernanos ne se réinscrit pas à *L'Action française*. Mais ne pas lâcher Maurras est pour lui une question d'honneur. En acceptant d'adresser des messages ou de prendre la parole, en 1927, 1928, 1929, à des réunions de rentrée des Étudiants d'Action française, qui lui procurent un contact, de plus en plus précieux à ses yeux, avec la jeunesse, en donnant, à partir de novembre 1928, une dizaine d'articles à *L'Action française* et à son *Almanach*, Bernanos proclame de façon chevaleresque, dans les limites qu'il juge compatibles avec l'obéissance chrétienne, sa fidélité à un homme que le malheur rend sacré. Mais sous cet accord, affiché avec d'autant plus d'éclat qu'il y a plus de risque à le faire, couvent des divergences d'opinion et de sensibilité dont nous avons donné déjà quelque idée et que nous essaierons d'évaluer exactement lorsqu'elles éclateront au grand jour – ce qui ne tardera guère.

Bornons-nous pour l'instant à faire le bilan de cette crise. On ne saurait en exagérer l'importance. Henri Massis, qui l'a vécue à ses côtés, n'a sans doute pas tort d'y voir le tournant décisif de sa vie. Mais les conséquences que tire de cette constatation celui qui fut à cette époque l'un de ses plus intimes amis sont totalement inadmissibles. Privé de toute raison d'espérer, Bernanos aurait été désormais un « cadavre », un « égaré », un homme errant réfugié dans un rêve, et réduit, faute de savoir à quoi accrocher son action, à une sorte de soliloque dépourvu de sens. Qu'un tel homme ait écrit le *Journal d'un Curé de Campagne*, *M. Ouine*, les *Dialogues des Carmélites*, sans parler d'une œuvre polémique à laquelle on ne peut dénier, à moins d'être aveuglé par la passion, une certaine cohérence, il y a là de quoi ruiner définitivement une caricature que seules peuvent expliquer l'amitié blessée et l'attachement à un maître dont le mémoire avait besoin d'être défendue. N'hésitons pas à affirmer, au contraire, que ces événements si douloureux ont rendu Bernanos à lui-même [2]. Qu'on s'en réjouisse ou qu'on le déplore, il est évident qu'il n'était pas, qu'il ne pouvait pas être l'homme d'un parti. Sans doute y avait-il une source de drame permanente dans la difficulté qu'il éprouvait à incarner son combat pour la vérité, lui

---

1. *Bul.*, 44, p. 17.
2. Nos conclusions rejoignent celles de Jacques Chabot, dans l'article déjà cité.

qui ne connaissait, comme Péguy, de vérité qu'incarnée. Mais outre que le drame, en le faisant participer à l'agonie du Christ[1], le révèle davantage à lui-même que le bonheur, cette tension dialectique entre l'attente d'un avènement, l'appel à une justice, la référence à une vérité qui se doivent de se réaliser ici-bas, et la méfiance, le dégoût, la révolte que lui inspirent toutes les fausses incarnations de son idéal, constitue sans aucun doute l'élément moteur de son existence et la marque la plus personnelle d'une vocation qui s'apparente par bien des côtés à celle des grands prophètes d'Israël.

1. Cf. déjà dans la lettre à la *Revue fédéraliste* : « La miséricordieuse épreuve nous surprend en plein sommeil, et la souffrance sera déjà passée avant que nous ayons pu la presser tout entière sur notre cœur, en épuiser le bienfait. Nous avons désiré d'un grand désir, selon nos forces, Son royaume et Sa justice. C'est l'humiliation qui surabonde. Tout est ainsi dans l'ordre. Nous interrogions le Père, et le Fils a répondu. »

Chapitre VII

L'Imposture et La Joie

C'est dans cette atmosphère, qu'assombrissent encore la maladie et la mort de son père, survenue le 3 janvier 1927, que Bernanos écrit *L'Imposture*. Achevée en mars 1927, la composition du roman dura moins d'un an. Pour un écrivain qui travaillait aussi difficilement que Bernanos, cela représente un effort considérable, surtout si l'on considère qu'il fut distrait de son travail non seulement par la crise et le deuil que nous venons d'évoquer, mais encore par son installation à Ciboure, puis à Bagnères, par la rédaction de son entretien avec Frédéric Lefèvre et d'un *Saint Dominique*, publié dans la *Revue Universelle* en novembre, et enfin par la mise au point de plusieurs conférences.

A l'origine, *L'Imposture*, qui devait s'appeler primitivement *Les Ténèbres*[1], ne devait faire qu'un seul roman avec ce qui deviendra *La Joie*. Bernanos écrit en effet à Massis, fin août 1926, qu'il ne sera pas prêt, comme l'espérait la maison Plon, pour le prix Goncourt : « Je suis sur une piste, ajoute-t-il. Le sujet est si vaste qu'il faudra sûrement deux volumes successifs. Mon mauvais prêtre, si je le mets une fois debout, s'y tiendra comme une tour[2]... » En 1934, écrivant à Maurice Bourdel, directeur des éditions Plon, il évoquera, pour les déplorer, les nécessités commerciales qui l'ont amené à scinder l'œuvre entreprise en deux romans : « Personne n'est obligé de savoir – mais moi je le sais – quel roman eût été *L'Imposture* et *La Joie* si le temps m'avait été laissé de fondre les deux volumes en un seul. La nécessité ne me l'a pas permis, soit. Reste que même au point de vue commercial un bouquin tiré à cent mille et qui m'eût définitivement classé, eût mieux valu que ces deux tronçons[3]. »

Nous serons donc fidèles aux intentions de Bernanos et à la logique de la création en étudiant ensemble ces deux œuvres, dont les personnages sont en partie les mêmes, dont les thèmes sont communs ou étroitement solidaires, et dont la technique ne subit pas

1. Cf. la lettre de novembre 1926 à H. Massis, *Bul.*, 17-20, p. 14.
2. *C. R.*, p. 42.
3. *Un mauvais rêve*, éd. Béguin, p. 322.

de variations notables, même si l'on observe, d'un livre à l'autre une certaine évolution.

Nous évoquerons donc immédiatement, avant d'aborder cette étude, les conditions matérielles dans lesquelles fut écrite *La Joie*.

Au moment où les éditions Plon publient *L'Imposture*, en novembre 1927, Bernanos a de nouveau changé de domicile. Il est installé, depuis la fin de juillet, dans la petite ville somnolente de Clermont-de-l'Oise, au Nord de Paris. Selon son habitude, ce n'est pas chez lui qu'il travaille, ni même à Clermont, mais dans un café de la ville voisine, à Mouy-sur-Oise, où il se rend tous les jours à bicyclette. Au début – chose vraiment rare – il rédige sans peine, gagné par la paix qui émane de ses personnages : « Enfin, heureusement, je me suis mis au travail, écrit-il à Henri Massis le 15 août 1927. Je vis avec deux saints délicieux, deux vrais saints, que j'invente à mesure. Tout est si lumineux que je ne puis penser à autre chose, et j'ai le cœur enchanté[1]. » Au début de 1928, il écrit encore : « *La Joie* à l'air de tenir le coup[2]. »

Mais la *Revue Universelle*, que dirige Henri Massis, ayant obtenu de publier le roman avant sa parution en librairie (elle avait déjà publié, dans les mêmes conditions, des fragments de *L'Imposture*), le travail de Bernanos, harcelé par la nécessité d'être prêt à temps, devient beaucoup plus fébrile à la fin de 1928 : « Ne vous mettez pas en colère, écrit-il à Massis en novembre : j'aurais beau m'arracher les cheveux, la langue et le reste, je ne pourrai tout de même pas terminer en deux ou trois jours ; le dialogue commencé, et qui est d'une importance capitale, exige d'être traité à fond[3]. » Les dernières pages du livre lui coûtent particulièrement. Il écrit à Vallery-Radot : « Je termine mon roman comme on fait les derniers kilomètres de l'étape : dans une espèce de stupeur », et quelques jours plus tard, il résume sa lassitude dans cette simple exclamation : « Quel martyre[4]! »

On peut assigner à *L'Imposture* et à *La Joie*, comme à *Sous le Soleil de Satan*, une double origine, interne et externe. Ces deux romans sont issus, pour une part, du monde d'images et de personnages que Bernanos porte en lui, et qui s'engendrent, se repoussent,

1. *C. R.*, p. 44. Les deux saints sont évidemment Chantal et l'abbé Chevance, qui, quoique déjà mort, fait sentir sa présence à travers tout le roman.
2. *Béguin*, p. 161.
3. *Pl.*, p. 1772.
4. *Ibid.*

s'appellent selon des lois mystérieuses. Dans *Sous le Soleil de Satan*, à la figure du prêtre en marche vers la sainteté répond celle de la jeune fille qui s'enfonce dans la perdition. Mais on pouvait rêver d'une réplique plus exacte encore à la destinée de Donissan que celle de cette enfant, dont les premiers pas dans le mal, tout au moins, obéissent à des mobiles divers, et qui n'a pas le poids du sacerdoce à jeter dans la balance : celle d'un prêtre dont la trajectoire dans la direction du néant fût aussi pure, aussi désintéressée et aussi accomplie que celle du « saint de Lumbres » dans la direction de Dieu.

A cette nécessité d'ordre imaginaire se superpose la sollicitation des événements que Bernanos est en train de vivre. La condamnation de *L'Action française* n'est pas pour lui, nous l'avons vu, une simple péripétie de la lutte politique. C'est le résultat et le signe d'une immense trahison, celle de l'idéal chrétien et du Christ lui-même par des hommes qui vivent dans l'Église, se servent de ses paroles sacrées et se couvrent de son autorité, alors qu'ils ont déjà, dans leur cœur vide de foi, d'espérance et de charité, renoncé aux promesses éternelles de Dieu pour accueillir les promesses dérisoires du monde moderne. C'est cet univers de faux semblants qu'il faut dénoncer, c'est ce creux qu'il faut sonder, si l'on veut non seulement riposter efficacement à l'agression des forces du mal mais, plus profondément, montrer comment elles travaillent la société et comment elles obéissent aux suggestions de l'Ennemi.

La marque propre du génie de Bernanos consiste à percevoir l'unité de ces deux sollicitations et à nous la faire percevoir à notre tour. Le mal qui travaille la société de chrétiens médiocres et de lâches opportunistes dont il a entrepris de nous ouvrir les arcanes est le même que celui dans lequel son mauvais prêtre s'enfonce avec une sorte d'héroïsme de la perdition. C'est le mensonge, c'est la haine de toute ce qui est vrai, simple, ouvert et offert à la bonté prévenante de Dieu et au risque de son amour. L'abbé Cénabre ne fait que conduire à sa perfection dans sa propre vie l'œuvre de mort que le Père du mensonge poursuit dans les autres âmes et dans la société des hommes par des moyens qui sont à leur mesure.

Bernanos est ainsi amené à nous présenter dans son second roman une image du mal qui ne diffère pas en son fond de celle que nous trouvions dans *Sous le Soleil de Satan*, mais qui fait une plus grande place à tout ce qui relève de la confrontation de l'homme avec la vérité de son être. L'image de la sainteté évolue, à son tour, avec celle du péché à laquelle elle est appelée à faire pendant. Bernanos n'insiste plus sur le courage du saint dans son combat avec l'adversaire presque visible qui cherche à perdre les âmes, mais sur sa transparence, sur sa perméabilité à une lumière à laquelle le pécheur se dérobe en laissant s'épaissir autour de lui les ténèbres de son mensonge. De cet affrontement entre les ténèbres et la lumière naît le drame, à la fois humain et surnaturel, qui révèle une fois de plus la solidarité du pécheur et du saint.

La part de la satire est beaucoup plus grande, dans *La Joie* et surtout dans *L'Imposture*, que dans *Sous le Soleil de Satan*, où elle ne prenait un certain développement que dans la troisième partie. Rien d'étonnant à cela. Tous les personnages des deux nouveaux romans gravitent en effet dans ces milieux favorables au ralliement, à l'action catholique et à la démocratie chrétienne auxquels Bernanos attribue tous les maux dont souffre l'Église. Outre Pernichon, le journaliste servile et ambitieux qui tient la chronique religieuse dans une feuille radicale, nous trouvons réunis, dans la seconde partie de *L'Imposture*, un évêque progressiste, un protestant, ancien collaborateur de Combes, un vicomte passablement niais qui joue le rôle de grand seigneur démocrate et voltairien, un personnage qui paraît lié à la diplomatie vaticane, la femme de celui-ci, poétesse ridicule à la vie peu édifiante, et enfin un très louche publiciste qui tire les ficelles dans l'ombre et pousse en avant des journalistes catholiques pour réaliser on ne sait quels ténébreux desseins. Tout ce beau monde se retrouve chez un écrivain scandaleusement agnostique et immoraliste, dont la seule recommandation est d'avoir été, à l'École Normale, le camarade de Mgr Espelette, qu'il considère d'ailleurs comme un imbécile (circonstance aggravante : cet évêque est agrégé et n'en est pas peu fier).

L'abbé Cénabre, historien du mysticisme, dont la spécialité est d'« écrire de la sainteté comme si la charité n'était pas[1] » est le grand homme de ce cénacle. Il paraît que l'abbé Bremond y reconnut immédiatement son portrait et accusa Bernanos d'avoir été chargé par Maurras de l'exécution[2]. Il est bien évident que Bernanos eût été le dernier à accepter une pareille besogne et qu'il était loin de soupçonner chez Bremond les abîmes de noirceur qu'il prête à son héros – au demeurant fort différent, par son apparence virile[3] et presque vulgaire, du petit abbé mobile comme le vif-argent et hypernerveux qui écrivait l'*Histoire littéraire du sentiment religieux*. On imagine pourtant fort bien que le point de vue humaniste à partir duquel l'abbé Bremond aborde l'étude des mystiques devait agacer Bernanos, et lui paraître une désastreuse concession à l'esprit du

1. *Pl.*, p. 329.
2. Cf. sur cette question la version d'Henri Massis, dans *Maurras et notre temps*, t. I, p. 111-115.
3. Il « sue la virilité par tous les pores », dit de lui La Pérouse (*Pl.*, p. 646).

siècle. A ce titre, l'apologiste du romantisme et de la « poésie pure »
avait sa place dans son enfer, et tout nous porte à croire que c'est
bien lui que Bernanos vise lorsqu'il décrit, tout au moins, la méthode
et les tendances intellectuelles de l'abbé Cénabre.

Si les personnages de *La Joie* sont moins mêlés que ceux de
L'Imposture aux intrigues politiques, c'est bien le même air qu'ils
respirent. L'amitié de M. de Clergerie pour l'abbé Cénabre et pour
Mgr Espelette, le fait qu'il escompte de son mariage avec la baronne
de Montanel, filleule de Waldeck-Rousseau, des voix de gauche
pour son élection à l'Académie suffisent à révéler en lui le catholique
prêt à tous les compromis. Ne se prononce-t-il pas d'ailleurs lui-
même pour « un catholicisme modernisé, progressif », éclairé par
la psychanalyse et l'anti-intellectualisme bergsonien, pour un « idéalisme » qui « en somme, réconcilie toutes les croyances [1] ».

Inutile d'insister longuement sur la mentalité que Bernanos prête
à ce milieu. Elle se caractérise par la lâcheté intellectuelle, la rage
de donner raison à l'adversaire, une certaine servilité qui pousse
ses membres à jouer les intermédiaires, la haine de toute position
nette, de toute grandeur affirmée, le goût pour tout ce qui est
équivoque, malsain, oblique. Un problème qui nous préoccupera
davantage est de savoir si cette intention satirique a servi ou desservi
le dessein romanesque de Bernanos.

Nul doute, tout d'abord, qu'elle l'ait amené à insérer davantage
les personnages issus de son imagination dans un milieu social
déterminé et qu'elle l'ait ainsi rapproché de la technique balzacienne.
Dans *Sous le Soleil de Satan*, l'opposition entre l'aristocrate ruiné
Cadignan (nom balzacien s'il en fut) et le brasseur enrichi Malorthy,
la carrière du médecin-député Gallet et les démêlés de l'abbé
Menou-Segrais avec ses supérieurs sont à peu près les seules perspectives que nous ayons sur la structure de la société dans laquelle se
déroule l'action. *L'Imposture* et *La Joie* nous proposent au contraire
l'ébauche d'un monde où l'argent, l'ambition, la volonté de puissance,
le passé de la famille ou de la race pèsent d'un grand poids, et où
la maison, le corps, le nom même ancrent les personnages dans une
réalité bien déterminée dont ils nous font entrevoir l'épaisseur.
L'intérieur de l'abbé Cénabre, avec ses meubles de goût, ses reliures
rares et la petite pièce nue où est relégué le crucifix, ne ressemble pas
à l'appartement hâtivement aménagé et sentant encore la peinture,
où campe Guérou, ni à la vieille maison familiale des Clergerie,
avec son odeur de cretonne moisie et sa charpente grinçante. Le
passé des Clergerie (sur lequel le manuscrit de *La Joie* donne des

1. *Pl.*, p. 645.

détails que Bernanos n'a pas retenus[1]) explique en grande partie
la ruse paysanne et la patience de rat avec lesquelles leur rejeton
édifie sa carrière, et Cénabre lui-même ne serait pas ce qu'il est
s'il n'avait connu dans son enfance une pauvreté qui lui fait horreur.
Si ces personnages vivent un drame qui a sa clef en dehors de ce
monde-ci, leurs calculs d'ambition, leurs combinaisons politiques,
leurs précautions et leurs prudences dessinent la figure d'une société
si précise et si réelle qu'on a quelque peine à se reconnaître dans le
réseau d'allusions où nous entraîne la conversation chez Guérou,
dans la seconde partie de *L'Imposture*. Bernanos ne se prive même
pas, tel Balzac comparant Canalis à Lamartine, de mêler à son
monde fictif des personnages historiques, lorsqu'il cite un mot du
« lucide et charmant Toulet » sur Cénabre, ou bien lorsqu'il prête
à la mère de Chantal le caprice de demander au « maître Bourdelle »
un moulage des joues de sa fille.

Comme Balzac encore, Bernanos manifeste dans le choix des
noms propres un souci d'expressivité qui ne se retrouve au même
degré dans aucun de ses romans. Le nom de Pernichon a quelque
chose de lamentable et de rabougri qui correspond à l'essence même
du personnage. Celui de Mgr Espelette évoque des idées de futilité
et de coquetterie. Celui de M. de Clergerie annonce, malgré l'origine
paysanne de la famille, l'intellectuel vivant à l'ombre de l'Église.
Cénabre a la dureté d'une pierre et le mordant d'un poison, tandis
que Chevance n'est que douceur, indulgence, pardon.

A la technique balzacienne, essentiellement visuelle, se rattache
également le procédé de présentation qui consiste à décrire une
scène – parfois contre toute vraisemblance – du point de vue d'un
observateur imaginaire. Toute la première partie de *L'Imposture* est
ponctuée d'expressions telles que : « Quiconque l'eût observé à ce
moment solennel eût été frappé de la netteté de son regard[2] »,
« Qui l'eût vu, au rouge reflet de la lampe [...] eût envié cette
puissance tranquille[3]... », « Qui eût entrevu, [...] par le trou de la
serrure, l'homme encore imposant de vigueur et de santé [...] n'en
aurait pu croire le témoignage de ses yeux[4] », etc. Ce mode de
présentation, toujours assez maladroit, frise l'absurdité lorsqu'il
amène Bernanos à écrire une phrase comme : « Du réservoir de
cristal *on entendit* [...] l'huile de pétrole couler à petits coups[5] »,
alors qu'il n'y a personne d'autre que Cénabre dans la pièce.

---

1. Cf. *Pl.*, p. 1774-1777.
2. *Pl.*, p. 324.
3. *Ibid.*, p. 358.
4. *Ibid.*, p. 368.
5. *Ibid.*, p. 324.

Enfin il y a dans *L'Imposture* toute une scène qui est imitée de Balzac : c'est celle qui met aux prises l'abbé Chevance malade et sa concierge, Mme de la Follette. Bernanos s'est évidemment souvenu, en l'écrivant, des diverses scènes du *Cousin Pons* qui nous montrent le musicien malheureux et sensible en butte aux grossières avanies de la Cibot.

Tous ces traits, qui se rattachent au dessein satirique de Bernanos, contribuent donc à donner au monde de *L'Imposture* et de *La Joie* une épaisseur, une réalité et une présence qui devraient, du moins en théorie, équilibrer heureusement ce qu'il y a d'excessivement immatériel dans les régions profondes où se joue le drame, et qui font en tout cas de personnages comme Chevance ou Chantal des êtres plus proches de la vie de tous les jours que ne l'était le « saint de Lumbres ». D'où vient donc que cette représentation du monde nous donne souvent une impression de minceur et d'artifice ? Elle vient, à mon sens, de ce que la satire n'est pas toujours dominée, comme chez Balzac, par l'amour de la vie. Pour Balzac créer des êtres ridicules comme la Muse du Département, ou odieux comme M. de Mortsauf, c'est encore créer, et la joie qu'il en éprouve est suffisante pour lui permettre d'être équitable avec le plus vil de ses personnages. Il arrive au contraire que le jugement de Bernanos sur l'un ou l'autre de ses fantoches lui préexiste et l'écrase, comme un insecte enfermé entre les feuillets d'un livre. Dire de M. de Clergerie, dès les premières lignes de son portrait : « toute grandeur l'étonne, et il s'en écarte avec stupeur [1] », charger le malheureux Pernichon en annonçant : « Tout ennemi de la cause qu'il prétend servir a déjà son cœur ; toute objection de l'adversaire a déjà en lui une pensée complice », c'est, comme le note Gaëtan Picon [2], en faire l'illustration d'un défaut (ou même la justification d'une passion de l'auteur), et non l'objet d'une exploration imaginaire qui laisserait au lecteur à conclure. La même prévention, contraire au véritable mouvement de la découverte, amène Bernanos à abuser, dans *L'Imposture* et *La Joie*, des personnages-types, que l'on sent trop concertés en vue de résumer tous les défauts d'une catégorie sociale ou professionnelle, trop parfaits en un sens, pour avoir jamais été observés dans la vie. Ainsi le psychiatre La Pérouse, plus déséquilibré que ses malades et fréquentant par curiosité et vice les milieux les plus louches, ou le chauffeur-russe-ancien-colonel-de-l'armée-impériale, qui en remontrerait en beaucoup de choses à ses maîtres et qui répand autour de lui tous les poisons d'une existence sans racines.

1. *Pl.*, p. 536.
2. *Ibid.*, p. XXI, XXII.

Il faut pourtant se garder de faire exagérément confiance à l'agacement que provoquent en nous ces interventions intempestives de l'auteur, trop pressé de distribuer l'éloge ou le blâme. Il arrive en effet que tel personnage, présenté d'abord avec une partialité qui le fait paraître un peu schématique, gagne peu à peu en complexité et en vie. C'est le cas de Pernichon, qui reste falot et conventionnel durant la scène de sa confession à l'abbé Cénabre, mais qui acquiert, dans sa discussion avec l'infâme Catani, un relief et un pathétique inattendus. Engendré dans le mépris, il a gagné, par son malheur, des droits à la compassion du romancier, qui le décrit désormais de l'intérieur. Même chose, à peu près, arrive au psychiatre La Pérouse, qui reste un composé d'attitudes pseudo-scientifiques, de tics professionnels et d'aberrations mentales durant ses conversations avec Clergerie et Fiodor (encore Bernanos a-t-il allégé le portrait de beaucoup d'allusions pédantes en passant du manuscrit au texte imprimé), mais en qui la conversation avec Chantal remue des fibres humaines et qui commence alors à vivre réellement. D'autres personnages, créés comme les précédents selon une recette un peu trop apparente, n'en recèlent pas moins, dans certaines régions de leur être, des sources de tragique capables de submerger, le moment venu, ce qu'il y a en eux de conventionnel. Ainsi le chauffeur russe, à qui Bernanos prête avec un peu trop d'application le langage imagé d'un oriental et la psychologie d'un héros de Dostoïevsky, trouve par moments les mots qu'il faut pour dépeindre le besoin de mensonge qui l'habite ou pour prophétiser les drames dont sera le théâtre la vieille maison « rongée par les insectes ». Dans *L'Imposture*, M. Guérou, mélange un peu trop riche de Renan pour le physique, de Gide pour l'immoralisme et le goût du scandale, de Proust pour la hardiesse de l'investigation psychologique et de M. de Charlus pour le vice, manifeste une haine de soi-même et une angoisse mêlée de curiosité devant la mort qui sont bien d'un personnage de Bernanos.

Mais ce qui sauve surtout cette peinture de la société, critiquable à bien des égards, c'est moins chaque personnage pris individuellement que l'impression générale de creux, de vide, de mensonge qui s'en dégage ; et cela seul importe, en somme, puisque c'est par là que l'aspect satirique de l'œuvre rejoint sa signification métaphysique.

Or, à cet égard, tous les traits du tableau concordent admirablement. Le mal dont souffre la société que Bernanos s'est proposé de dépeindre est le même que celui qui ronge la vie de chacun de ses membres. Ce n'est pas la passion, le péché, le vice, dans la mesure où ceux-ci impliqueraient l'appétit d'un bien positif, une

Jeune fille.

Je m'appelle Mignon

vous m'avez terni

Bref, tout cela pour vous tirer le
foie sur la hanche, avec un
geste de haut-lieu. Je m'appelle
Georges Berrrryanosssss', et je ne
vous ai pas oublié.

Où sont les neiges d'antan, Monsieur
le French! Oh. les bonnes classes de
littérature qu'on a faites là (Je ne
parle pas des autres, c'étaient des duels
épiques, entre vous l'homme aimable
que vous êtes rendre la classe très agréable
Et bravo Hommm! la chose
la plus atroce qui soit) Vous
rappelez vous mes dissertations
que vous intituliez "causeries sur un
tel", et la grande séance
sensationnelle où je me battis
avec Chaspasi au grand
détriment de votre bureau et
de vos livres qui tombaient
si belement.

Je reviens à bras, et pour
simmm, je vous ferai, ou partir

— Je n'aime pas beaucoup vous entendre parler de Mademoiselle votre fille, dit simplement l'illustre maniaque qui se met à marcher de long en large à travers la pièce. Oho, mon cher désiala, je m'intéresse peu aux enfants de mes malades. Ce n'est même pas une règle que je m'impose — une simple habitude, voilà tout.

— Quelle plaisanterie. Vous la connaissez depuis l'enfance.

— Là. Médicalement, je ne sais rien d'elle, je n'en veux rien savoir. J'ai seulement souhaité, jadis, en raison de certaines influences héréditaires que vous consultiez Baruk, ou Duriage encore peut-être... à l'époque critique, à l'époque de la formation l'occasion est manquée, n'en parlons plus.

— Ce n'est pas ma faute : je faisais alors une grande cure de repos et d'hélioth............ sans les Pyrénées. D'ailleurs, tout s'est passé très parfaitement, tout à fait bien. Ne croyez-vas, au fond vous pensez comme moi ? Ma fille est normale, bien normale, n'est-ce pas ? équilibrée.

—————

La Récolte .... le .... son air de ....

— Mon cher à parler franc, une certaine intégrité morale est pas plus importante pour moi .... intégrité physique, mais on ne résoute pas simplement .... l'autorité des traumas émotionnels. Vous savez que nous avions là que vous avez l'origine de la plupart de ses névroses .... à Freud sa .... curieuse, charmante même : au Fludd ....

certaine dépense de soi-même. « Les fanfares du vice, écrivait Bernanos dans un projet de prière d'insérer destiné à *L'Imposture*, sont pour les nigauds, mais sa plainte secrète est entendue d'un petit nombre[1]. » C'est cette plainte secrète qu'il s'efforce de capter, et il lui suffit de tendre l'oreille pour la percevoir au fond de toutes ces vies manquées : elle est comme l'écho du vide insondable qui les habite. Qu'est-ce que Pernichon ? Un cadavre, un mort vivant, qui s'accuse de fautes imaginaires parce qu'il préfère consommer des ombres plutôt que de prêter ses forces à des passions réelles. « Votre vie intérieure, mon enfant, porte le signe moins[2] », lui dit l'abbé Cénabre, avec une lucidité aiguisée par la crise qu'il s'apprête à traverser. Finalement, comme le lui prédit Guérou, qui sait lui-même à quoi s'en tenir sur la vacuité fondamentale d'une vie entièrement fermée à Dieu, il finira par se tuer, plutôt que de regarder ce vide en face : « Il vous coûterait moins de vous tuer que d'avouer à présent que vous vous êtes affolé pour rien. Vous êtes vaniteux. Toutes les passions peuvent mettre un jour le revolver en main, mais à la fin du compte, c'est la vanité qui tue[3]. »

Pourquoi Mgr Espelette affiche-t-il l'« indomptable résolution de vivre et mourir à l'avant-garde de son siècle » ? Pourquoi affecte-t-il de croire tous les hommes sincères ? Est-ce par désir de gagner à la vérité des âmes qui n'entendent plus les paroles éternelles de l'Église ? Est-ce parce qu'il sait discerner, chez ceux-là même qui s'égarent, l'aspiration à la lumière ? Bernanos ne le laisse pas supposer une seconde. Tous les gestes de l'évêque de Paumiers sont commandés par une inconsistance congénitale, par une légèreté endémique, qui le conduisent d'instinct aux seules attitudes dont sa vanité puisse se nourrir, celles qui évitent le réel ou le vident de sa substance : « Sa lâcheté intellectuelle est immense. Impuissant à la concevoir, car son être tout entier défaillant échappe à n'importe quelle méthode loyale de mesure, ne présente aucun point fixe, il n'en a pas moins la conscience obscure de ce qui lui manque et il ressent ce manque au plus creux et au plus chaud de son âme chétive et caressante : sa vanité[4]. » Mgr Espelette réalise ainsi le type du prêtre médiocre, dont Bernanos fera « l'un des principaux responsables, le seul responsable, peut-être, de l'avilissement des âmes[5] ». Le spécialiste en perversion qu'est M. Guérou ne s'y trompe pas. Le spectacle du prêtre médiocre le fascine ; c'est une des seules

1. *Pl.*, p. 1766.
2. *Ibid.*, p. 320.
3. *Ibid.*, p. 433.
4. *Ibid.*, p. 387.
5. *Peur*, p. 185.

choses qui soient encore capables de réveiller un appétit que toutes
les formes du vice ont émoussé.

Que la médiocrité soit la manifestation sensible d'un vide intérieur,
la personne et la carrière de M. de Clergerie en sont la preuve
vivante. Il suffit que sa fille profère une parole vraie pour que paraissent dans son regard « quarante années d'un labeur vide et têtu,
poursuivi à travers tant d'intrigues non moins vaines que lui,
l'expérience amère de son propre néant, la crainte puérile de toute
vérité, de toute simplicité où sa méfiance ne voit qu'une ruse complexe, un mensonge d'une espèce moins facile à déceler, toute sa
vie enfin, la médiocrité intolérable de sa vie[1] ». Son horizon s'est
rétréci aux dimensions d'une pensée unique : son élection à l'Académie, et cela d'une manière qu'on ne peut même pas qualifier
d'inconsciente, car c'est volontairement qu'il s'écarte de la grandeur.
Il la contemple « de loin, sans appétit, en passant dans sa courte
barbe grise une main fébrile ». C'est en les connaissant pour tels
qu'il flatte les médiocres et en fait son unique société, peu soucieux
de percer les mensonges dont ils se couvrent, indifférent à la vérité
qu'ils recèlent, car « qu'importe la vérité des êtres à qui n'a jamais
entrepris de rechercher sa propre vérité[2] ?»

Cette dernière phrase nous livre le secret de la société des médiocres, la loi qui lui donne sa formidable cohésion. A qui fuit sa propre
vérité, il n'est pas d'autre atmosphère respirable que celle du mensonge. En refusant d'appeler les choses par leur nom, en cautionnant
cette monstrueuse subversion du langage contre laquelle Bernanos
entendait réagir en écrivant *Sous le Soleil de Satan*, ils préservent
leurs pauvres secrets, ces secrets de nul poids qui, comme le dit
M. de Clergerie à Chantal, « achèvent de pourrir dans la conscience,
s'y consument lentement, lentement[3]... ».

Rien ne peut plus troubler ces cœurs cruels dont la légèreté est à
l'épreuve de toutes les mauvaises surprises de leur incohérente vie,
pourvu que soit préservé un certain accord indispensable, un certain
rythme, que soient observées du moins certaines règles mystérieuses
auxquelles leur faiblesse se conforme d'instinct. Leur petite société
artificielle vit et prospère en vase clos, et les passions qui s'y développent, si violentes qu'on les suppose, ne s'y expriment qu'en
signes conventionnels, sont soumises à un contrôle sévère, à une
discipline formelle qui en modifie rapidement les caractères et les
symptômes.

1. *Pl.*, p. 499.
2. *Ibid.*, p. 536.
3. *Ibid.*, p. 592.

Telles sont les dispositions des invités de M. Guérou, dans *L'Imposture*. Mais la maison de M. de Clergerie, dans *La Joie*, est soumise à la même loi du mensonge. « Personne ne défend ici sa nature[1] », dit Fiodor. Tous, excepté Chantal, se sont réfugiés dans une partie d'eux-mêmes qui n'a plus rien de vivant : la grand-mère dans ses clefs, le fils dans ses ambitions académiques, Mgr Espelette dans sa passion de plaire. « Ils jouent entre eux, dit encore le chauffeur, ainsi que des enfants tristes, dans la cendre, un jour d'hiver. Ils ne savent assurément ce qu'ils veulent. Chacun désire un rang, une place, la renommée, l'or, et sitôt la place occupée, je suppose, elle est trop grande pour lui [...]. Oui, madame Fernande, personne ici n'a le courage du bien ni du mal[2]. »

Mais Fiodor ne se borne pas à discerner le caractère universel du mensonge qui règne dans la vieille maison. Il en connaît, par expérience personnelle, le pouvoir destructeur. « Le mensonge est ici plus vivace qu'ailleurs, dit-il, il jette sa graine partout, il finirait par ronger la pierre[3]. » Et encore : « cette maison bourgeoise paraît digne et honnête : elle est rongée par les insectes[4]. »

C'est que si la nocivité du mensonge échappe à ceux qui s'y enfoncent comme malgré eux et en observent tacitement les règles, il en est d'autres qui s'y livrent de façon plus lucide, et ceux-là seuls savent où il plonge ses racines. A voir vivre un Pernichon, un Espelette, et un Clergerie, on pourrait croire en effet qu'en se réfugiant dans un monde de simulacres ils ne font que chercher un alibi à la pauvreté de leur nature et que le vide dans lequel ils s'agitent, cet « élément sans consistance, plus ténu que l'air[5] », est moins pour eux l'objet d'un choix que le milieu dans lequel la malédiction de leur naissance les condamne à vivre. Cette impression, qui nous inciterait parfois à taxer Bernanos de cruauté et de mépris envers ses créatures disgraciées, n'est pas sans quelque fondement. Mais il faut bien voir que si pauvre que soit la nature, si humble que soit la vérité d'un être, celui-ci obéit toujours, en s'en écartant, à un appel dont les menteurs de plus grande envergure et d'esprit plus lucide nous permettent de discerner l'origine et la direction. Guérou, La Pérouse, Fiodor ne sont pas dupes de la comédie qu'ils jouent, et ils savent fort bien, si quelque circonstance les amène à faire un retour sur eux-mêmes, pourquoi ils la jouent. Guérou a consacré sa vie à pratiquer le vice, à le décrire, à en analyser les intentions

1. *Pl.*, p. 542.
2. *Ibid.*, p. 624.
3. *Ibid.*, p. 623.
4. *Ibid.*, p. 542.
5. *Ibid.*, p. 388.

avec une subtilité qui finit par se perdre dans le vide. Il confie à
Pernichon l'intention et les conséquences de cette vaine poursuite :
« Ce que le vice a de bon [...] c'est qu'il apprend à haïr l'homme.
Tout va bien jusqu'au jour où l'on se hait soi-même. Car enfin,
mon garçon, je vous demande : haïr en soi sa propre espèce, n'est-ce
pas l'enfer ? Croyez-vous à l'enfer, Pernichon[1] ? » Psychiatre en
renom, La Pérouse a bâti son existence sur un mensonge. On lui
croit la vocation de guérir les aliénés de leur mal, mais en réalité
c'est le mépris de lui-même qui le pousse à se pencher sur la conscience de ses malades pour y contempler l'image humiliée de son
âme : « Je me moque de la science, des savants et, en vérité, d'ailleurs,
je n'ai jamais été des leurs ; qu'ils crèvent tous ! Réellement, je n'ai
rien aimé... qu'aurais-je aimé ? J'ai passé ma vie à me regarder dans
la figure de mes toqués ainsi que dans un miroir... Je sais le sens
particulier, immuable, de chacune de mes grimaces, je ne puis
plus me faire rire ni pleurer[2]. » Au fond de son mensonge, il y a
plus qu'une fuite désespérée hors de soi, il y a cette haine de la vie,
cette nostalgie du néant et de la mort qu'il confie à M. de Clergerie
lorsqu'il lui dit : « La vie psychique, c'est encore la vie – je veux dire
une manœuvre sournoise, ignoble, contre la pureté, la majesté de
la mort. On a beau rêver le froid, le blanc... Tenez ! mieux encore :
la nuit sidérale, impolluée, le noir absolu, lisse, vide, stérile...
Hélas ! les espaces interstellaires sont eux-mêmes fécondés[3]... » Plus
nettement encore, Fiodor avoue qu'il ment parce qu'il a perdu
« le goût de lui-même[4] », et l'intuitive Chantal confirme ce diagnostic
en lui expliquant pourquoi elle a pitié de lui : « parce que je vous
connais menteur, et il n'y a rien que Dieu déteste autant. Oui,
monsieur, je n'ai ni expérience ni esprit, mais je sais que vous
haïssez votre âme, et que vous la tueriez, si vous pouviez[5]. »

Si la haine est ainsi au fond du mensonge, il n'est pas étonnant
qu'une vie ou une société bâties non seulement en marge mais en
haine de toute vérité soient autre chose que l'inoffensive architecture
d'habitudes, de simulacres et de conventions dont la contemplation
rassure Mgr Espelette et ses semblables. Le chauffeur russe est
mieux renseigné, qui déclare dans son langage imagé : « ... vous ne
comprenez rien aux insectes. Notre immense pays lui-même a
été dévoré par les insectes. Les insectes finiront par avoir raison
de toute la terre, souvenez-vous » ; et, d'une façon plus directe :

1. *Pl.*, p. 437.
2. *Ibid.*, p. 668.
3. *Ibid.*, p. 642.
4. *Ibid.*, p. 650.
5. *Ibid.*, p. 548.

« Actuellement, nous ne pouvons que nous dévorer les uns les autres. Tel est le pouvoir du mensonge[1]. »

Rien d'étonnant non plus à ce que le regard que le menteur jette sur autrui vise non pas à le rejoindre là où son être s'enracine dans la vérité, mais à le couper de cette vérité en le soumettant à une investigation destructrice qui relève de la curiosité pure. C'est ainsi que pour Guérou « toute volonté qui fléchit, ou que travaille une imperceptible fissure, toute âme inquiète et défaillante est immédiatement discernée, comme aperçue du haut des airs, et sa curiosité plonge dessus[2] ». C'est ainsi que Fiodor observe Chantal avec « cette même curiosité qu'on voit au regard des bêtes savantes ou corrompues par des maîtres trop indulgents, lorsqu'elles flairent de loin, sur les routes, leurs congénères libres et heureux[3] », ou bien encore, que Cénabre étudie les mystiques avec une passion avide de surprendre leur secret, dans laquelle il finira par reconnaître de la haine.

La part du mensonge et sa virulence sont ainsi fort variables dans ces existences soustraites à la vérité. Pourtant, si grandes soient-elles, elles ne permettent jamais au mensonge d'atteindre à une pureté qui nous mettrait à même de contempler son essence. Faire au mensonge sa part, ne pas y engloutir tout son être, c'est en effet mentir imparfaitement, car c'est se réserver une zone de vérité à partir de laquelle le mensonge est utilisé comme un refuge, un instrument de domination ou un moyen de gagner l'admiration des sots, mais non pas aimé pour lui-même. Or, « pour mentir utilement, avec efficace et sécurité plénière, il faut connaître son mensonge et s'exercer à l'aimer[4] ». La différence entre le mensonge partiel, instrumental, qu'il soit instinctif ou calculé, et le mensonge total, servi et aimé pour lui-même, est celle qui sépare l'hypocrisie de l'imposture :

> Car l'hypocrisie n'est qu'un vice pareil aux autres, faiblesse et force, instinct et calcul, à quoi l'on peut faire sa part. Au lieu qu'un mensonge si total, qui informe chacun de nos actes, pour être supporté jusqu'à la fin doit embrasser étroitement la vie, épouser son rythme[5].

C'est pourquoi on aurait tort de taxer d'imposture des personnages qui ont, toute leur vie, joué un rôle parce qu'ils se plaisaient

1. *Ibid.*, p. 543.
2. *Ibid.*, p. 391.
3. *Ibid.*, p. 567.
4. *Ibid.*, p. 459.
5. *Ibid.*, p. 718.

mieux ainsi qu'au naturel et parce que la société reconnaissante les payait de la peine qu'ils prenaient pour lui plaire en les fournissant de solides avantages. C'est ce qui apparaîtra clairement à Bernanos lorsque l'exil lui permettra de donner leur vraie dimension à quelques-uns de ces personnages qui, vus de près, font illusion :

> M. Massis, écrit-il dans *Les Enfants humiliés*, est très excusable, ou peut-être digne d'estime, pour s'être épousé lui-même au sortir de l'enfance, sous les espèces de Pascal, ou tout au moins de quelque bourgeois notable de Port-Royal, comme M. de Montherlant s'est collé, au même âge, avec un grand seigneur anarchisant et misogyne qui peut-être empruntait le visage et les manières de son premier confesseur jésuite. C'est moi qui suis fou de penser à ces couples bizarres comme à des êtres uniques, fou de crier à l'imposture en face de malheureux qui, nés plus ou moins dépourvus de sincérité profonde, se sont travaillés vingt ans pour s'en faire une, par le truchement d'un personnage imaginaire, dont il est vrai qu'ils attendent, en retour, l'espèce de sécurité que l'esclave reçoit de son maître, et au même prix [1].

Pourtant, à y regarder de plus près, il y a une différence de degré, mais non d'essence entre le mensonge de l'imposteur et celui de l'hypocrite. Car c'est une illusion de penser que nous pouvons disposer de nos mensonges et leur commander au mieux de notre intérêt ou de notre goût. En réalité, c'est le mensonge qui nous possède : « le mensonge n'est nullement une création abstraite de l'homme et le mentir un jeu analogue à celui des échecs, comme le croient volontiers les diplomates d'église ou d'ailleurs, chaque mensonge est vivant, bien vivant, un mensonge, en terrain favorable, se reproduit plus vite que la mouche du vinaigre [2]. » C'est pourquoi nul hypocrite n'est sûr de ne pas se réveiller un jour imposteur : « Il est peu d'hommes qui, à une heure de la vie, honteux de leur faiblesse ou de leurs vices, incapables de leur faire front, d'en surmonter l'humiliation rédemptrice, n'aient été tentés de se glisser hors d'eux-mêmes, à pas de loup, ainsi que d'un mauvais lieu. Beaucoup ont couru plus d'une fois, impunément, cette chance atroce. L'imposteur n'est peut-être sorti qu'une seule fois, mais il n'a pu rentrer [3]. »

Telle est, dans ses grandes lignes, la destinée de l'abbé Cénabre, et l'on voit dès maintenant quelle est la signification de ce personnage, au centre d'une société pourrie par le mensonge. Seul à

1. *Enfants*, p. 114-115.
2. *Ibid.*, p. 120-121.
3. *Ibid.*, p. 121.

l'affronter dans toute sa rigueur et à s'y offrir tout entier, il en révèle à la fois l'origine satanique et l'antidote providentiel, qui est une forme de sainteté assez différente de celle que permettait d'entrevoir *Sous le Soleil de Satan*.

Bernanos a indiqué avec le plus grand soin possible, en peignant son héros, les diverses étapes de cette sortie définitive hors de soi-même qui marque le passage de l'hypocrisie à l'imposture. C'est bien l'hypocrisie qui est le point de départ et la clef de tout son itinéraire, mais une hypocrisie qui se présente avec une perfection inaccoutumée : « La vie de l'abbé Cénabre a aussi sa clef : une hypocrisie presque absolue. » Comparée aux attitudes des hypocrites vulgaires, qui escomptent toujours un profit, ou l'estime de leurs semblables, elle se caractérise par « le goût, l'ardeur, la frénésie du mensonge et son exercice perpétuel, aboutissant à un véritable dédoublement, à un dédoublement véritablement monstrueux, de l'être[1] ». Pourtant l'imposture n'est pas réalisée tant que subsiste ce dédoublement, et il y a d'ailleurs, à l'origine de celui-ci, d'autres mobiles que l'amour du mensonge pour lui-même. D'une famille misérable et tarée, Cénabre a cherché « à se justifier d'abord de son origine et de son passé par une conduite irréprochable », et c'est le désir d'opposer à la malveillance d'autrui une image d'une cohérence sans faille qui l'a amené « peu à peu, après une série de timides expériences, d'inutiles tentatives de libération, à l'observance la plus étroite, la plus stricte – même loin de tout regard, même dans le secret de son cœur – et capable de le tromper lui-même, s'il n'eût assez promptement perdu le désir – ou le courage – de se voir en face[2] ».

Mais est-il possible de remonter aux mobiles premiers de nos actes ? Cette contrainte perpétuelle, et s'exerçant jusqu'au plus intime de ses exercices religieux, était certes de nature à entretenir chez le jeune Cénabre un goût de la dissimulation et une dureté de cœur qui le destinaient à être beaucoup pire qu'un prêtre médiocre. Mais ces dispositions ne préexistaient-elles pas à la comédie qu'il jouait au séminaire ? et sans elles, cette comédie eût-elle été possible ? « Rongé d'orgueil », il la jouait déjà « presque innocemment, d'instinct, au foyer familial ». Et l'un de ses professeurs, s'accusant d'éprouver pour lui une répulsion invincible, essayait de la justifier en dénonçant chez lui une défaillance antérieure à toutes les attitudes suggérées par l'existence :

« – Je crois qu'il n'aime pas, disait-il. IL NE S'AIME MÊME PAS[3]... »

1. *Pl.*, p. 362.
2. *Ibid.*, p. 365.
3. *Ibid.*, p. 363.

Ainsi l'élément premier, le choix original de cette destinée se trouve peut-être dans cette haine de soi qui était déjà, chez Mouchette, la racine même du péché. Mais cette haine est un mystère qui résiste à toute investigation et qui laisse vaguement entrevoir un acteur extérieur à l'homme. « Fut-il vraiment dès lors possédé ? se demande Bernanos en se reportant encore aux années de séminaire de son héros. Faut-il chercher dans son enfance la plus secrète une de ces fautes mères dont la germination est si lente, mais tenace, capable de pourrir une race ? Qui le saura jamais [1] ? »

Le moment où commence l'action de *L'Imposture* est celui où l'équivoque prend fin et où se dévoile peu à peu le visage de cet interlocuteur qui inspirait dès le principe l'orgueil de l'enfant et son mensonge. Mais cette prise de conscience est préparée par l'orientation que l'abbé Cénabre a imprimée à sa carrière en devenant l'historien de la sainteté. Sans doute l'auteur des *Mystiques florentins* « répugne à se voir en face », et en abordant ses sujets « de biais », il obéit à ce même besoin de dissimulation qui l'amène à enfouir dans l'épaisseur de sa chair une culpabilité qui y prolifère secrètement comme un cancer. Mais la curiosité avec laquelle il pourchasse le secret de ces existences données à Dieu le trahit. S'il réalise le tour de force d'« écrire de la sainteté comme si la charité n'était pas », s'il imagine « un ordre spirituel d'économie de la charité », c'est parce qu'il essaie désespérément de plaquer sur la figure de ses saints son propre visage, c'est parce qu'il projette en eux le vide dont il est habité. Si bien qu'en fin de compte c'est sa propre nudité qu'il dévoile, c'est d'elle qu'il prend conscience, en faisant de sa version truquée de la sainteté l'image même de ce qui lui manque : « Anxieux de se fuir, d'ailleurs épris au fond de ces personnages imaginaires qu'il substitue presque inconsciemment aux vrais, qu'il s'efforce de croire vrais, au terme de sa route oblique, hélas! il ne rencontre que lui, toujours lui. Ce qui manque à ses saints lui a été, justement, refusé. Chaque effort pour le masquer découvre un peu mieux sa propre déficience. Que dire ?... Pour donner quelque réalité à ses fantômes, il s'est dépouillé de son bien, des précieux mensonges qui l'eussent déguisé, qui en déguisèrent tant d'autres, jusqu'à la fin... Il se voit nu [2]. » Chose singulière, qui n'a pas échappé à l'intuition d'Urs von Balthasar [3], c'est de sa propre expérience de romancier de la sainteté, ou du moins de la limite

---

1. *Pl.*, p. 364.
2. *Pl.*, p. 330.
3. Cf. *Balthasar*, p. 107-108. Ce rapprochement a été poussé plus loin par Henri DEBLUË dans *Les romans de Georges Bernanos ou le défi du rêve*, Neuchâtel, La Baconnière, 1965, p. 83 et 121-122.

inférieure de cette expérience, que Bernanos s'inspire lorsqu'il
nous montre son mauvais prêtre mis en face du vide de sa vie pour
avoir substitué à une image de la sainteté que la charité vivifie une
image qui n'est qu'un rêve de son imagination et une justification
de son existence sans chaleur. Tant il est vrai que le véritable
artiste n'invente rien qui ne soit lié à son être le plus profond.

La prise de conscience de l'abbé Cénabre est également favorisée
par la confession de Pernichon. Lorsqu'il enveloppe son pénitent
d'un regard qui, « dédaigneux de traverser la misérable conscience,
[...] la modelait, la pétrissait avec dégoût, faisait jouer dessus la
lumière », lorsqu'il lui demande à brûle-pourpoint : « *comment vous
voyez-vous ?* », lorsqu'il lui pose la question décisive : « *vous croyez-
vous donc vivant ?* », et lorsqu'enfin il se laisse submerger, en face
du piteux journaliste, par un irrépressible flot de colère, il ne cesse
pas de voir en lui « la part déshonorée de soi-même », et le spectacle
caricatural du vide qui ronge sa vie lui arrache cette confidence,
qui est aussi un programme : « Telle heure sonne, où la vie pèse
lourd sur l'épaule. On voudrait mettre à terre le fardeau, l'examiner,
choisir, garder l'indispensable, jeter le reste [...]. Je tenterai ce
choix. Il le faut. Je suis prêt[1]. »

L'illusion où il est, c'est de croire que cette révision dépend de
lui, et qu'il opérera lui-même ce choix. Car – c'est là le paradoxe
de l'imposture et ce qui la rend humainement irrémédiable – on
ne choisit pas de se donner entièrement au mensonge si l'on n'est
pas déjà habité par lui. Du mensonge aussi on pourrait dire « tu ne
me chercherais pas si tu ne m'avais déjà trouvé », car il n'est pas
pensable qu'un être ayant encore en lui-même un atome de vérité
sacrifie cet atome si le mensonge n'a pas déjà pris entièrement
possession de lui. Comme l'écrit Dina Dreyfus dans une remarquable
étude sur ce sujet, « on ne devient pas imposteur, l'imposteur n'a
pas d'histoire, sinon selon un regard rétrospectif qui dégrade
l'essence intemporelle du mensonge en une genèse historique, et
le fait apparaître comme le résultat de mensonges successifs accu-
mulés, alors qu'il en est la source [...]. Le menteur est habité par
un mensonge qui le dépasse. Il n'y a pas de mensonge isolé, mais un
seul mensonge suffit à pourrir l'âme, car dans tout mensonge est
présente la totalité du mensonge, l'essence du mensonge, la 'volonté
de mensonge'. Il suffit de glisser une seule fois 'hors de soi'
pour n'y plus pouvoir rentrer, car cette dérobade supposait déjà
comme sa condition une dualité antérieure[2]. »

1. *Pl.*, p. 321.
2. « Imposture et authenticité dans l'œuvre de Bernanos », *Mercure de
France*, 1er septembre 1952, p. 40-41.

Il en résulte qu'il ne peut pas y avoir de véritable imposteur, si l'on entend par là un homme qui serait responsable de son imposture et l'aurait choisie – mais un mensonge qui n'a pas été choisi comme tel, est-il encore un mensonge ? C'est là que réside la contradiction d'un personnage comme le héros de *L'Imposture*, contradiction que Bernanos avouait, bien des années plus tard, n'être pas arrivé à démêler : « C'est un livre qui m'a coûté beaucoup de peine, dont je suis sorti ébranlé comme d'une épreuve au-dessus de mes forces, et la dernière ligne écrite, j'ignorais encore si l'abbé Cénabre était oui ou non un imposteur, je l'ignore toujours, jai cessé de m'interroger là-dessus. Pour mériter le nom d'imposteur, il faudrait qu'on fût totalement responsable de son mensonge, il faudrait qu'on l'eût engendré, or tous les mensonges n'ont qu'un Père, et ce Père n'est pas d'ici [1]. »

Faute de pouvoir résoudre cette contradiction, Bernanos a du moins admirablement fait sentir, dans la crise que traverse son héros, la présence de ce Père du mensonge, qui aspire sa personnalité et se substitue à elle d'une manière aussi efficace mais bien plus immatérielle que dans les plus classiques récits de possession.

Cette immatérialité même imposait au narrateur de faire appel, pour suggérer l'intervention de Satan, à des procédés différents de ceux qui se rattachent au fantastique. L'un des moyens auxquels il recourt le plus volontiers ici, pour donner l'impression d'une personnalité habitée par une volonté étrangère, consiste à décrire des actes qui sont en avance sur les intentions conscientes de celui qui les commet. Il y a là sans doute une imitation de Dostoïevsky, dont les héros agissent souvent d'une manière déconcertante, illogique, et pourtant en continuité avec les agitations des couches profondes de leur être [2]. Mais dans *L'Imposture*, ces actes imprévus et involontaires sont très précisément le signe de cette présence étrangère qui doit être déjà là au moment où Cénabre, sous son inspiration, décide de se livrer à elle. Nous le voyons ainsi successivement chasser Pernichon, briser la lampe, prononcer « à son insu » le mot « renégat », un de ces mots qui « se formulent parfois d'eux-mêmes, rompent violemment le cours de la pensée, comme issus des profondeurs de l'être », prononcer ensuite le mot « Dieu », parole « arrachée » à sa bouche par la « vertigineuse plongée » que vient de faire sa pensée, annoncer à l'abbé Chevance qu'il a songé à se tuer, sans pouvoir dire lui-même d'où cette parole lui est venue, ni si elle est un

---

1. *Enfants*, p. 120.
2. Cette particularité a été remarquée dès la parution du roman par André Malraux dans le compte rendu qu'il en fit pour la *N. R. F.* (1er mars 1928).

mensonge, jeter l'abbé Chevance à terre par suite de « la même haine
mystérieuse cherchant toujours son objet, […] qui l'avait déjà soulevé
de colère contre le blême Pernichon », mettre à la corbeille le manuscrit auquel il travaille, saisir inconsciemment son revolver, de sorte
qu'il le voit dans sa main droite sans même se souvenir de l'avoir pris.

Mais c'est surtout son rire, son propre rire à lui, mais entendu
comme celui d'un étranger, qui à cinq reprises décèle la métamorphose de sa personnalité et l'invasion d'un hôte inattendu, quoique
secrètement souhaité, et déjà présent en lui au moment où il s'en
avise. Rire ignoble, vulgaire, bestial, dans lequel il entend une
invite au plus complet abandon : « Cette fois, il ne songea point
à l'éluder, l'étouffer : il l'écouta courageusement. Puis il le voulut
tel qu'il était, non moins glapissant, non moins vil. De tout son
être il l'accepta, le fit sien… Un soulagement immense, un immense
allègement furent aussitôt sa récompense, et rien ne donnerait
mieux l'idée de cette délivrance inattendue que l'éclatement d'un
abcès. Il sentit, il sentit avec étonnement, puis avec certitude, enfin
avec ivresse, que cela qui remuait en lui, qu'il ne pouvait plus porter,
avait trouvé une issue, se déchargeait [1]. »

Pourtant, Bernanos se rend parfaitement compte du danger qu'il
y aurait à représenter comme purement passive l'attitude de l'âme
investie par Satan. De là l'importance et la complexité de l'appel
à l'abbé Chevance au moment où va s'ouvrir la crise décisive. On
aurait tort de l'interpréter comme un simple appel au secours. S'il
l'a été une fraction de seconde, l'Adversaire qui veille en Cénabre
a tôt fait de comprendre quel profit il pouvait en tirer pour s'assurer
une prise définitive sur sa victime. Ce n'est pas comme un ami, mais
comme un « témoin » que le prêtre érudit accueille l'ancien curé
de Costerel-sur-Meuse, et ses paroles apprêtées, le récit mensonger
de la crise qu'il traverse, le refus de recevoir le sacrement de pénitence, et même de faire le simple geste de bénédiction que lui
demande son visiteur montrent que Cénabre songe davantage à
utiliser la présence de celui-ci pour sceller sa rupture avec Dieu que
pour le sauver du désastre où il s'abîme. L'emprise de Satan paraît
s'accentuer lorsque Cénabre, sans avoir calculé son geste, renverse
brutalement le vieux curé qui, déjà, gagnait la porte. Mais l'attaque
a été si soudaine et si imprévue qu'elle a, pour ainsi dire, dépassé
son but, et que Cénabre, ébranlé par la honte, récupère de façon
fugitive sa liberté. C'est le moment que choisit Chevance, éclairé
surnaturellement, pour l'ultime tentative : « j'aurais voulu que vous
me bénissiez. » Alors se joue véritablement le destin du prêtre

1. *Pl.*, p. 367.

infidèle, et Bernanos arrive à suggérer par deux images admirables, à la fois l'importance des forces qui sont en action, bien au-delà de la volonté de l'homme, et le rôle décisif de cette volonté, si infime, et sans laquelle pourtant ces forces s'affrontent pour rien : « Il [l'abbé Chevance] voyait, il tenait sous son regard, il touchait presque l'âme forcenée, frappée à mort ; il n'espérait plus rien d'elle qu'un signe, un seul signe, à peine volontaire, à peine lucide, quelque chose comme le clin d'œil qui consent, sur la face pétrifiée de l'agonie, un rien, la brèche où pût peser de tout son poids immense la formidable pitié divine, qu'il entendait rugir autour du réprouvé encore vivant[1]. »

Le suprême consentement étant donné et la part de la liberté humaine ayant été ainsi sauvegardée, Bernanos peut décrire l'envahissement progressif de la personnalité de Cénabre par une personnalité étrangère, ou plus exactement par un vide, dont le vide de sa vie antérieure de menteur et d'hypocrite n'était que l'imparfaite préfiguration : « Ce qui se formait en lui échappait à toute prise de l'intelligence, ne ressemblait à rien, restait distinct de sa vie, bien que sa vie en fût ébranlée à une profondeur inouïe. C'était comme la jubilation d'un autre être, son *accomplissement* mystérieux. De ce travail, il ne savait ni le sens ni le but, mais la passivité de toutes ses facultés supérieures au centre d'un ébranlement si prodigieux était justement une volupté, dont son corps vibrait jusqu'aux racines[2]. »

Les conséquences de cette présence intime de Satan, de cette subversion des racines de l'être dont rien ou presque ne paraît au-dehors, se développeront jusqu'aux dernières pages de *La Joie*. Ce sont essentiellement, après la passagère tentation du suicide, que seul le hasard ou la Providence empêchent d'aboutir, l'humiliation voulue, recherchée, savourée, comme un suprême raffinement de la haine de soi, et une sorte de fascination du mensonge qui amène Cénabre à maintenir intact son personnage social pendant que s'écroulent tous les faux moi, auxquels il avait plus ou moins sincèrement adhéré alors qu'il n'était encore qu'un hypocrite.

Ces deux sentiments arrivent à leur point culminant dans la scène de la rencontre avec le clochard, qui occupe presque toute la

---

1. *Ibid.*, p. 347. Le rôle de la liberté humaine chez Bernanos a été admirablement exploré dans l'essai d'André Espiau de la Maëstre, *Bernanos und die Menschliche Freiheit*, Salzburg, Otto Müller, 1963. Sur l'importance et la signification métaphysique de l'image de la brèche cf. G. Poulet, *op. cit.*, p. 57-60. Le rapport entre cette image de la brèche et l'idée de liberté est souligné dans le même article, p. 256.

2. *Pl.*, p. 348.

troisième partie de *L'Imposture*. De même que Pernichon avait offert, à Cénabre, par sa confession, l'image avilie de son hypocrisie, le mendiant, arrivé à une telle perfection dans le mensonge que son être et son mensonge ne font plus qu'un (« C'est trop vieux, ça ne fait qu'un tout ensemble, ça bloque, bon Dieu[1]! »), lui fournit une caricature répugnante de son imposture, et il se regarde dans ce miroir déformant et pourtant fidèle avec une curiosité aiguisée par la certitude d'y trouver de nouveaux motifs de se haïr :

> Autour de ce vagabond hideux s'étaient pour un moment comme rassemblées, fixées, les images éparses de son angoisse, et par un phénomène plus inexplicable encore, il semblait qu'il eût reconnu quelques-unes de ses pensées les plus secrètes, informulées, dans la confidence ignominieuse. Ce flot de boue l'avait soulagé, comme s'il sortait de lui. Il souhaitait qu'il coulât encore, qu'il achevât d'entraîner avec lui d'autres aveux, d'autres mensonges, impossibles à atteindre jusqu'alors au fond ténébreux de sa propre conscience[2].

Telles sont les différentes étapes de cette possession par le rien qui nous révèle la véritable nature du mensonge. Mais c'est encore une fois par les images que Bernanos nous fait participer pleinement au drame. Le roman devait s'appeler primitivement *Les Ténèbres*, et on ne peut pas ne pas être frappé par la couleur nocturne de ses scènes principales : c'est pendant la nuit que Cénabre se donne au diable, la nuit tombe lorsque Pernichon frappe chez Guérou, il fait nuit lorsque Cénabre rencontre le mendiant et lorsque Chevance agonise. Le décor urbain renforce cette tonalité nocturne, car, comme Bernanos l'écrit au début de la troisième partie, « les villes appellent et redoutent la nuit, leur complice ». Mais c'est tout particulièrement dans la grande crise que traverse l'abbé Cénabre au début du roman que domine le symbolisme de l'ombre. Au moment où, après la fuite de Pernichon, il tient le regard fixé apparemment vers la porte par où il est sorti, mais en réalité vers le crucifix voisin, « interlocuteur invisible », il empoigne brusquement la lampe et la brise sur les dalles. « Sa dernière violence, commente Bernanos un peu plus loin, n'avait certes pas été un geste d'emportement : nul moins que lui n'était capable de ces distractions. La lumière l'avait offensé cruellement, tout à coup, comme le signe sensible, sur le mur et sur la croix, d'une illumination intérieure qu'il eût voulu étouffer, repousser dans la nuit, avec une énergie désespérée[3]. » Les choses elles-mêmes lui posent la question à

1. *Ibid.*, p. 478.
2. *Pl.*, p. 466.
3. *Ibid.*, p. 327.

laquelle il ne veut pas répondre, et c'est pourquoi, en brisant la
lampe, il les replonge dans l'ombre.

Désormais, cette ombre est comme son élément. Elle baigne
sa longue errance avec le mendiant, rencontré au cours d'une promenade où « il choisissait [...] d'instinct les ruelles les plus étroites et
les plus noires ». Lorsque Chevance, dans les hallucinations de son
agonie, croit avoir rejoint son ancien ami, il le voit écraser du pied
la bougie, furieusement, « et le dernier son sorti de sa bouche parut
happé au vol par la gueule béante de la nuit ». Alors il le supplie :
« Que je voie encore une fois, une petite fois, rien qu'une fois,
Cénabre ! Que je voie au moins vos yeux ! [...] vous savez aussi bien
que moi qu'une telle nuit, c'est comme l'enfer[1]. » Et dans *La Joie*
c'est pendant la nuit, une de ces nuits où, dans le jardin, il promène
inlassablement son insomnie, que Cénabre scelle sa destinée.

Une autre gamme d'images nous permet de participer aux mouvements profonds de son âme ; ce sont celles qui font intervenir
l'eau : non pas l'eau sans limites qui donne à Mouchette ou à
Donissan le sentiment d'un risque infini, mais une eau qui est le
siège de mouvements lents, de déplacements insidieux[2] et dont la
louche transparence abrite les secrets d'une conscience captive.
Ainsi lorsque l'abbé Cénabre s'apprête à rompre définitivement avec
son passé, sa pensée « chasse sur ses ancres », elle « glisse à travers
les ténèbres ainsi que le poids d'une sonde[3] » ; plus tard, au moment
où, vidé de toute croyance, il devrait atteindre au repos, il sent
encore en lui « ce glissement indéfinissable, cet écoulement », et
il en prend conscience « par la bizarre tension de sa volonté, ainsi
qu'un marin dans les ténèbres connaît la force d'un courant ou le
rafraîchissement de la brise au raidissement des chaînes de l'ancre[4] ».
Même genre de mouvement chez le mendiant, dont nous savons que
l'âme est l'image de celle de Cénabre : « Il parut comme hésiter au
bord du passé sordide, puis s'y laissa glisser ainsi qu'on coule à
pic. L'abbé Cénabre crut voir se refermer sur la carcasse famélique
– si légère ! – une eau polie et sombre couleur de plomb[5]. » Lorsque
c'est au contraire le passé qui envahit le présent, une image liquide
est encore chargée de symboliser le déplacement au sein de la
conscience : « Par la brèche mystérieuse, le passé tout entier avait
glissé comme une eau[6]. » C'est également à une brèche, on s'en

1. *Pl.*, p. 519-520.
2. Sur cette gamme d'images, cf. l'étude déjà citée de G. Poulet, p. 49.
3. *Pl.*, p. 331-333.
4. *Ibid.*, p. 458.
5. *Ibid.*, p. 478.
6. *Ibid.*, p. 334.

souvient, qu'est assimilé le passage que la liberté humaine doit laisser aux eaux rugissantes de la miséricorde divine. Mais il est aussi des eaux maléfiques qui cherchent leur route : « une issue semblait ouverte [...] aux eaux dormantes et pourries de l'âme. Des sentiments nouveaux [...] sourdaient ensemble d'un sol saturé[1]. »

L'eau, c'est encore l'élément à travers lequel les choses apparaissent lointaines et comme irréelles. Elle symbolise ainsi l'épaisseur d'une conscience qui dérobe imparfaitement son secret. La grâce divine, entrevue une dernière fois par Cénabre, « c'était comme la face d'un cadavre au fond des eaux[2] ». En cherchant à lire au fond de l'âme du mendiant, il sait que c'est sa propre abjection qu'il cherche à atteindre : « cette fois, la proie convoitée n'était pas hors de lui, hors de sa portée : il la voyait comme au fond de lui-même, elle le fascinait, ainsi qu'un reflet dans l'eau noire[3]. » Et lorsqu'enfin la crise d'épilepsie anéantit les dernières défenses du pauvre hère, « à sa grande stupeur, le prêtre y vit paraître et disparaître, ainsi que dans un remous de l'eau profonde, l'âme traquée, forcée enfin[4] ».

Ce symbolisme des ténèbres, de l'eau lourde et lente (auquel on pourrait adjoindre celui du froid et de la pierre[5]) reflète à merveille le caractère essentiel du péché, qui est bien ici, comme dans *Sous le Soleil de Satan*, refus de la lumière, choix du néant, haine de la vie, mais avec une insistance moins grande sur l'aspect violent, aventureux et en fin de compte héroïque de ce « déicide », et une note d'abstraction, d'orgueil intellectuel qu'on chercherait en vain dans le personnage de Mouchette. A cette nouvelle image du péché correspond une image de la sainteté dans laquelle l'humilité, la simplicité, la transparence viennent au premier plan, aux dépens d'une certaine tension de la volonté qui risquait d'être encore, chez Donissan, la part du vieil homme.

Il est important de noter que Bernanos a eu l'occasion de renouveler et d'approfondir sa réflexion sur la sainteté en écrivant deux vies de saints, entre la publication de *Sous le Soleil de Satan* et celle de *La Joie*, un *Saint Dominique*, publié dans la *Revue universelle* en novembre 1926, et *Jeanne relapse et sainte*, publiée dans la *Revue hebdomadaire* en 1929. La direction dans laquelle cette

1. *Ibid.*, p. 335.
2. *Ibid.*, p. 348.
3. *Ibid.*, p. 469.
4. *Ibid.*, p. 478.
5. Cf. par exemple, p. 318, 356, 364, 448, 594.

réflexion s'engage est, sur bien des points, parallèle à celle qu'indiquent les deux romans contemporains. Saint Dominique amène Bernanos à découvrir l'unité, la transparence, la fécondité d'une vie de saint. Alors que l'œuvre d'un homme de génie est séparée de sa vie par un abîme, au point d'être « presque toujours contre lui un témoignage impitoyable », alors que toute existence humaine a ses parties mortes et ses faux-semblants qui permettent au moraliste averti d'en démasquer l'imposture, « l'œuvre du Saint est sa vie même, et il est tout entier dans sa vie [...] le Saint est devant nous ce qu'il sera devant le juge. Nous touchons là, d'un regard ébloui, non pas (comme on voudrait nous le faire croire) une vie diminuée, où la mortification retranche sans cesse, mais la vie dans son effusion et comme à l'éclat naissant, la vie même, ainsi qu'une source retrouvée[1] ». Quant à Jeanne d'Arc, pour laquelle on sait que Bernanos avait une dévotion particulière, la leçon essentielle qu'il tire de sa vie est que la sainteté confine à l'enfance, et que c'est cela qui fait sa solitude et son danger dans un monde où les vieillards donnent le ton et font la loi : « *Notre Église est l'église des saints. Mais qui se met en peine des saints ? On voudrait qu'ils fussent des vieillards pleins d'expérience et de politique, et la plupart sont des enfants. Or l'enfance est seule contre tous*[2]. »

Mais il est permis de penser que la réflexion de Bernanos sur la sainteté a été aussi vivifiée et orientée dans un sens assez différent de celui qu'indiquait *Sous le Soleil de Satan* par la rencontre avec la vraie figure de sainte Thérèse de l'Enfant Jésus. Nous ignorons s'il avait lu auparavant l'*Histoire d'une âme*, publiée dès 1898, mais c'est un fait qu'il ne commence à citer sainte Thérèse qu'à partir de 1927. Comme les *Novissima verba* parurent pour la première fois en 1926, on peut, sans témérité excessive, émettre l'hypothèse que c'est la lecture de cette œuvre qui révéla à Bernanos la forme de sainteté particulière à la petite carmélite de Lisieux. On aura une bonne idée de ce qu'il en a aussitôt fait passer dans *L'Imposture* et dans *La Joie*, en lisant l'article fort bien documenté de Guy Gaucher sur *Bernanos et Sainte Thérèse de l'Enfant Jésus*, paru en 1960, dans la *Revue des Lettres modernes*[3].

C'est, bien entendu, le personnage de Chantal qui a le plus largement bénéficié de cet apport, mais la spiritualité de l'abbé Chevance n'est guère moins fidèle à l'esprit thérésien. Ce dernier personnage, d'origine meusienne et paysanne, semble aussi devoir quelque chose à la petite Hauviette du *Mystère de la Charité de*

1. *Dominique*, p. 8-9.
2. *Jeanne*, p. 61.
3. N° 56-57, automne 1960.

cette analyse raffinée.

Je crains qu'il n'y ait, chez les premiers plus de sensualité que de foi, et chez les seconds, plus de curiosité que d'amour... Aucun ne se donne tout entier. Il le faudrait pourtant. Il faut s'ouvrir à la Vérité de haut en bas.

Donnez-moi de vos nouvelles, mon Père ! Je ne suis rassuré qu'à demi. Je me recommande, je recommande à vos prières et à vos souffrances tous ceux que j'aime.

BERNANOS

Jeanne d'Arc[1]. L'image qu'ils nous donnent de la sainteté se caractérise par l'humilité, la simplicité, l'esprit d'enfance, de pauvreté et d'abandon à la Providence.

L'humilité, toute l'existence de Chevance en est imprégnée. Elle atteint, lorsqu'il est face à face avec Cénabre, à une sorte de comique attendrissant. Elle donne à la suffisance de la concierge, Mme de la Follette, un raffinement dans l'odieux qui contribue au tragique de l'agonie du prêtre. Formée à cette école, Chantal sait qu'« on ne paie jamais trop cher la grâce de passer inaperçu[2] ». Elle a appris – et cela suffirait à la différencier d'avec Donissan – à ne souhaiter que des périls à sa mesure, qu'elle croit petite, à se garder « d'une certaine emphase qui dramatise à plaisir la plus insignifiante aventure », et à dégonfler au besoin cette emphase par un sourire : « Oh! ma fille, s'écriait l'abbé Chevance, un seul sourire parfois soulage, il rend la paix, l'âme respire... Gardez-vous, comme les orgueilleux – pauvres gens! – de vous ajuster par avance à la mesure des grands périls qui ne viendront pas, peut-être?... Il n'y a pas de grands périls, c'est notre présomption qui est grande[3]. » A La Pérouse, qui l'écrase de sa pseudo-science psychologique, elle avoue qu'elle est une ignorante et qu'elle entend ne pas l'être à demi. Ainsi que la petite sainte Thérèse, elle voudrait « n'être qu'un petit grain de poussière impalpable, suspendue dans la volonté de Dieu[4] ».

Comme Bernanos l'avait noté à propos de saint Dominique, le secret des vies de saints est enfoui dans une ineffable simplicité. C'est pourquoi Cénabre tourne autour d'elles sans pouvoir les pénétrer et nourrit une « rancune obscure, chaque jour plus forte, contre l'objet même de son étude, les hommes simples, dont la simplicité l'avait trahi[5] ». Cette simplicité est, pour les saints, une cause de solitude et une occasion de souffrance au milieu d'hommes qui compliquent tout à plaisir et qui cherchent à projeter en autrui leur propre complexité : « j'eusse désiré une vie sans histoire, la plus claire possible, dit Chantal à La Pérouse [...]. Me voici maintenant une espèce d'héroïne, je ne sais quoi de tragique, de suspect,

---

1. Cf. ses paroles à Chantal : « Je connais chaque saison, je suis un vieux paysan meusien. La gelée viendra, même en mai. Est-ce que ça empêche nos mirabelliers de fleurir ? Est-ce que le bon Dieu ménage son printemps, mesure le soleil et les averses ? Laissons-lui jeter son bien par les fenêtres. » (*Pl.*, p. 556.)

2. *Pl.*, p. 556.

3. *Ibid.*, p. 599.

4. *Ibid.*, p. 604. Cf. la lettre de Sainte Thérèse de mai 1888 citée par G. Gaucher, *art. cité*, p. 31.

5. *Ibid.*, p. 332.

condamnée à traîner dans son sillage des fols et des monomanes, ainsi que des mouches[1]. » A son père, qui la trouve déconcertante, elle répond, sans pouvoir retenir ses larmes : « Je voudrais tant vous contenter! Seulement vous m'observez sans cesse : vous voyez en moi beaucoup de choses. Je ne les vois pas, moi. Non, je vous assure [...]. Je suis très, très simple, voilà tout[2]. »

Mais la simplicité est aussi une arme, parce qu'elle permet de concentrer toutes ses forces en un même point : « L'unique ruse de Chantal est justement celle d'un Chevance : une foudroyante simplicité. Alors que le faible ou l'imposteur est toujours plus compliqué que le problème qu'il veut résoudre, et, croyant encercler l'adversaire, rôde interminablement autour de sa propre personne, la volonté héroïque se jette au cœur du péril et l'utilise[3]... » C'est ce que ne comprennent pas les sots, qui se représentent la simplicité à la mesure de leur faiblesse et de leur médiocrité : « Qu'une pareille fraîcheur est bonne! Quelle fleur sauvage dérobée au jardin du Paradis! » se disent-ils en face d'un homme comme Chevance. Mais il leur suffit de l'approcher d'un peu plus près pour recevoir « avec stupeur ou avec rage, la brusque révélation d'une force mystérieuse[4] ».

C'est que la simplicité n'est pas, comme ils le supposent, indigence de nature, naïveté, maladresse, inexpérience du monde. Un personnage comme l'abbé Chevance peut encore à cet égard faire illusion, mais Bernanos a pris soin de doter sa petite Chantal de toutes les qualités humaines : instruite, bachelière, aussi experte à réussir une sauce difficile, qu'à conduire la voiture à fond de train si c'est nécessaire, portant avec une élégance parfaite les robes des grands couturiers, ravissante de visage. Le secret de sa simplicité, profondément conforme à l'idéal carmélitain, est d'être tout entière à ce qu'elle fait, tout entière à l'endroit où Dieu la veut. « Car c'était encore l'une des profondes et sagaces leçons de l'abbé Chevance qu'il importait avant tout de s'écarter le moins possible de ce point précis où Dieu nous laisse, et où il peut nous retrouver dès qu'il lui plaît[5]. » Si bien qu'au fond de la simplicité des saints, c'est Dieu qu'on trouve, et que l'abbé Cénabre parle à peine par images lorsqu'il dit à Chantal : « On devrait dire de la simplicité ce que les juifs disaient de Iaveh : Qui l'a vu en face peut mourir[6]! »

1. *Ibid.*, p. 669-670.
2. *Ibid.*, p. 497.
3. *Ibid.*, p. 611.
4. *Ibid.*, p. 494-495.
5. *Ibid.*, p. 558.
6. *Ibid.*, p. 696.

On comprend que la simplicité du saint ne consiste nullement à réduire sa surface pour offrir moins de prise aux orages, mais à s'alléger de tout ce qui pourrait faire obstacle à la volonté divine. C'est ici que nous rencontrons l'esprit d'enfance et l'esprit de pauvreté. « Il semble, dit son père à Chantal, que tu aies fait cette gageure de vivre dans le monde avec la simplicité, l'innocence, l'esprit de soumission d'un petit enfant[1] », et la jeune fille avoue au docteur La Pérouse : « Au fond, je ne pensais qu'à Dieu, je n'étais simple et gaie que pour lui..., un enfant, un petit enfant... Mais les saints seuls sont des enfants[2]. » C'est cela même que Bernanos affirme avec force à propos de Jeanne d'Arc. Mais il note en même temps combien cet esprit d'enfance est héroïque et exposé : « notre cœur est avec les gens de l'avant, notre cœur est avec ceux qui se font tuer[3]. »

Se vouloir docile à la volonté de Dieu, c'est en effet se vouloir dépouillé de ce qui ne vient pas de Dieu, et qui sait jusqu'où peut aller ce dépouillement ? Il implique, tout d'abord, le sens surnaturel de la pauvreté. Chevance a traversé la vie en « tenant la pauvreté par la main[4] », et l'enfance de Chantal a été enveloppée par « la pauvreté, une pauvreté surnaturelle, fondamentale[5] ». Celle-ci ne comporte pas seulement le détachement des biens matériels, mais le désir de connaître une nudité dont l'exemple parfait, éternel, indépassable, est le délaissement du Christ au moment de son agonie. C'est dans cette agonie que la sainteté de Chevance et de Chantal rejoint celle de Donissan, mais ils y accèdent plus passivement, par des moyens moins volontaires et par conséquent avec une certitude plus entière de ne rien mettre du leur dans leur renoncement. Non seulement Chantal se réjouit de la « certitude de n'être bonne à rien[6] », mais elle accepte l'idée que ses extases sont le fait d'une malade mentale, c'est-à-dire que même sa prière ne lui appartient pas en propre, et la perspective de s'en voir dépouillée, jusqu'aux limites du ridicule et de l'humiliation, par les bavardages du chauffeur qui en a surpris le secret : « J'étais contente que Dieu eût pris la peine de me dépouiller lui-même avec tant de soin qu'il me fût devenu impossible d'être plus pauvre. Je me comparais à un malheureux qui n'aurait que quelques sous

1. *Ibid.*, p. 589.
2. *Ibid.*, p. 670.
3. *Jeanne*, p. 66.
4. *Pl.*, p. 493.
5. *Ibid.*, p. 553.
6. *Ibid.*, p. 498.

en poche, et s'aviserait tout à coup que ce sont, justement, de ces sous qui n'ont plus cours[1]. »

Mais il reste encore un pas à franchir. La mort nous dépouille de tout, mais le chrétien espère du moins faire de ce dépouillement un don volontaire par lequel il effacera tout ce que sa vie a pu comporter d'égoïsme et de résistance à la volonté divine. C'est ainsi que l'on s'imagine volontiers l'agonie des saints. C'est cette leçon, source de courage et de sérénité pour l'avenir, que Chantal est venue chercher au chevet de Chevance, en espérant naïvement emporter comme un viatique pour le reste de son existence les attitudes et les paroles édifiantes de son directeur. Or, la consolation de « bien mourir » est refusée à Chevance. Déjà dans l'hallucination où il se voit se hâtant vers Cénabre à travers les rues de Paris, il a eu l'impression que la ville énorme « venait de lui arracher encore le seul bien qui lui restât, qu'il n'eût pas encore laissé prendre, son humble agonie[2] ». Au moment suprême, il ne trouve, à l'intention de sa pénitente préférée, que de dures paroles : « Vous ne pouvez me tirer d'ici, ni vous ni les autres. A quoi bon ? Il est dur de mourir, ma fille [...]. Je dois entrer dans la mort comme un homme, un homme vraiment nu. Je ne suis même plus un pécheur, je ne suis rien qu'un homme, un homme nu. N'essayez pas de trouver un sens à tout ceci. Il n'est pas bon d'approcher trop près d'un moribond tel que moi[3]. »

Est-ce le désespoir, et Antonin Artaud a-t-il vu juste, en écrivant à Bernanos : « Rarement chose ou homme m'a fait sentir la domination du malheur, rarement j'ai vu l'impasse d'une destinée farcie de fiel et de larmes, coincée de douleurs inutiles et noires comme dans ces pages dont le pouvoir hallucinatoire n'est rien à côté de ce suintement de désespoir qu'elles dégagent[4] » ? Non, car les dernières paroles du moribond montrent que Chantal ne lui a pas fait don en vain de sa joie d'enfant : « Ma petite fille, j'ai pris ce que vous m'avez donné. »

Et il faut tout de suite ajouter que si elle s'est dépouillée, par ce don, d'une sorte de joie innocente, elle a reçu en échange une autre joie plus haute, plus proche de celle des saints : « Elle lui avait en effet donné sa joie, et elle en avait reçu une autre, aussitôt, des vieilles mains liées par la mort[5]. » Cette joie qui a traversé la mort connaît le véritable sens de la souffrance. Elle sait que « l'amour

---

1. *Ibid.*, p. 577.
2. *Ibid.*, p. 512.
3. *Ibid.*, p. 527-528.
4. *Ibid.*, p. 1771.
5. *Ibid.*, p. 553.

divin est mille fois plus strict et plus dur que la justice[1] », parce que « Dieu livre ses meilleurs amis, il les donne pour rien, aux bons, aux mauvais, à tout le monde, ainsi qu'Il a été donné par Pilate : 'Tenez, prenez, voici l'homme!'[2] ». Elle sait – et nous entrevoyons ici le thème principal de la dernière œuvre de Bernanos – que la peur elle-même ne doit pas être trop méprisée, car, comme Chevance le disait à Chantal, « la peur est tout de même la fille de Dieu, rachetée la nuit du Vendredi Saint. Elle n'est pas belle à voir – non! – tantôt raillée, tantôt maudite, renoncée par tous... Et cependant, ne vous y trompez pas : elle est au chevet de chaque agonie, elle intercède pour l'homme[3] ». C'est cette connaissance de la vraie joie qui doit permettre à Chantal d'enfermer son agonie dans celle du Christ, « en sorte que s'il plaisait à Dieu de détruire une misérable petite créature si parfaitement dépossédée, il devrait partager avec elle sa propre agonie, laisser prendre le dernier battement exténué de son cœur, le dernier souffle de sa bouche[4] ». Et c'est vers cette joie encore qu'elle se dirige en recevant la mort du plus haïssable des domestiques : « Elle aura tout renoncé, monsieur, je vous dis, même sa mort[5]. »

Nous avons jusqu'ici considéré le péché et la sainteté comme deux grandeurs de signe contraire, complémentaires et antithétiques, strictement dépendantes l'une de l'autre. Il nous faut maintenant montrer brièvement comment cette interdépendance nous introduit dans le mystère de la communion des saints et imprime ainsi aux deux romans leur mouvement dramatique.

Dans *Sous le Soleil de Satan*, le thème de la communion des saints occupait déjà une place importante, mais l'insistance mise sur le combat contre le diable donnait au sacrifice de Donissan offrant son salut éternel pour le salut des âmes un caractère de généralité qui permettait mal de se rendre compte, sauf pour le cas de Mouchette dans une certaine mesure, comment la destinée de tel saint et de tel pécheur s'articulaient l'une sur l'autre, et par la vertu de quelle causalité surnaturelle le salut de celui-ci pouvait dépendre des souffrances de celui-là.

L'Imposture présente au contraire la chose si clairement qu'il est à peine besoin d'insister sur la manière dont l'agonie de Chevance

1. *Ibid.*, p. 558.
2. *Ibid.*, p. 672.
3. *Ibid.*, p. 675.
4. *Ibid.*, p. 682.
5. *Ibid.*, p. 723.

prend en charge le péché de Cénabre. Bernanos ne se contente pas de donner au vieux curé la certitude « de tenir entre ses vieilles mains non pas son propre salut, mais le salut d'autrui, d'un autre homme plus malheureux, plus abandonné que lui-même[1]... » Il matérialise l'élan qui pousse l'humble curé à arracher à la damnation l'âme de son ami par une série d'extraordinaires hallucinations qui jettent le malheureux Chevance dans ce Paris nocturne où nous avons vu Cénabre achever de se perdre, et qui contiennent de nombreux rappels de la première scène, où le destin du mauvais prêtre a commencé de se jouer. A la descente aux enfers qui occupe les trois premières parties du roman correspond ainsi la lutte pathétique du vieillard agonisant pour arracher à l'enfer sa proie. Tout converge vers cette agonie, dans cette œuvre que l'on accuse bien à tort de manquer d'unité. L'hypocrisie d'une société qui tourne le dos à toute vérité, le suicide de Pernichon, aboutissement logique d'une vie livrée au mensonge, se trouvent présents à cette agonie en la personne de Cénabre, qui porte le mensonge du monde comme Chevance, en union avec le Christ, en porte le péché.

Mais *L'Imposture* n'apporte à ce drame aucune conclusion. En même temps que le secret d'une joie qui passe par la déréliction du Vendredi-Saint, Chevance lègue à Chantal la charge de sauver ce monde de ténèbres et, au premier chef, celui qui en symbolise toute la noirceur. Au symbolisme nocturne de *L'Imposture* correspond, dans *La Joie*, un symbolisme lumineux, dont il nous faut examiner les nuances pour bien comprendre le sens de ce duel entre la lumière et les ténèbres dans lequel se résume l'action dramatique du roman.

Chantal est toute lumière. La pauvreté a brillé sur son enfance « ainsi qu'un petit astre familier, une lueur égale et douce ». Sa faiblesse a été « comme le signe ineffable de la présence de Dieu, Dieu lui-même qui resplendissait dans son cœur[2] ». Elle s'efforce vers toujours plus de transparence, souhaite de se faire « chaque jour plus claire pour ouvrir et réjouir tant de misérables regards encore clos ». « Il faudrait n'être qu'un cristal, une eau pure. Il faudrait qu'on vît Dieu à travers », dit-elle[3]. Sa plus grande épreuve

---

1. *Pl.*, p. 507.
2. *Ibid.*, p. 553.
3. *Ibid.*, p. 602-603. On remarquera que, pour Fiodor, la couleur de Chantal est le blanc : « Je ne crois pas en Dieu, mais comment ne pas croire à cette blancheur, ne pas l'aimer ? » (p. 569). Ce blanc, couleur lumineuse, mais opaque, c'est le contraire de ce que Chantal veut être, c'est une poésie équivoque, substituée à l'irremplaçable lumière divine, « un conte d'enfant, plus blanc que la neige ».

se présente comme une chute dans les ténèbres : « elle n'attendait que la nuit, c'était la nuit qu'elle défiait de son regard patient[1] ». Mais lorsqu'elle est allée jusqu'au fond de son angoisse, c'est sous la forme d'une extraordinaire illumination que la certitude revient : « Ce fut comme un arrachement de l'être, si brutal, si douloureux, que l'âme violentée n'y put répondre que par un horrible silence... Et presque dans la même incalculable fraction de temps, la Lumière jaillit de toutes parts, recouvrit tout [...]. Car à présent, l'idée, la certitude de son impuissance était devenue le centre éblouissant de sa joie, le noyau de l'astre en flammes[2]. »

A la lumière dont l'âme de Chantal est le siège répond la lumière d'été qui baigne le paysage – normand, par exception – dans lequel se déroule l'action. Lumière cruelle, impitoyable, qui oblige l'homme à se recroqueviller sur son secret, ou bien à affronter la vérité en rase campagne, au risque d'être dévoré par sa brûlure. Cette présence latente de la mort, au sein d'une lumière d'août dans laquelle le premier regard ne perçoit que l'explosion de la vie, est suggérée par l'admirable début du second chapitre : « C'était la joie du jour, et par on ne sait quelle splendeur périssable, c'était aussi la joie d'un seul jour, le jour unique, si délicat, si fragile dans son implacable sérénité, où paraît pour la première fois, à la cime ardente de la canicule, la brume insidieuse traînant encore au-dessus de l'horizon et qui descendra quelques semaines plus tard sur la terre épuisée, les prés défraîchis, l'eau dormante, avec l'odeur des feuillages taris[3]. »

C'est cette lumière que Chantal affronte lorsque sa conversation avec son père l'a rejetée dans une solitude qu'elle n'avait encore jamais connue. La prairie brûlée de soleil et la ferme en ruines où elle s'enfuit « font un paysage de désolation qu'écrase de tout son poids l'immense azur... ». « Qu'ai-je fait ? répète-t-elle tristement. Quelle faute ai-je commise[4] ? » Puis l'accusation, l'interrogation se font plus insistantes. Le paysage familier lui apparaît « transfiguré dans la lumière immobile, énorme, attentif, ainsi qu'un animal géant qui guette sa proie ». Cette menace, c'est le signal d'une révélation bien plus importante et plus lourde à porter que celle de sa propre culpabilité. Ce qui va lui être révélé en ce lieu, « sous ce ciel torride », c'est le secret de toute vie, c'est « la force de l'homme, sa cruauté, les ressources infinies de la ruse, et la férocité du mal[5] ».

1. *Pl.*, p. 678.
2. *Ibid.*, p. 681.
3. *Ibid.*, p. 552.
4. *Ibid.*, p. 598.
5. *Ibid.*, p. 604.

Et aussitôt apparaît sa grand-mère, dont la silhouette noire et
menue, cernée par toute cette lumière, va l'obliger à regarder en
face le mystère du mal. Le piège est parfait, la jeune fille est « prise
dans les rets de flamme du paysage, comme une petite mouche au
centre d'une toile éblouissante[1] ». Mais, héroïquement, elle fait
face.

L'action dévorante de la lumière, nous la retrouvons au début
du troisième chapitre de la seconde partie, où elle est comparée à
« l'embrasement insidieux d'un taillis bien sec », à « la morsure, à
des milliards et des milliards de petites morsures assidues, à un
énorme grignotement ». Rien ne résiste à « l'innombrable succion
de l'astre[2] ». C'est en vain que Cénabre se réfugie dans la nuit,
sous le couvert de laquelle il arpente longuement les allées du
jardin. Déjà Chantal l'a délivré de son secret. Il ne peut rien contre
la « lueur furieuse » qui l'a envahi. « Et c'est bien lueur qu'il faut
dire, précise Bernanos, puisque cette parfaite dépossession avait eu
son signe physique, contre lequel la raison ne se révoltait même
plus, qu'elle acceptait du moins avec une espèce de résignation
désespérée : un flot de lumière était entré en lui, et il serrait les
paupières pour n'en pas voir le rayonnement sur ses mains pâles[3]. »
Comment la nuit lui serait-elle un abri ? La violence du soleil l'a
toute saturée des parfums du jour. En tombant sur la main de
Cénabre, la goutte d'eau qui les enserre apporte avec elle un présage
de réconciliation et de pardon. C'est comme si le ciel pleurait les
larmes qui ne peuvent plus couler de ses yeux : « Sur la main de
Cénabre, une goutte de pluie tomba, chaude, pesante, parfumée
comme une goutte de nard, et qui était l'essence même du jour
évanoui[4]. » Au sein même de la nuit où il se réfugie, le poursuit
une lumière à laquelle il ne pourra plus se soustraire longtemps.

Drame de la lumière affrontée aux ténèbres, *La Joie* doit toute
sa tension dramatique à la présence d'un être transparent au milieu
d'hommes qui ne peuvent plus supporter de se connaître et qui
sont obligés de se voir tels qu'ils sont dans ce miroir limpide. C'est
l'obscur pressentiment de cette incompatibilité qui fait, dès le
début de l'action, dire aux domestiques qu'on verra dans cette
maison « des choses épatantes », « des choses extraordinaires [...],
comme on n'en voit pas dans les livres[5] ». Dans une société minutieusement agencée en vue du mensonge, un être comme Chantal

1. *Ibid.*, p. 611.
2. *Ibid.*, p. 649.
3. *Ibid.*, p. 716.
4. *Ibid.*, p. 714.
5. *Ibid.*, p. 545, 551.

ne peut en effet apporter que des bouleversements tragiques. Elle se désole et s'étonne, elle qui aime tellement l'ordre, de mettre tout sens dessus dessous par sa seule présence : « Grand-mère, papa, Fiodor, le pauvre M. La Pérouse, cette maison tranquille, ce bel été, comment ai-je pu faire tant de désordre avec ça[1]? » Brutalement, Cénabre lui explique pourquoi elle se berce d'illusions en espérant passer inaperçue : « De quel droit pose-t-on un problème sans tenter au moins de le résoudre ? », et il la met en garde contre cette fatalité « mystérieuse, injuste, absurde[2] » qui s'attache à elle.

Mais si la présence d'un être comme Chantal est une cause de trouble et même de scandale pour les êtres médiocres au milieu desquels elle vit, elle correspond aussi à une mission surnaturelle dont la jeune fille prend de mieux en mieux conscience à mesure que la grâce opère, et qui aboutit au *Pater noster* prononcé par Cénabre, au moment de sombrer dans la folie. Cette mission lui est révélée lorsque, seule près de la ferme en ruines sous l'écrasante lumière d'été, elle apprend la force du péché et décide de lui faire face. De quelle manière ? En le portant, de même que, symboliquement, elle prend dans ses bras sa grand-mère enfoncée jusqu'à la folie dans la haine, l'avarice et le mensonge : « Je suis maintenant assez forte pour vous porter ; je voudrais que vous soyez lourde, beaucoup plus lourde, aussi lourde que tous les péchés du monde. Car voyez-vous, mama, je viens de découvrir une chose que je savais depuis longtemps : bah! nous n'échappons pas plus les uns aux autres que nous n'échappons à Dieu. Nous n'avons en commun que le péché[3]. » A La Pérouse, elle dira, d'une manière encore plus précise : « Le péché, nous sommes tous dedans, les uns pour en jouir, d'autres pour en souffrir, mais à la fin du compte, c'est le même pain que nous rompons au bord de la fontaine, en retenant notre salive, le même dégoût[4]. »

Comme le péché est essentiellement le mensonge, se charger du péché des autres, c'est, pour Chantal, les délivrer de leur mensonge, porter, jusqu'à en mourir, le poids de leur secret : la haine qui a durci sa grand-mère et l'a murée dans la folie, la comédie sur fond de néant qu'est l'existence de La Pérouse, le renoncement sacrilège de Cénabre aux promesses de Dieu, dont seul Chevance avait reçu l'involontaire confidence. Si Chantal peut délivrer tous ces prisonniers, ce n'est pas, comme le suggère méchamment le psychiatre, parce qu'elle a le flair psychologique, le tour de main du

1. *Ibid.*, p. 696.
2. *Ibid.*, p. 697-698.
3. *Ibid.*, p. 616.
4. *Ibid.*, p. 671.

clinicien, mais parce qu'elle est prête, comme Jésus-Christ et avec lui, à se laisser transpercer par le péché, à se « faire péché » comme dit saint Paul, pour le salut des hommes. Dans une extraordinaire méditation sur la Passion, elle s'identifie à l'attente du Sauveur, offrant son Corps sacré pour tous les hommes, mais ne pensant qu'à un seul : celui qui, par sa trahison, s'en est rendu à prix d'argent légitime possesseur et qui a pu ainsi « défier la miséricorde, entrer de plain-pied dans le désespoir, faire du désespoir sa demeure, se couvrir du désespoir, ainsi que le premier meurtrier s'était couvert de la nuit[1] ».

C'est de cette nuit qu'émerge l'abbé Cénabre ; c'est d'elle aussi sans doute que surgit le chauffeur assassin. En faisant parcourir à Chantal les dernières étapes de la souffrance et de l'humiliation, ils ont, sans le savoir, travaillé à leur délivrance et à l'avènement définitif de la lumière.

1. *Pl.*, p. 684.

Chapitre VIII

« A Dieu, Maurras... »

Entre la publication de *La Joie*, en avril 1929, et celle d'*Un Crime*, en juillet 1935, aucune œuvre romanesque de Bernanos ne paraît en librairie. Ce long silence est d'autant plus surprenant que *La Joie*, sans atteindre au succès de *Sous le Soleil de Satan*, fut accueillie plus favorablement que *L'Imposture* et couronnée par le Prix Fémina.

Il aurait été facile à Bernanos d'exploiter cette réussite en écrivant, bon an mal an, un roman qui lui aurait permis de faire vivre sa famille sans problème, au lieu que cette longue pause dans sa production romanesque va entraîner mille difficultés au milieu desquelles nous le verrons bientôt se débattre.

Les causes de ce silence sont diverses. Nous étudierons dans le chapitre suivant celles qui tiennent au rythme même et au régime de l'imagination bernanosienne. Mais il y en a d'autres, plus superficielles peut-être, mais plus évidentes, pour ce qui est, tout au moins, des trois années qui suivirent l'achèvement de *La Joie*. Bernanos, après avoir traversé avec beaucoup de souffrance et de désarroi la crise provoquée par la condamnation de *L'Action française*, est repris par le besoin impérieux d'intervenir dans la lutte politique, de clamer bien haut son angoisse devant la dégradation de toutes les valeurs chrétiennes, et de dénoncer les responsabilités qui ont permis aux choses d'en venir là. Pour cela, il songe au maître de son adolescence, à ce Drumont qui lui a appris à haïr l'injustice et à mépriser la lâcheté, et dont l'échec lui paraît prophétique, à l'heure où la lâcheté et l'injustice triomphent. Pendant l'été de 1928, alors que *La Joie* est encore en chantier, il se met à écrire sa biographie, qui paraîtra en avril 1931 sous le titre de *La Grande Peur des Bien-Pensants*. Dans le même temps, il donne à *L'Action française* la collaboration occasionnelle dont nous avons déjà parlé, et encourage au début de 1930 les premiers pas d'une revue d'extrême-droite, *Réaction*, fondée par des jeunes gens qui venaient de se détacher du journal de Maurras. Mais son retour à la politique ne s'arrête pas avec la publication de *La Grande Peur*. En novembre 1931 il commence à écrire régulièrement dans *Le*

Figaro, dont son ami Robert Vallery-Radot est directeur littéraire.
Les polémiques violentes de *L'Action française* contre François
Coty, propriétaire et directeur politique du journal, l'ayant amené,
au début de 1932, à rompre définitivement avec Maurras, il se retirera
pour un temps de la lutte et pourra alors se consacrer entièrement
à la création romanesque.

Cette alternance (qui devient fatalement, à certaines époques,
une concurrence) entre l'activité du romancier et celle du polémiste
suscite, chez les admirateurs de Bernanos, des appréciations
contradictoires. Les uns regrettent qu'il ait consacré tant d'énergie,
de temps et de talent à une œuvre en grande partie caduque, et
regrettent les quelques grands romans dont cette œuvre nous prive.
Les autres (ils sont de plus en plus nombreux) soulignent l'unité
indissoluble d'une personnalité animée, dans le roman comme
dans la polémique, par le même besoin de placer les hommes en
face de leur vocation surnaturelle, par la même révolte contre toutes
les formes du mensonge et de la lâcheté morale, par la même ambition de « proposer à la vie des modèles qui viennent d'ailleurs[1] »
et d'incarner une vérité qui n'est pas de ce monde.

Nous n'essaierons pas, au moment où nous abordons la première
grande œuvre polémique de Bernanos, de trancher le débat. Nous
chercherons plutôt à saisir les exigences avec lesquelles se présente
à lui sa vocation de polémiste, et ce qu'il y engage de lui-même.

En employant, faute d'un vocable plus approprié[2], le mot de
polémiste, gardons-nous, d'ailleurs, de lui donner un sens que
Bernanos récusera catégoriquement : « De toutes les injures que me
valent parfois ces articles, écrira-t-il en 1946 dans le journal *La
Bataille*, la plus pénible pour moi est celle de polémiste. Un polémiste
jouit des bêtises qu'il dénonce, et quiconque m'a fait l'honneur de
lire mes livres sait que je n'ai jamais pris ainsi le monde pour un
guignol. Les polémistes me dégoûtent[3]. » Il n'acceptera pas davantage la qualification de pamphlétaire, et pour la même raison.
Un pamphlétaire, pour lui, c'est quelqu'un qui s'attaque, pour sa
satisfaction personnelle, à des ennemis insignifiants : « Ceux qui
me font l'honneur de me lire savent que je ne suis nullement un

    1. Michel Deguy, *Bernanos et la France*, dans *L'Herne*, p. 38. Sur l'unité
des deux aspects de l'œuvre de Bernanos, cf. aussi Luc Estang, *Présence
de Bernanos*, p. 24 ; A. Rousseaux, *Bernanos et la démission de la France*,
dans *C. R.*, p. 336 ; Guy Gaucher, *Bernanos ou l'invincible espérance*,
p. 61 ; *Balthasar*, p. 489-490 ; Michel Estève, *Bernanos*, p. 157-158.
    2. Luc Estang *(loc. cit.)* propose ceux de protestataire et de revendi-
cateur, qui ne valent guère mieux.
    3. *Français*, p. 74.

pamphlétaire. Il m'est arrivé parfois de passer pour tel parce que je dénonçais avec violence des médiocres jugés par tous insignifiants. Et certes, ils le sont, en effet, mais non pas les maux qu'ils engendrent[1]. » A la différence du polémiste et du pamphlétaire ainsi définis, Bernanos ne manie pas la satire pour se complaire à lui-même ou pour se concilier les rieurs, mais parce que le mensonge, la bêtise ou la lâcheté de ceux qu'il attaque lui paraissent constituer un danger mortel pour son pays.

A plusieurs reprises, à l'époque de *La Grande Peur des Bien-Pensants*, il revient sur ce qu'a pour lui de douloureux et de contraignant la mission qu'il s'est fixée d'intervenir dans la bataille d'idées, au lieu de se retrancher, comme il accuse Maritain de le faire, derrière la « primauté du spirituel », ou de préférer, comme il le reproche durement à Mauriac, l'analyse de ses états d'âme à la transformation de la société. Celui-ci ayant regretté, à propos d'un livre de Vallery-Radot sur Lamennais, que l'apôtre de la Chênaie se soit fourvoyé dans les luttes civiles avant d'essayer de se bien connaître lui-même, Bernanos ironise : « Restaurer la chrétienté, l'immense fraternité médiévale, quelle chimère ! Comme l'intellectuel, son jumeau profane, le « spirituel » est individualiste. Comme lui aussi [*sic*], sa méfiance de l'action est grande. 'Ah ! plutôt que d'essayer de voir clair, Lamennais a préféré se jeter tête basse dans les disputes de son temps : soulever des questions, poser des problèmes, fi donc !' [...] L'unique affaire est de se tâter. Vous ne nous ferez grâce ni d'un frisson, ni d'une vapeur, pas même d'une simple suée[2]. »

Mais il ne s'agit pas de s'écouter ni de se plaire. Obéir au mouvement qui le dresse contre l'injustice, c'est pour lui renoncer non seulement aux complaisances du retour sur soi, mais aussi, bien souvent, à l'exaltation bienfaisante, à la divine légèreté de l'artiste inspiré qui a l'impression que l'univers obéit à son chant, et qui, en s'enchantant, se délivre :

> Aucun de nous, sans doute, n'est toujours maître de réprimer un premier mouvement d'enthousiasme ou de colère, le cri jailli des entrailles ou encore cette espèce de gémissement reconnaissable entre tous, impossible à feindre, d'un homme que vient de frapper à l'improviste une injustice trop dure, une de ces bêtises intolérables, brûlantes, qui vous met au flanc comme la morsure, comme la succion d'un vampire. Alors, nos frères du Parnasse commencent

---

1. *Anglais*, p. 73-74.
2. *Spiritualisme et circonspection*, dans *Le Figaro*, 4 février 1932. *Crépuscule*, p. 299.

à danser et à chanter sous la lune, selon leur humeur, comme des chats. Libre à eux de croire que leur seul chant pousse dans le ciel l'énorme boule de lumière blonde! Mais nous... nous qui soulevons à peine de terre une prose si lente à se mouvoir, qui l'amenons d'une marche pesante, calculée, échelon par échelon, jusqu'à l'obstacle – l'obstacle non pas à franchir d'un vol, mais à vaincre, à enfoncer – nous avons le temps de perdre en chemin nos illusions dionysiaques [...]! Qu'importe notre propre délivrance! Résignons-nous plutôt à courir le risque de ne convaincre personne, de n'avoir à donner qu'une parole libre, peut-être haïe de tous, et, parce que nous l'aurons tirée à mesure du plus profond de nous-mêmes, de notre substance, de notre vie, supportons patiemment l'idée de nous détruire en vain [1].

Rien, donc, qui diffère davantage de Bernanos que le polémisté-né, pour qui la bagarre est un moyen de s'affirmer soi-même, de prendre conscience de sa force, voire de décharger ses humeurs. Peut-être a-t-il été tel au temps de *L'Avant-Garde de Normandie*, lorsque son proche passé de camelot du roi entretenait en lui une mystique quelque peu nietzschéenne de l'action. Mais il a maintenant assez mûri pour ressentir comme un véritable arrachement cette nécessité qui l'oblige à « faire face » et à écouter gronder en lui la colère ou le mépris. Si c'est là pour lui une cause de souffrance, c'est aussi, en partie, le secret de sa force, car ces indignations qui le soulèvent et le traversent nous apportent toujours quelque lambeau de son être, ne serait-ce que parce qu'elles mettent en branle la même imagination visionnaire que nous admirons dans ses romans. Il l'explique lui-même dans le *Message aux jeunes Français* publié dans le premier numéro de *Réaction*, le 5 avril 1930 :

Hélas, si abstraite qu'un logicien la présente, une idée n'est jamais pour moi tout à fait pure, comme ces femmes autour desquelles le désir a tissé sa trame invisible, qui donnent à l'air même qu'elles respirent on ne sait quelle saveur magique, quel arrière-goût de poivre, d'ambre et de miel. Ainsi la grossièreté de ma nature veut sans doute qu'une idée me prenne aux entrailles, que je la haïsse ou que je l'aime. Parfois elle m'emplit de pitié, d'une tristesse sans contours, flottante et douce, ou encore d'un désespoir sauvage, animal. Quelque effort que je fasse de clairvoyance impartiale, elle ne sortira pas de moi que je ne l'aie assimilée, je ne vous la donnerai pas telle que je l'ai reçue [2].

1. *Primauté de la peur*, dans *L'Action française*, 9 janvier 1930. *Crépuscule*, p. 261-263.
2. *Bul.*, 45, p. 8.

Il faudrait toute une étude – qui ne manquera pas d'être faite – pour montrer comment les idées, chez Bernanos, se traduisent irrésistiblement en visions, s'incarnent en personnages comiques ou tragiques, s'affrontent en scènes animées dans lesquelles l'instinct du romancier projette parfois tout un passé ou tout un avenir. Contentons-nous de quelques exemples, pris dans *La Grande Peur des Bien-Pensants*.

Voici la vaine agitation d'une opposition catholique bien décidée à capituler, après l'offensive anticléricale de 1879-1881 : « Sans doute cette persécution, comme tant d'autres, eût pu susciter des héros, elle n'a malheureusement réussi qu'à décharger les émonctoires d'une foule de palabreurs et d'avocats, elle a littéralement vidé leurs glandes. Ainsi lorsque les amateurs d'escargots ont fini la cueillette de leur gibier favori, on les voit jeter dessus une poignée de gros sel, dans l'intention de les faire dégorger [1]. » La défiance de la démocratie envers l'armée, et la passivité de celle-ci devant des avanies de plus en plus grossières se traduisent par cette scène de guignol :

> Vingt fois au cours du dernier sicèle, la malheureuse [la démocratie], surmontant son angoisse, a défié, d'une voix tremblante, mais qui s'affermissait à mesure, le beau dompteur galonné d'or. On la voyait s'approcher à petits pas, risquer une main encore prudente vers le dolman généreux, frôler la moustache, enfin gifler à tour de bras le guerrier inoffensif, certes plus préoccupé d'avancement que de coup d'état, et d'ailleurs aussitôt attentif à ne pas perdre sous la claque le croc avantageux et le sourire martial. N'importe! Dès le lendemain la pauvre maniaque croyait déjà distinguer à quelque paisible table de mess un nouveau sous-lieutenant d'artillerie que la lecture du *Mémorial* empêchait de dormir, et la comédie recommençait [2].

Mais l'imagination de Bernanos n'est jamais aussi à l'aise que lorsqu'elle saisit et met en mouvement non pas des abstractions personnifiées mais des individus de chair et d'os, à l'intérieur desquels il lui est possible de se glisser comme s'il s'agissait de personnages de roman. Ainsi des *monsignori* qui se dépensent en faveur du ralliement : « Impossible de ne pas imaginer ces prélats italiens, experts en magnifiques et courtoises grimaces, jouant du blanc de l'œil et roulant les *r* en gesticulant au bas de l'escalier d'un monsieur en habit noir, très froid, et qui ne se presse pas de leur faire signe

---

1. *Peur*, p. 135-136.
2. *Ibid.*, p. 413.

de monter[1]. » Ainsi encore de ces notables chrétiens qui n'en imposent aux gens d'Église que parce qu'ils leur rappellent un passé cher à leur cœur :

> Se prenant désespérément au sérieux, leur gravité en imposait encore à la faible imagination des gens d'Église, à la naïveté des prélats dont l'âge mûr se souvenait toujours des premières impressions de l'enfance – le château caché dans les arbres, l'avenue mystérieuse jusqu'aux profondeurs du parc, les pelouses, la victoria des dimanches sur la route poudreuse, l'entrée à l'église de la famille privilégiée, le gros châtelain au banc d'œuvre, la chaîne d'or, la voix nasale et le regard lointain[2].

La satire arrive ainsi chez Bernanos, aux meilleurs moments, à détecter dans la conduite de l'adversaire des motivations profondes dont la connaissance désamorce la haine et fait naître une espèce de sympathie à son égard. Voici, par exemple, une catégorie fort répandue d'anticléricaux : « rustauds vernis d'un peu de latin qui, au fond – à leur insu – n'ont vraiment contre Dieu qu'un grief, le vieux grief du pataud villageois, crevant de santé, puant la chair fraîche, dont la méfiance flaire un ennemi dans cet autre pataud suspect, l'homme sans femme, le curé enfin, au nez duquel il ricanera bien un an, dix ans, vingt ans, après boire, mais qui finalement l'enterrera ». Aussitôt, Bernanos insiste sur le sérieux de l'explication psychologique, sur l'universalité de la loi qu'elle vérifie, et sa réflexion débouche sur les thèmes de l'enfance et de l'agonie qui occupent tant de place dans son univers romanesque :

> Une telle vue va sembler courte, je le crains, à quiconque n'a pas observé sur soi-même la puissance sournoise de certaines images de l'enfance entrées si profond que la mémoire en a perdu le contrôle, ne les reconnaît plus sous tant de prétextes et de faux-semblants, jusqu'à ce qu'un grand désastre moral, ou peut-être la mystérieuse poussée de l'agonie les fasse rayonner de nouveau, les restitue à la conscience[3].

Exposer en détail les idées politiques et sociales que Bernanos défend dans *La Grande Peur des Bien-Pensants* et dans ses articles de la même époque dépasserait le cadre de la présente étude. Celle-ci est axée sur la connaissance de l'homme et de l'écrivain

1. *Ibid.*, p. 278.
2. *Ibid.*, p. 229.
3. *Ibid.*, p. 140.

plutôt que sur celle du message politique, dont la pérennité est discutable. Mais nous en avons assez dit déjà pour faire sentir que dans ce message politique Bernanos engage beaucoup plus que sa pensée. Derrière ces positions, dont on peut contester la justesse, il y a un homme, un homme seul, plein d'obscurité et d'angoisse, qui se tourne vers le passé pour y trouver les images qui lui permettent de ne pas désespérer de l'avenir et l'explication des maux dont son pays est accablé. C'est cet homme que nous chercherons à atteindre à travers les thèmes directeurs de son premier pamphlet.

De sa solitude et de son angoisse il faut d'abord prendre la mesure. Elles sont tout entières dans le cri pathétique qui termine le livre, comme si après tous les faits, tous les arguments, tous les raisonnements qui ont défilé pendant quatre cent cinquante pages, seul le cri était encore capable d'émouvoir et de dénoncer le danger imminent : « L'air va manquer à nos poumons. L'air manque. Le Monde qui nous observe avec une méfiance grandissante s'étonne de lire dans nos yeux la même angoisse obscure. Déjà quelques-uns d'entre nous ont cessé de sourire, mesurent l'obstacle du regard... On ne nous aura pas... On ne nous aura pas vivants[1]. » Le sentiment de solitude s'exprimera avec une intensité accrue, mais ne sera pas d'essence différente après la rupture avec Maurras : « Nulle force au monde n'est capable d'arrêter les immenses troupeaux qui sur toutes les routes de la terre, en silence, se hâtent vers leur destinée. Nous ne parlons, nous n'écrivons plus que pour une poignée d'hommes libres[2]. » Et quelques mois plus tard : « Aucun homme de notre génération, pourvu qu'il soit conscient, ne peut douter une seconde de sa disgrâce essentielle, et qu'il a trop vécu. Il s'agit pourtant de survivre, de faire face. Que dis-je, faire face! Se jeter en avant plutôt [...]. Le bien et le mal, le vrai et le faux se cherchent, s'appellent et chuchotent dans les ténèbres. Quelle main saisir? N'en saisissons donc aucune[3]! »

Il faut avoir mesuré cette solitude pour comprendre le besoin qu'éprouve Bernanos, à l'époque de *La Grande Peur* comme dans toutes ses grandes périodes de doute et de désarroi, de se tourner vers la jeunesse et de ne parler pour ainsi dire qu'à son intention. Dans ses discours aux Étudiants d'Action française, dans ses messages à *Réaction*, dans l'Introduction et la Conclusion de *La Grande Peur*, dans la plupart de ses articles du *Figaro*, c'est à elle qu'il pense, à elle qu'il s'adresse, en elle qu'il met tous ses espoirs. Non qu'il

1. *Peur*, p. 458.
2. *Le temps de la colère*, dans *Figaro*, 24 juin 1932. *Crépuscule*, p. 332.
3. *Crépuscule des vieux*, dans *Figaro*, 10 novembre 1932. *Crépuscule*, p. 336.

la flatte ou qu'il l'idéalise. Il la voit telle qu'elle est, telle que l'ont faite une guerre où le mensonge fut roi, une victoire manquée, un après-guerre où fut renié ce pour quoi l'on avait combattu : « Le regard d'enfant, lisse et têtu, le pli farouche des lèvres, la tempe déjà flétrie au-dessus des joues en fleur, la voix impérieuse, et ce tic que vous avez presque tous, ce mouvement des épaules, à vrai dire un peu vulgaire, le geste de « balancer ça par la portière » qui met en fureur les vieilles gens – tout ce que nous ne reconnûmes pas d'abord, notre propre mépris, la vieille expérience de nos mépris dans vos cœurs neufs [1] ! »

Cette jeunesse, il ne veut pas la tromper, comme le font ceux qui méditent déjà d'utiliser son sacrifice pour sauver une société qu'ils ont faite à leur image et à leur usage. Il ne prétend pas lui enseigner l'optimisme, mais « l'aider à retrouver, peut-être, ce qu'un fils de grande race ne laisse jamais mourir tout à fait, un certain sentiment héroïque du juste et de l'injuste – et si l'épuisement est sans remède, l'agonie proche, du moins le fiel et l'absinthe, les voluptés du mépris [2] ». Il veut la mettre en garde contre l'« esprit de vieillesse [3] » qui « gagne peu à peu tout le pays » et qui hait l'avenir parce qu'il l'a vidé de toute espérance surnaturelle. A ces mauvais maîtres qui n'ont « eu qu'une jeunesse sans rêve », à cette civilisation « qui fait chaque jour plus petite la part du rêve dans la vie de l'enfant » il voudrait opposer une vision du passé capable encore de faire bondir d'enthousiasme des cœurs enfantins [4], et ce mot magique, l'honneur, dont il est si difficile d'épuiser le sens parce qu'il désigne à la fois le désintéressement, l'esprit de don et de sacrifice, l'attachement aux valeurs spirituelles et la résolution de les maintenir incarnées dans l'histoire, la gloire et en particulier la gloire militaire, mais sans arrière-pensée de domination ni de conquête, le mépris du danger, le goût pour les entreprises de grand risque et de peu de profit, la fidélité à la monarchie et la fidélité de la monarchie à sa mission, qui est de protéger les humbles et de servir la patrie [5].

Contre l'esprit de vieillesse et les vices qu'il résume, un nom

1. *Peur*, p. 423-424.
2. *Ibid.*, p. 409.
3. Titre de l'article publié dans *L'Action française*, le 16 janvier 1932.
4. Cf. par exemple, l'article intitulé « Noël à la maison de France » (*Crépuscule*, p. 105-112), et *Peur*, p. 22.
5. Sur cette notion d'honneur, cf. l'excellent développement de *Balthasar*, 513-520. En ce qui concerne l'époque de *La grande Peur*, cf. les discours aux Étudiants d'Action française de 1927 (*Bul.*, 44, p. 17) et de 1928 (*Bul.*, 14, p. 11) ; le *Message aux jeunes Français* publié dans *Réaction* (*Bul.*, 45, p. 9) ; les articles intitulés *Noël à la maison de France* et *Organisons la peur* (*Crépuscule*, p. 109 et 321).

commence à être souvent invoqué par Bernanos à partir de 1927 : c'est celui de Péguy[1]. Mais il est évident que l'auteur de *La Grande Peur* n'a pas encore approfondi son message[2]. C'est toujours vers Drumont qu'il se tourne pour saisir les causes de la « démission de la France » (tel devait être primitivement le titre du livre[3]) et pour recueillir une leçon qui puisse permettre à la jeunesse de « faire face ».

Reconnaissons-le, la place que Drumont occupe dans l'œuvre de Bernanos gêne beaucoup de ses admirateurs. Ils se contentent de la signaler, sans plus, et attendent que brille dans sa pensée « la lampe plus claire de Péguy[4] » pour le considérer comme pleinement en possession de sa vérité. Nous ne devons pas esquiver le problème. L'influence de Drumont sur Bernanos est énorme, et il y a dans le culte que l'auteur de la *Lettre aux Anglais* voue à celui de *La France juive* quelque chose qui nous scandalise. Qu'un homme dont le sens de l'honneur était si délicat, l'intuition psychologique si profonde, la soif de vérité et de justice si incontestable ait pu lire sans dégoût, que dis-je, avec admiration et vénération ces deux volumes pleins de ragots infâmes, de potins de salle de rédaction, d'accusations dépourvues le plus souvent de la moindre preuve sérieuse, cela nous paraît incompréhensible et attristant. Invoquera-t-on l'influence de la famille et du milieu ? Rappellera-t-on que des milliers de lecteurs de bonne foi applaudirent à ce qu'ils considéraient comme une œuvre de salubrité publique, une revanche méritée contre les puissances d'argent, une dénonciation courageuse des forces démoralisatrices qui minaient la santé du pays ? L'excuse nous paraît mince, s'agissant d'un homme dont l'indépendance d'esprit était proverbiale et qui se montra maintes fois capable de se soustraire aux pressions de son entourage.

On s'approchera davantage de la vérité en disant que la pensée

---

1. Cf. le discours aux Étudiants d'Action française de 1927 (*Bul.*, 44, p. 17), et les articles intitulés *Noël à la maison de France* (*Crépuscule*, p. 109), *Sur la jeunesse littéraire* (*ibid.*, p. 225), *Spiritualisme et circonspection* (*ibid.*, p. 299), *Organisons la peur* (*ibid.*, p. 320), *Le temps de la colère* (*ibid.*, p. 333), *Crépuscule des vieux* (*ibid.*, p. 337).

2. Les allusions à son œuvre sont presque toujours très vagues. Il ne serait pas étonnant que Bernanos, à cette époque, connaisse surtout Péguy à travers le livre des frères THARAUD, *Notre cher Péguy*, paru en 1926, qu'il cite dans son discours aux Étudiants d'Action française de 1927. Il accole d'ailleurs presque toujours l'adjectif « cher » au nom de Péguy.

3. Cf. l'introduction d'André Rousseaux à *Français*, p. 15.

4. L'expression est de Balthasar (p. 526), qui, comme le fait remarquer son traducteur, Maurice de Gandillac (p. 523, n. 9), a tendance à souligner trop fortement certaines similitudes entre la pensée de Péguy et celle de Bernanos.

de Drumont n'est pas tout entière enfermée dans *La France juive* et que Bernanos s'inspire beaucoup plus de ses autres ouvrages que de celui-là. Il reconnaît lui-même que c'est le courage désespéré, « sacrificiel » de l'entreprise « qui donne à ce colossal amas de noms, de faits, d'anecdotes, *qui pourrait être si vulgaire* (c'est moi qui souligne), une sorte de majesté[1]... », et c'est à un autre livre de Drumont, *La Fin d'un monde,* que vont ses préférences[2].

De fait, le thème antisémite, on en a fait la remarque[3], occupe une place secondaire dans *La Grande Peur des Bien-Pensants.* Toute secondaire qu'elle est, cette place apparaît encore trop importante à qui a été témoin des crimes que la rage antisémite a fait déferler sur l'Europe. Si vigoureusement que Bernanos les ait condamnés – et il a parfois assorti sa condamnation de réticences gênantes – il en a quand même, lui qui croyait au pouvoir des mots, assumé d'une façon infinitésimale, mais assumé quand même la responsabilité en écrivant des phrases qu'on voudrait pouvoir effacer sur « ces bonshommes étranges qui parlent avec leurs mains comme des singes, traînent nonchalamment sur les colonnes de chiffres et les cotes un regard de biche en amour auquel pourtant rien n'échappe [...], et comme tombés d'une autre planète, avec leur poil noir, les traits ciselés par l'angoisse millénaire, le prurit sauvage d'une moëlle usée depuis le règne de Salomon, prodiguée dans tous les lits de l'impudique Asie[4]... ». On ne saurait non plus être trop sévère pour l'admiration que Bernanos manifeste à un endroit de son livre envers la méthode de Drumont, qui consiste à calomnier au petit bonheur en se disant qu'une accusation n'est jamais perdue : « Quelle merveilleuse aventure! Pour toucher juste, au milieu du troupeau affolé, il n'est plus que de lancer son coup. Vraie ou fausse, l'accusation finit toujours par atteindre un coupable, rencontrer une poitrine[5]. »

Cela dit – et il fallait le dire – on peut affirmer que l'admiration de Bernanos pour Drumont ne va nullement à son racisme, sur lequel il insiste somme toute fort peu, mais à certaines particularités de sa personne et de son action qu'il est important de connaître, car elles nous renseignent davantage sur Bernanos lui-même que sur celui dont il a fait son maître.

---

1. *Peur,* p. 181.
2. *Ibid.,* p. 208.
3. Cf. Han Aaraas, *Georges Bernanos,* Bind I, 1888-1935, Oslo 1959, d'après le compte rendu de Sven Storelv dans *Bul.,* 44, p. 25. C'est aussi l'opinion de Michel Estève (*Bernanos,* p. 93).
4. *Peur,* p. 426. Cf. aussi, dans la même veine, p. 202, 223, 308.
5. *Ibid.,* p. 283.

Nul doute, en effet, que Drumont soit pour lui une sorte de double, dans lequel il projette son angoisse, sa solitude, sa révolte en présence du mal, son sens prophétique des exigences de l'esprit, sa vocation sacrificielle de témoin impuissant et d'avertisseur inécouté. Quel beau portrait de Bernanos on pourrait faire en rassemblant les traits de son héros épars à travers tout le livre !

Voici d'abord, au départ de toute une vie, le maître-mot : *vocatus*. « J'ai obéi à une vocation, dit Drumont à qui l'interroge... parfaitement... j'ai entendu à un moment comme une voix intérieure qui me répétait du matin au soir : Va... va... va !... Et j'ai fini par y aller [1]. » L'objet de cette vocation ? Incarner « cette puissance de rêve qui pèse sur une vie d'homme d'un poids immense, l'accable [2] », donner forme au « monde étrange, moitié observé, moitié rêvé, où il entre quand il veut [3] ». L'être qui vit plongé dans cette vision intérieure et qui est appelé à la faire reconnaître pour vraie par ses semblables est destiné à la solitude, au sacrifice, à un réveil douloureux qui lui apprend combien sont loin ceux qu'il croyait les plus proches. Drumont est l'un « de ces 'appelés', de ces 'vocati', de ces êtres sacrificiels, nés et mûris dans le rêve, qui tirent d'eux-mêmes et d'eux seuls, de leur propre vie intérieure, une vision du monde, fausse en plus d'un point, mais d'une vraisemblance si prodigieuse qu'elle déconcerte les calculateurs et les prudents, leur fait perdre un moment toute confiance aux chiffres et aux statistiques [4]... ».

Que Bernanos ait pu parler de son maître en des termes qui s'appliquent si exactement au romancier qu'il a été, cela prouve non seulement l'identification qui se produit en son esprit entre son héros et lui-même, mais aussi l'unité profonde qui existe entre sa vocation de romancier et sa vocation de polémiste, puisqu'elles se rattachent l'une et l'autre à une source commune : l'investissement de l'esprit par le rêve et le pouvoir de faire émerger ce rêve dans la vie réelle.

On pourrait poursuivre le parallèle en relevant, chez le Drumont de *La Grande Peur*, d'autres traits dans lesquels Bernanos retrouve ou projette sa propre expérience : la sincérité absolue qui donne le pouvoir non seulement de faire face, mais de se jeter en avant [5], la conscience d'écrire pour un nombre de plus en plus restreint d'hommes libres [6], le pressentiment et l'acceptation de la solitude,

1. *Ibid.*, p. 160.
2. *Ibid.*, p. 162.
3. *Ibid.*, p. 163.
4. *Ibid.*, p. 345.
5. *Ibid.*, p. 134.
6. *Ibid.*, p. 48.

de l'échec, de la mort[1]. Mais ce serait une grave erreur de réduire l'influence de Drumont sur Bernanos à un simple jeu de miroirs. En-dehors ou au-delà de l'antisémitisme, il y a, chez l'auteur de *La France juive*, une pensée politique et sociale dont certains thèmes occuperont dans l'œuvre polémique de Bernanos une place de premier plan parce qu'ils lui paraissent projeter une lumière irremplaçable sur les maux dont souffre son pays.

Et tout d'abord, l'antisémitisme de Drumont comporte un aspect positif, si l'on peut dire, auquel Bernanos devait être particulièrement sensible. C'est un attachement très grand pour une ancienne France idéalisée, parée de toutes les vertus et de tous les prestiges poétiques, dont l'évocation alimente cette part de rêve, que l'auteur de *La Grande Peur* n'a pas tort de détecter chez le pamphlétaire dont il écrit l'histoire. L'antisémitisme est avant tout une explication – rassurante parce qu'elle rejette la responsabilité sur un bouc émissaire – de l'abîme qui sépare le rêve de la réalité : « Il m'a paru intéressant et utile, écrit Drumont dans l'introduction de *La France juive*, [...] d'indiquer comment peu à peu, sous l'action juive, la vieille France s'est dissoute, décomposée, comment à ce peuple désintéressé, heureux, aimant s'est substitué un peuple haineux, affamé d'or et bientôt mourant de faim[2]. »

Bien entendu, la haine raciale apporte une réponse commode aux problèmes que pose, sur les plans historique, économique et social, une interrogation de ce genre. Mais Drumont ne rend pas les juifs seuls responsables. De famille républicaine et modeste, incroyant par surcroît, bien que rallié, à l'époque de *La France juive*, à un « catholicisme historique », peu tendre en tout cas envers la hiérarchie ecclésiastique, il juge avec une grande sévérité le rôle qu'a joué, depuis la fin du XVIIIe siècle, la bourgeoise riche, et tout particulièrement le dernier épisode de sa lutte contre le peuple, dont le spectacle l'a rempli d'une sincère indignation, la Commune. C'est le matérialisme bourgeois, auquel l'Église n'a pas opposé autre chose que des exhortations pieuses, qui porte, en somme, la responsabilité première d'avoir ouvert la France à « la conquête juive ».

Cet aspect de la pensée de Drumont s'est accentué à mesure que les déceptions rencontrées du côté clérical l'amenaient à souhaiter une plus grande audience chez les ouvriers, dont certains avaient accueilli favorablement son premier pamphlet[3]. *La Fin d'un monde*

1. *Ibid.*, p. 8-9, 173-174, 181.
2. *La France juive.* Essai d'histoire contemporaine. Paris, Marpon et Flammarion, s. d. (43e éd.), t. I, p. XVI.
3. Sur cette évolution, cf. Robert-F. BYRNES, *Antisemitism in Modern France*, vol. I, Rutger's University Press, New Brunswick, 1950, p. 160 et sq.

développe ainsi une interprétation de l'histoire de France selon laquelle la Révolution de 89 a été le premier acte d'une offensive de la Bourgeoisie contre le Peuple qui s'est développée tout au long du XIXᵉ siècle : « La Bourgeoisie barbouilla le Peuple de la boue sanglante de la Terreur et lui affirma que c'était lui qui avait tout fait[1] », mais elle s'empara dans le même temps du pouvoir économique, désarma le peuple en lui enlevant le droit d'association et développa « une forme nouvelle de propriété », que Drumont appelle le « propriétariat », et qui n'est pas autre chose que la propriété capitaliste. Drumont oppose longuement, tout au long du livre, cette propriété capitaliste à la propriété individuelle selon l'Église, qui « a toujours été une simple délégation d'usufruit dans le régime divin » et qui exclut catégoriquement « l'exécrable fécondité de l'argent[2] ». Aussi parle-t-il avec une constante sympathie des socialistes « de bonne foi », dont le but est « très noble » et l'œuvre « très nécessaire »[3], tout en affirmant qu'il aimerait mieux se « réfugier chez les cannibales que de vivre au milieu de [la] société idéale » rêvée par Jules Guesde et les collectivistes[4].

L'essentiel de ces idées se retrouve non seulement dans *La Grande Peur des Bien-Pensants*, mais dans l'œuvre de Bernanos tout entière, et il est tout à fait juste d'affirmer que l'antisémitisme y occupe beaucoup moins de place que la critique de la bourgeoisie catholique, comme le suggère le titre même donné à cette biographie de Drumont. S'autorisant des leçons de la vie de son maître, et tirant les conséquences de sa faillite, il voit en effet dans l'une et dans l'autre la preuve dernière de la médiocrité et de la lâcheté des catholiques, dont l'histoire du Ralliement lui fournit, en contrepoint, une vivante et inépuisable illustration. En liant, par peur et par intérêt, leur sort à celui de la bourgeoisie matérialiste et antichrétienne, les catholiques ont déçu l'attente du peuple, se sont coupés de ses forces vives, et ont rendu à jamais impossible la réalisation du grand rêve de Drumont, qui est aussi celui de Bernanos : « grouper contre les puissances d'argent, autour des grandes familles militaires restées pures, le petit peuple français[5]. » Hélas! les militaires n'ont pas fait preuve de plus d'énergie ni de clairvoyance que les catholiques! En flattant la république, ou en se contentant d'une opposition folklorique, comme le boulangisme ou la résistance anticombiste,

1. *La Fin d'un monde*, Étude psychologique et sociale. Paris, Albert Savino, 1889, p. 23.
2. *Ibid.*, p. 2.
3. *Ibid.*, p. 3.
4. *Ibid.*, p. 162.
5. *Peur*, p. 313.

les uns et les autres ont hâté leur déchéance et le déclin des valeurs éternelles dont ils étaient les dépositaires, face à une société dont l'ambition avouée était de se passer de Dieu.

C'est dans la conclusion du livre, où se développe la dénonciation prophétique de cette société matérialiste, totalitaire et athée, que Bernanos prolonge dans le sens le plus personnel les leçons de son maître : « Si le monde que nous voyons naître a quelque chance de durer, ce ne peut être que par l'accord chaque jour plus intime du Capital et de la Science, du Ploutocrate et de l'Ingénieur, d'où va sortir une sorte de déterminisme économique, une Loi d'airain seule capable de remettre la multitude à genoux[1]. » Bernanos ne cessera plus de méditer sur ces thèmes, non plus que sur la place de plus en plus restreinte et de moins en moins honorée qu'une telle société laisse à la Pauvreté évangélique. Non seulement la démocratie réalise le tour de force, par la foi au progrès, « de changer en or et en devises, de jeter enfin sur le marché des banques l'immense réserve d'illusions, d'espérances confuses, de désirs informulés dont aucune tyrannie n'avait su entreprendre l'exploitation rationnelle – l'immense trésor des misérables[2] », mais elle chasse sur toutes les routes du monde, pour le remplacer par la Misère, comme l'avait bien vu Péguy, la Pauvreté « qui fut, deux mille ans, parmi les hommes, une autre présence réelle, l'enfance divine elle-même[3] ».

Comme nous savons que Bernanos devait rompre violemment avec Maurras un an après la publication de *La Grande Peur*, nous sommes tentés de chercher dans ce livre les signes d'une évolution qui permettrait de prévoir cette rupture. Or, à première vue, nous n'y trouvons rien de tel, mais au contraire l'éloge le plus vibrant du directeur de *L'Action française* et de sa « prodigieuse entreprise de redressement national, poursuivie sans trêve, sans merci, avec une incroyable, une effrayante faculté d'espérer contre tous et contre tout[4] ». Pourtant, tout en regrettant que Drumont n'ait pas reconnu dans *L'Action française* sa postérité spirituelle, Bernanos ne se dissimule pas ce qui sépare de Maurras l'auteur de *La France juive* : « Tandis qu'un Maurras, avec la patience du plus haut génie, et comme une espèce de sainteté, s'emploiera des années, humblement, à convaincre quelques disciples de l'impuissance du régime démocratique et républicain à défendre 'les secrets de l'État, les

1. *Ibid.*, p. 432.
2. *Ibid.*, p. 255.
3. *Ibid.*, p. 442.
4. *Ibid.*, p. 80.

sentences de la justice et les intérêts supérieurs de l'armée', Drumont, lui, ne pense qu'à faire sentir à chaque Français ses chaînes et sa honte : 'Mes amis, répétait-il à ses collaborateurs, mettons-leur le feu au ventre'[1]. » Comment ne pas deviner que Bernanos se sent plutôt de la race des Drumont que de celle des Maurras, et comment ne pas penser que la fréquentation du vieux maître, en aggravant son mépris pour les milieux conservateurs sur lesquels *L'Action française* était obligée de faire fond, a rendu plus difficile sa collaboration avec le mouvement ?

Pourtant, cette dissidence larvée n'aurait sans doute pas abouti à un éclat sans un enchaînement d'événements dont Bernanos n'avait ni prévu ni voulu les conséquences. On peut s'en faire une idée assez juste depuis que le *Bulletin de la Société des Amis de Bernanos* a publié, dans ses numéros 17-20, le dossier réuni par Albert Béguin sur les relations entre Bernanos et Maurras. Nous le rappellerons brièvement, sans entrer dans les détails d'une polémique qui n'ajoute pas grand-chose à la gloire des adversaires en présence.

On ne pourra pas dire exactement, tant que la correspondance de Bernanos ne sera pas publiée, pour quelles raisons exactes il accepta, à la fin de 1931, cette collaboration au *Figaro* que lui proposait Robert Vallery-Radot. Fut-il seulement guidé par l'amitié ? Ou bien nourrissait-il l'espoir, comme l'affirme Henry Jamet dans un livre qui fourmille par ailleurs de récits tendancieux et d'interprétations erronées, de faire du *Figaro* de François Coty l'organe d'un christianisme régénéré, « le journal de tous ceux qui étaient écœurés, à la fois, par la République et par ce vieil athée de Maurras[2] » ? Toujours est-il qu'il y avait quelque imprudence de la part de celui qui venait de dénoncer avec tant de conviction le pouvoir de l'argent à lier son action à celle d'un industriel millionnaire dont les visées politiques n'étaient rien moins que claires. Les divergences de vues qui intervinrent rapidement entre Coty et Bernanos prouvèrent d'ailleurs combien ses espoirs, quels qu'ils aient été, reposaient sur des bases fragiles.

---

1. *Ibid.*, p. 356.
2. *Un autre Bernanos*, Lyon, Vitte, 1959, p. 44. Les mots entre guillemets sont donnés pour avoir été prononcés par Bernanos. Jean de Fabrègues fait également intervenir l'attirance qu'exerçait sur Bernanos la solitude du parfumeur enrichi : « L'homme solitaire, en lutte contre un monde, l'attirait jusque dans son ridicule, forme exacerbée de son isolement, d'un refus du train quotidien de l'existence qui n'étaient pas loin d'évoquer chez Bernanos son drame propre » (*op. cit.*, p. 102). Le fait est que Bernanos écrira à Coty : « Vous êtes assurément l'être humain le plus pathétique que j'ai jamais rencontré » (*Bul.*, 17-20, p. 71).

Les vicissitudes de la politique – on était en pleine période d'élections – firent que Coty devint, au début de 1932, l'homme à abattre pour l'équipe de *L'Action française*. Les événements se déroulent alors très rapidement. Bernanos, dans une lettre ouverte datée du 15 mai 1932, assure de sa solidarité le directeur du journal où il écrit, en qualifiant d'« inique et bête » la persécution dont il est l'objet. Maurras réplique, dans *L'Action française* du lendemain, par un adieu. Il reproche à Bernanos non seulement d'avoir pris part à une campagne dommageable à *L'Action française*, mais aussi d'avoir manqué à l'amitié et même à l'honneur en lançant son attaque sans avertissement. La réponse à cet adieu, c'est la pathétique lettre à Maurras publiée par *L'Ami du Peuple* et *Le Figaro* le 21 mai 1932, dont le brouillon, reproduit dans le *Bulletin de l'Association des Amis de Bernanos* montre dans quelle fièvre elle fut écrite, et qui se termine par ces lignes, dont on ne peut nier l'élévation et la beauté :

> Permettez-moi de reprendre à mon compte votre mot d'à Dieu. Évidemment il n'a pas tout à fait le même sens pour vous que pour moi. Mais l'honneur et le malheur de votre vie veulent que vous soyez aujourd'hui l'un des hommes les plus chargés de responsabilités surnaturelles. En votre présence, quiconque vous a une fois compris parle de lui-même un langage à la mesure de cette vocation mystérieuse. Nous vous aurons tout donné, Maurras. Qu'il me soit permis de vous le rappeler après cette exécution sournoise qui réveille en moi le souvenir d'autres duretés, venues d'ailleurs. A Dieu, Maurras! A la douce pitié de Dieu!

On aimerait que la polémique se soit arrêtée là. Il n'en est rien, hélas! Dans sa réponse, Maurras affirme avoir entendu Bernanos « exciper de charges de famille » pour faire excuser sa collaboration au *Figaro*, et renier clairement et spontanément son directeur. Mais ce n'est rien encore. Lorsque Bernanos, après s'être retiré en juin de l'équipe du *Figaro* à cause de désaccords idéologiques, y revient en octobre pour défendre ses amis de nouveau attaqués par *L'Action française*, c'est un véritable flot d'ordures que déversent sur sa tête ses anciens amis : on l'accuse, bien entendu, de s'être vendu au parfumeur enrichi, mais aussi, sur la foi de « témoins bien informés », de colporter en cachette sur son compte des histoires infamantes ; on fait allusion à des propos irrévérencieux qu'il aurait tenus à l'adresse de la Maison de France ; on passe au crible ses états de service comme camelot du roi : il a participé à la « louche équipée » portugaise ; il a abandonné *L'Avant-Garde de Normandie* « dans des conditions peu brillantes » ; il a même laissé à Rouen une

« réputation de *tapeur* et de *tapeur* privé, de *tapeur* pour sa caisse personnelle ». Et d'exhiber des reçus, de citer des témoins, dont on ne peut bien entendu pas révéler les noms, d'ironiser grossièrement sur « le dandy de la mangeoire ».

Qu'on nous excuse de remuer toute cette boue. Il le faut pour faire mesurer l'amertume de Bernanos et sa rancune envers ceux qu'il considéra comme ses amis et comme ses maîtres. En novembre ou décembre 1932, il expose à Coty, dans quatre longues lettres dont les brouillons ont été conservés, un plan détaillé pour abattre définitivement *L'Action française*. Mais n'allons pas croire que le désir de vengeance entre seul ou même principalement en ligne de compte. D'abord, Bernanos se refuse à poursuivre la polémique au niveau où l'ont fait descendre Maurras et Daudet [1]. Pour vaincre *L'Action française*, *Le Figaro* ne doit pas lui rendre coup pour coup, ni frapper plus fort, mais s'imposer par la qualité de ses collaborateurs, par la justesse de ses idées, par l'attrait de sa présentation. Ensuite, il désire que Maurras ne soit pas attaqué dans sa personne, qui n'offre d'ailleurs guère de prise, ni dans son talent, que Bernanos met toujours très haut, ni même dans ses idées, mais dans son action : « Accorder à Maurras la maîtrise de philosophe politique, c'est justement nous permettre de lui dénier celle de maître des consciences, d'homme d'état et d'homme d'action, *avec le maximum d'efficacité.* »

Mais il ne s'agit pas seulement d'efficacité, et la tactique n'est pas seule en cause. Bernanos retrouve ici son grief de toujours contre Maurras : se contenter d'une analyse abstraite de la réalité, alors qu'il faudrait, pour transformer le monde, y ajouter l'adhésion du cœur, l'amour des hommes, la charité du Christ. Ce grief a pris sa forme définitive pendant que se développait la polémique du printemps et de l'automne 1932. Dans une lettre à une amie, qui doit dater de la fin de mai, il oppose aux « sédentaires » de la rue Boccador ceux qui ont pris des risques : Coty, ou les catholiques qui n'ont pas hésité à mettre leur fidélité à Maurras en balance avec leur fidélité à l'Église. Le 22 septembre, dans un article intitulé symptomatiquement « Rempart de papier », il accuse *L'Action française* de saluer chaque nouveau malheur de la France par un « nous avions raison », et de faire passer ainsi un sectarisme inefficace avant un patriotisme agissant. Le post-scriptum de cet article souhaite prophétiquement que la vieillesse de Maurras « ne soit pas une immense déception pour le pays ». Enfin l'article intitulé « Crépuscule des vieux » (10 novembre 1932) attaque les doctrinaires

1. *Bul.*, 17-20, p. 66, 68.

impuissants à infléchir le cours de l'histoire et en donne Maurras pour le type accompli : « lorsque l'insecte pensant n'aura plus sur ses frères à mandibules et à antennes d'autre supériorité, ne connaîtra d'autre relâche à son monotone, à son effrayant labeur d'insecte, que le vice et l'ennui, nous verrons M. Ch. Maurras enseigner la politique à des hommes bien résolus à marcher à quatre pattes et à manger de l'herbe[1]. » Les événements ne feront plus, aux yeux de Bernanos, que confirmer ses sombres prédictions.

Pour lui, une nouvelle déception l'attend. Ses projets de réorganisation du *Figaro*, les conseils qu'il donne à Coty pour transformer son journal en un pôle d'attraction capable de rassembler toutes les forces saines du pays restent lettre morte. Le parfumeur songe à une combinaison d'Union Nationale où Herriot aurait sa place. Du coup, Bernanos démissionne définitivement. Sa situation est celle qu'il décrivait dans sa lettre à Maurras :

> Ah! j'ai bien organisé ma vie, on peut le dire! je suis un malin. Déjà sympathique aux gens de gauche, comme chacun sait, *L'Imposture* et *La Grande Peur* m'ont rallié les mondes bien-pensants. Aujourd'hui, vous m'excluez à votre tour. Que me reste-t-il donc?
> – Les hommes libres.

1. *Crépuscule*, p. 340.

Chapitre IX

Un Crime et Un Mauvais Rêve

La coupure que l'on enregistre, dans la production romanesque de Bernanos, entre 1929 et 1935, ne s'explique pas seulement par sa participation à la bataille politique. Elle provient, plus profondément, d'un besoin de renouvellement, qu'il confie au directeur des éditions Plon dans une importante lettre datée de février 1935 : « Il me semble que mes trois romans forment un tout. Après *La Joie*, on pouvait prévoir que je me recueillerais pour livrer une autre bataille. Croyez-vous que le public, au fond, ne comprenne pas ce silence ? Et même n'excuserait pas un échec dû à trop de hardiesse, à un trop grand désir de me renouveler [1] ? »

En quoi consiste exactement le renouvellement auquel il aspire ? Il est assez difficile de répondre à cette question, car si l'on compare les trois premiers romans de Bernanos avec ceux qu'il commence en 1931, c'est-à-dire *Un Mauvais Rêve* et *M. Ouine*, on risque d'être plus frappé par la persistance des mêmes thèmes que par l'évolution de l'inspiration. Il semble pourtant tout d'abord que Bernanos ait voulu tenir compte, au moment de choisir de nouveaux sujets, de l'avertissement que lui avait donné Léon Daudet, lorsqu'il lui conseillait, après *L'Imposture*, d'« espacer les soutanes ». En effet, ni *Un Mauvais Rêve*, ni *Un Crime*, ni *M. Ouine* ne réservent à une figure de prêtre la place centrale. Nous ne retrouvons pas non plus, dans aucun de ces trois romans, les milieux « bien-pensants » dans lesquels se déroulaient *L'Imposture* et *La Joie*.

Il y a là plus qu'un changement de personnel romanesque ou de cadre sociologique. Jusque-là, la vision du monde que nous proposait Bernanos était fermement orientée par rapport à deux pôles, celui de la sainteté et celui de la perdition, auxquels s'identifiaient un ou plusieurs personnages. Avec *M. Ouine*, *Un Crime* et *Un Mauvais Rêve*, disparaissent non seulement la figure du prêtre (sauf à titre épisodique) mais aussi la tension entre le saint et le pécheur, entre Dieu et Satan, qui était, dans les romans précédents, le véritable ressort de l'action.

1. *Un Mauvais Rêve*, éd. Béguin, p. 334.

C'est dans ce changement d'optique, croyons-nous, que consiste essentiellement le renouvellement dont Bernanos éprouve le besoin, et la lenteur de son travail s'explique en partie par les difficultés nouvelles auxquelles il est obligé de faire face par suite de la disparition des points de repère familiers. Ces difficultés se traduisent d'abord par des hésitations sur le choix du sujet. Après avoir travaillé pendant un certain temps à ce qui deviendra *Un Mauvais Rêve*, il s'arrête, dégoûté, et s'attaque à un nouveau roman, qui sera *M. Ouine* : « Ai-je bien fait, ai-je mal fait ? Dieu le sait », confie-t-il à Robert Vallery-Radot [1]. Cette question, il semble qu'il se la soit longtemps posée, car jamais il n'a travaillé avec tant d'incertitude et au milieu de tant d'obscurité : « J'écris dans un noir opaque, avoue-t-il en mars 1931, moins que jamais je suis capable de juger ce que je fais, avec tant de peine! » Ses dispositions n'ont guère changé deux années plus tard : « Je fais de mon mieux. Je mijote des heures au fond de cafés ténébreux, choisis comme tels, et où il est absolument impossible de rester cinq minutes sans rien faire, sous peine de crever d'ennui. Mais quand j'ai raturé, déchiré, recopié, puis gratté chaque phrase au papier de verre, je compte que ma moyenne est d'une page et demie par jour. Je vous assure que je ne peux pas faire mieux. » Son découragement est loin de s'atténuer à mesure que son travail avance, et il écrit encore en mai 1934, au moment où il considère le livre comme presque fini : « Mon fameux roman est un lugubre urinoir. Je commence à en avoir assez de pisser si tristement contre le même mur. L'achèverai-je jamais ? Les corrections et ajustements de chapitres m'ont donné un mal infini. A la lecture, cela ne m'apparaît plus qu'à peine. » On comprend, dans ces conditions, qu'il donne, un an plus tard, ce roman comme « le plus grand effort de [sa] vie d'écrivain ». Mais cet effort n'est pas gratuit ni stérile, il en a bien conscience : « *Monsieur Ouine*, écrit-il en décembre 1934, est ce que j'ai fait de mieux, de plus complet. »

En refusant de marcher sur sa lancée et d'exploiter sa renommée grandissante, en se recueillant pendant plusieurs années, au risque de déconcerter son public, pour donner à sa vision du monde une assise plus vaste et plus humaine, il a franchi la seconde grande étape de sa carrière d'écrivain. Durant la première, qui s'est ouverte avec *Sous le Soleil de Satan*, il avait donné libre cours aux images de son univers intérieur. Avec la seconde, il espère parvenir à les dominer et à les ordonner : « Il m'a fallu attendre l'âge de trente-huit

---

1. Février 1931, *Béguin*, p. 165-166. Même référence pour les citations qui suivent.

ans, écrit-il à Pierre Belperron, pour être en mesure de commencer à exploiter une expérience intérieure dont mon premier livre (excusez-moi de le dire moi-même) prouve assez qu'elle pêche plutôt par excès de richesse que par pauvreté. Cette année marque une seconde transformation, voilà tout. Je regrette de parler un langage si prétentieux et qui devrait n'avoir que faire ici, mais je dois bien dire, d'une manière ou d'une autre, que l'essai que je viens de tenter prouve que je commence à dominer cette accumulation de rêves, d'images, de figures, dont la surabondance m'étouffait [1]. »

Il ne fait guère de doute que c'est en grande partie à la composition de *M. Ouine* qu'il est redevable de ce sentiment de progrès. Pourtant, l'essai auquel il fait allusion dans sa lettre n'est pas *M. Ouine*, mais *Un Crime*, et l'impression qu'il éprouve de mieux dominer son monde intérieur s'explique aussi par les conditions très particulières dans lesquelles il a entrepris la composition de ce troisième roman. En juillet 1934, Bernanos, à bout de ressources, a proposé à Pierre Belperron d'écrire pour la maison Plon deux romans policiers par an, qui seraient publiés sous un pseudonyme. Après avoir trouvé, avec l'aide de son ami Michel Dard, un sujet et un cadre, et écrit une première partie, qui est acceptée par Belperron, Bernanos, dont la situation financière ne cesse de s'aggraver, propose à la fin du mois d'août à la maison Plon de le payer à la page et de lui faire parvenir les fonds à mesure qu'il expédiera les fragments achevés de son manuscrit.

Cette nouvelle manière de procéder l'oblige, bien entendu, à un rythme de création moins hésitant que celui auquel il était accoutumé et suppose de sa part une plus grande capacité de maîtriser le travail de son imagination et d'orienter la progression de ses intrigues. Il ne faut peut-être pas exagérer les avantages de ce changement de méthode. Loin d'épargner à Bernanos les hésitations et les erreurs, il l'amène, comme cela se produira justement pour *Un Crime*, à s'embarquer dans des voies sans issue et à ne faire machine arrière que trop tard, après avoir gaspillé beaucoup de temps et de peine. Ses nouvelles conditions de travail n'ont donc pas de vertus magiques. Mais elles sont la conséquence ou le signe, sinon la cause, d'une certaine transformation dans le régime de son imagination. Elles témoignent d'une régularisation et d'un équilibre dont le *Journal d'un curé de campagne*, composé selon cette méthode, apportera la plus belle preuve. Cet équilibre et cette maîtrise sont les fruits de la contrainte que Bernanos s'est imposée entre 1929 et 1935.

---

1. *Un Mauvais Rêve*, éd. Béguin, p. 323. Les extraits de livres qui suivent sont tirés de cette édition, lorsqu'ils ne portent pas d'autre référence.

Avant d'aborder les œuvres qu'il élabore dans cet intervalle, il convient de préciser les conditions matérielles de son existence. Ces années sont marquées par de nombreux changements de domicile. De Clermont-de-l'Oise, où nous l'avons laissé, Bernanos, après une cure à Divonne-les-Bains, puis à Vésenex, où il se soigne pour ses angoisses nerveuses[1], a déménagé pour s'installer sur la Côte d'Azur, d'abord à Toulon, villa « Sainte-Victoire » et villa « Les Algues », puis à La Bayorre, près d'Hyères, villa « Fenouillet ». C'est là qu'il réside depuis 1932, lorsqu'il décide, au début d'octobre 1934, de se transporter avec sa famille à Palma de Majorque, où la vie est moins chère, et où il essaie de vivre selon la plus stricte économie : « Je vais voir, écrit-il à Belperron, si un pauvre diable d'écrivain français, père de six gosses, qui accepte d'être condamné aux travaux forcés à perpétuité, doit encore être condamné à mort, par-dessus le marché[2]. »

Le manque d'argent prend en effet pour lui, durant cette période, des proportions tragiques. Comme il n'a publié aucun nouveau roman depuis *La Joie*, le compte de ses droits d'auteur chez Plon diminue progressivement. En 1932, absorbé par ses articles au *Figaro*, par sa polémique avec Maurras et par une tournée de conférences en Algérie, il n'écrit presque rien. En outre, un très grave accident de moto survenu à Montbéliard en juillet 1933 l'oblige à interrompre longtemps son travail et lui occasionne de nombreux frais. Il est véritablement à bout de ressources lorsqu'il propose à Plon la combinaison dont il vient d'être question, et les lettres qu'il adresse à son éditeur une fois cet arrangement agréé peignent son angoisse avec une intensité qui se passe de commentaires : « Je voudrais seulement vous prier, écrit-il en annonçant l'envoi de cinquante ou cent pages, non de m'avancer l'argent, mais vous supplier de le tenir prêt. C'est-à-dire de me l'envoyer dès réception, et si possible pour que je le reçoive dans *la journée de lundi* [...]. Même mardi soir, il serait trop tard » (20 septembre 1934). « Ne tardez pas à me faire l'envoi de fonds, je vous en prie, sans quoi le 30 serait catastrophique. Cette mendicité me coûte beaucoup à pratiquer, je vous assure. Mais pas un sou devant soi, jamais ! Enfin, ça s'arrangera tôt ou tard. Cinq minutes de Paradis arrangera tout » (27 septembre 1934)[3].

---

1. Cf. la lettre expédiée de Divonne au Dr Tournay : « J'ai fini par échouer dans cette espèce de maison de santé sans murailles ni gardiens où je partage l'eau de la source Nidard (?) avec le fraternel troupeau de dames hystériques et d'obsédés... »
2. *Un Mauvais Rêve*, éd. Béguin, p. 320.
3. *Ibid.*, p. 318-319.

Ces épreuves, qui s'ajoutent aux déceptions politiques et aux affres d'une création particulièrement pénible, ne sont pas faites pour incliner Bernanos vers l'optimisme. Sa correspondance laisse pourtant deviner, au printemps et au début de l'été de 1933, une sorte de rémission. « Je n'ai jamais été aussi heureux », écrit-il à Vallery-Radot à la fin de mars. « Je souffre d'une dilatation de l'espérance qui donne des inquiétudes à mon entourage », avoue-t-il un peu plus tard. Il aspire à changer de personnage, à repartir à neuf, et croit presque la chose possible : « Plus rien de commun, divorce éternel avec l'horrible vieux monsieur au visage bouilli par les ans, que je rencontre parfois dans la glace ; plus rien de commun, divorce éternel[1] ! » C'est à ce moment-là que l'accident de Montbéliard fait de lui un infirme pour le restant de ses jours, le plonge dans la douleur physique et morale, accroît ses embarras financiers. Dès lors ses lettres se remplissent à nouveau de cris de lassitude, parfois très beaux : « La chasse nous a menés très loin, bien plus loin que nous ne pensions aller, le soir tombe, et il s'agit de faire face aux ténèbres, et aux bêtes de l'ombre. Il faut que nous formions le camp, il faut que nous tenions jusqu'au matin. O mort si douce, ô seul matin[2] ! » Réapparaît aussi le vieux rêve de départ pour l'Amérique, d'installation au Paraguay, où l'avaient précédé, avant 1914, ses amis Guy Bouteiller et Maxence de Colleville : « Je partirai coûte que coûte, écrit-il le 27 mai 1934. Coûte que coûte avant l'hiver, qui est là-bas l'été. Rater ce départ me retarderait d'un an. Voilà dix ans que j'aurais dû me rendre libre, sauver mon intelligence, mon cœur, mon œuvre, ma vie, dont le travail opiniâtre des salauds finirait par ne faire qu'un pauvre petit tas de cendres[3]. »

Pourtant, ne nous y trompons pas, Bernanos éprouve une sorte de soulagement et d'amère volupté à toucher ainsi au fond du malheur. Il n'est jamais aussi bien lui-même que lorsqu'il se sent totalement impuissant entre les mains de Dieu. Chez les amis qui l'accueillent et le soignent à Avallon, il refuse, avec douceur et bonne humeur, l'idée de l'« accident stupide » pour lui préférer celle de l'« accident providentiel[4] ». De ce même accident, il dira, trois mois plus tard : « En somme, l'épreuve de juillet est venue juste à temps pour me prouver, au moins, que Dieu m'avait laissé, par pitié, quelque pouvoir de résignation, d'acceptation. Infirme, je me dégoûte moins. Quand je regardais l'autre jour, dans la petite

---

1. *Béguin*, p. 116-117. Cf. aussi le texte complet de la lettre à Vallery-Radot, citée dans *Bul.*, 55-56 (1965), p. 42.
2. *Ibid.*, p. 120.
3. *Bulletin*, n° 2-3, p. 17.
4. François Le Grix, *Une vie*, dans *C. R.*, p. 290.

chapelle, pendant le baptême de Jean-Loup, l'ombre de ma pauvre vieille personne ratatinée sur les béquilles, et toute bossue, ça m'a fait positivement plaisir. Tel quel, je me sens vaguement des droits aux Invalides de la divine et benoîte Providence, avec un uniforme, une casquette et deux sous de tabac à priser [1].» Même la solitude, à laquelle le condamnent sa rupture avec ses amis politiques et son quasi-exil de Majorque correspond chez lui à un vœu secret et ancien, dont il enregistre l'accomplissement non sans ironie, mais avec la satisfaction malgré tout de constater que la mesure est comble : « Tout va bien. Je me sens seul, aussi seul que j'avais rêvé de l'être à quinze ans [2]. »

Pour donner une image exacte des œuvres composées durant cette période, il faudrait tenir le plus grand compte de la simultanéité de leur genèse et des interférences qui en résultent. *Un Mauvais Rêve* est à peine ébauché que Bernanos l'abandonne pour commencer *M. Ouine*, et il a écrit une quinzaine de chapitres de ce dernier roman lorsqu'il entreprend *Un Crime*, dans lequel il compte réutiliser les pages d'*Un Mauvais Rêve* qu'il a déjà écrites. Mais *Un Crime* n'est pas encore achevé que Bernanos commence la rédaction du *Journal d'un curé de campagne*, qu'il mènera de front, une fois *Un Crime* publié, avec celle d'*Un Mauvais Rêve* et de son propre journal.

De cette simultanéité dans la composition résultent des rencontres et des influences parfois inattendues. M. l'abbé Pézeril a, le premier, mis en évidence la parenté du curé de Fenouille dans *M. Ouine* et de celui d'Ambricourt dans le *Journal*, et montré comment la peinture de la « Paroisse Morte » (tel était le titre primitif de *M. Ouine*) a pu amener Bernanos à évoquer, à travers l'expérience de son jeune curé, une autre paroisse, elle aussi gangrenée par l'ennui [3]. On pourrait, de même, rapprocher le vieil écrivain du *Mauvais Rêve* du vieux professeur de *M. Ouine*, ou bien encore montrer que le langage et même les sentiments du curé d'Ambricourt prenant contact avec sa nouvelle paroisse ne sont pas sans analogie avec ceux qu'affecte, dans *Un Crime*, le faux curé de Mégère arrivant, lui aussi, dans une paroisse inconnue [4].

1. *Bul.*, 2-3, p. 17.
2. *Béguin*, p. 122.
3. *Bul.*, 35-36, p. 3-4. Cf. aussi Michel ESTÈVE, *Genèse du Journal d'un curé de campagne*, dans *Ét.*, n° 67-68, 1961, p. 10-13.
4. Ce rapprochement a été fait, depuis que ces lignes ont été écrites, par Henri Deblüe (*op. cit.*, p. 76).

Quelque significatifs que soient ces rapprochements, il n'est cependant guère possible de suivre Bernanos dans toutes les directions où il s'engage simultanément. Bien que *M. Ouine* ait été composé, pour sa plus grande partie, dans la période à laquelle nous sommes arrivés, nous attendrons la date de son complet achèvement pour en aborder l'étude, et nous isolerons, dans sa production du moment, les deux œuvres absolument indissociables que sont *Un Crime* et *Un Mauvais Rêve*.

Albert Béguin a étudié minutieusement la genèse complexe de ces deux œuvres, et il a donné, dans les notes de son édition d'*Un Mauvais Rêve*, les éléments nécessaires pour suivre presque pas à pas le travail du romancier. Nous lui sommes, pour une très large part, redevables[1].

Quelles sont les intentions de Bernanos, au moment où, en 1931, il commence le roman qui deviendra *Un Mauvais Rêve?* Il est impossible de le savoir exactement, car le premier texte que nous en ayons est une copie, établie vraisemblablement au moment où Bernanos avait déjà décidé d'insérer ce début d'*Un Mauvais Rêve* dans *Un Crime*. Mais il est probable que cette copie ne s'écarte pas beaucoup du texte primitif.

Si tel est bien le cas, les grandes lignes du roman, dans son premier état, sont les suivantes. Le jeune Olivier Mainville, secrétaire du célèbre romancier Emmanuel Ganse, écrit à la tante provinciale et voltairienne qui s'est occupée de son éducation après la mort de ses parents. Il lui dépeint avec un enjouement un peu forcé le milieu dans lequel il vit, les habitudes de son patron, luttant avec acharnement contre le tarissement de ses forces créatrices, et surtout la personnalité énigmatique et attachante de la secrétaire de celui-ci, Mme X (Bernanos, dans cette version, ne lui donne pas encore de nom), pour laquelle Olivier éprouve un peu plus que de l'amitié, et qu'il se propose de faire connaître à sa tante. Cette lettre, oubliée par Olivier sur la table du patron, qui s'est empressé de la lire, lui est rendue par le neveu de Ganse, Philippe, dans lequel s'incarne le cynisme désespéré de la jeunesse d'après-guerre. A la fin de leur bref entretien, Philippe annonce à Olivier que le romancier l'attend. La rencontre entre le secrétaire et son patron marque l'affrontement de deux générations dont la plus ancienne observe la plus jeune avec une curiosité mêlée d'inquiétude, mais c'est aussi le choc de deux hommes qui aiment une même femme et cherchent à s'atteindre aux

---

1. Cf. Albert BÉGUIN, *Bernanos au travail*, dans *La Table Ronde*, octobre 1950, et l'édition déjà citée d'*Un Mauvais Rêve* (Plon, 1950). Les variantes de cette dernière édition sont reprises, pour l'essentiel, dans l'édition de la Pléiade.

points sensibles. Olivier y coupe court en s'enfuyant. Un fois dans la rue, il marche sans s'arrêter jusqu'à ce que la fatigue l'étourdisse. L'œuvre ébauchée en est là lorsque Bernanos l'abandonne pour *M. Ouine*, peu de temps après l'avoir commencée, et il n'y a pas touché de nouveau lorsqu'il décide, en août 1934, pour les raisons que nous connaissons, d'écrire un roman policier. Celui-ci ne devait sans doute avoir, à l'origine, rien de commun avec l'œuvre commencée en 1931. L'histoire, qu'il a imaginée avec l'aide de Michel Dard, est celle d'une femme qui, après avoir assassiné une riche châtelaine dans un village de montagne, rencontre dans la nuit un jeune curé, venu prendre possession de son poste, le tue, se revêt de sa soutane, s'installe dans son presbytère, et se fait passer aux yeux des paroissiens pour leur nouveau pasteur, qu'aucun d'eux n'avait jamais vu. Le pseudo-curé peut ainsi égarer la police et le juge d'instruction sur de fausses pistes (le véritable curé, trouvé mourant à deux pas de la maison du crime, paraît être l'assassin, liquidé par un complice), et gagner du temps pour préparer sa fuite. Le secret du déguisement ne sera, bien entendu, soupçonné par le juge et révélé au lecteur qu'à la fin du roman.

Bernanos achève rapidement la première partie (c'est-à-dire l'installation du faux curé dans son presbytère, la découverte du crime et le début de l'enquête) et il l'envoie le 27 août 1934 à son éditeur. « La seconde et la troisième – la seconde surtout – me passionnent beaucoup à écrire », lui annonce-t-il en même temps. Pourquoi ce regain d'intérêt? Parce qu'il a trouvé le moyen d'introduire dans son roman alimentaire des thèmes qui lui sont chers. Dans la seconde partie, qui doit contenir les antécédents de l'héroïne et les mobiles du crime, il a en effet décidé d'utiliser le début du roman délaissé en 1931 pour *M. Ouine* si bien que l'héroïne d'*Un Crime*, la femme déguisée en curé n'est autre, maintenant, que cette Mme X, baptisée désormais Simone Alfieri, qui éprouve pour Olivier Mainville un tendre intérêt[1]. La vieille châtelaine assassinée s'identifie alors avec la tante d'Olivier et le mobile du crime devient le désir d'enrichir le jeune homme en faisant tomber entre ses mains un héritage qui risquait de lui échapper.

Bien entendu, la partie déjà écrite d'*Un Mauvais Rêve* ne pouvait pas être insérée telle quelle dans le roman policier. Il fallait opérer un certain nombre d'ajustements et de raccords, auxquels Bernanos se met à travailler aussitôt la première partie d'*Un Crime* achevée.

---

1. Telle est l'opinion d'Albert Béguin, à laquelle nous nous rangeons. A vrai dire il est impossible de savoir si Bernanos, au moment où il commençait *Un Crime*, ne comptait pas déjà fondre cette histoire avec celle d'*Un Mauvais Rêve*.

Il s'agit tout d'abord de préciser les mobiles qui déterminent Simone Alfieri à assassiner la vieille dame, et de laisser pressentir son dessein. Bernanos imagine, à cet effet, une conversation entre Ganse et Simone, où celle-ci demande au vieil écrivain un congé et essaie d'obtenir de lui une avance de soixante-quinze mille francs, destinée à payer les dettes du jeune homme. Celui-ci a contrefait, pour y faire face, la signature de sa tante, qui le déshéritera à coup sûr si elle découvre son escroquerie[1]. Nous apprenons ainsi qu'Olivier a absolument besoin d'argent et que l'héritage de sa tante, qui le tirerait d'affaire, risque de lui échapper. Une conversation entre Simone et Olivier, qui prend place immédiatement avant la fuite du jeune homme à travers les rues de Paris, nous permet de lire un peu plus avant dans les intentions de la secrétaire. Pour combattre le désespoir d'Olivier, elle lui laisse entrevoir que la mort de sa tante le libérera bientôt de toutes ses entraves. « Oh! oui, tu comptes sur l'endocardite de la vieille dame », lui répond-il. Mais le lecteur a compris que Simone est capable d'aider le destin.

Ayant ainsi précisé les mobiles du crime, dont la première partie du roman policier racontait la découverte, Bernanos n'avait plus qu'à nous montrer Simone se rendant clandestinement à Mégère (le village de montagne où se déroulait cette première partie), s'introduisant de nuit dans la maison de la vieille dame, accomplissant son crime, et rencontrant sur la route, une fois sortie, le nouveau curé de Mégère. Une brève troisième partie, présentée sous la forme d'un rapport de police (Bernanos comptait s'inspirer d'un rapport du Commissaire Guillaume, qui avait démasqué le fameux Bonnot) devait achever d'éclaircir les points obscurs et de lier l'une à l'autre les deux histoires.

Mais Bernanos ne veut pas se contenter d'un simple replâtrage. En reprenant contact avec l'histoire qu'il avait délaissée trois ans plus tôt, il découvre en elle des virtualités qu'il ne peut se résigner à laisser inexploitées. Il y a là trop de thèmes qui lui tiennent à cœur : celui de l'homme de lettres qui s'est épuisé à créer un monde fictif et qui découvre le néant de l'univers qu'il a bâti, celui de la femme que la haine de soi exile de son propre moi et qui se laisse envahir par une image mensongère d'elle-même, celui de la génération d'après-guerre privée de toute raison de vivre. Qu'il serait dommage, par exemple, de faire du crime de Simone Alfieri le geste banal d'une femme qui se sacrifie pour son amant! A ce mobile s'en superpose un autre, qui se précise d'ébauche en ébauche.

---

1. On trouvera ce passage – supprimé dans *Un Mauvais Rêve* – à la page 1817 de l'édition de la Pléiade.

A force de vivre en compagnie des créatures fictives issues de l'imagination de Ganse, Simone a fini par adopter, en face de sa propre vie, l'attitude d'un romancier en face de ses romans. Obsédée par les personnages de Ganse et incapable de s'en délivrer en écrivant elle-même des livres, elle n'a pas d'autre ressource que de faire du roman avec sa propre vie : « J'ai perdu l'espoir de donner à ma pauvre vie un commencement, un milieu et une fin, comme à un livre. Mieux vaut maintenant donner tous mes soins à un épisode, à une expérience, la première venue, n'importe. L'essentiel est de la développer à fond, jusqu'à ses extrêmes conséquences [1]. »

Cette attitude lui est, en quelque sorte, dictée par Ganse, car, dans l'espoir de remédier aux déficiences de son imagination tarissante, il a décidé de faire de la vie de Simone le sujet d'un roman, qui doit avoir pour titre le véritable prénom de la jeune femme, Évangéline. Dès lors le crime qu'elle se propose de commettre lui apparaît comme l'« extrême conséquence » de la situation romanesque à laquelle elle s'est identifiée.

> Hé bien, tenez, voulez-vous que je vous rende un dernier service, lance-t-elle à son patron. Je le finirai, votre livre.
> – Lequel ?
> – Évangéline. Et vous ne me refuserez pas, j'ai quelque droit de vous prendre la plume des mains, car Évangéline, après tout, c'est moi [2].

En reprenant son texte de 1931, Bernanos ne se contente donc pas de l'adapter à l'intrigue du roman policier dont il doit constituer la seconde partie, il l'élargit et l'approfondit dans un sens proprement bernanosien. « Je crois que vous serez content de la seconde partie, écrit-il à Pierre Belperron le 24 septembre. Elle m'a permis de tracer le portrait de mon héroïne (criminelle...) à ma manière, c'est-à-dire à celle que je crois bonne, enfin à la manière Bernanos. Le roman policier prend de la hauteur [3]. » Il réitère ce satisfecit le 15 octobre, mais d'une manière qui laisse deviner une certaine inquiétude sur l'orientation de son travail et le pressentiment de possibles objections : « Je crois que ce que je vous envoie n'est pas indigne du reste. J'ai commencé par vouloir écrire un roman policier, mais on est ce qu'on est. La Maison Bernanos ne travaille pas pour les Prix Uniques [4]. »

---

1. *Pl.*, p. 922.
2. *Ibid.*, p. 1815 (première version).
3. *Un Mauvais Rêve*, éd. Béguin, p. 318.
4. *Ibid.*, p. 321.

Autant avouer qu'il a voulu concilier des exigences contradictoires. Non seulement cette seconde partie, comme le lui reprochera Belperron lorsqu'il aura pris connaissance du manuscrit, « charge beaucoup le roman et rompt un intérêt qui accroche terriblement le lecteur de la première partie », mais encore, chose plus grave, elle substitue à la démarche régressive du roman policier la démarche progressive du roman d'analyse. Les lois du genre policier exigent que la vérité soit reconstituée à partir des indices dont disposent les enquêteurs ou les témoins, et non suivie dans son déroulement et expliquée du point de vue du romancier omniscient. « Je voudrais, écrit Bernanos le 20 décembre, que le lecteur cherche lui-même la solution du problème, parallèlement à l'enquête. » Mais il a eu le tort de mettre entre les mains du lecteur l'autre bout de la chaîne, et de réduire ainsi à très peu de chose le problème à élucider.

Rien d'étonnant, donc, à ce que Belperron refuse cette seconde partie. Bernanos semble s'être laissé facilement convaincre par ses arguments, mais il n'en garde pas moins le sentiment d'une injustice, d'un immense effort fourni pour rien, alors qu'un travail d'une qualité moindre eût été facilement approuvé. « Je vois bien hélas ! que vous trouvez mon bouquin dégueulasse, écrit-il à Belperron après avoir reçu sa sentence. Il y a pourtant des choses pas mal, mais le bon Dieu ne m'a pas mis une plume entre les mains pour rigoler avec[1]. » Son tort a été de viser trop haut, mais il ne désespère pas, du train où vont les choses, d'atteindre à l'imbécillité nécessaire pour réussir : « Ne me plaignez pas : je suis très heureux. La 'nécessité' est en train de me drainer le cerveau par le nez et les oreilles. Quatre ou cinq ans de ce régime me débarrasseront définitivement de cet organe qui ne m'a jamais donné que du souci, et quand je n'aurai plus qu'une paire de fesses pour penser, j'irai l'asseoir à l'Académie[2]. »

Pourtant, il se remet courageusement à l'œuvre. Non seulement il faut refaire la seconde partie, mais les pages qu'il a écrites lui ayant été payées, selon les conventions établies, au fur et à mesure qu'il les envoyait, ce nouveau travail ne devrait théoriquement rien lui rapporter. Aussi propose-t-il un nouvel arrangement, qui sera accepté : « Je demande que ces cinquante pages me soient payées au tarif d'usage. Tout le monde sait que je vis au jour le jour – hélas ! – et que je ne puis mettre ma famille au régime purement hydrique pendant deux semaines. En retour, je m'engage à n'utiliser *en rien* la seconde partie actuelle, dont il me sera ultérieurement

---

1. *Béguin*, p. 171.
2. *Un Mauvais Rêve*, éd. Béguin, p. 331-332.

facile de tirer un conte de cent pages pour le volume de nouvelles à paraître ultérieurement chez vous. Ainsi votre maison, comme de juste, ne perdra pas la valeur de ces pages, déjà payées par elle [1]. »

C'est donc à une refonte totale de toute la seconde partie d'*Un Crime* qu'il lui faut procéder. La meurtrière n'ayant plus rien de commun avec Simone Alfieri, il faut trouver à son geste d'autres mobiles que le désir de mettre son amant en possession d'un riche héritage. Transposant audacieusement la situation, Bernanos imagine alors que son héroïne agit non pour le compte d'un homme, mais pour celui d'une femme, à laquelle elle est liée par un amour contre nature. Celle-ci, Évangéline Souricet, est la nièce de la châtelaine de Mégère et mène une vie retirée à Châteauroux. Mais la meurtrière est elle-même la fille de Mlle Louise, la gouvernante de la vieille dame. Sa mère a soigneusement caché son existence, car elle était religieuse lorsque cette fille est née. Ainsi s'expliquent la facilité avec laquelle la meurtrière a pu s'introduire dans la maison du crime, et même le fait qu'elle soit entrée en relations avec l'héritière de la victime, car, comme elle le lui explique dans sa lettre d'adieux, c'est la perspective du riche héritage qui a poussé, au départ, l'aventurière qu'elle était à partager sa vie.

Mais tout cela ne nous est révélé qu'à la fin du roman. Conformément aux lois du genre policier, Bernanos adopte d'abord, cette fois, le point de vue de l'enquêteur, dont les hypothèses occupent toute la seconde partie. La figure du petit juge et ses curieuses méthodes intuitives prennent ainsi un relief considérable. Même dans la troisième partie, où le mystère est éclairci, les choses nous sont plutôt présentées du point de vue d'un spectateur non averti que de celui du romancier omniscient.

Tout en se pliant ainsi aux exigences techniques qu'il avait d'abord négligées, Bernanos ne peut, cependant, se résigner à ne rien mettre de lui-même dans cette nouvelle version. Albert Béguin a très bien montré que, loin de se contenter de « la simple épure linéaire, toute faite d'actes et de gestes, qui convient au roman d'aventures [2] », il a fait de son héroïne un personnage complexe et attachant, un être équivoque d'où émane une sorte de rayonnement infernal, et qui manifeste les côtés troubles de sa nature par ses relations avec le petit clergeon ou avec la nièce de la victime, ainsi que par l'aisance avec laquelle elle se coule dans la personnalité du prêtre.

1. *Un Mauvais Rêve*, éd. Béguin, p. 331-332.
2. *Ibid.*, p. 341-342.

Cette fois, le résultat est acceptable, mais Bernanos est épuisé par l'effort qu'il lui a fallu fournir. « Je suis à bout, je suis crevé, crevé mort », écrit-il le 4 avril 1935. Ce qui le décourage plus que tout, c'est l'idée de la vanité de son effort. « Je me désespère à penser que j'ai dépensé pour ce livre, et surtout pour cette seconde partie recommencée, plus de courage qu'il ne m'en aurait fallu pour un bouquin qui me satisfasse pleinement[1]. » Ce gaspillage d'énergie, à une époque de transformation, d'intense poussée créatrice, où il aurait pu entreprendre quelque chose de grand, le chagrine particulièrement :

> Qu'on ne me juge pas là-dessus, au moins! Le malheur est qu'au mois d'août dernier, commençant à me sentir capable de travailler beaucoup plus facilement qu'auparavant, j'ai sous-estimé des moyens nouveaux pour moi... J'aurais dû me jeter à corps perdu dans un grand livre, un très grand livre... J'en serais sorti, je le sens bien maintenant – trop tard, hélas [...]! Je répète qu'*Un Crime* est pour moi comme une mesure pour rien[2].

Comme pour confirmer ce verdict sévère, le public, déconcerté, fut réticent, et les directeurs de la revue « 1935 », où l'œuvre avait paru en préoriginale, se plaignirent même des désabonnements que sa publication aurait provoqués.

Restait l'ex-seconde partie d'*Un Crime*, dont Bernanos avait promis à la maison Plon de faire quelque chose. La réalisation de cet engagement lui tenait à cœur non seulement parce que ces pages lui avaient déjà été payées, mais parce qu'il avait conscience d'avoir rouvert, en ébauchant les personnages de cette histoire, la source de ses grandes créations antérieures : « Ganse, Olivier, Évangéline – ces types-là ne me semblent pas indignes de leurs frères ou sœurs du *Soleil*, de *L'Imposture* et de *La Joie* », écrivait-il en décembre 1934.

Lorsqu'il se remet au travail, en juin 1935, il est bien décidé à exploiter toutes les virtualités dont ces personnages lui paraissent riches : « il faut que je réussisse coûte que coûte, écrit-il à Maurice Bourdel, co-directeur des éditions Plon, à faire une part à peu près égale à chacun des personnages qui me semblent si vrais et si rêvés à la fois que je ne me résignerai pas à les quitter avant d'avoir essayé de tirer d'eux tout ce dont ils me paraissent capables. » Ce qu'il écrit, deux mois plus tard, au même correspondant nous éclaire sur le sens de son travail et sur l'élargissement dont il entend faire

---

1. *Bernanos au travail*, p. 14.
2. *Un Mauvais Rêve*, éd. Béguin, p. 341-342.

bénéficier son œuvre, tant sur le plan de l'analyse psychologique
que sur celui de la peinture sociale :

> Il s'agit de transformer en « types » des personnages qui, dans la
> première version, n'étaient que de simples comparses d'une espèce
> de drame policier. Vous pensez bien que je ne veux pas vous
> donner une deuxième version d'*Un Crime*. Je pourrais intituler
> ce roman-là *Au bout du rouleau*. Ce ne sont pas des épaves, comme
> les bonshommes de Green. Ce sont des êtres qui ont perdu leurs
> raisons de vivre, et qui s'agitent désespérément dans le vide de
> leurs pauvres âmes avant de crever. Déchets des vieilles générations
> ou produits avortés des nouvelles – on ne rencontre que ça, quand
> on sait voir [1].

Un grand nombre des développements nouveaux introduits au
moment de cette refonte ont ainsi pour but d'accroître la représen-
tativité sociale des personnages. La conversation entre Olivier et
Philippe, au chapitre II, est largement amplifiée pour permettre
aux deux jeunes gens d'échanger des réflexions amères sur l'après-
guerre et de manifester leur dégoût pour le monde dans lequel leurs
aînés les condamnent à vivre. Ce désespoir provoque, dans la
nouvelle version, un drame inspiré par le suicide du fils de Léon
Daudet, qui s'appelait Philippe comme le neveu de Ganse. Celui-ci
se tue sous les yeux d'Olivier, dans un hôtel fréquenté par les
communistes auxquels il affectait de se mêler. Le choc produit
par se spectacle donne à la fugue d'Olivier un surcroît de vraisemblance. Le thème du conflit des générations est également abordé
dans des passages que Bernanos ajoute à l'entretien entre Ganse
et Simone et à la conversation entre Simone et Olivier, juste avant
la fugue. D'autres additions ont pour but d'approfondir le caractère
des personnages. Ganse, qui n'était dans les versions précédentes
qu'un sous-Zola poussé à la caricature, se charge maintenant d'une
tristesse et d'une angoisse dans lesquelles on trouve, par moments,
un écho de l'expérience de Bernanos, essayant vainement de renouer
avec son enfance et redoutant le tarissement de son pouvoir créateur.
Un chapitre nouveau, le chapitre VI, nous livre les pensées intimes
de l'artiste vieillissant et nous le montre révélant ses obsessions
secrètes au psychiatre Lipotte. De substantielles additions aux
chapitres VIII et IX permettent de même à Bernanos de fouiller
davantage les caractères de Simone et d'Olivier et de préciser la
nature de leurs sentiments réciproques.
   Quant au récit du crime, il ne subit guère de modifications, mais
les changements de perspective qui précèdent en font la résultante

---

1. *Un Mauvais Rêve*, éd. Béguin, p. 351.

d'un enchaînement de circonstances minutieusement analysées :
« Au lieu du roman policier, c'est la tragédie », écrit très justement
Albert Béguin.

Étant donné l'importance de cette refonte, le soin que Bernanos
y apporte, et le prix qu'il attache visiblement à cette œuvre, on peut
s'étonner qu'il n'en ait pas achevé la mise au point et n'en ait pas
obtenu la publication. Cela s'explique en partie par les circonstances
extérieures. Entièrement absorbé par le *Journal d'un curé de campagne*,
puis par *Les Grands Cimetières sous la Lune* et les polémiques qui
en résultèrent, il laissa dormir le manuscrit, dont la publication
lui paraissait moins urgente que celle de *M. Ouine*. Vers 1938,
pourtant, il envisagea la possibilité de le faire paraître chez un autre
éditeur que Plon, mais l'ami qui lui avait suggéré cette décision
se déclara, en fin de compte, déçu par l'œuvre, et Bernanos n'insista
pas.

Faut-il conclure de l'histoire que nous venons de retracer que
nous sommes en présence, avec *Un Crime* et *Un Mauvais Rêve*, de
deux œuvres de seconde zone, dans lesquelles Bernanos n'a pas pu,
à cause d'un certain nombre de contretemps et de fausses manœuvres, s'exprimer aussi complètement que dans ses trois romans
antérieurs ?

Le cas d'*Un Crime* est un peu à part. On ne saurait demander
à une œuvre entreprise pour des raisons strictement alimentaires
et primitivement promise à l'anonymat d'atteindre à la même perfection que des œuvres issues d'une exigence profondément ressentie
et enracinées dans les zones les plus personnelles de l'imagination.
Ce serait pourtant une erreur de croire que Bernanos n'ait eu que
mépris pour le genre policier et l'ait pratiqué sans plaisir. Nous
savons, par le témoignage de Robert Vallery-Radot, que Bernanos
aimait beaucoup les romans policiers et appréciait particulièrement
ceux de Simenon, avec lequel il ne cachait pas son désir de rivaliser
en commençant *Un Crime*. Ce qui l'attirait vers eux n'était pas
seulement, au dire du même ami, leur pouvoir de distraction mais
le fait qu'« il y voyait les paraboles de notre vie spirituelle, le signe
d'un autre univers[1] ». La notation est importante, et doit être
rapprochée d'une réflexion de Carlo Bo écrivant, à propos de la
présence du spirituel dans l'œuvre de Bernanos : « Il suffit parfois
d'un geste pour déceler la vérité profonde d'un événement ; en cela
Bernanos a suivi les enseignements techniques du roman policier,

---

1. *Souvenirs d'un ami*, dans *Bul.*, 1, p. 10.

où, en fin de compte, celui que l'on recherche, c'est toujours Dieu[1]. »
Il y a donc une sorte d'équivalence entre le mystère policier et le
mystère même de l'existence, et à l'effort du coupable pour cacher
son crime, ainsi qu'à celui du juge pour percer son secret, correspondent, dans la vie spirituelle, l'opacité dont s'enveloppe le pécheur
et la clairvoyance surnaturelle du saint, du prêtre et du romancier,
si bien que nous retrouvons au centre d'*Un Crime*, comme nous le
verrons à l'instant, deux des thèmes essentiels d'*Un Mauvais Rêve*,
celui du mensonge et celui du rêve[2].

Cela dit, il est légitime de faire des réserves sur la réussite de
Bernanos dans un genre dont la pratique ne lui était pas familière.
Non seulement le stratagème du déguisement est d'une invraisem-
blance trop criante, mais l'auteur est constamment desservi par la
difficulté qu'il éprouve (ici comme ailleurs, mais c'est évidemment
plus fâcheux ici) à construire une narration solide et claire. Cette
faiblesse technique lui est en somme profitable lorsqu'il s'agit,
comme dans *M. Ouine*, d'évoquer une réalité lacunaire et ambiguë,
mais il faut, dans un roman policier, que les trous du récit soient
parfaitement volontaires et répartis de manière à tenir sans cesse
le lecteur en haleine. Ce n'est pas toujours le cas dans *Un Crime*,
qui reste cependant, sur le plan technique, une réussite honnête.

La faiblesse d'*Un Mauvais Rêve* – car il y en a une – est ailleurs.
Elle tient, je crois, à la situation un peu fausse de Bernanos par
rapport à la jeunesse dont il prétend nous donner l'image. Il pense
la connaître et la comprendre, et nous savons qu'il s'adresse à elle
avec prédilection, mais il ne la voit qu'à travers sa propre interprétation des désastres de l'après-guerre, et il faut avouer que ce n'est
pas un bon moyen pour la représenter telle qu'elle est. Olivier et
Philippe – Philippe surtout – sont presque aussi conventionnels
que le chauffeur russe de *La Joie*, et s'ils peignent parfois leur
situation avec éloquence, cette éloquence ressemble trop à celle
de l'auteur de *La Grande Peur* pour que nous n'ayons pas quelques
doutes sur son authenticité[3].

Les figures de Ganse et de Simone Alfieri sont d'une autre
envergure, et nous mettent en face de situations où la présence de
l'auteur est autrement efficace, parce que nous la sentons plus
interrogative que démonstratrice. Cette présence de l'auteur,
cette identification avec ses personnages, qui accompagne toujours chez Bernanos le véritable travail créateur, se manifestent

---

1. *C. R.*, p. 230.
2. C'est ce qui amène Henri Debluë à voir, d'une manière un peu abusive,
dans *Un Crime*, « une sorte de M. Ouine à l'état larvaire » (*op. cit.*, p. 75).
3. Cf., par exemple, la tirade d'Olivier, *Pl.*, p. 888-889.

ici par des signes fugitifs, mais multiples. Avec une ironie qui n'est pas dépourvue de masochisme, ou qui est peut-être simplement le fait d'une conscience attentive aux dangers qui la guettent, il prête au fabricant de mauvaise littérature qu'est Emmanuel Ganse quelques traits de sa propre personne : il a écrit ses premiers romans « au fond d'une crèmerie de la rue Dante, dont il empruntait chaque jour la table boiteuse, l'encre, le papier quadrillé[1] » ; les feuillets que lui tend sa secrétaire sont « couverts de ratures, de surcharges, les derniers zébrés de haut en bas d'un énorme trait bleu[2] », et l'inquiétude que lui cause, dans le même passage, le petit nombre de pages écrites doit correspondre à un sentiment bien familier à Bernanos à l'époque où ces pages représentaient littéralement son pain quotidien. Mieux encore, Ganse devine que la seule manière de remettre en communication avec la vie son talent éreinté serait de donner la parole à l'enfant qu'il fut, et la réflexion qu'il s'attire de la part de Simone est de celles que Bernanos a dû se faire à soi-même :

> Ce n'est pas la première fois qu'un de vos pareils tente la chose, et si pressés qu'ils aient été de donner au public ce morceau délicat, je pense qu'aucun d'entre eux n'a réussi à déraciner tout à fait le petit enfant qu'il avait été jadis. Les plus malins n'ont donné que de vains simulacres, d'horribles poupées de cire. En tout cas, si cette chose existe encore en vous, gardez-la. Il est peu croyable qu'il vous en reste assez pour vous aider à vivre, mais ça vous servira sûrement pour mourir[3].

Ganse n'est d'ailleurs pas le seul en qui Bernanos ait mis une petite part de lui-même. Simone emploie volontiers l'expression « faire face », qui lui est chère[4]. Olivier a, comme lui, des crises d'angoisse nerveuse durant lesquelles la terreur de mourir l'étreint d'une façon insupportable[5] et son imagination de fugueur est obsédée par les images de routes, qui avaient sur celle de Bernanos un si grand pouvoir.

Mais au-delà de ces ressemblances il y a, plus profondément encore, dans *Un Mauvais Rêve*, un certain nombre de situations-limites qui mettent en cause, dans une sorte de prolongement idéal, les données au milieu desquelles Bernanos doit se débattre quotidiennement comme artiste et comme chrétien.

1. *Pl.*, p. 931.
2. *Ibid.*, p. 913.
3. *Ibid.*, p. 919.
4. Cf. *Pl.*, p. 876, 963.
5. Cf. *Pl.*, p. 945 et 957.

Ce que le personnage du vieux Ganse met tout d'abord en question, c'est la nature même et l'usage de l'imagination chez l'artiste. Que le rêve soit le réservoir où s'alimente son pouvoir créateur, c'est là une conviction que l'expérience de Bernanos place au-delà de toute espèce de doute. Mais il y a une bonne et une mauvaise manière de rêver. De la bonne, le petit juge d'*Un Crime*, qui est un artiste à sa manière, nous donne une illustration (peut-être un peu forcée, car les rêves de l'artiste n'ont pas exactement le même caractère que ceux du dormeur ou du malade qui délire). Il puise dans ses rêves, diurnes ou nocturnes, les éléments nécessaires pour résoudre l'énigme qu'il est chargé d'élucider. Il n'y a pas là de phénomène surnaturel, ni même de prodige relevant de je ne sais quelle explication métapsychique, mais une sorte de purification de l'attention tout à fait comparable à celle qui permet à l'artiste de saisir la réalité substantielle et cachée à laquelle renvoient les apparences. Ce qui permet au petit juge d'entrevoir que le curé de Mégère n'est pas si étranger qu'il le semble au crime commis le soir de son arrivée, c'est en effet la ressemblance troublante qu'il constate, parce que ses rêves la lui suggèrent, entre le curé et certains personnages du drame : « qu'avaient donc de commun entre eux tous ces visages ? La fièvre donnait à cette question un caractère de gravité, d'urgence presque risible, et il se la posait avec angoisse. La réponse vint tout à coup. Si différents qu'ils fussent, soit qu'ils inspirassent la sympathie, la méfiance ou l'aversion, ces visages maintenant familiers se ressemblaient par on ne sait quoi d'inachevé, d'équivoque[1]. » C'est donc à une sorte de divination psychologique que le rêve donne naissance en opérant des rapprochements qu'un esprit fonctionnant suivant les lois de la logique diurne rejette comme invraisemblables. Le rêve permet en effet à celui qui obéit à ses suggestions d'accéder à une autre logique, plus plausible parce que possédant cette suprême garantie de l'enracinement dans l'être qu'est pour Bernanos la continuité avec le passé.

> Rêvez-vous ? demande le juge à l'inspecteur Grignolles.
> – Si je rêve ?
> – Je veux dire : vous arrive-t-il de faire des rêves – non pas de ces rêves qui ne sont qu'images désordonnées à la réalité desquelles le dormeur lui-même ne croit guère, mais de vrais rêves, des rêves dont la logique et la vraisemblance sont telles qu'ils semblent se prolonger au-delà du songe, prennent leur place dans nos souvenirs, appartiennent à notre passé[2] ?...

1. *Pl.*, p. 814.
2. *Ibid.*, p. 832-833.

On voit ce qui caractérise le bon rêve, ou le bon usage du rêve, selon Bernanos : il tend vers la vérité, dont il permet une saisie intuitive parce qu'il a partie liée avec l'être même des choses, et il ne se laisse pas isoler de la vie du rêveur.

Le mauvais rêve, qui est à l'origine de l'étonnante fécondité d'Emmanuel Ganse, présente des caractères exactement opposés. Il suppose, à l'origine, une vie et une société comme absentes d'elles-mêmes et dévorées par l'ennui. Ganse reproche à Olivier de s'arranger avec l'ennui, de s'en accommoder, alors que lui et les hommes de sa génération y trouvent le principe d'une sorte de pouvoir créateur. A qui a perdu le vrai sens de la vie, il faut des rêves, beaucoup de rêves, pour se donner l'illusion de vivre. La fonction sociale de Ganse est d'en produire, et il a conscience de remplir, ce faisant, un double rôle. Il désamorce, en les canalisant et en les identifiant à des archétypes inoffensifs, les rêves de ses semblables qui, livrés à eux-mêmes, transformeraient le monde en une maison de fous, comme le lui explique le psychiatre Lipotte. Plus radicalement, il fait basculer dans la littérature, c'est-à-dire dans le non-être, un monde qui n'a pas d'autre destination que d'y aboutir :

> Je ne crois pas à la jeunesse, dit-il. Je me demande si j'y ai jamais cru, et d'ailleurs je m'en fiche. Je ne crois qu'à la littérature – un point, c'est tout. La littérature n'est pas faite pour les générations succes-sives, mais les générations pour la littérature, puisqu'en fin de compte c'est la littérature qui les dévore. Elle les dévore toutes, et les rend sous les espèces du papier imprimé, comprenez-vous [1] ?

Conçus en marge et en haine de la vie, dont ils pompent la substance sans jamais chercher à en exprimer le secret, les rêves de Ganse, qui lui ont permis de bâtir une œuvre copieuse, mais vide, acquièrent, à la fin de sa carrière, une dangereuse autonomie. Son imagination ne cesse de multiplier « jusqu'à l'absurde, au cauchemar, ces créatures inachevées, mêlées à des lambeaux d'histoires, dont le grouillement donne au malheureux l'illusion, sans cesse renais-sante, de la puissance qu'il a perdue [2] ». La tentation se présente alors pour lui de reprendre contact avec le réel, non pas en donnant la parole à l'enfant qu'il fut, comme il l'envisage fugitivement, mais en faisant en sorte que ses rêves prennent corps dans un être

---

1. *Pl.*, p. 937. Les affinités entre les « mauvais rêves » de Ganse et l'essence même du Mal, dont ils sont en quelque sorte le symbole, ont été étudiées par Henri DEBLUË (*op. cit.*, p. 68-69). Cf. aussi Michel ESTÈVE, *Bernanos*, p. 51, et URS VON BALTHASAR, *op. cit.*, p. 98.

2. *Ibid.*, p. 932.

véritable, à qui il suffira de vivre pour que le roman qu'il projette s'écrive, pour ainsi dire, sans son intervention.

La destinée de Simone Alfieri, qu'il a choisie pour être l'héroïne de l'œuvre en question, montre les dangers de cette usurpation du pouvoir créateur réservé à Dieu seul. Pendant des années elle a, en écoutant ses projets, prêté son âme aux personnages de Ganse, qui, d'avoir été ainsi accueillis par une conscience étrangère, ont acquis cette consistance et cette réalité extérieure à lui-même qu'il n'était plus capable de leur donner. « Vous m'avez remplie de vos créatures, lui dit-elle, j'étouffe. Oui, j'étouffe réellement. Que je tarde encore à redevenir moi-même, et je ne pourrai jamais plus [1]. » On conçoit dès lors l'imprudence qu'il commet en décidant de prendre pour modèle un être qu'il a préalablement vidé de sa personnalité propre et rempli de ses mauvais rêves. Simone est devenue, littéralement, un roman en action, et elle va moins vers son destin personnel que vers la conclusion du livre qu'elle incarne. Mais cette conclusion, elle a pris sur elle de la vivre, car c'est le seul moyen qu'elle a de toucher terre de nouveau et de se délivrer de tous les « moi » fictifs qui l'obsèdent. Dès lors elle échappe à son créateur. Elle prend sur lui une revanche longtemps attendue : « Ça vous fait un peu peur, avouez ? Hein ? J'ai l'air de sortir d'une de vos machines, vous voilà tout à coup en tête-à-tête avec un de vos personnages, et pas moyen de le faire rentrer dans le plan du bouquin. Le voilà qui part tout seul [2]. » Comme Mme Dargent dans la nouvelle de 1922, Simone Alfieri donne corps au rêve du romancier dans le sillage duquel elle vit en commettant le crime qu'il n'a pas osé imaginer, mais qui est bien dans la logique du personnage qu'il a façonné. Par l'intermédiaire de son acte, le rêve et la réalité se rencontrent, mais alors que, dans le bon rêve, la rencontre se situe au point de départ, dans cette unité originelle entre le rêve et le réel que l'artiste sait découvrir et exprimer, elle est ici le résultat d'un envahissement démoniaque de la réalité par le rêve, de l'être par le non-être, et ce n'est pas par hasard qu'elle a pour fruit la mort.

Mais Simone Alfieri ne se modèlerait pas aussi docilement sur les rêves du vieil écrivain si elle ne ressentait au plus profond d'elle-même le besoin de s'évader d'un moi qu'elle abhorre. Nous retrouvons ainsi, encore une fois, la haine de soi à la racine du mensonge, qui est vraiment pour Bernanos la matrice de tout péché. Au moment de commettre son crime, Simone reconnaît, dans une sorte de raccourci aveuglant, que la haine de soi en a été, en réalité, le seul mobile :

1. *Pl.*, p. 921.
2. *Ibid.*, p. 926.

Contre la ridicule victime étendue à ses pieds, elle n'avait jamais
réellement senti aucune haine. La seule haine qu'elle eût vraiment
connue, éprouvée, consommée jusqu'à la lie, c'était la haine de
soi. Comme tout cela était clair! Pourquoi s'en avisait-elle si tard?
Elle s'était haïe dès l'enfance, d'abord à son insu, puis avec une
ambition sournoise, hypocrite, l'espèce de sollicitude effroyable dont
une empoisonneuse peut entourer la victime qu'elle se propose
d'immoler un jour. Sa révolte prétendue contre la société – qui
avait trompé le vieux Ganse après tant d'autres – n'était encore
qu'une des formes de cette haine[1].

On voit par là ce qui rapproche et ce qui sépare le crime de Simone
Alfieri de celui de Raskolnikov dans *Crime et Châtiment*, auquel
il fait penser tant par les modalités de son exécution que par la
personnalité abjecte de la victime. Comme le héros de Dostoïevsky,
Simone tue parce qu'elle se place résolument en-dehors de la loi.
Une femme comme Évangéline, dit-elle à Ganse « tue pour se mettre
d'un coup hors la loi[2] ». Comme lui encore, elle attache beaucoup
moins d'importance à la victime et au mobile de son acte qu'à sa
signification métaphysique : « La victime comptait peu. Le mobile
moins encore. Il suffisait qu'il flattât son orgueil, car elle n'eût
assurément pas tué pour voler[3]. » Mais ce qui était chez Raskolnikov
affirmation délirante de soi-même devient ici volonté délibérée de
se plonger dans le néant après avoir savouré, l'espace d'un instant,
la volupté d'échapper aux fantômes dont l'imagination de Ganse
l'a remplie : « C'est une manière de suicide, moins la chute immédiate, le vertigineux glissement vers le néant. Du moins laisse-t-il
un répit, si court soit-il – ne durât-il que le temps de jouir un instant
de cette solitude sacrée qui ressemble à celle du bonheur ou du
génie[4]. »
Si la haine de soi conduit infailliblement l'héroïne d'*Un Mauvais
Rêve* au crime final, elle commande également tous ses actes antérieurs, et sans doute aussi ceux de tous les autres personnages du
roman, car Bernanos affirme d'une manière on ne peut plus nette
son caractère fondamental et universel, lorsqu'il parle de « cette

---

1. *Pl.*, p. 1020.
2. *Ibid.*, p. 925.
3. *Ibid.*, p. 1021.
4. *Pl.*, p. 1021. Selon R.-D. Reck, qui s'est livré à une comparaison
détaillée entre *Crime et Châtiment* et *Un Crime* (*Bernanos et Dostoïevski*,
dans *Ét.*, n° 6, p. 73-83), la différence tient surtout à ce que le romancier
russe met l'accent sur la psychologie du meurtrier et la destinée de son
âme, alors que Bernanos insiste surtout sur le mystère du mal et le rayonnement pour ainsi dire anonyme du crime dans le village. Il est évident
qu'avec *Un Mauvais Rêve* la psychologie prend sa revanche.

haine secrète de soi-même qui est au plus profond de sa vie – probablement de toute vie[1] ». C'est elle qui motive l'évasion par la drogue comme l'évasion par le mensonge. Bernanos nous suggère lui-même le rapprochement, tout en définissant la qualité de mensonge propre à Simone d'une manière qui nous permet d'établir un lien non seulement avec cette proche cousine qu'est l'héroïne d'*Un Crime*, elle aussi amoureuse du mensonge pour lui-même[2], mais encore avec l'infernal protagoniste de *L'Imposture* :

> Car, bien avant la drogue, le mensonge avait été pour elle une autre merveilleuse évasion, la détente toujours efficace, le repos, l'oubli. Mensonge d'une espèce si particulière, on pourrait dire d'une qualité si rare, qu'il passait souvent inaperçu, même de ses proches, car seuls attirent l'attention, provoquent la colère ou le mépris ces mensonges grossiers, généralement maladroits, que la nécessité commande et qui ne sont le plus souvent qu'une dernière ressource, un moyen extrême employé à contre-cœur dans le seul but d'échapper au châtiment. Mais elle était de celles, moins rares qu'on ne pense, qui aiment le mensonge pour lui-même, en usent avec une prudence et une clairvoyance profondes, et d'ailleurs ne l'apprécient que lorsque le vrai et le faux s'y mêlent si étroitement qu'ils ne font qu'un, vivent de leur vie propre, font dans la vie une autre vie[3].

Mais le mensonge n'est pas seulement le fait d'un personnage. Il est le climat dans lequel ils baignent tous. Il est l'ultime ressource d'une humanité qui est « au bout du rouleau », selon l'expression du vieux Ganse dont Bernanos songea un moment à faire le titre du roman. Parce qu'elle a désappris le secret de s'aimer comme Dieu nous aime et de se rêver comme Il nous voit, cette humanité est devenue la proie du « mauvais rêve » dont la mauvaise littérature de Ganse est le reflet fidèle quoique menteur, fidèle parce que menteur. Roman inachevé et imparfait, *Un Mauvais Rêve* est avant tout un grand mythe du monde moderne, et des relations monstrueuses qu'il favorise entre un public qui a perdu ses raisons de vivre et un art qui a perdu le goût de la vérité.

1. *Pl.*, p. 1021.
2. *Ibid.*, p. 1017.
3. *Ibid.*, p. 863.

Chapitre X

Le Journal d'un curé de campagne

J'ai commencé un beau vieux livre, que vous aimerez, je crois. J'ai résolu de faire le journal d'un jeune prêtre, à son entrée dans une paroisse. Il va chercher midi à quatorze heures, se démener comme quatre, faire des projets mirifiques, qui échoueront naturellement, se laisser plus ou moins duper par des imbéciles, des vicieuses ou des salauds, et alors qu'il croira tout perdu, il aura servi le bon Dieu dans la mesure même où il croira l'avoir desservi. Sa naïveté aura eu raison de tout, et il mourra tranquillement d'un cancer [1].

Cet extrait d'une lettre à Robert Vallery-Radot, datée du 6 janvier 1935, nous livre, toutes proches encore de l'intuition initiale, les grandes lignes du roman de Bernanos que l'on considère en général comme son chef d'œuvre. Il avait commencé à l'écrire en décembre 1934, au moment où il se croyait tout près d'en avoir fini avec *Un Crime*, dont il achevait la première version [2], mais son projet remontait sans doute à quelques mois en arrière.

M. l'abbé Pézeril a montré, en effet, qu'au moment où Bernanos avait abandonné *M. Ouine* pour *Un Crime*, en août 1934, le personnage du curé de Fenouille, apparu au chapitre II (*Pl.*, p. 1462), et la réalité de la « paroisse morte » tendaient à occuper de plus en plus de place dans le roman [3]. Le passage où Bernanos a arrêté sa rédaction, au milieu du chapitre XVI, se situe aussitôt après le point culminant du drame, dans lequel se sont déchaînées les puissances maléfiques à l'œuvre dans le village privé d'âme.

En face de cette prolifération du mal, l'humble et maladroit desservant nouvellement arrivé à Fenouille tend à prendre un relief extraordinaire, mais le rôle que lui a assigné Bernanos lui interdit

---

1. *Béguin*, p. 173-174.
2. Cf. sa lettre datée de Palma, décembre 1934 : « J'ai commencé un nouveau roman. Cette fois, j'ai choisi un grand sujet de ma façon, et je tâcherai d'écrire un beau livre, à la cadence de trois ou quatre pages par jour. »
3. Cf. Daniel PÉZERIL, *Du nouveau sur M. Ouine*, dans *Bul.*, n° 35-36, et Michel ESTÈVE, *Genèse du « Journal d'un curé de campagne »*, dans *Ét.*, n° 2 (1961), p. 5-15.

d'être autre chose qu'un témoin désolé de la perdition dans laquelle
s'enfoncent ses paroissiens, un représentant prophétique de ce
surnaturel auquel on ne fait pas sa part et auquel les habitants de
Fenouille ont cru pouvoir impunément se soustraire.

La fascination qu'exerce sur le romancier le personnage qui
prend forme peu à peu sous ses doigts, jointe à l'impossibilité où
il se trouve d'en développer toutes les virtualités, explique sans
doute qu'il ait éprouvé le besoin, en partant de données très voisines,
de raconter une tout autre histoire. On dirait, en somme, que le
contexte disgracié dans lequel il est obligé d'insérer le petit curé
de *M. Ouine* lui donne comme le sentiment d'une injustice et
l'incite à offrir à son personnage une nouvelle chance, en le faisant
vivre dans un monde dont les apparences sont les mêmes que celles
de la paroisse morte, mais où la présence de Dieu éclate encore
suffisamment pour que nous découvrions à la fin avec le héros que
« tout est grâce ».

De là, entre les deux prêtres, une série de ressemblances, dont les
principales ont déjà été relevées par M. l'abbé Pézeril et par Michel
Estève. De famille modeste l'un et l'autre, ils ont, à un certain moment de leur enfance, été recueillis par une tante cabaretière et ont
gardé une impression profonde des scènes d'estaminet dont ils ont
été les témoins. Le séminaire a été pour eux une sorte de paradis,
d'où ils ont été jetés dans une existence à laquelle rien ne les préparait. Comme le curé d'Ambricourt, celui de Fenouille y a retrouvé
d'instinct une pauvreté dont il sent obscurément qu'elle est son
bien le plus précieux[1]. Cette pauvreté, ils savent l'un et l'autre
qu'ils ont pour mission d'en proclamer le sens divin, à la face d'un
monde qui a, comme le dit le curé de Fenouille au docteur, « scellé
le nom de Dieu au cœur du pauvre[2] ». Inhabiles et inexpérimentés
dans les affaires humaines, ils ont un sentiment profond et quelque
peu excessif de leur incapacité, et ils s'attendent, après avoir provoqué le scandale, à ce que leurs supérieurs les relèvent de leur
ministère[3]. Ayant gardé l'esprit d'enfance, ils éprouvent une surprise
douloureuse devant l'endurcissement et l'optimisme sans espérance
de certains vieux prêtres[4]. Ils connaissent la solitude, et savent
résister à la tentation de la rompre en provoquant la pitié d'autrui[5] ;

1. « Lorsque son courage défaille, la seule image qui lui rend désormais
la paix, détend ses nerfs, c'est celle d'un mendiant sur une route, un vrai
mendiant, besace au dos, poursuivi par les chiens. » *Pl.*, p. 1515.
2. *Ibid.*, p. 1509.
3. Cf. *Pl.*, p. 1505 et 1183.
4. Cf. *Pl.*, p. 1468-1469 pour *M. Ouine*.
5. Cf. *Pl.*, p. 1468 et 1229-1230.

la prière leur est difficile[1] ; enfin deux de leurs mésaventures présentent des ressemblances frappantes : ils reçoivent des lettres anonymes, et on les ramasse, sanglants, après une chute nocturne.

Mêmes analogies entre les deux paroisses, l'une et l'autre dévorées par l'ennui[2], l'une et l'autre sourdement dressées contre le prêtre en vertu d'une haine mystérieuse. En les contemplant sous la bruine ou la pluie, en réfléchissant aux pensées qui les occupent, leurs curés songent à l'âme lente des bêtes[3], et ils pressentent tous deux qu'elles seront l'instrument de leur sacrifice. « Il m'aura comme les autres, plus vite que les autres sûrement », dit le curé d'Ambricourt après avoir imaginé que le village l'a cloué sur la croix[4]. Et celui de Fenouille : « Oui, ce petit village a eu raison de moi et il aura raison de bien d'autres[5]. »

Si grandes que soient ces analogies, nous avons pourtant l'impression, en passant de Fenouille à Ambricourt, de passer d'une image de la perdition qui a la grandeur et la pureté d'un mythe à une représentation de la vie réelle où le bien et le mal se font équilibre, même si, comme le dit le petit curé dans les premières lignes du roman, le centre de gravité est placé très bas. La tonalité sombre du roman ne doit pas, à cet égard, faire illusion. Bernanos avait tellement conscience d'y avoir mis plus de lumière que dans les précédents qu'il protesta vigoureusement, en février 1936, contre un projet de « prière d'insérer » qui présentait les choses sous un jour trop noir.

A le lire, écrit-il, on croirait que le *Journal* ne se distingue pas de mes autres livres... « De quelque côté qu'il se tourne, il ne rencontre que lâcheté, cupidité. » – Ce n'est pas vrai! Il y a le curé de Torcy, le docteur Delbende, la Comtesse, Chantal, la chère petite poule du défroqué – jamais, dans aucun de mes livres, je n'ai lâché tant d'enfants et de héros[6].

Bien mieux : les médiocres eux-mêmes, sur lesquels il s'acharnait jusqu'ici avec tant de rage qu'on pouvait se demander s'ils avaient part à la Rédemption, sont l'objet, dès le début de son travail, d'une réhabilitation inattendue et définitive :

1. Pour *M. Ouine*, cf. *Pl.*, p. 1513.
2. Rapprocher *M. Ouine* : « il n'y a pas de malheur des hommes, monsieur l'abbé, il y a l'ennui... » (*Pl.*, p. 1465), et *Journal* : « Ma paroisse est dévorée par l'ennui » (*Pl.*, p. 1031).
3. *Pl.*, p. 1482 et 1031.
4. *Ibid.*, p. 1061.
5. *Ibid.*, p. 1508.
6. *Béguin*, p. 176.

Je crois, écrit-il en janvier 1935, que je puis écrire maintenant proprement, parce que je suis réellement sans colère. Du moins sans haine. Tous misérables. Dieu choisit parmi les médiocres des amis, pour les élever jusqu'à lui. Ils n'en étaient pas moins médiocres avant. Il leur donne tout, richesses, apanage, titres, charges de cour, et jusqu'à leur nom même. On les aime parce qu'Il les aime. On les vénère et on les prie pour la même raison. Alors je trouve inutile d'étourdir d'invectives les autres. Les autres, hélas! c'est nous [1].

On ne saurait pousser plus loin le sens de la transcendance de Dieu et de la gratuité de ses dons, ni s'éloigner davantage de ce qu'il y avait encore d'aristocratique dans la conception de la sainteté qui s'exprime dans *Sous le Soleil de Satan*. A ces vues pleines d'humilité font écho, dans le corps même du roman, les paroles du curé de Torcy à propos du docteur Delbende, qui est un Bernanos sans la foi, et surtout peut-être un Bernanos avant la rencontre avec la divine simplicité de la petite sœur Thérèse :

Tout le mal est venu peut-être de ce qu'il haïssait les médiocres [...]. Le médiocre est un piège du démon. La médiocrité est trop compliquée pour nous, c'est l'affaire de Dieu. En attendant, le médiocre devrait trouver un abri dans notre ombre, sous nos ailes [...]. Je lui ai posé la question un jour : Et si Jésus-Christ vous attendait justement sous les apparences d'un de ces bonshommes que vous méprisez, car sauf le péché il assume et sanctifie toutes nos misères? Tel lâche n'est qu'un misérable écrasé sous l'immense appareil social comme un rat pris sous une poutre, tel avare un anxieux convaincu de son impuissance et dévoré par la peur de « manquer ». Tel semble impitoyable qui souffre d'une espèce de phobie du pauvre, – cela se rencontre, – terreur aussi inexplicable que celle qu'inspirent aux nerveux les araignées ou les souris. Cherchez-vous Notre Seigneur parmi ces sortes de gens? lui demandais-je. Et si vous ne le cherchez pas là, de quoi vous plaignez-vous ? C'est vous qui l'avez manqué [2]...

L'importance de ce changement de perspective est considérable, et ses conséquences, du point de vue romanesque, sautent aux yeux. Nous ne retrouvons plus, dans le *Journal d'un curé de campagne*, de ces personnages figés dans le ridicule ou l'odieux par le mépris d'où ils sont issus. Sans doute, dans l'œuvre antérieure, un Lipotte ou un Ganse arrivaient-ils à être rachetés, *in extremis*, à cause de la part de lui-même que Bernanos finissait par y mettre.

1. *Ibid.*, p. 174.
2. *Pl.*, p. 1123.

Mais leur naissance restait marquée par une sorte d'aversion qui empêchait leur créateur de partager avec eux ce qu'il appelle admirablement « le pain des âmes ». Seuls les personnages de *M. Ouine* échappaient, jusqu'ici, à cette inégalité dans le traitement, mais cela tenait sans doute à ce qu'ils étaient tous plongés dans un tel océan de disgrâce, tous participants à un tel drame surnaturel qu'il ne pouvait pas y avoir, à proprement parler, de médiocres parmi eux. Dans le *Journal*, au contraire, la grâce, dont le curé découvrira dans ses derniers moments l'universelle emprise, baigne dès le début, sans qu'ils s'en doutent, les personnages les plus enfoncés non seulement dans la révolte et dans le péché, mais même dans cette atonie ou cet endurcissement qui semblaient jusque là sans rémission.

Il y a là le signe d'une authentique conversion, d'un événement spirituel dont les dispositions dans lesquelles Bernanos écrit son livre nous permettront de saisir d'autres symptômes, mais dont l'origine reste cachée au plus profond de sa conscience. Est-ce l'accident de Montbéliard qui l'a amené à opérer ce renoncement définitif à soi-même au prix duquel il découvre l'abandon libérateur ? Est-ce, plus prosaïquement, le sentiment de repartir pour une nouvelle vie après son installation à Palma ?

Il me semble plutôt que la grâce dont Bernanos est l'objet au moment où il écrit le *Journal*, et dont le *Journal* porte évidemment la marque, est intimement liée au fait d'écrire ce livre, qu'elle est ce livre même. On pense souvent à tort qu'un écrivain traduit son expérience dans ses livres, alors que ce sont ses livres qui constituent son expérience et orientent sa vie. « Pour moi, écrit Bernanos à Cecil Michaelis le 5 juin 1939, l'œuvre de l'artiste n'est jamais la somme de ses déceptions, de ses souffrances, de ses doutes, du mal et du bien de toute sa vie, mais sa vie même, transfigurée, illuminée, réconciliée [1]. » De tous ses romans, celui auquel cette confidence s'applique le mieux est sans aucun doute le dernier en date au moment où il écrit ces lignes. Il reviendra, l'année suivante, sur cette transcendance de l'œuvre, qui part de la vie, mais la dépasse et la transfigure : « A l'ordinaire, les gens de mon métier se plaignent de ne pouvoir transcrire, la plume à la main, qu'une part dérisoire du monde intérieur dont ils gardent le secret (...). Loin d'avoir l'impression de n'exprimer qu'un petit nombre des sentiments qui m'animent, me donnent une âme – je m'étonne qu'ils aient fourni la matière d'une œuvre, je ne sais par quel don, par quel miracle [2]. »

1. *C. R.*, p. 50.
2. *Enfants*, p. 206.

Le miracle, c'est tout d'abord de se mettre à écrire et de se trouver
transporté dans son enfance. Pareille chose lui est arrivée – il l'affirme – pour chacun de ses romans, mais aucun ne lui a sans doute
permis de revivre d'une manière si pleine et si fidèle les jours de
Fressin. A la châtelaine des environs qui s'inquiétait, après la
publication des premiers chapitres du roman dans la *Revue hebdo-*
madaire, de trouver beaucoup de traits de son père dans le personnage du comte, Bernanos répond :

> J'ai commencé le *Journal* un soir du dernier hiver, absolument
> sans savoir où j'irais. Combien j'ai commencé ainsi de romans
> qui n'ont pas été jusqu'à la vingtième page, parce qu'ils ne menaient
> nulle part! N'importe! Dès que je prends la plume, ce qui se lève
> tout de suite en moi, c'est mon enfance, mon enfance si ordinaire,
> qui ressemble à toutes les autres, et dont pourtant je tire tout ce
> que j'écris comme d'une source inépuisable de rêves. Les visages
> et les paysages de mon enfance, tous mêlés, confondus, brassés par
> cette espèce de mémoire inconsciente qui me fait ce que je suis,
> un romancier, et s'il plaît à Dieu, aussi, un poète, n'est-ce pas,
> vous comprenez cela [1] ?

De plonger ainsi dans son enfance, Bernanos éprouve une paix
qui ne le quitte pas durant tout le temps où il écrit son roman.
Le *Journal* est le seul de ses livres qu'il ait composé entièrement
dans la joie, le seul dont il n'ait jamais douté. Il interrompt son
travail à regret et y retourne avec bonheur : « Je me remets demain
à mon *Journal* – quelle joie! » ; « J'ai grande hâte de reprendre mon
Journal d'un curé » ; « A propos du *Journal d'un curé,* je crois que
je le reprendrai bientôt. J'ai besoin de pleurer un peu ». Alors qu'il
a toujours, à un moment ou à un autre, traîné ses livres comme des
croix, il parle sans cesse avec amour de la « grande vieille belle chose »
qu'il est en train d'écrire, des « quelques âmes très chères » qu'il y
fait vivre. « Il se peut, dit-il, que je n'aie jamais atteint jusqu'ici
à cette fermeté, cette tendresse. Je voudrais que ce livre rayonnât. »
Il pense en effet que ce roman est différent des autres, qu'il est
susceptible de dissiper des équivoques, de toucher le cœur de beaucoup de lecteurs, parce qu'il a conscience de n'avoir « jamais fait
– même de loin – un tel effort de dépouillement, de sincérité, de
sérénité pour les atteindre ». Ce sentiment ne le quittera pas une
fois l'œuvre publiée.

> Oui, j'aime ce livre. J'aime ce livre comme s'il n'était pas de moi.
> Je n'ai pas aimé les autres. *Le Soleil de Satan* est un feu d'artifice

1. *Bul.,* n° 1.

tiré un soir d'orage, dans la rafale et l'averse. *La Joie* n'est qu'un murmure, et le *Magnificat* attendu n'y éclate nulle part. *L'Imposture* est un visage de pierre [1]...

Bernanos a donc eu, en écrivant le *Journal d'un curé de campagne*, l'impression de se trouver ou de se retrouver soi-même, de donner forme ou langage à des parties de son être qui ne s'étaient encore jamais exprimées. Cela ne tient pas seulement au fait que le sujet le replonge dans l'univers de son enfance, mais aussi, sans nul doute, à la forme du journal, qu'il utilise ici pour la première fois. Ce n'est pas seulement une fiction commode pour donner au récit un cachet d'authenticité. C'est un moyen pour lui de participer à l'aventure spirituelle de son héros et de la transformer en sa propre substance ; c'est un moyen de faire d'un itinéraire fictif l'instrument d'une découverte et d'une transformation réelles. Chose curieuse, au moment où il travaille au *Journal d'un curé de campagne*, ou plus exactement au moment où il est obligé de l'interrompre pour finir *Un Crime*, Bernanos commence son propre journal : « je me suis mis, annonce-t-il à Belperron, à écrire mon journal (pas celui du curé, le mien) et j'y travaille chaque jour une heure. Écoutez, mon vieux, je crois que ce sera assez beau. Émouvant, du moins [2]... » On dirait qu'il ne peut plus se passer de ce tête-à-tête avec soi-même auquel il a pris l'habitude de se livrer par l'intermédiaire de son personnage.

Le curé de campagne est un homme qui écrit. Non pas un écrivain (Bernanos se défendait de l'être, et son curé s'accuse parfois de coquetteries de style), mais un homme qui connaît ou qui découvre les pouvoirs et les pièges du langage. Les réflexions sur ce sujet qui jalonnent le roman ne sont pas là seulement pour la vraisemblance, pour justifier la place que le journal occupe dans la vie de ce jeune prêtre. Elles correspondent à un effort pour définir le statut de l'écriture, et notamment de cette forme d'écriture où celui qui écrit se prend lui-même pour objet, dans une existence qui se veut tournée vers Dieu. Dans ce procès du langage, le curé de Torcy paraît jouer le rôle d'avocat du Diable. C'est lui qui met le plus sévèrement en question la complaisance à soi-même impliquée dans le souci de l'expression littéraire : « D'une manière générale, dit-il au curé d'Ambricourt qui vient de lui montrer une de ses pages, s'il y a toujours avantage à penser juste, mieux vaudrait en rester là. On voit la chose telle quelle, sans musique, et on ne risque

---

1. *Béguin*, p. 173-175.
2. Fin avril 1935. *Un Mauvais Rêve*, éd. Béguin, p. 339.

pas de se chanter une chanson pour soi tout seul[1]. » Mais le jeune
curé est lui-même très conscient du risque d'imposture que comporte
le recours au langage :

> C'est une des plus incompréhensibles disgrâces de l'homme, qu'il
> doive confier ce qu'il a de plus précieux à quelque chose d'aussi
> instable, d'aussi plastique, hélas, que le mot. Il faudrait beaucoup
> de courage pour vérifier chaque fois l'instrument, l'adapter à sa
> propre serrure. On aime mieux prendre le premier qui tombe sous
> la main, forcer un peu, et si le pêne joue, on n'en demande pas plus[2].

Mais le danger que perçoit le curé d'Ambricourt est bien plus
profond encore que ne le soupçonne son confrère, et c'est évidemment l'expérience de Bernanos qui inspire ses réflexions. Il n'y a
pas d'écriture sans un certain dédoublement. Écrire, c'est prêter
l'oreille à une voix qui est à la fois en nous et hors de nous ; c'est
s'adresser à un interlocuteur invisible qui nous comprend et nous
console parce qu'il nous ressemble comme un frère. Ce tête-à-tête
narcissique avec nous-mêmes, qui nous amène à nous attendrir
sur notre personne, au lieu de la remettre entre les mains de Dieu,
n'est-il pas le contraire de la prière, et l'interlocuteur invisible avec
qui nous avons tant de plaisir à converser n'est-il pas le diable ?
Sans jamais se la formuler clairement, le curé se pose évidemment
la question lorsqu'il compare l'aisance avec laquelle il rédige son
journal à la difficulté avec laquelle il prie, ou l'exactitude de l'examen
de conscience avec le caractère évasif du regard qu'il dirige sur
lui-même quand il écrit :

> Lorsque je me suis assis pour la première fois devant ce cahier
> d'écolier, j'ai tâché de fixer mon attention, de me recueillir comme
> pour un examen de conscience. Mais ce n'est pas ma conscience
> que j'ai vue de ce regard intérieur ordinairement si calme, si
> pénétrant, qui néglige le détail, va d'emblée à l'essentiel. Il semblait
> glisser à la surface d'une autre conscience jusqu'alors inconnue
> de moi, d'un miroir trouble où j'ai craint tout à coup de voir surgir
> un visage – quel visage : le mien, peut-être ?... Un visage retrouvé,
> oublié[3].

L'inquiétude se précise à mesure qu'il constate la place que le
journal occupe dans sa vie, aux dépens peut-être de la prière :

1. *Pl.*, p. 1067.
2. *Ibid.*, p. 1061-1062.
3. *Ibid.*, p. 1036.

Le pire est que je trouve à ces confidences une si grande douceur qu'elle devrait suffire à me mettre en garde. Tandis que je griffonne sous la lampe ces pages que personne ne lira jamais, j'ai le sentiment d'une présence invisible qui n'est sûrement pas celle de Dieu – plutôt d'un ami fait à mon image, bien que distinct de moi, d'une autre essence... Hier soir, cette présence m'est devenue tout à coup si sensible que je me suis surpris à pencher la tête vers je ne sais quel auditeur imaginaire, avec une soudaine envie de pleurer qui m'a fait honte[1].

On percevra mieux encore le caractère maléfique de ce miroir en remarquant que, pour le curé de Torcy, la Sainte Vierge, l'être par excellence sans péché, est radicalement incapable de tels retours sur soi : « Une source si pure, si limpide, si limpide et si pure, qu'elle ne pouvait même pas y voir refléter sa propre image, faite pour la seule joie du Père – ô solitude sacrée[2] ! »

Il y a donc une malédiction de l'écriture, qui amène par moments le curé à projeter de détruire son journal, ou à en faire disparaître effectivement des passages. S'il le continue jusqu'à ses derniers instants, ce n'est pas sans avoir découvert et magnifiquement évoqué, au plus dur de son renoncement, lorsqu'il est tenté de confier le secret de sa mort prochaine à la cabaretière qui l'accueille, le pouvoir religieux du silence et son rôle dans le mystère de la Communion des Saints :

> Le silence intérieur – celui que Dieu bénit – ne m'a jamais isolé des êtres. Il me semble qu'ils y entrent, je les reçois ainsi qu'au seuil de ma demeure. Et ils y viennent sans doute, ils y viennent à leur insu. Hélas! je ne puis leur offrir qu'un refuge précaire! Mais j'imagine le silence de certaines âmes comme d'immenses lieux d'asile. Les pauvres pécheurs, à bout de forces, y entrent à tâtons, s'y endorment, et repartent consolés sans garder aucun souvenir du grand temple invisible où ils ont déposé un moment leur fardeau[3].

S'il continue pourtant son journal c'est que, malgré ses dangers, il y trouve une aide spirituelle. Celle-ci est définie de manières diverses, et pas toutes également convaincantes. Ce qui nous frappe le plus, bien entendu, c'est encore une fois ce qui paraît se rattacher le plus directement à l'expérience de Bernanos écrivain. « [Ces pages] m'ont délivré du rêve. Ce n'est pas rien », dit le curé[4].

1. *Ibid.*, p. 1049.
2. *Ibid.*, p. 1193.
3. *Ibid.*, p. 1230.
4. *Ibid.*, p. 1223.

Et un peu plus tôt il évoque – tant il est vrai qu'on écrit toujours pour quelqu'un – son futur lecteur : « Je ne puis penser sans amitié au futur lecteur, probablement imaginaire, de ce journal... Tendresse que je n'approuve guère car elle ne va sans doute, à travers ces pages, qu'à moi-même. Je suis devenu auteur ou, comme dit M. le doyen de Blangermont, poâte... Et cependant[1]... » Oui : et cependant... La tendresse avec laquelle le curé d'Ambricourt et Bernanos lui-même s'adressent au lecteur comme à un être fraternel, semblable à eux, n'est peut-être pas un piège du démon. Le mot de tendresse, on l'a vu, est celui qui vient spontanément sous la plume de Bernanos lorsqu'il songe au rayonnement que devrait avoir son œuvre, et ce n'est pas seulement la tendresse d'un homme qui s'attendrit sur ses malheurs, mais celle d'un homme réconcilié, d'un homme qui a reçu la grâce qu'implorait Baudelaire :

> – Ah! Seigneur! donnez-moi la force et le courage
> De contempler mon cœur et mon corps sans dégoût[2]!

Comme l'a très bien vu Nicole Winter, « la figure du curé d'Ambricourt est le visage d'une réconciliation de Bernanos avec lui-même[3] ». C'est en effet dans le *Journal d'un curé de campagne* que se trouvent ces lignes (les dernières écrites par le héros), si capitales lorsqu'on sait l'importance du thème de la haine de soi dans toute l'œuvre de Bernanos et dans le *Journal* lui-même, où elle constitue la clef du personnage de Chantal et la source de sa révolte :

> ...Je suis réconcilié avec moi-même, avec cette pauvre dépouille. Il est plus facile que l'on croit de se haïr. La grâce est de s'oublier. Mais si tout orgueil était mort en nous, la grâce des grâces serait de s'aimer humblement soi-même, comme n'importe quel des membres souffrants de Jésus-Christ[4].

Cette réconciliation avec soi-même s'opère au terme d'une évolution dont le journal est à la fois l'instrument et le témoin.

---

1. *Ibid.*, p. 1117-1118.
2. *Un Voyage à Cythère.*
3. *Conception bernanosienne du sacerdoce à partir du « Journal d'un curé de campagne »*, dans *Ét.*, nº 2, 1961. Henri Debluë écrit de son côté – et nous sommes pleinement d'accord avec lui : « Ce livre – comme tous les autres, mais à un degré supérieur – a constitué un véritable événement spirituel : une occasion de se découvrir et de s'éprouver. Sous ce rapport, le curé d'Ambricourt – à qui l'auteur n'a 'pas osé donner de nom' – est comme l'ange littéraire de Bernanos » (*op. cit.*, p. 244).
4. *Pl.*, p. 1258.

Notre intention n'est pas d'en retracer toutes les étapes, mais d'insister seulement sur les éléments relativement neufs dans la vision du monde de Bernanos qu'elle suppose. Le P. M.-J. Congar en a bien défini l'essentiel en écrivant que l'idée centrale du roman n'est pas celle du péché, mais celle de l'Église dans ses rapports avec la pauvreté[1].

Bernanos n'a évidemment pas attendu le *Journal d'un curé de campagne* pour découvrir la réalité de l'Église. Chacun de ses saints était lié non seulement à l'Église invisible par le mystère de la communion des saints, mais aussi à l'Église visible par l'intermédiaire d'un de ses représentants, duquel il tenait sa mission : l'abbé Menou-Segrais pour Donissan, l'abbé Chevance pour Chantal. Mais cette mission possédait, dans les deux cas, des caractères exceptionnels et héroïques qui ne permettaient pas de la replacer aisément dans la vie quotidienne de l'Église.

Le curé d'Ambricourt, au contraire, s'élève vers la sainteté en accomplissant les tâches les plus ordinaires du ministère paroissial, au sein d'une condition dont il subit les contingences sociologiques et dont il partage les plus humbles soucis. Sans doute cela n'est-il pas suffisant pour faire un prêtre, et l'on n'a pas manqué de reprocher à Bernanos d'avoir cantonné le sien dans un petit nombre d'activités dont aucune ne correspond à la plénitude du sacerdoce. Sa prédication n'est évoquée qu'au sujet d'un sermon dans lequel il a eu ce que le comte appelle ironiquement « une belle envolée ». La messe quotidienne semble occuper très peu de place dans ses pensées. Nous ne le voyons pratiquement pas administrer de sacrements (ni la scène avec Chantal ni la scène avec la comtesse n'entrent, à proprement parler, dans le cadre du sacrement de pénitence), et en ce qui concerne ses rapports avec ses ouailles, il nous apparaît beaucoup moins comme le pasteur d'une communauté paroissiale que comme l'interprète de Dieu auprès d'un certain nombre d'individus parmi lesquels les habitants du château occupent une place excessive.

Faut-il en conclure, avec le P. Blanchet, que « tout ce qu'est ce prêtre, un laïc pourrait l'être ; tout ce qu'il fait, un laïc pourrait le faire[2] » ? On en est d'autant plus tenté qu'il y aurait là une preuve de plus de la communication intime qui s'est établie entre Bernanos et son personnage, de l'impossibilité où il se trouve de le plonger

1. *L'Église selon M. G. Bernanos*, dans *La Vie intellectuelle*, 25 juin 1936.
2. *Le prêtre dans le roman d'aujourd'hui*, Paris, Desclée De Brouwer, 1953, p. 61.

dans une expérience radicalement différente de la sienne. Pourtant, il semble que ce serait là méconnaître les véritables intentions de l'auteur. Celui-ci n'a pas voulu écrire un roman sur le sacerdoce – à supposer que le sacerdoce puisse être un sujet de roman – mais nous faire participer au drame et au sacrifice d'un prêtre dont la vocation particulière est de porter les promesses du Christ et de l'Église à un monde muré sur lui-même par le péché. Un tel dessein n'exigeait pas que fussent représentées toutes les activités sacerdotales du prêtre, mais celles-là seulement par lesquelles il affronte, dans sa fragile humanité, les forces qui s'opposent à l'avènement du royaume de Dieu. Comme le lui dit le curé de Torcy, il n'est pas « construit pour la guerre d'usure[1] », mais pour le combat aux premières lignes – ce combat qu'il a presque physiquement l'impression de livrer lorsqu'il observe le visage de Chantal avec « la curiosité du soldat qui se risque hors de la tranchée pour voir enfin l'ennemi à visage découvert[2] ».

En cela, la vocation du curé d'Ambricourt n'est pas différente de celle de Donissan, et il n'est pas étonnant que Bernanos ne fasse pas intervenir ce qui, dans leur activité de prêtres, reste en dehors d'elle. La différence, c'est que le prêtre du *Journal* donne beaucoup plus l'impression de mener ce combat dans et avec l'Église que celui du *Soleil*. Tout se passe, ici, à un niveau d'incarnation supérieur. La mal n'est pas seulement à l'œuvre dans les consciences. Nous le découvrons, avec le jeune prêtre, glissé dans les structures sociales, solidement implanté dans l'histoire, organisé comme un monde cohérent et solidaire pour résister à la pression de l'amour divin. Ce n'est donc pas seulement par souci de réalisme que Bernanos a multiplié les indications permettant de situer socialement ses personnages, ou d'imaginer leurs soucis matériels. C'est parce que le mal a un visage social qui s'appelle la misère, l'injustice, le mépris du pauvre. Le problème posé au prêtre n'est pas de libérer individuellement quelques âmes enfermées dans leur péché, mais de sauver ce monde où le mal a fait son nid. La paroisse, c'est bien entendu les âmes des paroissiens, mais c'est aussi les maisons, le village « couché là, dans l'herbe ruisselante, comme une pauvre bête épuisée[3] », et qui, depuis des siècles, endure « patiemment le chaud et le froid, la pluie, le vent, le soleil, tantôt prospère, tantôt misérable[4] ».

1. *Pl.*, p. 1077.
2. *Ibid.*, p. 1137.
3. *Ibid.*, p. 1031.
4. *Ibid.*, p. 1061.

Si la méditation du prêtre devant cette paroisse qui aura raison de lui comme elle a eu raison de ses prédécesseurs ne s'achève pas en désespoir, c'est parce que, malgré les tensions que nous verrons se dessiner dans un instant, il a conscience d'agir en tant que représentant de l'Église, en tant que héraut du peuple de Dieu, auquel la vocation de ce monde est de s'identifier. C'est en vain, en effet, que la société croit pouvoir rester ce qu'elle est, « le christianisme lui a donné une âme, une âme à perdre ou à sauver ». Et le curé de Torcy de renchérir : « La société moderne peut bien renier son maître, elle a été rachetée elle aussi, ça ne peut déjà plus lui suffire d'administrer le patrimoine commun, la voilà partie comme nous tous, bon gré, mal gré, à la recherche du royaume de Dieu[1]. »

Ces paroles, ainsi que beaucoup de celles qui concernent la place de l'Église dans l'économie du salut, sont prononcées par le curé de Torcy. Mais on risquerait de très mal comprendre le *Journal d'un curé de campagne* si l'on s'imaginait que les idées du curé d'Ambricourt diffèrent, pour l'essentiel, de celles de son aîné. Leurs désaccords, qui vont s'atténuant à mesure qu'ils se connaissent mieux – et aussi à mesure que Bernanos progresse dans son roman, comme s'il renonçait à une opposition qu'il avait voulue d'abord plus tranchée – portent surtout sur le style de vie du prêtre, et sur la nature de ses rapports avec ses paroissiens. Si le curé de Torcy secoue quelquefois rudement son jeune confrère, c'est parce qu'il a peur que son inexpérience, sa naïveté, ses illusions, ses maladresses ne l'amènent à gaspiller ses forces et à se consumer dans une agitation inutile. Encore devine-t-il assez vite que la vocation de son ami exclut cette sagesse, cette prudence et ce réalisme qu'il lui prêche. Tout en le comparant à « un frelon dans une bouteille » et en le déclarant capable de « casser » sa paroisse, si une paroisse n'était pas quelque chose de solide, il reconnaît que les voies de Dieu ne sont pas celles du monde, qu'« on ne propose pas la vérité aux hommes comme une police d'assurances ou un dépuratif », et qu'il vaut mieux manquer de prudence que d'en avoir trop : « Car il y a une paresse surnaturelle qui vient avec l'âge, l'expérience, les déceptions [...] ! La dernière des imprudences est la prudence, lorsqu'elle nous prépare tout doucement à nous passer de Dieu[2]. »

---

1. *Pl.*, p. 1066-1067.
2. *Ibid.*, p. 1102. Les ressemblances entre les deux prêtres ont bien été mises en évidence par M. l'abbé Pézeril dans l'« Hommage à Bernanos » du Centre Catholique des Intellectuels français (*Recherches et débats*, avril 1951).

C'est avec cette église de vieillards et d'hommes de peu de foi, et non avec l'Église vivante et véhicule de vie du curé de Torcy[1] que le curé d'Ambricourt se trouve en opposition. Encore ne faut-il pas exagérer ce qui les sépare. Le chanoine de la Motte-Beuvron est un prêtre âgé, froid, sans illusion, et dont le regard a quelque chose qui glace. Il ne sait pas gagner la confiance de son jeune confrère, comme l'abbé Menou-Segrais, auquel il fait penser, gagnait celle de Donissan. Et pourtant, bien qu'il proclame n'avoir sans doute pas avec lui « deux idées communes en ce qui concerne le gouvernement des paroisses », il devine du premier coup d'œil la force de son caractère et la grâce de simplicité dont il porte le signe. Il n'a envers lui aucune parole de reproche et lui fait sentir au contraire qu'il comprend et approuve son action sacerdotale, mise en accusation par la sottise du comte et la méfiance tâtillonne des « bureaux ».

Seul le doyen de Blangermont représente en somme – si l'on met à part quelques figures de prêtres à peine entrevues – cette Église impitoyablement sclérosée avec laquelle le curé d'Ambricourt entre en conflit. Mais comment ne pas sentir que celui qui se met alors en-dehors de l'Église, ce n'est pas le jeune prêtre imprudent, mais le vieillard oublieux des promesses de Jésus-Christ ? L'Église, c'est pour Bernanos, l'Église des pauvres et l'Église des saints. Or, le doyen de Blangermont y offre la première place à ceux qui exploitent les pauvres et qui les volent sous prétexte que ce sont eux qui constituent sa clientèle la plus fidèle et qui la font vivre de leurs subsides. Quant aux saints, il prononce à leur sujet, cette parole définitive : « Dieu nous préserve aussi des saints ! »

N'allons pas dire que l'erreur du doyen de Blangermont est de se préoccuper exclusivement du corps de l'Église, alors que celle du curé d'Ambricourt est de ne voir que son âme. L'intention de Bernanos n'est ni de renvoyer les adversaires dos à dos ni de plaider en faveur d'une Église désincarnée, ou, comme on le lui a reproché, entièrement « prophétique ». Un corps dont l'âme est absente n'est pas un corps, mais un cadavre, et c'est bien un cadavre que le doyen de Blangermont entoure de ces soins, parce qu'il compte sur l'or des classes moyennes plutôt que sur les promesses de Jésus-Christ et sur la patience des pauvres pour maintenir l'Église en vie. Au contraire, le curé de Torcy et celui d'Ambricourt savent ce qu'est véritablement le corps de l'Église, parce que ce corps n'est pas autre chose pour eux que la manifestation visible de son âme.

---

1. « La vérité du bon Dieu, c'est la Vie. Nous avons l'air de l'apporter, c'est elle qui nous porte, mon garçon », dit-il dans le même passage.

On pourrait penser, à première vue, qu'il y a, sur ce point tout
au moins, quelque désaccord entre les deux prêtres. En face de
son confrère qui rêve de brûler les étapes, d'exterminer le diable
comme il dit, le curé de Torcy professe un réalisme qui l'amène
à insister sur les résistances humaines, sur l'illusion – illustrée par
l'histoire de sa sacristine – de ceux qui s'imaginent pouvoir venir
à bout du mal, sur la nécessité de recommencer toujours le lendemain
le travail de la veille, sur l'autorité dont un curé a besoin d'user
pour faire régner l'ordre, là où le désordre est naturel. Bon pour
les moines et les mystiques d'anticiper sur le paradis! Les pasteurs
d'hommes ont d'autres devoirs :

> J'ai un troupeau, un vrai troupeau, je ne peux pas danser devant
> l'arche avec mon troupeau – du simple bétail – ; à quoi je ressem-
> blerais, veux-tu me dire? Du bétail, ni trop bon ni trop mauvais,
> des bœufs, des ânes, des animaux de trait et de labour. Et j'ai des
> boucs aussi. Qu'est-ce que je vais faire de mes boucs? Pas moyen
> de les tuer ni de les vendre [...] Boucs ou brebis, le maître veut que
> nous lui rendions chaque bête en bon état. Ne va pas te mettre dans
> la tête d'empêcher un bouc de sentir le bouc, tu perdrais ton temps,
> tu risquerais de tomber dans le désespoir[1].

Il y a là, en apparence, un relativisme, une résignation au mal,
un abandon de toute visée surnaturelle au profit d'un ordre moral
tout humain qui se rapprochent des vues désabusées du doyen de
Blangermont et s'opposent au besoin d'absolu qui habite le curé
d'Ambricourt. En réalité, il n'en est rien. Loin de pécher par manque
de sens surnaturel, la vision que le curé de Torcy a de l'Église
suppose au contraire une foi qui est aussi solide et qui s'alimente
aux mêmes sources que celles de son jeune ami. L'Église, en effet,
ne se définit pas, à ses yeux, par la perfection ni même par la per-
fectibilité de ses membres, mais par l'espérance surnaturelle dont
elle est dépositaire et dispensatrice, par la joie qu'elle est capable
de répandre sur une vie d'où le mal ne peut pas être, ici-bas, éliminé.

> L'Église a les nerfs solides, le péché ne lui fait pas peur, au contraire.
> Elle le regarde en face, tranquillement, et même, à l'exemple de
> Notre Seigneur, elle le prend à son compte, elle l'assume (...)
> Tiens, je vais te définir un peuple chrétien par son contraire.
> Le contraire d'un peuple chrétien, c'est un peuple triste, un peuple
> de vieux[2].

1. *Pl.*, p. 1043-1044.
2. *Pl.*, p. 1044.

Conception très proche de celle que Péguy expose dans son
Dialogue de l'histoire et de l'âme charnelle lorsqu'il explique que le
« monde moderne n'est pas seulement un mauvais monde chrétien,
un monde mauvais chrétien, ce ne serait rien, censément, mais un
monde inchrétien... », et que le propre de ce monde n'est pas
l'abondance ou même la surabondance du péché, car « le péché
n'est point étranger au christianisme, mon enfant, loin de là, au
contraire », mais le fait que « nos misères mêmes ne sont plus
chrétiennes[1] ».

Ainsi, lorsque le curé de Torcy parle de peuple chrétien ou
d'ordre chrétien, en se référant sans trop d'illusions au Moyen-Age,
il n'évoque pas une organisation sociale fondée sur le respect de la
loi divine et tirant de là plus de stabilité ou plus de justice (ce qui
serait d'un maurrassien ou, à l'opposé, d'un démocrate chrétien) ;
il évoque un monde ouvert à l'espérance, un monde où « l'homme
se serait su le fils de Dieu », et aurait, comme l'enfant, tiré « humblement le principe même de sa joie » du « sentiment de sa propre
impuissance[2] ». La cheville ouvrière de ce monde chrétien, c'est
donc le sens de la pauvreté. Considérées en fonction de cet axe
central, les conceptions que les deux prêtres se font de l'Église ne
présentent guère de différences, et les vocations contrastées qu'ils
y accomplissent se rejoignent dans une intuition identique de ce qui
manifeste aux yeux de l'humanité le mystère de sa filiation divine.

Si la destinée du curé d'Ambricourt nous apparaît en communication plus intime avec la vie de l'Église que celle de Donissan ou
de Chevance, c'est en effet parce qu'elle est à la fois une découverte
intellectuelle et un accomplissement existentiel de ce sens de la
pauvreté en dehors duquel il n'est point d'Église, et par lequel
l'Église répond, sur tous les plans, à l'attente du monde. Cette découverte et cet accomplissement vont de pair, si bien que les nombreuses
réflexions et conversations sur les problèmes sociaux et sur la place
de l'Église dans l'histoire qui jalonnent le journal sont beaucoup
plus liées qu'il ne pourrait sembler avec le drame spirituel dont ce
même journal retrace les étapes. Les opinions du curé d'Ambricourt
et du curé de Torcy sont de toute évidence celles de Bernanos, mais
celui-ci ne s'est pas contenté de glisser, grâce à la fiction commode
du journal, les idées qui lui tenaient à cœur au milieu d'une histoire

---

1. *Œuvres en prose*, 1909-1914, (Pléiade), p. 407-408. Bernanos ne pouvait
pas connaître ce texte, qui n'a été publié qu'en 1955.
2. *Pl.*, p. 1046.

n'ayant rien de commun avec elles. Grâce au rôle qu'y joue l'idée centrale de pauvreté, la théorie sociale et le drame personnel se complètent et s'éclairent mutuellement.

Cette théorie sociale s'appuie d'ailleurs elle-même sur une expérience. Avant de réfléchir sur la pauvreté, le curé d'Ambricourt a vécu une existence de pauvre et, à la différence de Donissan et de Chevance, qui n'ont pas une origine moins humble, mais qui l'évoquent sans dureté ou qui n'en parlent pas, il a été profondément marqué dans son corps par la misère, la mauvaise santé, l'alcoolisme de ses ancêtres, et dans sa mémoire par les images hideuses de sa petite enfance. Il a gardé de ce passé une inexpérience vis-à-vis de l'argent qui le différencie de ses confrères naïvement passionnés par les questions financières, et qui l'amène à vivre comme le plus pauvre de ses paroissiens dans le cadre de « félicité bourgeoise » que constitue à ses yeux un presbytère assez confortable. La conscience de l'humilité de ses origines, jointe à sa maladresse naturelle, contribue à faire de ses relations sociales une source permanente de souffrances, mais, sensibilisé de la sorte aux différences que la fortune ou la naissance introduisent entre les hommes, il est mieux à même de percevoir que la pauvreté n'est pas seulement un statut économique, mais une conscience frustrée, humiliée, et perpétuellement en attente.

L'Église a-t-elle répondu à cette attente, a-t-elle le pouvoir d'y répondre ? La question ne cesse pas d'être posée dans les méditations solitaires du curé d'Ambricourt aussi bien que dans ses conversations avec le curé de Torcy, avec le docteur Delbende ou avec Olivier.

En face de la situation faite au pauvre dans la société et particulièrement dans la société capitaliste, plus inhumaine encore envers lui que la société antique ne l'était envers l'esclave, la réaction instinctive d'un cœur bien né est la pitié ou la révolte. Cette révolte a failli amener le curé de Torcy, qui avait trop bien compris, au gré de ses supérieurs, l'enseignement de Léon XIII, à quitter l'Église, comme Luther. Ce n'est pas seulement parce qu'il se souvient du danger couru qu'il compare la pitié à une bête dangereuse et l'injustice à un monstre fascinant. C'est aussi parce qu'il a appris que la colère née de la contemplation de l'injustice risque de nous faire méconnaître le sens divin de la pauvreté et de nous fermer les portes du royaume dont elle est l'annonciatrice.

C'est ce qui rend dérisoires et même suspects, aux yeux de Bernanos, les réformateurs qui prétendent venir à bout de la pauvreté grâce à une meilleure organisation sociale. Le curé de Torcy les soupçonne de vouloir moins supprimer la pauvreté que se débarrasser du pauvre, parce que le pauvre est le témoin de Jésus-

Christ, l'héritier de sa promesse et dès ici-bas le citoyen de son
royaume : « Il a l'air d'un revenant – d'un revenant du festin des
Noces, avec sa robe blanche. » Pas de différence, à cet égard, entre
l'esclavage antique et le socialisme moderne : « Naturellement,
il s'agit toujours d'exterminer le pauvre – le pauvre est le témoin
de Jésus-Christ, l'héritier du peuple juif, quoi ! – mais au lieu de
le réduire en bétail, ou de le tuer, ils ont imaginé d'en faire un petit
rentier ou même – supposé que les choses aillent de mieux en
mieux – un petit fonctionnaire. Rien de plus docile que ça, de plus
régulier [1]. » Le curé d'Ambricourt se dit de la même manière que
« s'il arrivait, par impossible, qu'une dictature impitoyable, servie
par une armée de fonctionnaires, d'experts, de statisticiens, s'ap-
puyant eux-mêmes sur des millions de mouchards et de gendarmes,
réussisse à tenir en respect, sur tous les points du monde à la fois,
les intelligences carnassières, les bêtes féroces et rusées, faites pour
le gain, la race d'hommes qui vit de l'homme [...] le dégoût viendrait
vite de l'*aurea mediocritas* ainsi érigée en règle universelle, et l'on
verrait refleurir partout les pauvretés volontaires, ainsi qu'un
nouveau printemps [2] ».
   Bernanos n'ignore pas que des prophéties de ce genre peuvent
être l'alibi de l'immobilisme. Il est plus facile de peindre en noir
la société d'où la pauvreté aurait disparu que de s'efforcer de la
faire disparaître. « Vous me répondrez, dit le docteur Delbende,
que le royaume de Dieu n'est pas de ce monde ? D'accord. Mais si
on donnait un petit coup de pouce à l'horloge, quand même [3] ? »
Le curé d'Ambricourt, qui pense souvent aux Russes et sympathise
avec leur misère, ne peut pas s'empêcher de demander, après tout
ce que le curé de Torcy vient de lui dire sur l'inhumanité du monde
sans pauvres que préparent les Soviets : « Et s'ils réussissaient
quand même ? » L'embarras de son interlocuteur montre que
celui-ci est conscient du risque de scandale contenu dans la réponse
qu'il va donner : « Tu penses bien, dit-il, que je n'irai pas conseiller
aux pauvres types de rendre tout de suite au percepteur leur titre
de pension ! Ça durerait ce que ça durerait... Mais enfin que veux-tu ?
Nous sommes là pour enseigner la vérité, elle ne doit pas nous faire
honte [4]. » Et ce n'est pas sans avoir insisté longuement sur le caractère
douloureux de la vérité pour celui qui la proclame qu'il donne enfin
sa réponse, qui est un très beau commentaire de la parole du Christ :

1. *Pl.*, p. 1069.
2. *Ibid.*, p. 1104.
3. *Ibid.*, p. 1094.
4. *Ibid.*, p. 1071.

« Il y aura toujours des pauvres parmi vous. » Que cette parole soit cyniquement utilisée par les défenseurs de l'ordre établi, et puisse être exploitée contre l'Église, comment le nier ? « Tant pis pour les riches qui feignent de croire qu'elle justifie leur égoïsme. Tant pis pour nous qui servons ainsi d'otages aux Puissants, chaque fois que l'armée des misérables revient battre les murs de la Cité. » Mais il faut percevoir la tristesse de cette parole. Le Christ ne veut pas dire que la volonté de Dieu est qu'il y ait des pauvres, mais que la méchanceté des hommes, hélas, fait qu'il y en aura toujours, sous quelque régime que ce soit, et même si cette pauvreté doit prendre d'autres formes que le dénuement économique :

Il y aura toujours des pauvres parmi vous, pour cette raison qu'il y aura toujours des riches, c'est-à-dire des hommes avides et durs qui recherchent moins la possession que la puissance. De ces hommes, il en est parmi les pauvres comme parmi les riches et le misérable qui cuve au ruisseau son ivresse est peut-être plein des mêmes rêves que César endormi sous ses courtines de pourpre. Riches ou pauvres, regardez-vous donc plutôt dans la pauvreté comme dans un miroir car elle est l'image de votre déception fondamentale, elle garde ici-bas la place du Paradis perdu, elle est le vide de vos cœurs, de vos mains. Je ne l'ai placée aussi haut, épousée, couronnée, que parce que votre malice m'est connue [1].

Cette conception de la pauvreté devrait dicter à l'Église l'attitude qu'elle doit adopter à son égard. Influencé par sa formation maurrassienne et par la haine de la démocratie chrétienne qu'elle lui a enseignée, Bernanos considère avec beaucoup de méfiance la tendance qui pousse une partie grandissante du clergé à manifester sa sollicitude pour les pauvres en se préoccupant d'une meilleure organisation sociale. Il soupçonne ces prêtres – bien gratuitement, il faut le dire, et avec une injustice que l'évolution actuelle de l'Église rend de plus en plus évidente – d'être dupes de ce monde moderne qui veut en finir avec la pauvreté pour en finir avec l'esprit du Christ, et de se jeter dans le social par crainte du surnaturel. Aussi le *Journal* n'est-il guère tendre pour les curés qui s'occupent avec compétence de caisses rurales, de coopératives agricoles et d'associations sportives. L'incapacité du curé d'Ambricourt en ces matières fait plutôt figure de signe d'élection que de handicap pour son sacerdoce.

Le rôle de l'Église n'est pas d'aider le monde moderne à régler son compte à la pauvreté, mais, comme le dit le curé de Torcy, dans une formule paradoxale qu'il faudrait se garder de mal inter-

1. *Pl.*, p. 1080.

préter, d'enseigner la pauvreté aux pauvres, c'est-à-dire de leur donner le sens de leur dignité en les aimant comme le Christ les a aimés. C'est ce que demande le docteur Delbende :

> Après vingt siècles de christianisme, tonnerre de Dieu, il ne devrait plus y avoir de honte à être pauvre. Ou bien, vous l'avez trahi, votre Christ! Je ne sors pas de là. Bon Dieu de bon Dieu! Vous disposez de tout ce qu'il faut pour humilier le riche, le mettre au pas. Le riche a soif d'égards, et plus il est riche, plus il a soif. Quand vous n'auriez eu que le courage de les foutre au dernier rang, près du bénitier ou même sur le parvis – pourquoi pas? – ça les aurait fait réfléchir. Ils auraient tous louché vers le banc des pauvres, je les connais. Partout ailleurs les premiers, ici, chez Notre-Seigneur, les derniers, voyez-vous ça? [...] Car la question sociale est d'abord une question d'honneur. C'est l'injuste humi-liation du pauvre qui fait les misérables [1].

Il y aurait certes soit de la naïveté, soit de l'hypocrisie à réduire le problème social à une question d'égards, tout le reste demeurant inchangé. Mais le reste peut-il demeurer inchangé à partir du moment où l'on se pénètre de la dignité du pauvre? Peut-on parler sans traîtrise de l'honneur du pauvre en continuant à le considérer comme une marchandise, comme un objet, comme un être inférieur n'ayant ni les mêmes besoins à satisfaire ni les mêmes facultés à développer que le riche? Bernanos ne cache en aucune façon que l'idéal qu'il prêche va à l'encontre de ce que les conservateurs appellent la conservation sociale, et qui n'est en fait que la conser-vation de leurs privilèges.

> Il y a certaines pensées, dit le jeune curé, que je n'ose confier à personne, et pourtant elles ne me paraissent pas folles, loin de là. Que serais-je, par exemple, si je me résignais au rôle où souhai-teraient volontiers me tenir beaucoup de catholiques préoccupés surtout de conservation sociale, c'est-à-dire en somme, de leur propre conservation. Oh! je n'accuse pas ces messieurs d'hypocrisie, je les crois sincères. Que de gens se prétendent attachés à l'ordre, qui ne défendent que des habitudes, parfois même un simple vocabulaire [2]...

Un tel état d'esprit ne s'accorde guère avec les idées du comte, selon lequel l'Église « est une puissance d'ordre, de mesure », et a pour principale mission « de protéger la famille, la société [3] ». Le

1. *Pl.*, p. 1095.
2. *Ibid.*, p. 1061.
3. *Ibid.*, p. 1181.

curé d'Ambricourt ne peut maîtriser sa colère ni lorsqu'il évoque devant le doyen de Blangermont le peu d'empressement des commerçants à s'accuser de bénéfices illicites, ni lorsque la dureté de la comtesse l'amène à lui dire la déception des misérables, frustrés dans leur soif de grandeur, devant l'hypocrisie des puissants. La déception est d'autant plus forte, pour Bernanos et pour le personnage qui représente ici sa pensée, que cette mise en cause de l'ordre établi, cette valorisation du pauvre conformément à la place que l'Église lui accorde ou devrait lui accorder, ne peut se faire, dans son esprit, que par l'intermédiaire d'une classe ou d'une race d'hommes ayant signé avec le pauvre une sorte de pacte moral garanti par l'Église. « J'ai beau, dit le curé d'Ambricourt, être le fils de pauvres gens – ou pour cette raison, qui sait ?... – je ne comprends réellement que la supériorité de la race, du sang[1]. » Supériorité? Le chanoine de la Motte-Beuvron, qui sait à quoi s'en tenir sur la noblesse, ne lui laisse guère d'illusion là-dessus, pour ce qui est du temps présent : « Il n'y a plus de nobles, mon cher ami, mettez-vous cela dans la tête [...]. Les nobles d'aujourd'hui sont des bourgeois honteux[2]. » Plutôt qu'en cette noblesse dégénérée, et d'ailleurs impure dans ses origines, car « plus d'un seigneur a dû jadis son fief aux sacs d'écus d'un père usurier », Bernanos préfère placer ses espoirs dans une chevalerie. Seuls les chevaliers furent capables de faire pénétrer dans le monde un peu de ce que l'Évangile promet aux pauvres : « Oh! sans doute, dit Olivier, ils n'étaient tous ni justes ni purs. Ils n'en représentaient pas moins une justice, une sorte de justice qui depuis les siècles des siècles hante la tristesse des misérables, ou parfois remplit leur rêve[3]. » Seulement, il ne peut plus y avoir de chevaliers, parce qu'il n'y a plus de soldats, mais des militaires, et encore, pourra-t-on longtemps donner ce nom aux ingénieurs de la guerre presse-bouton ? Peut-on concevoir qu'ils agissent, ne disons pas au nom de l'Église, mais conformément aux plus élémentaires de ses prescriptions ?

« Allons donc! Le pauvre diable qui bouscule sa bonne amie sur la mousse, un soir de printemps, est tenu par vous en état de péché mortel, et le tueur de villes, alors que les gosses qu'il vient d'empoisonner achèveront de vomir leurs poumons dans le giron de leur mère, n'aura qu'à changer de culotte et ira donner le pain bénit ? Farceurs que vous êtes[4]! »

---

1. *Ibid.*, p. 1086.
2. *Ibid.*, p. 1174.
3. *Ibid.*, p. 1217.
4. *Ibid.*, p. 1220.

Il n'est pas indifférent que ce dialogue d'Olivier avec le curé
d'Ambricourt, qui réduit à néant le rêve de voir l'Église rayonner
visiblement dans une société humaine, se trouve placé juste avant
le moment où le héros du livre va consommer son sacrifice. Le
dialogue avec Olivier constitue en effet une sorte de transmission
de pouvoirs, de testament mystique en vertu duquel le jeune prêtre
s'aperçoit tout à coup investi de la mission à laquelle ni la noblesse,
ni la chevalerie ne peuvent plus faire face. Lui qui croyait, dans
l'excès de son humilité, vivre dans un autre monde qu'un soldat
comme Olivier, et sans aucune prise sur les valeurs à la fois terrestres
et chrétiennes que celui-ci essaie de défendre, il perçoit tout à coup
la fraternité profonde qui l'unit à son brillant compagnon. Cette
amitié ou cette possibilité qui lui est révélée n'est pas seulement
le signe que sa solitude humaine pourrait prendre fin ; cette réserve
de jeunesse qu'il découvre en lui ne résulte pas seulement de la
griserie de la vitesse durant la course en moto, et de la lumière d'un
regard compréhensif. La rencontre avec Olivier restitue un sens à
sa mission. Bernanos ne peut mieux le définir qu'en se citant lui-
même, comme pour sceller d'un signe secret l'accord du personnage
avec l'auteur : « Une phrase que j'ai lue je ne sais où, dit le curé,
me hante depuis deux jours : Mon cœur est avec ceux de l'avant,
mon cœur est avec ceux qui se font tuer... Soldats, missionnaires [1]... »
Et du coup le temps, pour le héros, se remet en marche. Il vit une
attente merveilleuse qui le tient toute la nuit éveillé : « C'était
comme un grand murmure de l'âme. Cela me faisait penser à l'immense rumeur des feuillages qui précède le lever du jour. Quel
jour va se lever en moi ? Dieu me fait-il grâce [2] ? »

La manière dont Dieu répond à cette attente pourrait paraître
empreinte d'une sombre ironie, si nous ne savions pas le curé
d'Ambricourt assez détaché de lui-même pour recevoir comme
la plus précieuse des grâces cette mort qui lui fait horreur et vers
laquelle il marche sans le savoir. Mais il est clair désormais que son
sacrifice ne sera pas un sacrifice inutile. Cette pauvreté surnaturelle
que l'Église a pour mission de faire rayonner aux yeux des hommes
et qui n'a plus, dans le monde moderne, de défenseurs attitrés, le
curé d'Ambricourt l'épouse jusqu'au plus profond de ses exigences,
et, ce faisant, il lui restitue sa place royale : « Ma mort est là. C'est
une mort pareille à n'importe quelle autre, et j'y entrerai avec les
sentiments d'un homme très commun, très ordinaire. Il est même
sûr que je ne saurai guère mieux mourir que gouverner ma personne.

---

1. *Ibid.*, p. 1222. Cette phrase est de Bernanos lui-même (*Jeanne*, p. 66).
2. *Pl.*, p. 1223.

J'y serai aussi maladroit, aussi gauche. On me répète : 'Soyez simple!' Je fais de mon mieux. C'est si difficile d'être simple! Mais les gens du monde disent 'les simples' comme ils disent 'les humbles', avec le même sourire indulgent. Ils devraient dire : les rois [1]. »

Guy Gaucher a montré que cette maladresse devant la mort faisait écho à une phrase que Bernanos avait pu lire dans les *Novissima verba* de sainte Thérèse de l'Enfant Jésus : « Ma Mère, est-ce l'agonie? Comment vais-je faire pour mourir? Jamais je ne vais savoir mourir!... », de même que le « Tout est grâce » final ne fait que reproduire une parole réellement prononcée par la carmélite sur son lit d'agonie [2]. Outre cette présence invisible de la petite sainte de Lisieux, Bernanos a ménagé autour de son héros, au moment où il affronte la dernière phase de son combat, deux autres présences, qui incarnent la pauvreté chacune à sa manière, et dont la juxtaposition permet de saisir les liens qui unissent la condition humaine du pauvre à son sens surnaturel.

La première de ces présences – la dernière chronologiquement – est celle de la maîtresse de Dufréty, le prêtre défroqué chez qui le héros va mourir :

Elle est si petite qu'on la prendrait volontiers pour une de ces fillettes qu'on voit dans les corons et auxquelles il est difficile de donner un âge. Sa figure n'est pas désagréable, au contraire, néanmoins il semble qu'on n'aurait qu'à tourner la tête pour l'oublier tout de suite. Mais ses yeux bleus fanés ont un sourire si résigné, si humble, qu'ils ressemblent à des yeux d'aïeule, des yeux de vieille fileuse [3].

En elle se rejoignent non seulement l'enfance et la vieillesse, mais aussi le passé et l'avenir, car la misère n'a pas d'âge et demeure semblable à elle-même de siècle en siècle. La voix de la jeune femme, qui rappelle au prêtre tant de souvenirs, est « la voix vaillante et résignée qui apaise l'ivrogne, réprimande les gosses indociles, berce le nourrisson sans langes, discute avec le fournisseur impitoyable, implore l'huissier, rassure les agonies, la voix des ménagères, toujours pareille sans doute à travers les siècles, la voix qui tient tête à toutes les misères du monde [4] ». Et la malheureuse créature a tellement conscience de cette communauté de destin qui l'unit à tous les

1. *Ibid.*, p. 1245.
2. *Article cité*, p. 38-40. C'est Bernanos lui-même qui a fait remarquer, dans une lettre à Mme Henry Jamet, que « Tout est grâce » n'était pas de lui.
3. *Pl.*, p. 1249.
4. *Ibid.*, p. 1251.

pauvres de la terre qu'elle tire de cette pensée son unique consolation, quand elle n'en peut plus :

> Les mendiants qui battent la semelle sous la pluie, les gosses perdus, les malades, les fous des asiles qui gueulent à la lune, et tant! et tant! Je me glisse parmi eux, je tâche de me faire petite, et pas seulement les vivants, vous savez? les morts aussi, qui ont souffert, et ceux à venir, qui souffriront comme nous [1]...

L'autre figure de la pauvreté que Bernanos a placée auprès de l'agonie de son héros est la sainte Vierge, dont l'image lui apparaît au moment où va commencer la phase finale de son sacrifice. Pour mieux la rattacher à la grande famille des pauvres, pour mieux montrer qu'elle en partage les peines et les travaux, Bernanos imagine que le prêtre voit tout d'abord ses mains : « Je regardais ses mains. Tantôt je les voyais, tantôt je ne les voyais plus, et comme ma douleur devenait excessive, que je me sentais glisser de nouveau, j'ai pris l'une d'elles dans la mienne. C'était une main d'enfant, d'enfant pauvre, déjà usée par le travail, les lessives [2]. » Cette vision ne fait que prolonger et matérialiser ce que le curé de Torcy vient de dire sur la sainte Vierge à son ami. C'est à propos de la nécessité de faire des « petites choses » qu'il est venu à parler d'elle, et il a insisté sur le peu d'éclat qui a environné sa vie : « La sainte Vierge n'a eu ni triomphe ni miracles. Son fils n'a pas permis que la gloire humaine l'effleurât, même du plus fin bout de sa grande aile sauvage. Personne n'a vécu, n'a souffert, n'est mort aussi simplement et dans une ignorance aussi profonde de sa propre dignité [3]... »

L'image très humaine et très émouvante que Bernanos donne ainsi de la sainte Vierge doit certainement beaucoup à Péguy. Le *Mystère de la charité de Jeanne d'Arc* la représentait comme une femme toute simple, une femme du peuple, « une pauvresse », et l'idée d'en faire « la cadette du genre humain », bercée pendant des siècles par « l'ancien monde, le douloureux monde, le monde d'avant la Grâce » est tout à fait dans la ligne de la vision péguyste de l'histoire. Son image ne cessera plus d'accompagner le curé d'Ambricourt, et elle sera le trait d'union entre son sacrifice solitaire et toute la misère des pauvres que l'Église a magnifiée en elle.

Cette présence de la pauvreté au centre des pensées et de la vie du héros fait du *Journal d'un curé de campagne* un livre beaucoup

---

1. *Ibid.*, p. 1252.
2. *Ibid.*, p. 1197.
3. *Ibid.*, p. 1193.

plus ouvert sur le monde et sur l'histoire que les précédents romans de Bernanos. Nous avons vu qu'ils avaient tous, à l'exception d'*Un Crime*, été conçus à partir de situations historiques auxquelles ils font largement allusion. Mais l'horizon est ici infiniment plus vaste, et les problèmes en cause dépassent largement les déceptions de l'après-guerre et les revirements du catholicisme libéral. Le *Journal d'un curé de campagne* est aussi un livre où le monde extérieur existe d'une manière beaucoup plus autonome que dans *Sous le Soleil de Satan* ou *La Joie*, où les paysages n'avaient guère d'autre rôle que d'orchestrer, avec quelle magnificence et quel pathétique parfois, les étapes du drame surnaturel. Certes, il leur arrive de se présenter ainsi, également, dans le *Journal*. Dans un article sur l'expression du surnaturel dans ce roman, Étienne-Alain Hubert a montré que l'évocation du monde extérieur y renvoie souvent à une réalité invisible[1] : présence obsédante de l'humidité et de la pluie, qui paraissent matérialiser la puissance de pénétration du mal, la force d'envahissement de l'ennui ; fascination de l'obscurité, qui donne au monde une profondeur pleine de menaces, ou au contraire transparence aérienne offrant à l'essor de l'âme un milieu sans résistance. Nulle part l'accord n'est mieux réalisé entre le paysage et le mouvement spirituel que lorsque la contemplation de la vallée baignée de lune amène le héros à formuler, en employant les paroles mêmes de Rimbaud, le sentiment qu'il a de l'étrangeté du monde :

> Je viens de passer une grande heure à ma fenêtre, en dépit du froid. Le clair de lune fait dans la vallée une espèce d'ouate lumineuse, si légère que le mouvement de l'air l'effile en longues traînées qui montent obliquement dans le ciel, y semblent planer à une hauteur vertigineuse. Toutes proches pourtant... Si proches que j'en vois flotter des lambeaux, à la cime des peupliers. O chimères !
> Nous ne connaissons réellement rien de ce monde, nous ne sommes pas au monde[2].

Il ne faudrait cependant pas en conclure que le paysage a, dans le *Journal*, une valeur uniquement symbolique. Le monde qui nous est présenté dans ce roman est un monde *contemplé*, et contemplé par un homme qui n'est pas seulement, comme dit le doyen de Blangermont, un « poâte », mais aussi un prêtre. Son regard y discerne, au-delà des images de son propre tourment, la majesté de la création de Dieu, la pureté des premiers commencements, l'implo-

1. *Ét.*, n° 2, p. 24-28.
2. *Pl.*, p. 1142.

ration muette d'un univers à sauver. La paroisse nous est déjà
apparue comme douée d'une densité, pourvue d'un enracinement
qui en font tout autre chose qu'une société d'âmes : un bloc de
réalité qui traverse les siècles, un être vivant qui dure, accroché
à son terroir. A la fin du roman nous la revoyons, allégée de ce
poids et comme prête à rejoindre un monde régénéré :

> Le village m'apparaît bien différent de ce qu'il était en automne,
> on dirait que la limpidité de l'air lui enlève peu à peu toute pesan-
> teur, et lorsque le soleil commence à décliner, on pourrait le croire
> suspendu dans le vide, il ne touche plus à la terre, il m'échappe,
> il s'envole. C'est moi qui me sens lourd, qui pèse d'un grand poids
> sur le sol[1].

Aux moments les plus dramatiques de l'action, l'innocence ou
l'immobilité apaisante du paysage ramènent un peu de calme dans
l'âme du héros. Ainsi, au moment de la crise très grave dont il prend
avec lui-même l'engagement de ne parler à personne, la fraîcheur
de la nature fait surgir dans son esprit des images d'enfance :
« La matinée est si claire, si douce, et d'une légèreté merveilleuse...
Quand j'étais tout enfant, il m'arrivait de me blottir, à l'aube, dans
une de ces haies ruisselantes, et je revenais à la maison trempé,
grelottant, heureux, pour y recevoir une claque de ma pauvre
maman, et un grand bol de lait bouillant[2]. » Lorsqu'il se dirige vers
le château, dans une grande agitation, pour avoir avec la comtesse
la conversation décisive, il s'arrête « pour regarder le vieux jardinier
Clovis fagotant du bois mort comme à l'ordinaire[3] », et durant
l'entretien, il contemple de manière fugitive, faisant contraste avec
la comtesse convulsée par l'orgueil et la haine, « le parc, si noble,
si calme, les courbes majestueuses des pelouses, les vieux arbres
solennels[4] ».
Mais c'est surtout aux approches de sa mort que la beauté de la
création le pénètre et le ravit. Il y a là à la fois la ferveur mêlée
de regret de celui qui découvre le prix des choses au moment où
elles vont lui être enlevées et une sorte d'intuition, rendue possible
par le renoncement, de ce qu'il y a de divin dans la vie. C'est le
premier de ces sentiments qui prédomine dans les moments où
le curé, se sachant condamné, se rappelle les ultimes détails lumineux
de son existence : « Je pense à ces matins, à mes derniers matins de

1. *Pl.*, p. 1208.
2. *Ibid.*, p. 1114.
3. *Ibid.*, p. 1145.
4. *Ibid.*, p. 1153.

cette semaine, à l'accueil de ces matins, au chant des coqs – à la haute fenêtre tranquille, encore pleine de nuit, dont une vitre, toujours la même, celle de droite, commence à flamber... Que tout cela était frais, pur [1]... » De même chez Dufréty : « Je croyais entendre le grand peuplier, qui, par les nuits les plus calmes, s'éveille bien avant l'aube [2]. » Ce qu'il ressent lors de sa rencontre avec Olivier est un peu différent. Il a l'impression que la beauté de la jeunesse et du risque lui est révélée pour qu'il ne meure pas sans l'avoir connue « – juste assez peut-être, pour que mon sacrifice soit total, le moment venu », ajoute-t-il. Mais cette révélation, loin d'engendrer l'angoisse et le regret possède une plénitude apaisante et simplificatrice : « Oui, les choses m'ont paru simples tout à coup. Le souvenir n'en sortira plus de moi [3]. »

La mort joue encore plus nettement ce rôle de désoccultation lorsque, face au médecin qui vient de prononcer sa sentence, il est littéralement submergé par les images de son passé. Il y a là quelques-unes des plus belles phrases que Bernanos ait écrites :

> Le monde visible semblait s'écouler de moi avec une vitesse effrayante et dans un désordre d'images, non pas funèbres, mais au contraire toutes lumineuses, éblouissantes. « Est-ce possible ? L'ai-je donc tant aimé ? » me disais-je. Ces matins, ces soirs, ces routes. Ces routes changeantes, mystérieuses, ces routes pleines du pas des hommes. Ai-je donc tant aimé les routes, nos routes, les routes du monde ? Quel enfant pauvre, élevé dans leur poussière, ne leur a confié ses rêves ? Elles les portent lentement, majestueusement, vers on ne sait quelles mers inconnues, ô grands fleuves de lumières et d'ombres qui portez le rêve des pauvres [4] !

Le regret de la vie qu'il va quitter ne suffit pas pour expliquer l'émotion éprouvée par le héros en cette minute. Sans doute s'accuse-t-il d'avoir oublié alors jusqu'au nom de Dieu et ressenti la mort comme une pure privation d'être, « rien de plus ». Impossible pourtant de confondre cet élan vers le monde avec le geste avare de celui qui se raccroche désespérément aux images de son passé parce qu'il *tient* à sa vie avec un attachement de propriétaire. Le jeune prêtre est trop lucide pour ne pas s'en rendre compte : « Ce n'était pas sur moi que je pleurais, je le jure ! Je n'ai jamais été si près de me haïr. Je ne pleurais pas sur ma mort. Dans mon enfance, il arrivait que je me réveillasse ainsi, en sanglotant. De quel songe

1. *Pl.*, p. 1231.
2. *Ibid.*, p. 1246.
3. *Ibid.*, p. 1211.
4. *Ibid.*, p. 1241-1242.

venais-je de me réveiller cette fois ? Hélas ! j'avais cru traverser le monde presque sans le voir, ainsi qu'on marche les yeux baissés parmi la foule brillante, et parfois même je m'imaginais le mépriser. Mais c'était alors de moi que j'avais honte, et non pas de lui. J'étais comme un pauvre homme qui aime sans oser le dire, ni seulement s'avouer qu'il aime. Oh ! je ne nie pas que ces larmes pouvaient être lâches ! Je pense aussi que c'étaient des larmes d'amour... »

Que cet amour n'éloigne pas de Dieu, les images mêmes qu'il inspire suffisent à le prouver. Où mèneraient ces routes de la terre, chargées de porter le rêve des pauvres, que Bernanos aimait tant à évoquer[1] ? Et comment ne pas rappeler, à propos des paroles du curé d'Ambricourt, ces lignes que Bernanos devait inscrire en guise de dédicace sur l'un des exemplaires de son roman : « Quand je serai mort, dites au doux royaume de la Terre que je l'aimais plus que je n'ai jamais osé dire[2]. » Le plus grand miracle de l'esprit de pauvreté, c'est peut-être qu'il rende, comme le prouverait la poésie de saint Jean de la Croix, toute la beauté du monde à ceux qui ont accepté d'y renoncer.

Nous n'avons pas encore parlé de ce qui, dans le *Journal d'un curé de campagne*, constitue l'élément dramatique de la destinée du héros : sa lutte contre le mal, la lucidité surnaturelle qui lui permet de remporter des victoires inattendues ; le sacrifice de soi-même qui est comme la rançon de ces victoires. C'est que le nouveau roman de Bernanos se place, à cet égard, dans une perspective qui nous est déjà familière. Les détails ne manquent pas, cependant, qui donnent à ce combat et à ce sacrifice leur caractère propre.

D'un côté un monde rongé par le mal. Rongé est bien le mot. Dans les romans précédents, c'est surtout sous les espèces du mensonge, de l'imposture, de la haine que le péché était présenté : le néant choisi sciemment à la place de l'être, le vide substitué au plein par un artifice diabolique. Ici, comme dans *M. Ouine*, le mal c'est d'abord l'ennui. Or, ce qui caractérise l'ennui, c'est que le vide qu'il instaure dans la plénitude de l'être n'a presque pas besoin d'être choisi : il s'agit d'une corrosion insidieuse dont les images de maladie, de lèpre, de cancer, de tumeurs, de pourriture donnent l'équivalent

---

1. Cf. la route vue par Olivier dans *Un Mauvais Rêve* (*Pl.*, p. 973), et surtout par Philippe, dans *M. Ouine* (*Pl.*, p. 1409). La richesse et l'ambivalence de ce thème ont été mises en évidence par A. Espiau de la Maëstre dans un article de la revue belge *Les Lettres Romanes* (t. XVIII, 1964), *Le thème de la route dans l'œuvre romanesque de Bernanos*.

2. Fac-similé dans *Béguin*, p. 53.

le plus exact[1]. Deux images évoquent avec un bonheur particulier cette substitution du néant à l'être qui se fait silencieusement, intérieurement, sans que soit modifiée l'apparence des choses. Le mal, dit le curé d'Ambricourt, ne sera jamais que l'ébauche d'une création : « Je pense à ces poches flasques et translucides de la mer. Qu'importe au monstre un criminel de plus ou de moins ! Il dévore sur-le-champ son crime, l'incorpore à son épouvantable substance, le digère sans sortir un moment de son effrayante, de son éternelle immobilité[2]. » Et pour mieux marquer encore ce qu'il y a d'inimaginablement négatif dans « cette énorme aspiration du vide, du néant », une autre comparaison :

> La personne humaine aura été lentement rongée, comme une poutre par ces champignons invisibles qui, en quelques semaines, font d'une pièce de chêne une matière spongieuse que le doigt crève sans effort.

L'idée est exactement la même lorsque le curé déclare, un peu plus haut, que la luxure est à l'instinct sexuel comme la tumeur « à l'organe qu'elle dévore, dont il arrive que sa difformité reproduise effroyablement l'aspect[3] ».

On voit que l'ennui n'est pas une conséquence du péché, ni même une forme particulière de péché, mais contient, comme le voulait Baudelaire, l'essence même du péché, à un moment de l'histoire du monde surtout où « la fermentation d'un christianisme décomposé[4] » provoque une forme nouvelle de désespoir. A cette prolifération de l'ennui correspondent, sur le plan universel, « ces guerres généralisées qui semblent témoigner d'une activité prodigieuse de l'homme, alors qu'elles dénoncent au contraire son apathie grandissante[5]... ». Sur le plan individuel, il est davantage possible de se faire illusion. Chaque pécheur s'imagine que son péché lui appartient en propre, porte l'empreinte de sa personnalité, le distingue d'un troupeau qu'il méprise et qu'il déteste. Mais c'est là une erreur qui provient de ce que nous avons l'habitude de vivre

---

1. Sur ces images du mal dans le *Journal d'un curé de campagne*, cf. l'article, déjà cité, d'Étienne-Alain Hubert, p. 41-49. On remarquera que ces images sous-entendent toutes la stagnation, l'humidité, l'immobilité malsaine d'un village du Nord. Cf. aussi H. DEBLUË, *op. cit.*, p. 69.
2. *Pl.*, p. 1143.
3. *Ibid.*, p. 1126.
4. *Ibid.*, p. 1032.
5. *Ibid.*, p. 1143-1144.

à la surface de nous-mêmes et de nous examiner au niveau de la faute, alors qu'il faudrait atteindre ce niveau plus profond où se développe, indolore comme une tumeur, le mal radical dont les fautes ne sont que les symptômes [1]. C'est ce mal qui ne lui appartient pas en propre que le héros déchiffre dans les traits de Chantal, d'autant plus reconnaissable qu'il n'a pas encore réussi à envahir le visage tout entier et à en chasser le signe mystérieux que dépose en chacun de nous, à notre naissance, le regard de Dieu : « Sa noblesse extraordinaire, presque effrayante, témoignait de la force du mal, du péché qui n'était pas le sien [2]... »

Il résulte de cette participation à une commune essence du mal que les pécheurs sont à la fois monstrueusement unis et irrémédiablement séparés. C'est en vain que Chantal croit échapper par sa révolte à la « boue » dans laquelle elle accuse ses parents de vivre :

> Tous les péchés se ressemblent, lui répond le curé, il n'est qu'un seul péché [...]. Le monde du péché fait face au monde de la grâce ainsi que l'image reflétée d'un paysage, au bord d'une eau noire et profonde. Il y a une communion des pécheurs. Dans la haine que les pécheurs se portent les uns aux autres, dans le mépris, ils s'unissent, ils s'embrassent, ils s'agrègent, ils se confondent, ils ne seront plus un jour, aux yeux de l'Éternel, que ce lac de boue toujours gluant sur quoi passe et repasse vainement l'immense marée de l'amour divin, la mer de flammes vivantes et rugissantes qui a fécondé le chaos [3].

Mais les pécheurs n'ont en commun que le vide qui les habite et qui finit par occuper tout leur être, si bien que cette « communion » est en même temps la forme la plus irrémédiable de la séparation, et que le curé peut affirmer à la comtesse en parlant des damnés, sans se contredire : « Le malheur, l'inconcevable malheur de ces pierres embrasées qui furent des hommes, c'est qu'elles n'ont plus rien à partager [4]. »

Si le mal est ce vide qui se glisse insidieusement dans les êtres et qui les ferme irrémédiablement sur eux-mêmes, les rendant incapables de rien donner et de rien recevoir, on voit que c'est dans l'ennui que se manifestent le mieux sa puissance corrosive, sa lente pénétration, son universelle emprise. Mais comment combattre cet ennemi sans visage ? Ici intervient, chez le curé d'Ambricourt, le charisme des simples, que nous avons déjà vu

1. *Ibid.*, p. 1115.
2. *Ibid.*, p. 1138.
3. *Ibid.*, p. 1139.
4. *Ibid.*, p. 1157.

agir chez Chantal de Clergerie. C'est sa simplicité, sa maladresse, son oubli total de soi-même qui forcent, pour ainsi dire, l'ennemi à se démasquer :

> Mon Dieu, se demande le curé devant le trouble de la comtesse, est-ce à cause du désordre de ma pensée, de mon cœur ? L'angoisse dont je souffre est-elle contagieuse ? J'ai, depuis quelque temps, l'impression que ma seule présence fait sortir le péché de son repaire, l'amène comme à la surface de l'être, dans les yeux, la bouche, la voix... On dirait que l'ennemi dédaigne de rester caché devant un si chétif adversaire, vient me défier en face, se rit de moi[1].

C'est là, peut-être, toute la différence entre la « paroisse morte » de Fenouille, et celle, mourante, d'Ambricourt. Celle-ci est, comme l'autre, dévorée par l'ennui, et risquerait de sombrer dans le même engourdissement mortel, si la grâce qui s'attache à la simplicité de son curé ne forçait pas le mal à montrer son visage, et le péché à dire son nom.

> Que voulez-vous, mon enfant, dit le chanoine de la Motte-Beuvron, ces gens ne haïssent pas votre simplicité, ils s'en défendent, elle est comme une espèce de feu qui les brûle. Vous vous promenez dans le monde avec votre pauvre humble sourire qui demande grâce, et une torche au poing, que vous semblez prendre pour une houlette. Neuf fois sur dix, ils vous l'arracheront des mains, mettront le pied dessus. Mais il suffit d'un moment d'inattention, vous comprenez[2].

C'est parce que de tels « moments d'inattention » existent que le *Journal d'un curé de campagne* est le seul roman de Bernanos où il y ait un véritable dialogue entre le saint et le pécheur. Un tel dialogue s'ébauche à peine, dans les dernières pages de *La Joie*, entre Chantal et La Pérouse ou Cénabre. Dans *Sous le Soleil de Satan*, la conversation entre Donissan et Mouchette n'a rien d'un échange. C'est une série de coups de sonde jetés par le saint dans une âme qui reste murée dans son péché. On peut en dire autant de la conversation entre Chevance et Cénabre au début de *L'Imposture*. La dernière rencontre entre le curé d'Ambricourt et Chantal crée une situation déjà bien différente. Sans doute la jeune fille ne cède-t-elle pas, mais les paroles prophétiques de son interlocuteur laissent entrevoir que le refus qu'elle oppose à tout, y compris la parole de Dieu, ne saurait la conduire ailleurs qu'à un face-à-face

1. *Ibid.*, p. 1149.
2. *Ibid.*, p. 1174.

avec Dieu lui-même : « Oh ! je ne m'exprime sans doute pas bien,
lui dit le prêtre, et vous êtes d'ailleurs un enfant. Mais enfin, je puis
vous dire que vous partez en tournant le dos au monde, car le monde
n'est pas révolte, il est acceptation, et il est d'abord l'acceptation
du mensonge. Jetez-vous donc en avant tant que vous voudrez,
il faudra que la muraille cède un jour, et toutes les brèches ouvrent
sur le ciel [1]. » Aussi, lorsque le curé déclare à Chantal qu'il répond
d'elle âme pour âme, y a-t-il là davantage que dans la mystérieuse
réversibilité en vertu de laquelle le salut d'un Cénabre dépend du
sacrifice d'un Chevance. Le prêtre peut répondre de la jeune fille,
peut garantir son salut, parce qu'il a reconnu en elle une âme de la
même race que la sienne, une détentrice du même secret :

> C'est un secret perdu (...). Vous le retrouverez pour le perdre à
> votre tour, et d'autres le transmettront après vous, car la race à
> laquelle vous appartenez durera autant que le monde. – Quoi ?
> Quelle race ? – Celle que Dieu lui-même a mise en marche, et qui
> ne s'arrêtera plus, jusqu'à ce que tout soit consommé [2].

Cette brèche dans l'épaisseur du péché, nous la voyons s'ouvrir
devant nous au cours de l'entretien entre le curé et la comtesse.
Rien n'est plus difficile, sans doute, que de peindre une âme touchée
par la grâce. Le romancier qui met Dieu dans son jeu est facilement
soupçonné de s'abriter derrière la toute-puissance divine pour faire
admettre à ses lecteurs des volte-face psychologiques dont il n'est
pas capable d'établir solidement la vraisemblance. Mais d'autre
part, si ces volte-face sont trop vraisemblables, si elles s'expliquent
trop naturellement, que devient la transcendance de Dieu, dont le
romancier doit à tout prix suggérer l'intervention ? Bernanos réussit
à en donner l'idée en multipliant, dans une admirable progression,
d'une part les signes du désarroi de la comtesse, poussée, par une
force qui la dépasse, à avouer ce qu'elle avait l'intention de taire,
à engager la lutte sur un terrain qu'elle n'avait pas prévu, à prendre
conscience du péché dans lequel elle vivait enfermée, et d'autre
part les inspirations du prêtre, ses éclairs de lucidité surhumaine,
les gestes irréfléchis qui lui permettent de retourner la situation sans
avoir expressément cherché à le faire. Ainsi, la comtesse, qui se
voudrait impassible, est trahie par son visage ou par une partie de
son visage : « Les yeux semblaient sourire encore, tandis que tout
le bas de sa figure marquait la surprise, la méfiance, un entêtement
inexprimable » ; par sa voix : « Sa voix même était si changée que

1. *Ibid.*, p. 1226.
2. *Ibid.*, p. 1227.

j'avais peine à la reconnaître, elle devenait criarde, traînait sur les dernières syllabes [...] elle me jetait ces paroles comme elle eût craché un poison brûlant » ; par ses gestes : « Elle frappait du pied comme sa fille. Elle se tenait debout, le bras replié sur la tablette de la cheminée, mais sa main s'était crispée autour d'un vieil éventail placé là parmi d'autres bibelots, et je voyais le manche d'écaille éclater peu à peu sous ses doigts » ; enfin par l'attitude indéfinissable de toute sa personne : « Cela ne s'exprimait ni par le regard, fixe et comme voilé, ni par la bouche, et la tête même, loin de se redresser fièrement, penchait sur l'épaule, semblait plier sous un invisible fardeau... Ah ! les fanfaronnades du blasphème n'ont rien qui approche de cette simplicité tragique ! On aurait dit que le brusque emportement de la volonté, son embrasement, laissait le corps inerte, impassible, épuisé par une trop grande dépense de l'être. »

En face de cette femme dont la résistance désespérée prouve à quelle profondeur elle est atteinte, quelles sont les armes du prêtre ? D'abord une dialectique persuasive qui s'exprime tantôt par des tirades ardentes, tantôt par des répliques brèves et dramatiques. Le sommet de cette dialectique est le moment où elle force la comtesse à regarder en face la contradiction qui existe entre sa haine envers Dieu et son amour pour son enfant mort. Mais la dialectique ni l'éloquence ne sauraient suffire à ouvrir un cœur qui se refuse. Le seul moment où la comtesse reprend un avantage est celui où le prêtre s'est laissé emporter par un mouvement oratoire un peu trop passionné. Pour bien montrer que s'il mène le jeu ce n'est pas en vertu d'une force qu'il puise en lui-même, Bernanos précise le caractère presque involontaire des propos qui l'engagent à aller plus avant : « Les paroles que je venais de prononcer me frappaient de stupeur. Elles étaient si loin de ma pensée un quart d'heure plus tôt ! Et je sentais bien aussi qu'elles étaient presque irréparables, que je devrais aller jusqu'au bout. » C'est son angoisse, son affollement, sa tendance à se jeter en avant « à la manière d'un timide » qui constituent ses atouts les plus précieux, puisqu'ils poussent l'ennemi à se découvrir, comme devant un adversaire sans conséquence. Lorsqu'il s'aperçoit qu'il a prêté à son héros des propos un peu trop brillants, Bernanos lui fait aussitôt préciser qu'il les a « prononcés si maladroitement, si gauchement qu'ils devaient paraître ridicules ».

Le curé d'Ambricourt possède également, comme les autres saints bernanosiens, le don de deviner les pensées cachées. A la comtesse qui lui demande : « Vous avez le pouvoir de lire dans mon cœur, peut-être ? », il répond très simplement : « – Je crois que oui,

madame. » Ce don, il l'a déjà exercé lorsqu'il a détecté, derrière
les paroles haineuses de Chantal, la volonté du suicide, et lorsqu'il lui
a demandé la lettre – une lettre d'adieu – dont il ignorait l'existence,
mais dont il savait, en vertu d'une déduction inconsciente, que
la jeune fille l'avait sur elle. De même, quoique de façon moins
spectaculaire, il devine la haine de la comtesse envers sa fille, la
révolte contre Dieu dans laquelle elle vit, le danger surnaturel
qu'elle court. Cette intuition de la situation par rapport à Dieu
dans laquelle se trouve l'être qu'il a devant lui est parfois favorisée
par une sorte de phénomène hallucinatoire. De même que le visage
de Chantal lui est apparu distinctement, dans l'ombre impénétrable
du confessionnal, avec la nuance de tristesse correspondant à son
désespoir, il voit la comtesse morte sans s'être réconciliée avec
Dieu : « C'est vrai que je la voyais, ou croyais la voir, en ce moment,
morte. Et sans doute l'image qui se formait dans mon regard a dû
passer dans le sien, car elle a poussé un cri étouffé, une sorte de
gémissement farouche [1]. »

C'est en vertu d'un phénomène du même genre que le prêtre, au
moment solennel où la comtesse va se rendre, devient comme physiquement sensible à l'invisible présence de Dieu :

> Je ne perdais aucun de ses mouvements, et cependant j'avais
> l'impression étrange que nous n'étions ni l'un ni l'autre dans ce
> triste petit salon, que la pièce était vide [...]. Il me semblait qu'une
> main mystérieuse venait d'ouvrir une brèche dans on ne sait quelle
> muraille invisible, et la paix rentrait de toutes parts, prenait majes-
> tueusement son niveau, une paix inconnue de la terre, la douce paix
> des morts, ainsi qu'une eau profonde [...]. Il me semblait que
> j'étais seul, seul debout, entre Dieu et cette créature torturée.
> C'était comme de grands coups qui sonnaient dans ma poitrine [2].

Ces deux dernières phrases contiennent le véritable secret des
pouvoirs surnaturels du héros. Comme son maître Jésus-Christ il
délivre du péché en prenant sur lui la souffrance du péché, et la
comtesse est moins sensible sans doute à ses arguments ou à ses
intuitions divinatrices qu'au spectacle d'un être transpercé par ses
fautes, comme le Rédempteur auquel elle se refuse. C'est le visage
livide du prêtre qui la force à écouter ses paroles et à essayer de
le convaincre au moment où elle s'apprête à le congédier. C'est à
cause de l'unique larme qui coule providentiellement sur la joue du
jeune homme qu'elle commence à entrevoir dans quel abîme elle

1. *Pl.*, p. 1152.
2. *Ibid.*, p. 1161-1162.

se débat. Et finalement, si elle se rend à lui – à lui seul, précise-t-elle – c'est parce qu'une sorte d'équilibre ou de substitution mystique s'opère (que les psychanalystes appelleront peut-être transfert) entre l'enfant dont la perte provoquait sa révolte et l'enfant qui lui rend l'espérance : « Que vous dire ? Le souvenir désespéré d'un petit enfant me tenait éloignée de tout, dans une solitude effrayante, et il me semble qu'un autre enfant m'a tirée de cette solitude[1]. »

Comme celle de tous les saints, la vie du curé de campagne est une imitation de Jésus-Christ. En réalisant dans son existence la pauvreté que son maître a aimée et magnifiée, il contribue à faire rayonner sur le monde cette espérance des pauvres dont l'Église ne doit pas oublier qu'elle a la charge ; en acceptant de « souffrir par les âmes », selon l'expression du P. de Clérissac qu'il fait sienne, il les délivre de leur péché et leur rappelle qu'un autre a connu la perfection de cette souffrance : « Vous pourriez lui montrer le poing, lui cracher au visage, le fouetter de verges, et finalement le clouer sur une croix, qu'importe ? *Cela est déjà fait, ma fille[2]...* » Mais il doit aller jusqu'au bout du sacrifice. Lorsque le curé de Torcy lui dit qu'à son avis Notre Seigneur, de toute éternité, nous a rencontrés quelque part sur sa route, qu'« un jour entre les jours, ses yeux se sont fixés sur nous, et selon le lieu, l'heure, la conjoncture, notre vocation a pris son caractère particulier », il pense instantanément que ce lieu est pour lui le Jardin des Oliviers[3]. Pour remplir cette vocation, il meurt, comme Chevance, dans l'humiliation, la solitude, le secret – un secret héroïquement préservé, malgré la tentation de le confier à quelqu'un. La peur de la mort ne lui est pas épargnée, non plus que la révolte, la fuite honteuse devant le docteur Laville, à qui il aurait souhaité donner une image édifiante de la résignation chrétienne. Et pourtant, il reçoit à l'instant suprême la grâce de connaître que Dieu l'aime. Bernanos aussi recevra cette grâce. Il l'a déjà reçue au moment où il écrit le *Journal d'un curé de campagne*. Elle lui permettra d'affronter sans désespérer les années douloureuses qui lui restent à vivre.

1. *Pl.*, p. 1165.
2. *Ibid.*, p. 1162.
3. *Ibid.*, p. 1187. Michel Estève énumère toutes les circonstances de la « passion » du curé d'Ambricourt qui rappellent la Passion du Christ : « La marche dans la boue et la nuit, en bordure du bois d'Auchy, la chute et l'évanouissement rappellent à l'évidence la nuit de Gethsémani, la montée au Calvaire, la chute sous le poids de la Croix. *Analogies christiques* évidentes que cette perte de sang, ces marques de vin et de sang sur le visage essuyé par le torchon de Séraphita, symbolique voile de Véronique. Dérisoire Golgotha que cette mansarde de Dufréty où s'offre la mort » (*Bernanos*, p. 163).

Chapitre XI

La guerre d'Espagne

Lorsque Bernanos était venu s'installer à Palma, attiré par la perspective d'y vivre à meilleur compte, il ne pouvait pas prévoir la sanglante tragédie à laquelle il allait se trouver mêlé à cause de ce simple changement de domicile et les conséquences qui en résulteraient dans l'orientation de sa pensée et de sa vie. Si cette évolution ne fut perceptible au public que lorsqu'il publia *Les Grands Cimetières sous la lune*, en mai 1938, et revêtit alors l'apparence d'un tournant brusque, elle correspond, en fait, à une prise de conscience très progressive, dont les lettres de Bernanos qui ont été publiées, ainsi que les articles qu'il envoyait régulièrement à *Sept*, permettent de se faire une idée[1].

Tant qu'il fut absorbé par la rédaction du *Journal d'un curé de campagne*, qui parut en mars 1936, il ne semble pas qu'il ait prêté grande attention aux affaires politiques espagnoles. Mais lorsqu'il fut délivré de ce souci, obéissant à ce mouvement d'alternance qui le rejetait périodiquement de la création romanesque à la polémique, il commença à réfléchir sur ce qui se passait dans le pays dont il était l'hôte, attentif surtout aux aspects de la situation espagnole qui lui paraissaient avoir leur équivalent ou leur contraire dans son propre pays. Ainsi l'hebdomadaire *Sept*, dirigé par les dominicains, ayant rapporté les propos qu'il avait tenus à Daniel-Rops sur le leader de droite Gil Robles, il demanda à ce journal, à la fin de mai 1936, de publier un article dans lequel il jugeait sans indulgence le comportement de la droite espagnole. Un second article, envoyé le 16 juillet, trois jours avant le déclenchement de la guerre civile, précisait sa pensée.

C'est la politique de l'Église – et en particulier de l'Action Catholique – que Bernanos rend responsable, en Espagne comme en France, des échecs de la droite. Il lui reproche essentiellement sa tendance aux atermoiements et aux compromis, sa promptitude à donner raison au vainqueur, au mépris des engagements assumés

---

1. Ces lettres et ces articles ont été publiés dans les n° 28-29 du *Bulletin*. Sauf indication contraire, c'est de cette livraison que sont tirées nos citations.

au nom des principes les plus sacrés. Pourquoi a-t-elle réagi si mollement contre les incendies d'églises, les pillages de couvents, les voies de fait contre des prêtres et des religieux qui ont marqué l'arrivée au pouvoir du « Frente popular » ? Pourquoi s'empresse-t-elle de désavouer, au nom de l'Évangile, la sanglante pacification des Asturies, qu'elle approuvait en 1934 au nom de l'ordre social ? Croit-elle inspirer confiance au monde ouvrier par ces reniements ridicules et intéressés ? Des deux côtés des Pyrénées, il y a donc, chez les « bien-pensants », le même opportunisme nocif, la même lâcheté fondamentale, la même crainte de s'engager à fond.

Il existe pourtant un point qui différencie la situation dans les deux pays, et dont Bernanos a bien saisi l'importance, sans imaginer, bien entendu, jusqu'où irait l'affrontement qu'il pressent : c'est la polarisation de la vie publique, après la chute de la monarchie, autour de la question religieuse :

> Cléricaux et anticléricaux, l'armée du Mal et celle du Bien face à face, telle fut l'image grâce à laquelle on put obtenir facilement des fidèles l'abandon de leurs préférences politiques particulières. Plût à Dieu qu'elle fût restée une image, thème favori des éloquents propagandistes de M. Herrera [président de l'Action Catholique]! Mais cette terrible simplification est maintenant inscrite dans les faits. La question religieuse est bien, comme on l'espérait, passée au premier plan. Elle y restera. Périlleux honneur dans un pays où le principe de la liberté de conscience reste un mythe nordique, et qui, au fond, n'intéresse personne [1].

La lettre qui accompagne l'envoi du second article contient une indication fort intéressante : « Je garde pour mon livre futur la plus grosse somme de dégoût possible, mais je dois cependant prendre certaines précautions pour ne pas éclater. 'D'où ces articles', comme disait le vieil Hugo. » La lettre étant datée du jeudi 16 juillet 1936, il résulte que Bernanos songeait, dès avant le déclenchement de la guerre civile espagnole, à écrire un pamphlet. Il est par conséquent inexact de dire que c'est la guerre civile, et l'indignation devant les atrocités dont il était témoin, qui lui ont mis la plume à la main. Nous verrons, d'ailleurs, que les articles qu'il continue à envoyer à *Sept* une fois la guerre commencée, et dont il compte bien faire un livre, une sorte de « journal d'un témoin [2] », manifestent au début beaucoup d'admiration et presque de l'enthousiasme pour le soulèvement franquiste. C'est seulement à l'épreuve des faits que

---

1. *Bul.*, 28-29, p. 3.
2. Titre donné par la rédaction de *Sept* à l'un de ces envois.

sa conviction est ébranlée et que le dégoût et la révolte prennent le dessus.

Il ne sera pas inutile, pour comprendre cette suite de réactions contradictoires, de se demander où en était Bernanos, au point de vue politique, depuis sa double rupture avec Maurras et avec Coty.

N'ayant pas trouvé, depuis 1932, de tribune où s'exprimer, il avait accepté, au printemps de 1935, la proposition que lui fit Emmanuel Berl, d'écrire en toute liberté ce qu'il pensait dans *Marianne*, l'hebdomadaire de gauche que Berl venait de fonder. Collaborer, sans renoncer le moins du monde à ses idées monarchistes, à un journal qui allait devenir le ferme soutien du Front populaire, la chose n'était pas pour déplaire à Bernanos, dans la mesure où elle symbolisait la singularité de sa situation. C'est à décrire cette situation que sont pratiquement consacrés les trois articles publiés dans *Marianne*, entre avril et juillet 1935. « Démocrate ni républicain, homme de gauche non plus qu'homme de droite, écrit-il le 17 avril, que voulez-vous que je sois ? Je suis chrétien [...]. Pourquoi ? mon Dieu, pour cette raison que le monde moderne a le feu dans ses soutes et va probablement sauter. Nul n'est sûr, après l'accident, d'avoir encore un état-civil, une famille, ni même une patrie. J'aurais toujours un nom : celui de chrétien. » Dans son article du 31 juillet, intitulé de façon significative « Au bord de la route », il parle au nom de ceux qui restent dehors et explique pourquoi il refuse également de servir une tradition révolutionnaire et une tradition monarchiste qui se sont l'une et l'autre imprégnées d'esprit bourgeois : « Nous n'allons tout de même pas nous casser la figure, conclut-il, pour savoir lequel, d'un régime ou de l'autre, est le plus capable de sauver une société dont nous ne souhaitons nullement le salut. Qu'elle disparaisse d'abord ! »

Vis-à-vis de la droite française, son attitude est de plus en plus critique. L'agitation des ligues et le putsch manqué du 6 février 1934 ne semblent avoir éveillé en lui que scepticisme et dégoût. Pour une fois que la droite est descendue dans la rue, elle l'a fait pour défendre des intérêts matériels trop évidents, et non pour promouvoir cette société chevaleresque dont rêve Bernanos.

> Il saute aux yeux, écrit-il en juillet 1934, que le mouvement déclenché par la clique Chiappe entraîne une foule de braves gens qui ne serviront à la fin du compte que les suprêmes intérêts d'une société bourgeoise qui croule, et croyant restaurer la France, ne restaureront que M. Guizot.

Et à ceux qui répliquent à ses objections contre le « front commun national » en disant que le « front commun républicain » sert des intérêts non moins évidents, il repond par un argument qui occupera une grande place dans sa polémique contre le franquisme : « Sans doute. Seulement il ne les sert pas au nom de Dieu, de la Morale, de la Famille [1] ».

Une lettre, envoyée le 20 août 1935 à Louis Salleron, qui lui avait demandé un article pour le *Courrier Royal* permet de faire le point de ses idées politiques. Son correspondant s'étant étonné de sa collaboration à *Marianne* et ayant entendu dire qu'il y aurait parlé de « turlutaines monarchistes », Bernanos, qui accepte d'enthousiasme d'écrire dans le *Courrier Royal*, tient à préciser sa position : s'il publie des articles dans *Marianne*, c'est parce que la collaboration à un journal républicain présente pour lui moins de risques d'équivoque que la collaboration à l'un des journaux de cette droite française qu'il exècre : « Au point où j'en suis, j'estime que l'amitié des gens de *Gringoire*, de *Candide* ou de *L'Écho de Paris* me compromettrait plus gravement que celle de Berl, car nul lecteur sensé ne peut me prendre pour un disciple de M. Cachin, au lieu que l'équivoque de la nouvelle Union sacrée risquerait de faire de moi, en apparence, le serviteur d'égoïsmes enflammés par la haine et la peur, et dont le dégoûtant spectacle finira bien, si nous n'y prenons garde, par déshonorer, aux yeux des jeunes esprits libres, l'image de la Patrie qui couvre leurs sales trafics. » Cela dit il se déclare toujours aussi attaché à la monarchie, mais à une monarchie qui n'a pas grand chose de commun avec la construction cérébrale et passéiste des maurrassiens : « Rétablir la monarchie est aujourd'hui un mot vide de sens. Je crois qu'il faut la refaire, contenant et contenu. Personne, au fond, ne doute plus qu'elle sache conserver, administrer, durer. Il s'agit de prouver qu'elle peut créer, créer une nouvelle France. Pourquoi pas ? Pourquoi notre histoire devrait-elle tourner autour du XVIIᵉ siècle comme la lune ? Pour un jeune Français, le grand siècle devrait être devant, non derrière. » Ce non-conformisme, il le sait, le fera traiter de révolté. Il n'accepte pas de se tenir pour tel.

Je me comparerai plutôt, dit-il, à ces types qui vérifient à chaque station les essieux des rapides, donnent çà et là des coups de marteau, s'efforcent de découvrir les failles et les fêlures de l'acier. A ce métier, entre parenthèses, j'userai ma vie et je crèverai de faim, je le sais. Mais quoi! j'accomplis ma destinée. Car pour trouver en ce moment un écrivain plus seul et plus libre que moi, vous pouvez toujours courir! Que voulez-vous, mon vieux Salleron! Par une

---

1. *Bul.*, 2-3, p. 21.

distraction inconcevable la société moderne a oublié de me châtrer avant de m'inscrire à ses effectifs, et [de] me donner un matricule. En sorte qu'à l'ahurissement de mes lecteurs, je continue à manifester les surprises et les colères d'un homme entier [1].

Les surprises et les colères d'un homme entier, c'est exactement ce que nous livrent les lettres et les pages du journal relatives à la guerre d'Espagne, et ce que *Les Grands Cimetières sous la lune* mettront en forme, avec une ampleur accrue.

Plusieurs facteurs expliquent, me semble-t-il, l'adhésion enthousiaste de Bernanos à la révolution franquiste, dans les premiers temps. Ces facteurs sont en relation avec ce que Bernanos pensait de la situation intérieure française beaucoup plus qu'avec la situation espagnole. Un homme qui, depuis son adhésion aux Camelots du Roi, reprochait à *L'Action française* de se refuser à engager, dans la rue, une bataille décisive avec l'État républicain ne pouvait qu'être séduit par un mouvement où il voyait l'armée jouer un rôle qu'il avait vainement attendu d'elle dans son pays : « Avouez que j'ai eu raison de ne pas aller villégiaturer en France? écrit-il le 24 juillet 1936, cinq jours après le début de l'insurrection. Pour une fois que je vois des militaires assez culottés pour faire une 'Revolución', ça serait difficile de les lâcher. Viva España! » A la droite française, il ne reproche pas seulement sa mollesse dans l'action, mais aussi, nous l'avons vu, l'impureté des motifs qui la font agir. Nouvelle raison pour admirer un soulèvement qui s'opère au nom d'un idéal moral et religieux, et qui doit ses premiers succès à l'écho que rencontrent ses mots d'ordre dans une grande partie de la population : « Ce grand peuple, écrit-il le 16 août, reste aujourd'hui d'accord avec son instinct le plus profond, sa tradition immémoriale, qui est d'assurer avant tout son unité morale et religieuse, au besoin par le fer et par le feu. On doit déplorer ces luttes fratricides. Mais quoi! Mieux vaut combattre et mourir pour ses autels et pour ses dieux que pour assurer, par exemple, au commerce national, des débouchés économiques. »

Enfin, le sentiment de solidarité que Bernanos éprouve envers les rebelles se fortifie de son dégoût pour ses compatriotes qui s'enfuient à la première annonce du danger. « Le départ en panique des étrangers depuis huit jours est un spectacle réellement ignoble sous les yeux de la population qui les voit filer au moment du péril avec une certaine amertume » (24 juillet). Pour sa part, il résiste aux objurgations de ceux qui le pressent de rentrer en leur répondant qu'il n'aurait pas été « très délicat de se sentir tout à coup pris du

---

1. *L'Herne*, p. 67-68.

mal du pays et de quitter une ville où les amis que nous avons atten-
daient anxieusement de savoir si les guignols catalans avançaient
ou reculaient, sûrs qu'ils étaient d'être fusillés dans les vingt-quatre
heures si les choses tournaient mal » (12 septembre). La fierté
d'affronter de réels dangers, l'intérêt d'assister « à ce spectacle si
prodigieusement espagnol » (10 septembre) et d'acquérir « quelque
expérience personnelle des révolutions de droite et de gauche »
(15 août) amènent Bernanos à se féliciter d'autant plus d'être resté
que son approbation du soulèvement n'a ainsi rien de commun,
pense-t-il, avec celle qu'il lit avec dégoût dans la presse française
de droite.

Non seulement, en effet, il dit dans ses lettres sa répugnance
pour « tous ces guignols nationalistes, militaires ou civils, qui
n'ont jamais osé risquer la guerre civile, et qui l'admirent bassement
et servilement chez autrui » (27 août), mais le premier article qu'il
envoie à *Sept* après le déclenchement de la rébellion est tout entier
consacré à dénoncer les encouragements purement verbaux dont
la droite française gratifie les nationalistes espagnols, sans fréter
le moindre avion susceptible de matérialiser son aide. Il y voit une
nouvelle manifestation de l'impuissance maurrassienne à mordre
sur les faits, à prodiguer au monde autre chose que des leçons,
en même temps qu'une menace pour la situation de la France :
« Les dictateurs de droite ou de gauche ne vous prennent pas au
sérieux. Ils acceptent dédaigneusement vos services, méprisent vos
personnes, et se rient d'un public assez naïf pour prétendre monter
à l'assaut d'un régime derrière des encriers à pattes. Malheureusement, c'est le pays qui paie les frais de vos hystéries polygraphiques »
(5 octobre).

Est-ce à dire que Bernanos adhère sans réserves au mouvement
franquiste ? La présence de son fils aîné dans les rangs de la Phalange,
où il sera élevé au grade de lieutenant, paraît en être la meilleure
preuve. Pourtant, à lire attentivement sa correspondance, on
s'aperçoit qu'il entend préserver l'indépendance de son jugement.
Dès le 15 août, dans la lettre où il se déclare ravi d'être resté pour
acquérir « quelque expérience personnelle des révolutions », il
ajoute : « Expérience assez amère, d'ailleurs ! J'espère écrire un
jour ce que je pense et conclure. »

Ne concluons pas trop vite, pour notre part, que le livre projeté
à cette date aurait déjà la même orientation que *Les Grands Cimetières*.
Une lettre datée du lendemain nous permet d'entrevoir quel
devait être, un mois après le début de la lutte, son jugement sur
cette guerre : « Les événements auxquels nous assistons, y écrit-il,
étaient attendus depuis des mois. Une politique tortueuse les a

retardés, faisant ainsi d'une simple opération de police une véritable guerre civile. J'espère écrire un jour sur quelles têtes ce sang doit retomber. » Sur quelles têtes ? Bien entendu sur celles de ces politiciens de droite qui, au moment où le pouvoir était à leur portée, n'ont pas su s'en saisir et qui ont ainsi rendu possible le « Frente popular », et nécessaire la sanglante réaction nationaliste. Le point de vue de Bernanos n'a donc pas changé depuis ses premiers articles à *Sept*, et le livre qu'il se propose d'écrire est toujours, semble-t-il, ce pamphlet qu'il projetait de composer avant le début des opérations, et où la situation en France devait être rapprochée de manière suggestive de la situation en Espagne.

Mais dès le début de septembre apparaît dans ses lettres une note qui ne cessera pas de s'amplifier : l'étonnement, puis le dégoût et l'horreur devant les violences dont il est témoin, dans le camp nationaliste. « Cette guerre civile, écrit-il le 4 septembre, a un caractère de férocité vraiment surprenant. » Une lettre de la fin du mois laisse deviner la révolte du fils, qui sert dans l'armée, et du père, qui observe, contre les méthodes de répression qui se sont instaurées autour d'eux : « Vos journaux sont idiots. Vous n'avez aucune idée de ce qui se passe et du peu de prix qu'a ici la vie humaine. Au milieu d'êtres violents et frustes qui se dévorent entre eux et sont exactement ce qu'ils étaient au douzième siècle, X... maintient sans le vouloir, sans même le savoir, la tradition humaine de sa race, son sens particulier de l'honneur, de la fidélité, de respect au vaincu, et tout cela non sans péril, car il gêne énormément les gens qui l'entourent et qui ont beaucoup de sang sur les mains. Moi aussi je les gêne. Mais à défaut de moi ou d'un autre, les cimetières finiront bien par parler. »

En attendant de se faire l'interprète de ces cimetières qui parlent et de ces morts qui accusent, Bernanos découvre les aspects sordides d'une guerre dont il n'avait vu d'abord que le panache : « L'arrière ici, écrit-il le 10 octobre, est aussi dégoûtant que le nôtre en 1917, mais tellement plus féroce ! Les bobards de vos journaux me font rigoler. Vous pouvez dire au P. Boisselot que les curés sont à vous faire crever de dégoût. Mais gardez l'un et l'autre ce secret qui bientôt sera celui de Polichinelle. » Cette distinction entre l'arrière et l'avant, entre la bourgeoisie catholique et les curés d'une part, l'armée qui se bat de l'autre, lui permettront encore de concilier pendant un certain temps son admiration pour l'idéologie dont le mouvement se prévaut et son dégoût pour les scènes féroces auxquelles il assiste. Ainsi, dans l'article daté d'octobre qu'il envoie à *Sept*, et que ce journal publie le 27 novembre, il juge sévèrement l'explosion de violence qu'il observe chez « ces bourgeois bigots,

[...] ces rentiers confits dans l'oisiveté comme des olives dans l'huile, [...] ces prêtres bouffis de solennelle bienveillance et de vanité », qui hier encore manifestaient par leurs paroles et leur attitude (surtout en face du danger) leurs dispositions plus que pacifiques. A ceux qui lui objecteraient que les terroristes n'ont pas à se plaindre d'être exterminés selon leurs propres méthodes, il fait cette réponse, qui laisse deviner déjà un mouvement de sympathie envers les victimes et une nette réprobation envers ceux qui ne mettent pas leurs méthodes de combat à la hauteur des principes qu'ils prétendent incarner : « L'étonnement du misérable que vous fusillez sans jugement, comme un chien, est un hommage à la classe supérieure. L'étonnement du misérable n'est pas de se voir traité comme un chien, d'abord parce qu'il a l'habitude de cette confusion et qu'il ne se juge pas sans doute au fond très supérieur à cet animal. Mais il a vaguement conscience d'incarner la révolte de l'instinct contre la loi, et il vous reproche de l'abattre au nom d'un autre instinct, celui de la conservation, vous dont la raison d'être est la loi. » Cela ne l'empêche pas de présenter, dans le même article, ce qui se passe en Espagne comme une révolution, et une révolution nécessaire (il note toutefois que la situation est révolutionnaire et le désir de renouveau réel des deux côtés), et de peindre avec lyrisme l'enthousiasme religieux de la foule à la nouvelle – d'ailleurs fausse – de la prise de Madrid.

C'est à ce moment précis, c'est-à-dire au début de novembre, que le projet de pamphlet dont il entretenait ses correspondants dès avant le déclenchement de l'insurrection se transforme en réalité. Ce sera un commentaire des événements (pas seulement ceux de la guerre d'Espagne, semble-t-il) fait en toute liberté, et dont Bernanos enverra certains chapitres à *Sept* (pas tous) à mesure qu'ils seront composés. Il annonce le début de son entreprise dans une lettre du 8 novembre, qui peut être considérée comme l'acte de naissance d'une première version des *Grands Cimetières* :

> J'ai résolu d'écrire tout ce que je sens et ce que je pense sur le temps où je vis, à l'intention des petits Bernanos inconnus qui doivent subsister quelque part, en différents lieux de mon pays, sans se connaître. Ainsi les révélerai-je peut-être à eux-mêmes, ferai-je pour eux ce que le vieux Drumont a fait pour moi, lorsque j'étais petit garçon. Il me faut me hâter parce qu'un tel livre ne peut être écrit que par un homme « entier [1] ». Et je le suis encore... Pour combien de temps ?
>
> J'ai écrit les deux premiers chapitres. Ce que je vous envoie sera le début du troisième. Je vous dis ce que je vous disais en com-

1. Cf. la lettre à Salleron citée plus haut (p. 235).

mençant le *Journal d'un curé de campagne*. Il me semble que ce sera bien.

Du contenu de cette première version des *Grands Cimetières*, qui fut égarée lorsque Bernanos revint en France, en mars 1937, nous ne connaissons que ce qui fut écrit pour *Sept*. L'opposition au mouvement franquiste est loin d'y être encore aussi accusée qu'elle le sera dans la version définitive. On trouve dans l'article daté du 8 novembre un éloge des généraux rebelles que Bernanos n'osera plus écrire quelques mois plus tard[1] : « Je ne parle pas des chefs : Franco, Yagüe, Varela, Queipo. Ils ont joué leur tête une fois pour toutes, ils n'y pensent plus. Ce sont des hommes de guerre, tels que l'Afrique en formait jadis et que la monstrueuse spécialisation des guerres modernes détruira sans doute peu à peu. Temporisateurs aussi longtemps qu'il le faut, et le moment venu des enfonceurs. Ils ont rétabli une situation compromise – ou perdue – avec une maîtrise d'eux-mêmes, un *temple*, comme on dit par ici, qui prouve leur race. » Le reste de l'article, ainsi que les deux suivants, expédiés le 16 novembre, contient essentiellement des considérations sur le goût du sang et de la mort chez les Espagnols, destinées à expliquer aux Français la férocité de cette guerre, dont leurs journaux leur cachent le vrai caractère, mais en présentant plutôt cette férocité comme une fatalité de la race et de l'étrange religiosité qui lui est propre que comme le fruit d'une politique détestable.

Mais les expériences que Bernanos va faire dans les deux mois qui suivent lui ouvriront définitivement les yeux. L'intervention de plus en plus affichée des Italiens lui montre que cette guerre pourrait bien être autre chose qu'une croisade patriotique, et son acharnement autre chose qu'un cas typiquement espagnol d'intolérance religieuse. « Ces c... là ne voient pas que les Italiens les poussent à se compromettre, pour devenir indispensables (quarante-trois avions italiens dans l'île – pilotés par les Italiens, naturellement)» écrit-il le 21 décembre. Et le 28 : « La contre-révolution n'est pas du tout ce qu'imaginent les crétins de France – d'ailleurs sur la foi d'une presse évidemment vendue à Mussolini. Tous ces gens-là se dévorent les uns les autres, lorsqu'ils ne dévorent pas leurs

---

1. Cf. le jugement des *Grands Cimetières* sur Franco : « Je n'aurais probablement jamais parlé du général Franco, si vous n'aviez prétendu faire d'un Gallifet de cauchemar une sorte de héros chrétien, à l'usage des jeunes Français [...] Pourquoi diable exigerait-on de moi que j'admire une sorte de général qui se fait de sa légitimité personnelle une idée d'autant plus féroce et bornée, qu'il s'est parjuré lui-même deux fois envers ses maîtres » (p. 316).

adversaires – quinze cents ou deux mille types exécutés en douce, et des scandales à perte de vue, le Rouge – surtout richard, étant considéré comme taillable et corvéable à merci. » Cette fois la désillusion est totale. « Mon cœur est brisé », écrit Bernanos, et il forme des projets de départ pour le printemps. En attendant, son indignation s'accroît de jour en jour. Elle éclate à plein dans sa lettre du 18 janvier :

> J'assiste de trop près à une révolution militaire et cléricale. C'est un spectacle dégoûtant, car il est difficile d'imaginer un mélange aussi paradoxal – explosif – de cynisme et d'hypocrisie... Vous me direz qu'ailleurs... D'accord! d'accord! mais les gens d'ailleurs ne nous engagent pas, ne parlent pas le même langage que nous. J'aime encore mieux les bourreaux débraillés plus ou moins saouls. Au lieu que les « Purs » d'Olivier Cromwell ont été, à travers Walter Scott, la terreur et l'abomination de mes quinze ans.
> Je les vois en ce moment au naturel. Un fait entre mille : au moment du débarquement des guignols catalans, ils ont « épuré » les villages voisins, par précaution, au hasard des dénonciations – bonnes ou maîtresses de curés, etc., etc. On a pris un tas de pauvres types simplement suspects de peu d'enthousiasme pour le mouvement, et on les a fusillés devant le cimetière d'un patelin qui s'appelle Manacor. Ils arrivaient en camion. La première fournée, c'est le cas de le dire, passée par les armes, on l'a entassée à vingt pas de là, arrosée d'essence, et allumée. Les autres camions amenaient le bétail. Les malheureux descendaient ayant à leur droite le mur expiatoire criblé de sang, et à leur gauche les cadavres flamboyants. L'ignoble évêque de Majorque laisse faire tout ça.
> Ce fait est absolument et strictement vrai. Ce n'est pas celui qui me dégoûte le plus.

Cette indignation, Bernanos ne peut pas la faire passer telle quelle dans les articles qu'il envoie à *Sept* sans compromettre gravement sa sécurité et celle de sa famille. Il est donc amené à introduire une distinction qu'il n'avait pas prévue au départ entre les articles et le livre : « Ces articles sont bien une part du journal dont je vous ai parlé, écrit-il le 14 décembre, mais je donne à ce journal une autre forme que celle d'une série d'articles. Tel quel, il est en ce moment impubliable. » Impubliable à cause de son contenu, sans doute, mais aussi et peut-être surtout à cause de sa forme. Car Bernanos, fasciné par les spectacles auxquels il assiste, assailli par la multitude d'idées que les événements font surgir, écrit maintenant dans un état de surexcitation nerveuse qui le porte en avant dans la composition de son livre, tout en l'éprouvant terriblement :

Je travaille en ce moment, écrit-il le 2 janvier, à cette espèce de journal, qui me donne un mal effrayant... Mais cette fois j'écris ce qui me vient à l'esprit, et sauf ce que j'en tire pour mes articles de *Sept*, rien n'est en ordre ni encore susceptible d'être recopié et envoyé. J'ai trop de choses à dire. Je ne puis m'astreindre à un plan, et j'hésite toujours à mettre ça à la queue-leu-leu, comme Bloy. Je ne voudrais pas briser cette sorte de rythme que j'ai. Vous ne pouvez imaginer ce que je vois. C'est comme un rêve dont je ne peux m'arracher.

Dans ces conditions, la poursuite de l'activité journalistique devient de plus en plus difficile à Bernanos, d'autant plus que la rédaction de *Sept* prétend pratiquer des coupures dans ses articles, et les fait précéder quelquefois de « chapeaux » dans lesquels elle dégage prudemment sa responsabilité. Dans la lettre du 2 janvier qui vient d'être citée, Bernanos annonce qu'il interrompra sa collaboration après un dernier article. Celui-ci est expédié, sous le titre de « Conclusion », le 19 janvier. Prévoyant que *Sept* refusera de le passer, Bernanos déclare – non sans naïveté – qu'il ne serait pas fâché si un journal comme *Le Figaro* ou le *Courrier Royal* le publiait.

Pour la première fois – et non sans risques puisqu'il est encore à Majorque – il livre le fond de sa pensée. Ce n'est plus seulement le comportement d'une certaine catégorie de nationalistes espagnols qu'il met en question, mais le sens même de cette guerre, où l'on extermine au nom de l'ordre des révoltés qui ont le tort d'être des pauvres :

Nos pères, nos vrais pères, les pères qui formèrent notre âme, ont péché sur toutes les routes du monde, mais sur toutes les routes du monde on les a vus aussi laver humblement les pieds du vagabond, baiser les plaies du lépreux... Vous ne pensez tout de même pas que les fils de ces gens-là vont accourir au premier appel d'une société qui, lorsque ses affaires vont mal, n'a jamais réellement connu d'autre expédient que celui d'exterminer les pauvres ? – Pardon, dira le citoyen sérieux, elle extermine les révoltés. Si les révoltés sont justement les pauvres, qu'y faire ? L'événement nous prend généralement au dépourvu, et la mitrailleuse ressemble à la sauce béarnaise, elle n'attend pas. – D'accord! Je regrette avec vous qu'il n'y ait pas de temps en temps une insurrection de millionnaires. Mais au nom de quoi réprimez-vous ? « – Au nom de l'ordre. » – Quel ordre? L'ordre des hommes d'ordre? Depuis que je suis au monde, j'entends vanter les hommes d'ordre. Un homme de guerre fait la guerre, un homme de lettres fait des livres. A-t-on jamais vu l'homme d'ordre faire de l'ordre? Ils ne font pas d'ordre, leur rare génie n'allant pas plus loin que réprimer le désordre. Quel désordre? Celui qui les menace, – eux – et nul autre.

Il y a là autre chose qu'un phénomène purement espagnol, comme Bernanos avait eu un peu trop tendance à le penser à un certain moment. Cette guerre n'est pas une croisade, un acte de foi, mais un acte de désespoir, un massacre sans but et sans idéal, dont Bernanos pressent prophétiquement que la contagion va s'étendre à l'Europe et au monde : « De plus en plus clairement cette guerre civile m'apparaît comme le premier d'une longue suite d'événements s'engendrant les uns les autres jusqu'au dernier, jusqu'à la catastrophe qui nous donnerait le mot de l'énigme, si elle était prévisible ou seulement concevable. Certains crimes ne sont dans la vie des hommes rien de plus qu'une simple conjoncture tragique dont le caractère irréparable masque à peine l'insignifiance. Je ne parle pas seulement de ces gestes meurtriers qu'il arrive aux juges d'absoudre, mais de crimes réfléchis ou du moins perpétrés avec l'espèce de sang-froid qui permet d'en mesurer le risque. Même alors la disproportion entre l'acte et la mauvaise pensée dont il a brusquement surgi, ainsi qu'un monstre de l'abîme immobile des eaux, accable souvent son auteur au point de lui faire perdre conscience, de le rendre comme étranger à son épouvantable malheur. Mais il est des crimes essentiels, marqués du signe de la fatalité. La guerre d'Espagne est de ceux-là. »

Le problème était ainsi posé de façon définitive. Bernanos n'avait plus rien à faire en Espagne. Il quitta Majorque le 27 mars 1937. Mais avant de partir il avait envoyé à Plon, le 8 février, la préface et les trente-six premières pages de son livre (p. 1 à 24 de l'édition), après les avoir suffisamment mises au point pour qu'elles n'exigent plus, par la suite, que des remaniements insignifiants. Toute l'année 1937, d'abord à Nogent-sur-Marne, puis à Toulon, il allait la consacrer à la rédaction de ces *Grands Cimetières*, qui parurent en mai 1938 [1].

Le public vit essentiellement dans cette œuvre un témoignage – bouleversant pour les uns, exaspérant pour les autres – sur la guerre d'Espagne. C'était à la fois bien et mal juger. Une grande partie du livre – assurément plus de la moitié – traite de problèmes qui n'ont aucun lien direct avec les événements de la péninsule et ne fait en apparence que prolonger la réflexion politique inaugurée par Bernanos avec *La Grande Peur des bien-pensants*. Cette continuité donne tort à ceux qui parlèrent, à propos du pamphlet de 1938, de conversion, voire de reniement. Prévoyant leur réaction, Bernanos

1. Sur les étapes de cette rédaction, telles qu'on peut les reconstituer d'après les manuscrits, cf. l'étude d'Albert BÉGUIN dans *Bul.*, n° 30.

déclare qu'il n'y a pas une ligne de son livre que Drumont ne pût signer. « J'ai donc le droit, ajoute-t-il, de rire au nez des étourdis qui m'accuseraient d'avoir changé. Ce sont eux qui ont changé[1]. »

Et pourtant il est clair que toute la pensée des *Grands Cimetières* est commandée, fécondée et rendue brûlante par l'expérience espagnole. Mettre en évidence le retentissement de cette expérience sera souligner l'unité de ce livre tumultueux et décousu, et décrire un moment décisif de la vocation de son auteur.

Les problèmes que la guerre d'Espagne l'oblige à considérer en pleine lumière ne sont pas aussi éloignés qu'on pourrait le croire de ceux qu'il avait abordés dans le *Journal d'un curé de campagne*. Ils concernent le rôle de l'Église dans le monde et la trahison des pauvres par ceux qui étaient appelés à les défendre et à les servir.

L'attitude de l'Église dans le conflit a été, pour lui, le grand, le seul scandale : « Pourquoi la mettre en cause, dira-t-on ? Mais, parce qu'elle est toujours en cause. C'est d'elle que je tiens tout, rien ne peut m'atteindre que par elle. Le scandale qui me vient d'elle m'a blessé au vif de l'âme, à la racine même de l'espérance. Ou plutôt, il n'est d'autre scandale que celui qu'elle donne au monde[2]. » Qu'un pays soit déchiré par une guerre civile, et que cette guerre civile soit sanglante, c'est là une chose que Bernanos est prêt à admettre, lui qui n'est ni pacifiste, ni non-violent. « Je n'avais [...] aucune objection de principe à formuler contre un coup d'État phalangiste ou requeté, reconnaît-il [...]. Bref, j'étais préparé à toute violence. Je sais ce que sont les violences exercées par des violents. Elles peuvent révolter qui les observe de sang-froid, elles ne soulèvent pas le cœur[3]. » Mais alors que le rôle de l'Église était de modérer cette violence et de rappeler sans cesse aux combattants les impératifs de l'honneur et les lois de la guerre, elle a, en fermant les yeux sur les pires atrocités, en bénissant incondition-nellement l'un des camps sans avoir égard à ses méthodes, transformé le combat à visage découvert en une abjecte tuerie.

Bernanos retrouve dans cette attitude de l'Église le vice qu'il dénonce depuis longtemps, la manie de la compromission, le penchant invincible à donner raison au plus fort. L'Église d'Espagne a béni la république ; elle baptise du nom de croisade une aventure militaire douteuse dans l'espoir de faire payer cher son ralliement ; elle était prête, si l'autre camp avait eu le dessus, à se prévaloir de l'attitude des prêtres basques pour avoir part à la victoire. Et

1. *Cimetières*, p. 49.
2. *Ibid.*, p. 115.
3. *Ibid.*, p. 99.

Bernanos d'imaginer le discours touchant adressé, à cette occasion, à la « catholique Euskadie ». Mais ce qui n'était que ridicule et lâche lorsqu'il s'agissait de courtiser la Troisième République et de mettre une sourdine à l'indignation des catholiques révoltés par le Combisme, devient odieux et criminel lorsqu'on voit un évêque bénir des mitrailleuses ou envoyer ses prêtres confesser en série, sur la plage de Palma, des condamnés à mort qui vont être exécutés et arrosés d'essence.

La guerre d'Espagne révèle clairement à Bernanos non seulement la gravité, mais encore les raisons d'être d'une telle attitude. Si le scandale donné par l'Église attaque « la racine même de l'espérance », c'est parce que l'Église qui le donne a renoncé elle-même à l'espérance. Les évêques espagnols en font l'aveu dans l'une des trois prosopopées que Bernanos leur prête, en des termes qui font songer à la légende du Grand Inquisiteur de Dostoïevsky.

> Cette politique empirique paraît dénuée de noblesse, disent-ils. Elle n'est guère noble en effet. Nous nous promettons de la suivre vaille que vaille, cahin-caha, jusqu'au dernier jour, car nous croyons le monde inguérissable, bien que nous nous gardions de l'avouer franchement. Si le monde devait guérir, nous le saurions depuis deux mille ans. Le monde païen était dur, mais il y avait en lui un principe de craintive soumission aux forces de la nature, à ses Lois, au Destin. L'espérance chrétienne en a fait éclater la sévère assise. Pour avoir raison des vieilles murailles, ne suffit-il pas de quelques fleurs des champs, poussant leurs racines dans chaque fissure, avec l'humidité de la terre ? Et voilà que l'Espérance, détournée de ses fins surnaturelles, jette l'homme à la conquête du Bonheur, enfle notre espèce d'une espèce d'orgueil collectif qui rendra son cœur plus dur que l'acier de ses mécaniques [1].

Ce reniement de l'Espérance chrétienne nous est déjà familier. C'est lui que le curé d'Ambricourt apercevait derrière la dureté de certains vieux prêtres, comme le doyen de Blangermont. Et les conséquences qu'ils en tirent, les uns et les autres, sont identiques. Réduite, pour durer, aux ressources d'une société humaine, l'Église doit traiter avec les autres sociétés, les ménager, s'inspirer de leurs principes. « Gagner encore quelques années, quelques mois même, ce n'est pas rien [2] ! »

Mais cette démission qui n'entraînait, dans l'univers du *Journal d'un curé de campagne*, qu'une prudence excessive et une méfiance inquiétante pour tout ce qui est jeune et héroïque dans l'Église, révèle à plein sa nocivité dans le contexte de la guerre d'Espagne.

1. *Cimetières*, p. 200-201.
2. *Ibid.*, p. 204.

S'étant voulue solidaire de la société qui lui témoigne en apparence le plus d'égards, l'Église en est venue à désigner comme les ennemis de Dieu les ennemis de ce qu'elle nomme « la Société voulue par Dieu », et à faire appel à la puissance coercitive de cette société pour maintenir dans son sein ceux qui seraient tentés de s'éloigner d'elle. A Majorque on a distribué, au moment de Pâques, un formulaire rendant pratiquement la confession et la communion obligatoires. Quelle valeur religieuse attribuer à une adhésion qui ne prend pas appui sur la liberté humaine ? En faisant fi de cette liberté, l'Église renouvelle le crime des Inquisiteurs et des juges de Jeanne d'Arc : « Il a fallu qu'elle réhabilitât l'acte qui répugne entre tous à votre chevalerie occidentale, la rétractation sous la menace. Et pareillement elle a réhabilité et honoré la délation. Honoré et béni le délateur [1]. » Face à cette contrainte, l'acte religieux, l'acte méritoire aux yeux de Dieu n'est pas l'acquiescement mais le refus, même si, en raison de la manière aberrante dont la question est posée, c'est Dieu même que ce refus semble viser :

> Que dire de plus ? Dieu sait les noms des irréductibles, en petit nombre, qui se croyant sans doute ses ennemis, gardaient toutefois, à leur insu, dans les veines, assez de sang chrétien pour ressentir l'injure faite à leur conscience, répondre non ! à ces sommations insolentes. Puissent-ils retrouver le Christ ! Puissent-ils, le jour venu, juger leurs juges [2] !

Quoi d'étonnant, dans ces conditions, à ce que les meilleurs se soient éloignés de l'Église ? Les évêques espagnols s'inquiètent des progrès de l'irréligion et s'autorisent de cette inquiétude pour retenir les fidèles dans l'Église par des moyens qui ne peuvent pas ne pas répugner à leur conscience. Mais ce n'est pas l'indignation contre l'infidèle ou l'apostat que cette situation devrait provoquer en eux, c'est la honte : « Lorsque vos enfants tournent mal, pourquoi diable refuseriez-vous de partager l'angoisse des pères selon la nature ? Cette sorte d'angoisse a un nom, nous l'appelons la honte. Les fautes des fils n'ont-elles pas toujours rejailli sur les pères ? Ce risque est lourd, il assure aussi la dignité de notre humble ministère temporel. Si les fils n'étaient capables de déshonorer les pères, comment pourraient-ils les honorer [3] ? » La honte, et aussi l'examen de conscience, car si l'Église enregistre de tels échecs dans le pays d'Europe où elle a rencontré le plus d'« alliés, ou, s'il le fallait,

---

1. *Ibid.*, p. 149.
2. *Ibid.*, p. 143.
3. *Ibid.*, p. 212.

de complices », il faut qu'il y ait de sa faute. Évidemment, on peut toujours répondre que c'est la faute du diable. On dira de même que les couvents où il se rencontre le plus de moines gourmands ou débauchés sont ceux que leur perfection désignait aux attaques du Malin...

Non, ce n'est pas à cause du diable que l'Église a échoué en Espagne. C'est parce qu'elle a trahi l'espérance du Christ, qui est l'espérance des pauvres. C'est parce que, vide de cette espérance, elle a pactisé, pour survivre, avec une société qui est l'ennemie du pauvre. Bernanos retrouve ici l'une des idées centrales du *Journal d'un curé de campagne* et de *La Grande Peur des bien-pensants*, et les réflexes des conservateurs espagnols, qu'il vient d'enregistrer sur le vif, le confirment dans le mépris que lui inspirent depuis longtemps les conservateurs de son pays. Si bien que l'expérience vécue à Majorque se prolonge en réflexions sur l'avenir de la France et de l'Europe tout entière.

Passons rapidement sur les thèmes qui nous sont déjà familiers : le pauvre privé non seulement d'argent, mais de dignité ; l'argent, dans la société moderne, investi d'une puissance et entouré d'un respect qu'ignoraient les siècles chrétiens ; le désordre profond d'un ordre qui se résume à maintenir les privilégiés dans leurs privilèges et qui réserve aux propriétaires l'exercice du droit de légitime défense alors que les prolétaires sont victimes d'un état de fait qui constitue une sorte d'agression permanente. Ces idées se retrouvent dans *Les Grands Cimetières*, mais lestées d'un tragique que Bernanos a puisé dans les scènes qu'il vient de vivre. Ainsi, il percevait depuis longtemps ce qu'il entre de peur dans l'attachement à l'ordre établi que manifestent les gens des classes moyennes – d'où le titre de son premier pamphlet. Mais l'expérience espagnole lui a révélé l'aspect à la fois viscéral et métaphysique de cette peur et, du coup, l'analyse politique arrive au niveau de la dénonciation prophétique. La peur du pauvre, la haine du pauvre, il les voit chez le petit bourgeois de son pays qui ne veut à aucun prix retomber dans sa misère originelle : « L'homme de grande race ne croit risquer à une révolution que sa tête. Le petit bourgeois s'y perdrait tout entier, il dépend tout entier de l'ordre établi, l'Ordre Établi qu'il aime comme lui-même, car cet établissement est le sien. Vous ne pensez pas qu'il puisse voir sans haine les grosses mains noires qui le tirent en arrière, par les pans de sa belle jaquette[1] ? » Cela, il l'aurait peut-être écrit cinq ans plus tôt, mais au-delà de cette explication psychologique se dessine maintenant pour lui un autre

1. *Cimetières*, p. 61.

visage de cette même peur qu'il ne pouvait pas soupçonner avant d'avoir vu les fusillades et les charniers de Majorque, et il mesure les ravages qu'elle peut faire avec une lucidité et une puissance d'anticipation auxquelles l'histoire n'a peut-être pas fini de donner raison. Les malheurs que vous redoutez, dit-il aux bourgeois, sont à votre mesure.

Ils sont à la mesure de votre peur. Ils sont probablement cette peur même, je ne crois pas parler à la légère, je viens de voir un malheureux pays tout entier livré à cette espèce de démon. Vous auriez d'ailleurs parfaitement tort de vous représenter ce démon sous les espèces d'un diablotin blafard, vidé par la colique. C'est que votre imagination prend les premiers symptômes du mal pour le mal lui-même. La peur, la vraie peur est un délire furieux. De toutes les folies dont nous sommes capables, elle est assurément la plus cruelle. Rien n'égale son élan, rien ne peut soutenir son choc. La colère qui lui ressemble n'est qu'un état passager, une brusque dissipation des forces de l'âme. De plus, elle est aveugle. La peur, au contraire, pourvu que vous en surmontiez la première angoisse, forme avec la haine un des composés psychologiques les plus stables qui soient. Je me demande même si la haine et la peur, espèces si proches l'une de l'autre, ne sont pas parvenues au dernier stade de leur évolution réciproque, si elles ne se confondront pas demain dans un sentiment nouveau, encore inconnu, dont on croit surprendre parfois quelque chose dans une voix, un regard. Pourquoi sourire? L'instinct religieux demeuré intact au cœur de l'homme et la Science, qui l'exploite follement, font lentement surgir d'immenses images, dont les peuples s'emparent aussitôt avec une avidité furieuse, et qui sont parmi les plus effrayantes que le génie de l'homme ait jamais proposées à ses sens, à ses nerfs si terriblement accordés aux grandes harmoniques de l'angoisse [1].

Jamais n'avait été défini de façon aussi puissante et aussi pénétrante le lien qui unit les grands déchaînements du Mal dans l'histoire et cette part secrète de chaque homme où le péché se décide et se constitue avant même d'avoir un nom. Les scènes d'horreur que Bernanos fait défiler devant nos yeux ne sont pas destinées à nous émouvoir. Il se défend d'être une âme sensible ou de s'adresser aux âmes sensibles. « J'essaie de comprendre », répète-t-il. Ce qu'il voit lui confirme que l'homme « naît capable de plus de bien et de plus de mal que n'en sauraient imaginer les Moralistes [2] ». Cela vaut pour chaque homme, mais avant tout pour l'homme chrétien, car le mal fait en présence de Dieu « doit atteindre à un certain degré de

1. *Cimetières*, p. 83-84.
2. *Ibid.*, p. 71.

concentration susceptible de le rendre mortel non seulement pour nous, mais pour le prochain, même à une dose extrêmement faible [1] ». Les chrétiens croient à la communion des saints ; ils admettent que les mérites de n'importe quel juste peuvent être reversés sur la tête de n'importe quel pécheur. Mais ils oublient trop souvent que cette réversibilité peut jouer en sens inverse, et que l'infidélité d'un chrétien donne au mal, dans le monde, des chances disproportionnées avec l'importance du personnage : « Vous tenez pour vraisemblable, dit l'agnostique, qu'un curé d'Ars ait ramené ses bonshommes à la messe grâce à un genre de vie si misérable que ses confrères délibéraient d'enfermer ce malheureux. Mais si j'avais le malheur d'insinuer que tel curé d'Espagne, bien que parfaitement en règle avec les tribunaux de son pays, peut être tenu néanmoins pour le géniteur spirituel d'une paroisse d'assassins et de sacrilèges, je serais sûrement traité de bolchevique [2]. » Aux chrétiens, Bernanos voudrait faire comprendre que ce que le monde attend d'eux, c'est précisément qu'ils n'agissent pas comme tout le monde. C'est là, en particulier, le message dont est chargé l'agnostique, qu'il imagine montant en chaire pour la fête de sainte Thérèse de l'Enfant Jésus. Se prévaloir de cette source de liberté et d'amour qu'est la parole du Christ, compter parmi ses ancêtres des saints comme François d'Assise ou la petite sœur Thérèse, et n'avoir pas d'autre réponse aux questions posées par le monde moderne que le recours à la violence et l'appel aux dictatures pour mater les pauvres, « convenez, dit l'agnostique, qu'il y a de quoi faire rigoler ».

Si l'attitude des catholiques espagnols a permis à Bernanos de mesurer l'ampleur du scandale, c'est en France qu'il écrit son livre, c'est en pensant à la France, à ses problèmes nationaux et internationaux qu'il met en forme ses réflexions. Or, il a retrouvé en France, chez les hommes de droite et la majorité des catholiques, les réflexes de peur et de haine dont il vient d'observer à Majorque les horribles conséquences : « Après trois années passées à l'étranger, je retrouvais mon pays si profondément divisé contre lui-même qu'à la lettre, je ne le reconnaissais plus. Le printemps de 1937 a sans doute été l'un des plus tragiques des printemps français, un printemps de guerre civile. Les rivalités politiques cédaient aux haines sociales, dans une atmosphère intolérable d'épouvante réciproque. La Peur! La Peur! La Peur! Ce fut le printemps de la Peur (...). Je ne reconnaissais même plus les visages. « En finir, et tout de suite ! » balbutiaient des gens paisibles. J'aurais pu traduire

---

1. *Cimetières*, p. 240-241.
2. *Ibid.*, p. 259.

cette maxime familière en espagnol : Eux ou nous!» Il découvre alors l'imposture des partis qui se prétendent nationaux. La peur, la même peur sénile qui les a poussés jadis à imposer à l'Allemagne vaincue des sacrifices au-dessus de ses forces, les amène maintenant à se jeter dans les bras de l'Allemagne pour combattre un ennemi qu'ils déclarent installé au cœur même de leur pays : « Le redoutable Orient, qui commençait hier encore à Sarrebruck a pris position au centre même de Paris, rue Lafayette. Que voulez-vous? Ces vieux ont encore pris de l'âge. Ils préfèrent avoir la barbarie tout près, à une étape de chaise roulante. La défense de l'Occident se trouve ainsi grandement facilitée [1]. » Bernanos n'a aucune sympathie pour le communisme, et il refuse même le nom de démocrate, mais il ne peut pas admettre que la classe ouvrière soit rangée dans l'anti-France par des gens qui n'hésitent pas à mendier l'appui des ennemis de la France pour défendre contre elle leurs privilèges. « Rien ne vous donne le droit, leur dit-il, d'imposer à mon Pays cet insolent ultimatum : 'Le communisme ou nous!' Cinquante ans d'expérience ont assez démontré que vous ne parlerez jamais au peuple un langage digne de lui, de son passé [2]. »

Cette peur qui pousse la droite française à se mettre sous la protection des dictatures, Bernanos en avait, à Majorque, observé les symptômes et deviné les dangers. Les événements qui se déroulent sur le plan international pendant qu'il achève *Les Grands Cimetières* l'amènent à multiplier les avertissements et à aggraver le pronostic. Il en est aux dernières pages de son livre lorsque les armées d'Hitler, en mars 1938, envahissent l'Autriche. Derrière l'agression allemande, Bernanos voit se dessiner l'agonie d'une civilisation : « Au roulement des camions et des tanks, toute l'enfance de l'Europe vient de mourir à Salzbourg, avec l'enfant Mozart [3]. » A ceux qui prétendent utiliser l'Allemagne hitlérienne pour assurer la survie d'une mythique chrétienté, l'auteur des *Grands Cimetières* tente une dernière fois d'ouvrir les yeux. Le national-socialisme n'est pas une doctrine politique, comme ils l'imaginent, mais une religion. Hitler n'est pas cet homme à poigne que leurs pères appelaient de leurs vœux, mais un réformateur religieux : « Vous ne reconnaissez pas certaines voix, elles sont pourtant les voix de la terre, des dieux de la terre, que le christianisme n'a étouffées qu'un moment – vingt siècles à peine, une misère. Les voix de la terre proclament aussi leurs Béatitudes, mais ces Béatitudes ne sont pas celles que vous

1. *Cimetières*, p. 328.
2. *Ibid.*, p. 336.
3. *Ibid.*, p. 358.

lisez dans vos paroissiens. Les voix disent : 'Malheur aux faibles! Malédiction sur les infirmes! Les forts posséderont la terre! Ceux qui pleurent sont des lâches et ne seront jamais consolés. Qui n'a faim et soif que de justice pêche la lune et pâture le vent' [1]. » Lorsque l'Allemagne entendra rendre le monde entier obéissant à cette voix, la France se retrouvera l'unique dépositaire de l'honneur chrétien. « La liberté française deviendra du même coup la liberté du genre humain [2]. » C'est dire que la menace est morale plus encore que matérielle. Bernanos qui, durant toutes ces dernières pages du livre, s'est adressé à Hitler, lui crie pour finir : « Nous aurons raison de vous et des vôtres, si nous avons su garder notre âme! » Alors s'impose à lui l'image de celle qui sut garder son âme, et l'honneur chrétien, c'est-à-dire « la fusion mystérieuse de l'honneur humain et de la charité du Christ », en face des docteurs qui s'acharnaient à les lui faire renier. Reprenant la magnifique invocation à Jeanne d'Arc qu'il avait écrite en 1932 dans un article du *Figaro* intitulé *Organisons la peur*, c'est par un appel pathétique à celle qui fut à la fois une guerrière, une sainte et une enfant qu'il termine son livre.

On s'étonne parfois que la préface des *Grands Cimetières* soit une suite de confidences de Bernanos – les plus précieuses qu'il ait jamais faites – sur son métier de romancier, sur sa répugnance pour la page blanche, sur son travail dans les cafés, sur les « compagnons inconnus » qui viennent à lui du fond de l'enfance et qui sont à la fois les personnages de ses romans et les lecteurs dispersés à travers le monde que son message viendra toucher. Après avoir refermé le livre, on ne peut cependant méconnaître les liens qui l'unissent à cette préface. C'est le langage de l'enfance, « ce langage oublié, nous dit Bernanos, [...] que je cherche de livre en livre ». Or les *Grands Cimetières* ne sont pas autre chose, nous l'avons vu, qu'un appel à l'enfance : à la fois acte de fidélité à « l'enfant que je fus [3] » et adjuration adressée aux chrétiens d'aujourd'hui afin qu'ils retrouvent cet esprit d'enfance faute duquel ils sont en train de prêter la main à la pire des offenses que l'humanité ait subies. C'est le visage de cette humanité qu'il a essayé de faire vivre dans ses livres et qu'il cherche dans les cafés. Il l'évoque encore dans un chapitre des *Grands Cimetières* qui fut finalement laissé de côté. Bernanos écrit dans un café de Nogent-sur-Marne, et il regarde les gens autour de lui : « Leurs pauvres visages accablés m'émeuvent autant qu'hier. A ce signe, je reconnais que je suis toujours vivant.

1. *Ibid.*, p. 350.
2. *Ibid.*, p. 358.
3. *Ibid.*, p. 79.

Que vaut en moi ce principe de vie, je l'ignore, mais je ne dispose que de lui pour aller jusqu'au bout de ma tâche. Ils m'émeuvent d'un sentiment que je renonce à définir, que j'essaie en vain de partager avec des amis pourtant très près de mon cœur. Ils m'émeuvent d'une espèce de tristesse sans amertume, d'une tristesse religieuse, comblée d'espérance ainsi qu'un fruit mûr de tous les sucs de l'été. Oh! fasse qu'avant le dernier pas je puisse regarder du même regard ma pauvre face usée, d'un dernier regard de mes yeux, au moment où déjà s'apprête au bord des paupières cette larme solennelle qu'on ne voit couler que sur la joue des morts[1]! »

C'est cette émotion qui donne naissance à la fois à son œuvre romanesque et à son œuvre polémique. Mais, par suite des circonstances, c'est la seconde qui va maintenant prendre le dessus. Bernanos, jusqu'à sa mort, n'écrira plus de romans. Seul l'achèvement de *M. Ouine* le ramènera, pour quelques mois, à ce qui fut l'un des buts de sa vie, si bien que l'invocation aux « compagnons inconnus » sonne à nos oreilles comme un adieu. Une dernière fois pourtant, en 1936, il a répondu à l'appel des créatures de son imagination, et ce dernier appel lui a été en même temps adressé par des créatures vivantes, par des visages souffrants. Avant *Les Grands Cimetières* est née de la guerre d'Espagne la *Nouvelle Histoire de Mouchette*.

C'est Bernanos lui-même qui a révélé, peu de temps après la parution de la nouvelle, le lien étrange qui l'unit à son expérience espagnole :

J'ai commencé à écrire la *Nouvelle Histoire de Mouchette*, déclare-t-il à André Rousseaux dans une interview publiée dans *Candide* le 17 juin 1937, en voyant passer dans des camions là-bas, entre des hommes armés, de pauvres êtres, les mains sur les genoux, le visage couvert de poussière, mais droits, bien droits, la tête levée, avec cette dignité qu'ont les Espagnols dans la misère la plus atroce. On allait les fusiller le lendemain matin. C'était la seule chose dont ils se doutaient. Pour le reste, ils ne comprenaient pas. Et, à supposer qu'on les ait interrogés, ils étaient incapables de se défendre. Contre quoi? C'est ce qu'il leur aurait fallu apprendre d'abord [...].
Eh bien! j'ai été frappé par cette impossibilité qu'ont les pauvres gens de comprendre le jeu affreux où leur vie est engagée. J'ai été frappé par l'horrible injustice des puissants qui, pour condamner

1. *Bul.*, nº 30, p. 7. C'est aussi à des visages que Bernanos pense en écrivant son livre : « Je m'oriente toujours – comme dans les grandes circonstances – sur des visages imaginaires que je crois voir devant moi et que j'essaie d'ouvrir, par force ou autrement. Quand ils me souriront, je m'arrêterai » (Toulon, 1er janvier 1938, *Béguin*, p. 178).

ces malheureux, leur parlent un langage qui leur est étranger. Il y a
là une odieuse imposture. Et puis je ne saurais dire quelle admiration
m'ont inspirée le courage, la dignité avec laquelle j'ai vu ces malheureux mourir.
Naturellement, je n'ai pas pris délibérément la décision de tirer de
là un roman. Je ne me suis pas dit : je vais transposer ce que j'ai
vu dans l'histoire d'une fillette traquée par le malheur et l'injustice.
Mais ce qui est vrai, c'est que si je n'avais pas vu ces choses, je
n'aurais pas écrit la *Nouvelle Histoire de Mouchette*.

Le sentiment qui s'exprime ici et auquel Bernanos attribue une
part déterminante dans la genèse de l'œuvre doit être rapproché
de celui sur lequel se clôt l'évocation du visage humain, dans le
chapitre inédit des *Grands Cimetières* que je citais à l'instant :
Bernanos déclare qu'il aime les visages des inconnus rencontrés
dans les cafés parce qu'ils expriment « la même résignation émouvante, un peu honteuse, non pas à la dureté ou même à la méchanceté
de la vie, mais à l'insondable obscurité de ses voies [...]. Au sens
exact du mot, la vie parle un langage qui n'est pas le leur, et lorsqu'ils
essaient de prêter l'oreille, ils ont toujours l'impression désagréable
qu'elle se paie leur tête, qu'il vaut mieux ne pas insister ». « J'ai
surpris ainsi, ajoute-t-il, des dialogues poignants, poignants pour
moi seul, je suppose, car leur tragique balbutiant fût demeuré probablement hors de la portée du plus grand nombre. »
Que la guerre d'Espagne ait favorisé et approfondi ce sentiment
de sympathie et de pitié envers ceux qui subissent leur misère sans
la comprendre, rien n'est plus vraisemblable. Mais est-ce bien
ainsi qu'est née la *Nouvelle Histoire de Mouchette ?* Deux lettres
publiées par Albert Béguin nous obligent à mettre en doute les
affirmations de l'écrivain. Elles montrent en effet que la nouvelle
était commencée au début de juin 1936, plus d'un mois et demi avant
le début de la guerre civile, et que son sujet était moins la lutte d'un
être désarmé contre des fatalités incompréhensibles que le mystérieux
éveil de la pureté chez une enfant vivant dans un milieu où cette
pureté est ignorée ou bafouée :

Je voudrais essayer, écrit Bernanos le 3 juin 1936, de montrer
l'éveil désespéré du sentiment de la pureté chez une enfant misérable
– d'une pureté toute charnelle, bien entendu, car elle ne saurait
discourir de cette vertu avec les théologiens. C'est un immense
sujet. Alors que je m'embarquais dans une nouvelle « rapide »,
comme dit Massis [1] !

1. *Béguin*, p. 178.

Ce n'est donc certainement pas les scènes évoquées dans l'interview à *Candide* qui ont donné à l'imagination de Bernanos l'ébranlement décisif, et il est plus que probable qu'il aurait écrit la *Nouvelle Histoire de Mouchette* même s'il n'avait pas été témoin du drame espagnol. Mais l'aurait-il écrite de la même manière? Il faudrait, pour pouvoir répondre à coup sûr à cette question, savoir où il en était de son travail au moment où la guerre civile éclata. La seconde lettre publiée par Béguin, qui date du 26 juin, montre que Bernanos avait commencé à écrire à ce moment-là, malgré la curieuse difficulté qu'il éprouvait à donner un nom à son héroïne. Mais avait-il beaucoup écrit le 19 juillet? et les événements ne l'obligèrent-ils pas alors à interrompre son travail ou à en ralentir le rythme? On ne saurait le dire pour le moment. Notre seule ressource est d'interroger le texte même de la nouvelle pour savoir s'il reflète vraiment l'expérience à laquelle Bernanos attribue une part si décisive dans son élaboration.

Une chose frappe à première lecture : c'est l'extraordinaire violence de cette œuvre. La *Nouvelle Histoire de Mouchette* est l'histoire d'un viol et même, si l'on peut dire, d'un viol à la seconde puissance. Entraînée par le braconnier Arsène dans la cabane où il se cache, Mouchette est violée d'abord dans son corps. La souffrance physique qu'elle éprouve, les traces de brutalités qu'elle porte et qui l'accusent aux yeux des commères du village sont les signes d'une catastrophe qui concerne à la fois la chair et l'esprit et qui est d'autant plus grande que la confiance, l'admiration, la tendresse de Mouchette envers le hors-la-loi ont été plus entières :

> Tout ce grand espoir qu'elle a eu, si grand qu'il n'était sans doute pas à la mesure de son cœur, qu'elle n'en a tiré aucune vraie joie, qu'elle ne garde que le souvenir d'une attente merveilleuse, à la limite de l'angoisse, tout ce grand espoir n'était donc que le pressentiment d'une humiliation pire que les autres, bien que de la même espèce. Elle est allée seulement plus profond, si profond que la chair elle-même y répond par une souffrance inconnue, qui rayonne du centre de la vie dans le pauvre petit corps douloureux. Cette souffrance aura beau finir, l'empreinte ne s'effacera plus. C'est le secret de Mouchette[1].

Mais ce n'est pas encore le pire. Mouchette souffre de l'attentat commis contre son corps par l'homme à qui elle avait accordé sa confiance et son amour. Cette confiance et cet amour, du moins les avait-elle accordés librement, émue par le courage de l'homme, par

---

1. *Pl.*, p. 1304-1305.

sa solitude fraternelle, par le défi à la société qu'elle devinait dans toute sa personne. Le récit du meurtre du garde et la crise d'épilepsie ont révélé en lui un personnage malheureux et traqué, envers qui elle a senti s'éveiller une sorte de sollicitude maternelle, et qu'elle a bercé comme un enfant. Malgré la violence et l'humiliation que sa chair a subies, elle éprouve un peu de fierté à la pensée de la solidarité qui la lie au fugitif. Mais tout cela s'écroule lorsqu'elle apprend qu'il n'a pas tué le garde, qu'il a menti, soit parce qu'il était ivre, soit pour se faire valoir, et avec peut-être le secret espoir qu'un pareil mensonge mettrait la fillette à sa merci. Le viol n'est pas seulement physique, il est aussi moral, et on comprend le désespoir qui s'empare de la pauvre créature à la pensée qu'elle est tombée dans un piège.

La violence est donc au cœur même du sujet. Elle est aussi partout dans le récit et surtout dans les images, dont certaines ont une coloration sadique très caractérisée. Images de bagarre et de meurtre, bien entendu ; c'est en les évoquant de la manière la plus réaliste que le braconnier conquiert définitivement la sympathie de Mouchette. Mais aussi images de punitions corporelles dont les résonances sexuelles apparaissent évidentes. Ainsi lorsque Arsène révèle à Mouchette le moment où il a ressenti pour elle une « estime » qui n'est qu'un déguisement du désir :

> Hé bien, veux-tu savoir pourquoi j'ai de l'estime pour toi ? Depuis que je t'ai vue rossée par ton père, le soir de la ducasse de Saint-Venant, tu te souviens ? Il te cinglait le derrière avec la baguette de son fusil, et t'arrêtais pas de tourner sur tes petits pieds pour lui faire face, il a fini par t'envoyer sa main dans la figure. Et tu as été tranquillement t'asseoir au coin de la fenêtre, en secouant ta robe, avec des yeux aussi secs que l'étoupe de mon briquet. Oh! tu penses, j'ai reçu plus d'une raclée quand j'étais jeune, mais toi, vrai, tu m'as fait honte. On t'aurait prise pour... pour une... Il chercha longtemps le mot, ne le trouva pas, acheva sa phrase en sifflotant. Son visage était soudain devenu de pierre [1].

Ce sont aussi les corrections paternelles qui viennent à l'esprit de Mouchette lorsqu'elle cherche un point de comparaison avec ce qu'elle vient de subir. Elle se rappelle le moment où Arsène a prononcé son nom : « Était-ce même son nom ? Cela tient du sanglot de l'homme et aussi du grondement de frayeur mêlée de colère de l'animal menacé dans son gîte. Dieu! c'est vrai qu'elle résiste bien à la souffrance mais il lui est arrivé 'd'avoir son compte', comme dit

---

1. *Pl.*, p. 1283-1284.

le père. Alors, elle se couchait sous les coups sans honte, souhaitait d'être morte, incapable de rancune envers son bourreau, liée à lui par une sorte de sentiment inexplicable, obscurément solidaire de sa férocité, comme si elle partageait sa haine. C'étaient là des circonstances de la vie à quoi elle ne pouvait songer sans amertume. Mais, du moins, l'humiliation passée, elle recommençait à penser aux revanches futures, sentait renaître cet orgueil que rien, semblait-il, n'eût pu détruire sans la détruire elle-même. Et maintenant, cet orgueil achevait de mourir. Il était mort. Pourquoi [1] ? »

Mais les images de supplices physiques ne sont pas associées seulement au viol que Mouchette subit. Le moment décisif, dans la naissance de son amour pour le braconnier, est celui où il cautérise avec une braise la morsure que lui a, soi-disant, faite le garde, et Bernanos suggère très nettement que l'éveil des sentiments de la jeune fille est provoqué par l'expression attentive et mystérieuse que prend le visage d'Arsène lorsque la souffrance l'atteint :

> Du bout de ses doigts trempés de salive, il saisit la braise écarlate. Elle a juste la dimension de la blessure. Il la pose délicatement, sans hâte, souffle encore. La chair grésille horriblement. Mais ce n'est pas la braise que regarde Mouchette. Elle fixe le visage que le reflet du halo lumineux sur le mur fait à peine émerger de l'ombre. Il a perdu son expression canaille et, tout tendu vers une image mystérieuse, semble moins l'affronter que se recueillir. Un instant, le cou – presque aussi long et flexible que celui d'une femme, avec des reflets soyeux – se gonfle, et une grosse veine noire y paraît. Mais si les lèvres tremblent, elles n'articulent aucun son. Dieu ! Voilà des années que la fille de l'ancien contrebandier se sent étrangère parmi les gens de ce village détesté, noirs et poilus comme des boucs (...). Et voilà que brusquement... Il souffle encore sur le morceau de braise, puis le laisse glisser à ses pieds. Leurs deux regards se croisent. Elle voudrait bien faire passer dans le sien ce sentiment dont elle ne sent que la violence, ainsi que le palais, au contact d'un jeune alcool trop vert, n'éprouve que la brûlure [2].

Quelques instants plus tard, après le récit du prétendu meurtre, la crise d'épilepsie qui terrasse le braconnier contribue, elle aussi, à développer chez Mouchette un état qui n'est pas seulement un attendrissement sentimental, mais aussi, sans qu'elle le sache, un puissant émoi sensuel : « Elle ne souhaite rien. Si l'idée lui était venue alors de poser ses lèvres sur le front qu'elle effleure de ses mèches en désordre, elle l'eût fait. Mais elle n'y pense nullement.

1. *Pl.*, p. 1301.
2. *Ibid.*, p. 1280-1281.

Son désir est comme la chaleur même de son corps vivant, répandu
à travers ses veines, et ne se fixe en aucune image précise [1]. » Alors
se produit une chose surprenante, un de ces événements qui supposent, de la part du romancier qui les invente, une coïncidence
parfaite avec son personnage, une sorte d'*écoute* merveilleusement
attentive de ses réactions profondes. Mouchette se met à chanter.
Ce que signifie ce chant, nous pouvons le soupçonner si nous nous
rappelons qu'au début de la nouvelle, la répugnance à chanter
devant ses compagnes et l'institutrice, malgré une voix émouvante,
symbolisait chez Mouchette la pudeur, le repli sur sa solitude, le
refus de rien communiquer d'elle-même à autrui. Ici, inversement,
le chant apparaît comme le symbole d'un abandon qui préfigure
sans ambiguïté l'acte sexuel :

> Il lui semblait qu'engagée sur une pente de neige, elle perdait
> presque aussitôt conscience de la vertigineuse descente. Mais
> lorsqu'elle s'enhardissait à fredonner, bouche close, le démon du
> chant qui s'emparait d'elle la laissait, le temps d'un éclair, trem-
> blante, hébétée, dans une espèce de confusion inexplicable, ses
> petites mains froides gluantes de sueur, et le sang venant d'une
> poussée à sa tête, comme si elle se fût trouvée nue, tout à coup,
> devant une foule railleuse.

Un dernier signe de la violence qui imprègne ce récit est l'omni-
présence du thème de l'alcool. Celui-ci avait certes depuis longtemps
sa place dans l'univers de Bernanos, les estaminets et les bistouilles
faisant pour lui partie intégrante de l'atmosphère de l'Artois, et le
Journal d'un curé de campagne appuyait avec une insistance particulière sur le lien qui unit le curé d'Ambricourt à toute une lignée
d'ancêtres ivrognes. Mais aucun roman antérieur de Bernanos n'est
saturé d'alcool comme la brève *Histoire de Mouchette*. Presque à
chaque page y sont évoquées des scènes d'ivresse dont les héros
sont successivement les personnages principaux du récit : ivresse
chronique du père de Mouchette, que la mort de sa femme arrive
à peine à dissiper ; ivresse de sa mère, qui passe insensiblement du
sommeil de l'alcool au sommeil de la mort ; ivresse du braconnier,
d'un bout à l'autre de la scène où il apparaît ; ivresse de Mouchette
elle-même, plongée dans une sorte de torpeur par la fatigue et par le
genièvre qu'Arsène lui a fait boire. Cette imprégnation alcoolique,
jointe au caractère extrêmement fruste des personnages représentés,
fait de Mouchette la victime d'un monde déchaîné et bestial à un
degré unique dans l'œuvre de Bernanos.

1. *Ibid.*, p. 1291.

Faut-il en conclure que cette violence reflète à coup sûr celle des circonstances dans lesquelles Bernanos a écrit une partie de cette nouvelle? Ce serait oublier qu'il y a, dans la portion de *M. Ouine* déjà écrite à cette date, des scènes tout aussi violentes que dans la *Nouvelle Histoire de Mouchette*. L'hystérie collective de la foule au cimetière et le lynchage de Jambe-de-Laine pourraient, en particulier, apparaître comme des reflets du drame espagnol, si nous ne savions pas que ces scènes étaient déjà composées lorsqu'il éclata.

Mais il est un autre facteur auquel Bernanos attribue un rôle considérable dans la genèse de sa nouvelle : c'est la pitié dont il fut saisi devant les malheureux que l'on conduisait au supplice. Or cette pitié, nous la retrouvons tout au long du récit, qui est sans doute, à cet égard, ce que Bernanos a écrit de plus *humain*.

C'est peut-être la pitié du romancier envers son personnage qui fait l'essentiel de la différence entre la première et la seconde Mouchette. Que Bernanos ait été incapable de donner à cette dernière un autre nom que celui de l'héroïne de *Sous le Soleil de Satan*, c'est là sans doute le signe d'une parenté secrète qu'il ne pouvait pas se résoudre à effacer sans compromettre l'identité de son personnage[1]. Comme son aînée, la seconde Mouchette est en effet en révolte contre son milieu et orgueilleusement repliée sur elle-même. L'une et l'autre cherchent dans l'amour une libération et une découverte qui doivent les arracher à un monde détesté et combler en elles une soif d'absolu. L'une et l'autre sont cruellement trompées dans leur attente à cause de la médiocrité de l'homme à qui elles ont fait confiance. Enfin, la destinée des deux héroïnes s'achève par un suicide.

Mais la pitié de l'auteur envers la première Mouchette – si pro-

---

1. Cette résistance est d'autant plus significative qu'elle est involontaire. Bernanos la constate avec surprise au moment où il commence sa nouvelle : « Je n'ai pas l'intention de laisser à ma petite héroïne ce nom de Mouchette, je l'écris provisoirement, pour ne pas laisser le nom en blanc. C'est bizarre que je ne puisse me décider pour aucun!... » (26 juin 1936, *Béguin*, p. 178). Le fait s'explique sans doute ici, comme nous le suggérons, par une parenté secrète entre les deux Mouchette, la seconde étant pour ainsi dire, la forme rachetée de la première. Mais il est à rapprocher d'autres faits analogues. Le prénom de l'héroïne d'*Un Mauvais Rêve*, Évangéline, devient celui de l'amie de l'héroïne dans *Un Crime*. Dans le *Journal d'un curé de campagne*, il y a une famille Dumo*n*chel et une famille Dumo*u*chel. Bernanos écrit, dans *Sous le Soleil de Satan*, l'histoire du vicaire de Campagne (village qui existe réellement en Artois), en attendant d'écrire le *Journal d'un curé de campagne*. On dirait que l'imagination de Bernanos, si hardie en d'autres domaines, se refuse à manipuler les noms propres, comme s'il y avait en eux quelque chose de vivant.

fonde qu'elle soit – est limitée par l'existence de l'abbé Donissan. « Tout se met en branle pour venir au secours de cette petite âme écrasée », dit admirablement Claudel[1], mais Bernanos délègue sa pitié au personnage du saint et, se plaçant lui-même à l'extérieur du débat dans lequel celui-ci affronte le pécheur, il ne peut s'empêcher d'enlever à Mouchette un peu de la sympathie qu'il accorde à Donissan. Dans la *Nouvelle Histoire de Mouchette*, au contraire, l'absence du personnage du prêtre et de toute référence surnaturelle amène Bernanos, ainsi que l'a montré Albert Béguin, à assumer lui-même, vis-à-vis de son héroïne, cette fonction sacerdotale que remplissent tour à tour, dans ses romans antérieurs, Donissan, Chevance, le curé de Fenouille, et même le petit prêtre entrevu à la fin d'*Un Mauvais Rêve* : « S'il n'y a pas de prêtre dans ce roman, c'est que nulle part Bernanos n'a plus pleinement assumé lui-même le rôle sacerdotal. C'est lui qui par amour connaît cette âme en détresse et la soutient jusqu'au bout du risque qu'elle court[2]. »

Bernanos ne procure à Mouchette aucun recours, naturel ou surnaturel, contre le monde hostile où il l'enferme. Mais à cause de cela, il l'entoure d'une pitié qui est à la mesure de son abandon, et il sollicite du lecteur une compassion sans bornes envers l'être le plus démuni, le plus pauvre au sens profond du terme, qu'il lui soit arrivé d'imaginer. Que cette pitié soit différente de l'attendrissement dans lequel se complaisent les romanciers pour cœurs sensibles, nous en avons la preuve dans une phrase où Bernanos décrit la métamorphose de Mouchette après sa conversation avec la veilleuse des morts : « Il lui faut un effort immense pour seulement comprendre qu'elle doit à sa déception d'amour une sorte de promotion mystérieuse, qu'elle est entrée ainsi du coup dans le monde romanesque à peine entrevu au cours de quelques lectures, qu'elle appartient désormais à ce peuple privilégié où les cœurs sensibles vont chercher, ainsi que l'amateur dans son vivier la truite la plus brillante, une belle proie pour leur pitié[3]. » Il est évident que Bernanos nous demande, pour son héroïne, une attention d'une autre qualité que cet attendrissement romanesque. Dans sa pitié à lui, il entre une si grande part d'admiration pour le courage viril de la jeune fille que son suicide lui paraît échapper à toute imputation de lâcheté, et qu'il se refuse même à y voir un geste de désespoir. « Pauvre Mouchette ! dit-il à André Rousseaux. Que ne va-t-on pas dire de son histoire, si on voit en elle une désespérée ! Mais c'est tout le contraire pour moi. C'est un petit héros, Mouchette ! Il y a dans

1. *Pl.*, p. 1763.
2. *Béguin*, p. 80.
3. *Pl.*, p. 1338.

son aventure quelque chose de la course de taureau : vous savez, le taureau qui lutte jusqu'à la limite de ses forces contre les piques, contre les banderilles, contre l'épée, contre les hommes ligués qui le harcèlent. Le suicide de Mouchette, ce n'est pas un suicide proprement dit, à mes yeux c'est la mort du taureau qui s'est bien battu et qui ne peut plus rien que tendre le cou [1]. »

Il faut insister sur ce refus de voir en Mouchette une désespérée. La pureté dont elle a eu la révélation au moment de la souillure, ses soubresauts de douleur dans l'humiliation, son élan vers un sauveur, jusqu'au moment où s'éloigne le voiturier qui aurait pu entendre son dernier appel, font d'elle le témoin d'une espérance : espérance non théologale, située à un niveau humain et se confondant sans doute avec ce que Bernanos appelle l'honneur. Au combat entre le péché et la grâce qui forme le sujet de ses romans précédents, il substitue ici le combat entre le malheur et l'honneur. La seconde Mouchette est la championne de l'honneur des pauvres, des plus pauvres, de ceux qui n'ont pas reçu la bonne nouvelle du salut apporté par Jésus-Christ. Ceux-là aussi, Dieu les sauve en mettant dans leur cœur une voix qui crie contre leur abjection.

Comme pour s'identifier plus parfaitement avec ces pauvres, dont la misère « n'a pas de visage [2] », Mouchette, avant de mourir, contemple ses mains « avec une curiosité singulière, un dégoût secret », et elle pense à toutes les mains de pauvres qu'elle a connues, « mille fois plus révélatrices que les yeux » :

Les mains du père, d'abord, posées sur les genoux, chaque soir, immobiles, presque terribles à la lueur de l'unique lampe qui fait danser les ombres, avec un poignet dont l'os semble prêt à trouer la peau, et cette touffe de poils à chaque jointure des doigts énormes. Les mains du grand-père aussi, qu'elle a vues croisées sur le ventre, au fond de la pièce, un jour d'été, persiennes closes, dans une brume de mouches invisibles... Les mains de ses jeunes frères, si vite devenues des mains d'ouvriers, des mains d'hommes. Et encore les mains des fermières qui sentent le lait aigre, la pâtée des veaux et des porcs. Celles de Madame, bien plus petites, le bout des doigts piqués de points noirs par l'aiguille... Mains laborieuses, mains ménagères, que le repos rend ridicules. Et de ce ridicule, les pauvres ont quelque conscience, car ils dérobent volontiers au regard leur mains oisives [3].

1. *Candide*, article cité.
2. *Pl.*, p. 1271.
3. *Pl.*, p. 1342. L'amorce de ce développement sur les mains des pauvres se trouve dans la description des mains de la sainte Vierge, à la fin du *Journal d'un curé de campagne*.

Pour ces pauvres, le suicide ne saurait avoir le même sens que pour ceux qui possèdent leur vie et pensent leur avenir. Parce qu'il vit dans le présent, la pensée de se tuer « ne peut guère s'emparer que par surprise du misérable, marqué du signe sacré de la misère ». L'attirance du vide à laquelle il cède n'est pas, comme dans le cas de la première Mouchette ou de Philippe, la forme dernière du vertige du péché, le choix sacrilège du néant, mais une sorte de chute dans le repos final qui fait penser bien davantage à la « Mort des Pauvres » de Baudelaire [1].

De là le caractère très ambigu de l'extraordinaire veilleuse des morts, la plus fascinante, peut-être, de toutes les créatures issues de l'imagination bernanosienne. Son rôle maléfique ne fait aucun doute. En arrachant à Mouchette son secret, elle élève le viol dont la jeune fille a été victime à une sorte de puissance supplémentaire. Elle parfait son humiliation, pousse jusqu'au parfait écœurement son dégoût d'elle-même, et la prive de toute faculté de résistance à la tentation du suicide. Vis-à-vis de la jeune poitrinaire dont elle raconte l'histoire à Mouchette, elle a joué très exactement le rôle traditionnel du vampire, engraissant à vue d'œil à mesure que la malade dépérit. Et pendant que Mouchette, vaincue, lui raconte son histoire, « ses mains remuent sans cesse, le long de la robe noire, avec un si vif mouvement des doigts qu'on les prendrait pour deux petites bêtes grises à la poursuite d'une proie invisible [2] ».

Pourtant il y a une sorte de vérité dans son langage ; la sollicitude qu'elle manifeste à Mouchette n'est pas feinte ; elle cherche sincèrement à délivrer la jeune fille du tourment de vivre. Car son intérêt pour les morts, la satisfaction qu'elle éprouve à les contempler et à les entourer de prévenances n'est que l'envers de sa haine de la vie. « Autrefois, dans les temps, dit-elle à Mouchette, il paraît qu'on adorait les morts, les morts étaient des dieux, quoi! Ça devrait être la vraie religion, vois-tu, fillette. Tout ce qui vit est sale et pue. Tu me diras que les morts ne sentent pas bon. Bien sûr. Quand le cidre bout, il est aussi horrible qu'un pissat de vache. La mort, comme le cidre doit d'abord jeter son écume [3]. » Ce qu'elle contemple des nuits entières, les yeux grand ouverts, sur le visage des morts, c'est

---

1. « Mouchette ne se tue pas vraiment, dit encore Bernanos à André Rousseaux. Elle tombe et s'endort après avoir attendu jusqu'au bout un secours qui ne lui venait pas. » Cette déclaration dépourvue d'ambiguïté nous empêche d'adhérer à l'interprétation de Michel Estève, selon lequel le suicide « de l'adolescente, meurtrie dès l'aube de la vie par l'égoïsme et la lâcheté de *l'autre*, est quête d'une valeur supraterrestre, seule capable de faire accéder à la Vie » (*Bernanos*, p. 64-65).

2. *Pl.*, p. 1332.

3. *Ibid.*, p. 1337.

le secret de ce néant qui lui rappelle le village de son enfance, tellement encaissé dans la montagne que le soleil n'y montre pas « sa
grosse face ronde, si bête », tellement glacé qu'on ne peut pas y
creuser de fosses en hiver et qu'on y conserve les cercueils tout au
haut d'une grange. A force de se livrer à cette recherche attentive,
sa personne et surtout son regard se sont imprégnés du mystère et
de la majesté traîtresse de la mort. Lorsqu'elle a achevé l'une de ses
veilles, « son visage blême trahit une fatigue que les gens ne connaissent guère, qui n'est point celle des muscles, ni même d'une
nuit insomnieuse. Mais ce sont surtout les yeux dont ils soutiennent
avec embarras le regard terne, si usé qu'il ressemble à celui d'un
aveugle. Elle semble ne pas remarquer leur gêne, accepte un bol de
café, qu'elle avale debout, le dos au mur, partage le reste de ses pro-
visions aux enfants qui partent pour l'école et s'éloigne, dans la
lumière revenue, disparaît au tournant de la route fraîche, dorée
par l'aurore, laissant derrière elle un sillage étrange. Son chat
l'attend là-bas, sur le seuil [1] ».

Lorsqu'elle pénètre dans la maison de la vieille après avoir erré
dans le village, le matin de la mort de sa mère, Mouchette est
prise par ce mystère, par ce silence qui « recouvre ses épaules, son
front », et où « elle se laisse couler à pic », par cette douceur « qui
paraît tisser autour d'elle, diligente, patiente, les fils d'une trame
invisible ». De l'armoire ouverte émane une tiède odeur de verveine,
les piles de draps forment dans la pièce « comme une autre source
de clarté, incroyablement douce ». Mouchette « flaire cette odeur
jamais respirée, elle croit sentir sur ses mains la caresse de ces toiles
lumineuses, leur fraîcheur ». Autant de révélations anticipées, et
finalement peut-être point menteuses de ce repos qu'elle espère
trouver dans la mort et qu'elle reconnaît comme un vieux rêve
réalisé au moment où la traverse pour la première fois l'idée de se
laisser glisser dans la mare : « Et aujourd'hui voilà qu'elle songeait
à sa propre mort, le cœur serré non par l'angoisse, mais par l'émoi
d'une découverte prodigieuse, l'imminente révélation d'un secret,
ce même secret que lui avait refusé l'amour. Et, certes, l'idée qu'elle
se faisait de cet événement mystérieux restait puérile, mais l'image
qui la laissait la veille insensible, l'enivrait maintenant d'une tendresse poignante. Ainsi un visage familier nous apparaît dans la
lumière du désir, et nous savons tout à coup que depuis longtemps
il nous était plus cher que la vie [2]. » La pitié de Bernanos pour son
héroïne va jusqu'à lui accorder le repos auquel elle aspire. Rien

1. *Ibid.*, p. 1329.
2. *Ibid.*, p. 1339.

de brutal dans sa fin. Douce est la vase qu'elle aperçoit au fond de la mare. Mille fois plus douce la voix qui parle à son cœur ; douce la morsure de l'eau froide, douce la musique de l'onde qui se glisse dans ses oreilles avec un joyeux murmure de fête [1].

Il nous plaît que Mouchette trouve dans la mort la paix à laquelle elle aspire. Mais nous ne sommes pas dupes de toute cette douceur, car nous savons qu'elle est l'envers de la violence déchaînée contre elle, qu'elle est cette violence même dans ce qu'elle a de plus redoutable. La voix qu'elle écoute avant de mourir « à peu près comme un animal celle de son maître, qui l'encourage et l'apaise », ressemble à celle de la vieille sacristine, à celle d'Arsène, à celle de l'institutrice : ceux qui l'ont méconnue, qui se sont joué d'elle, qui l'ont encouragée à cesser le combat. Tel est le dernier piège tendu au pauvre, le dernier rapt opéré sur sa personne déjà démunie de tout l'humain. On lui enlève son espérance surnaturelle, ce minimum de dignité et d'amour de soi-même qui est nécessaire pour que la foi en une survie ne paraisse pas une duperie ou une illusion.

Cette évidence, découverte peu à peu, a sans aucun doute été fortifiée en Bernanos par la guerre d'Espagne. Même si celle-ci n'a pas eu, sur la genèse de la *Nouvelle Histoire de Mouchette*, le rôle déterminant que laisse supposer sa conversation avec André Rousseaux, même si la création littéraire préfigure, comme il arrive souvent, l'expérience vécue, Bernanos ne se trompe pas et ne nous trompe pas en établissant ce parallèle rétrospectif entre les souffrances des pauvres dont il a été le témoin et le martyre de la jeune fille qu'il a imaginé.

Bernanos n'écrira plus de romans après la *Nouvelle Histoire de Mouchette*. Sans doute faut-il résister à la tentation d'introduire une nécessité factice dans une vie que vont dominer, à partir de maintenant, l'incertitude du lendemain, la docilité aux événements jointe à une étrange obstination à se présenter à la vague de la manière la plus incommode, enfin cette ouverture à tout et à tous si bien décrite à la fin des *Enfants humiliés*. Bernanos lui-même revient à plusieurs reprises sur ce qu'il y a de contingent et de contrariant dans l'arrêt de l'activité créatrice imposé par les nécessités de l'écriture militante. Pourtant, comment ne pas voir dans la *Nouvelle Histoire de Mouchette* un point au-delà duquel il avait peine à trouver sa route, une peinture si plénière de la misère humaine que toute tentative pour réintroduire le surnaturel dans son univers

---

1. Dans son étude déjà citée, *The Poetic Image of Georges Bernanos*, Gerda Blumenthal met en évidence l'importance et la valeur du thème de l'eau d'un bout à l'autre de la nouvelle.

romanesque, pour renouer le dialogue entre le saint et le pécheur, devait lui paraître une sorte de retour en arrière ? La souffrance des pauvres, dont il avait été l'un des premiers à percevoir qu'elle allait passer au premier plan de l'histoire, exigeait une autre réponse que celle que peut donner un livre. Ce n'est peut-être pas un hasard, si le prochain « roman » commencé par Bernanos est une *Vie de Jésus*.

Chapitre XII

« La terre de l'espérance »

Trois mois après la publication des *Grands Cimetières sous la lune*, le 20 juillet 1938, Bernanos s'embarque à Marseille avec toute sa famille, à destination du Paraguay. Depuis son retour de Majorque, il n'a passé que seize mois en France. Pourquoi ce nouvel exil ?

Pour une part, sans aucun doute, à cause de cet attrait qu'exerce toujours sur Bernanos l'idée de reprendre les choses à la racine, de refaire sa vie sur nouveaux frais, de s'organiser enfin de façon intelligente, de manière à concilier l'indépendance de son travail et la nourriture des siens. Depuis sa jeunesse il était attiré par le Paraguay, où ses amis Maxence de Colleville et Guy de Bouteiller étaient allés effectivement tenter leur chance peu de temps avant la guerre de 14. A plusieurs reprises, et particulièrement en 1934, il avait formé le projet de s'y établir. Les représentations raisonnables de ses amis ne pesaient pas beaucoup en face de son rêve de grands troupeaux, de récoltes abondantes, de vie patriarcale au milieu de sa famille, cimentée et élevée au-dessus d'elle-même par la discipline d'un travail rude, mais sain.

Pourtant ces raisons n'eussent pas plus suffi qu'en 1934 à le projeter au-delà de l'Océan, s'il n'y avait pas eu autre chose. « Je ne voulais que cuver ma honte en quelque coin perdu de ces terres sans bornes », écrira-t-il dans la *Lettre aux Anglais*[1]. Étant donné la date de son départ, il est bien évident que cette honte ne pouvait être celle de Munich, comme on le croit encore parfois. Le contexte de la *Lettre aux Anglais* nous permet de comprendre que c'est la honte de vivre dans un pays sans honneur et sans ressort, dans une France « qui ne croyait déjà plus en elle-même, se détachait lentement d'elle-même », et s'apprêtait à accepter lâchement la défaite. Mais *Scandale de la vérité*, qui fut écrit aussitôt après son arrivée en Amérique du Sud, ajoute d'autres composantes à la description de ce que fut son état d'âme dans les mois qui précédèrent le départ. Toute la fin du livre est dominée par l'idée de la honte, mais celle-ci

---

1. *Lettre aux Anglais*, p. 26.

est tout d'abord évoquée à propos de l'attitude de l'Église durant la guerre d'Espagne :

J'ai honte d'eux, j'ai honte de moi, j'ai honte de notre impuissance, de la honteuse impuissance des chrétiens devant le péril qui menace le monde. Quoi! C'est nous l'Église du Christ? Voilà les charniers qui s'ouvrent et il est impossible de tirer de nous un oui ou un non. Voilà les charniers qui s'ouvrent et nous nous croirons quittes en prévenant M. le Second Vicaire qui viendra en hâte bredouiller l'absoute, comme aux enterrements de pauvres, l'après-midi [1].

C'est à cela, c'est à la maladie du faux-fuyant, au mensonge institutionnalisé qu'il a décidé d'échapper : « S'il plaît à Dieu, les menteurs ne me tiendront pas, ils ne m'ont jamais tenu. Je me moque des menteurs, parce que je les mets au défi de rien posséder de ce monde que je puisse désirer moi-même. Et par mon exil volontaire, je n'ai pas seulement souhaité leur échapper, j'ai voulu échapper jusqu'au soupçon de leur appartenir en quoi que ce soit [2]. » Il faut se garder de ne voir dans une telle attitude qu'orgueil et mépris, car Bernanos ajoute qu'elle lui a été dictée par le désir de se soustraire à une double tentation : celle de solliciter quoi que ce soit des artisans de mensonge, et celle de céder à la haine « qui est impuissance pure, la forme démoniaque de l'impuissance ». Il a fui la France pour pouvoir l'aimer encore : « Je ne veux pas cesser d'écrire, de témoigner pour ce que j'aime [3]. » Tout le paradoxe de son exil est dans cette phrase. De l'autre côté de l'Océan, il se sentira plus proche, plus solidaire de son pays que s'il avait continué à y vivre. Mais l'amertume de son retour et la colère de ses dernières années y sont inscrites également, car il ne reconnaîtra pas, dans ce pays souillé par la défaite et usé par quatre années de misère, le visage de la France qu'il a aimée et servie.

Bernanos s'est embarqué sur le *Florida*, accompagné de sa femme, de ses six enfants, et du docteur Jean Bénier, qui emmène lui aussi sa famille [4]. Les photographes, les journalistes, les gerbes de fleurs qui saluent le départ du paquebot ne sont pas là pour lui, non plus que pour le philosophe Georges Dumas, qui gagne une

1. *Scandale*, p. 69.
2. *Ibid.*, p. 71.
3. *Ibid.*, p. 73.
4. Le Dr Jean Bénier, qui a été le compagnon de Bernanos jusqu'à Pirapora, a raconté ses souvenirs dans le n° 41 du *Bulletin*. L'étude la mieux documentée sur le séjour de Bernanos au Brésil est, jusqu'à maintenant, la notice écrite par Albert Béguin pour *La France contre les Robots* (Club français du Livre).

fois de plus l'Amérique du Sud, mais pour la jeune première septuagénaire, Cécile Sorel. Seuls quelques amis, dont le R. P. Brückberger, sont venus prendre congé du romancier. Les 4 et 5 août, le bateau fait escale à Rio de Janeiro. Deux écrivains brésiliens, le poète Auguste Frédéric Schmitt et Alceu Amoroso Lima, philosophe et membre influent de l'Action Catholique, qui signe aussi Tristan de Athayde, et auquel Bernanos est recommandé par Maritain, montent à bord pour souhaiter à Bernanos la bienvenue et le reçoivent à déjeuner à Copacabana. De là, il gagne Buenos-Aires, où il fait une conférence chez Victoria Ocampo, directrice de la revue *Sur*, puis il remonte le Parana jusqu'à Asunción, capitale du Paraguay, où Jean Bénier l'a précédé. Il n'y reste qu'une dizaine de jours. L'Eldorado de ses rêves de jeune homme, le pays dont les jésuites avaient voulu faire une sorte de république idéale, est attristé par la guerre du Chaco, le climat se révèle pénible, la vie chère ; une expédition entreprise avec Bénier sur des pistes cahotantes ne permet d'envisager aucune possibilité d'installation. Bernanos se souvient alors de l'accueil des Brésiliens et leur annonce son arrivée. Il est à Rio le 1er septembre.

Il y loge pendant quelques jours à l'hôtel Botafogo, face à la baie, puis s'installe dans la montagne qui domine la ville, à Itaïpava, « dans les petites maisons blanches et rouges chargées de bougainvillées de la *Grande Vallée*, propriété de l'aviateur Reine[1] ». En attendant de trouver une exploitation agricole conforme à ses vœux, il s'est remis au travail. Sur un cahier neuf, il trace les premières pages de *Nous autres Français*, où s'amorce sa méditation sur la vocation de la France, dont il croit pouvoir parler avec plus de sérénité maintenant qu'il n'est plus au milieu de ceux qui la trahissent. A l'intention des lecteurs de *Sur*, il revient sur les thèmes dont il les a entretenus à Buenos-Aires, d'une façon à son gré trop improvisée. L'article, publié aussitôt par la revue argentine, constituera le second chapitre du nouveau livre.

Ses amis lui ayant trouvé une petite ferme à Juiz de Fora, dans l'État de Minas Geraes, il peut enfin adopter l'existence qu'il est venu chercher en Amérique. Il s'agit d'augmenter un peu les revenus que lui procurent ses livres, tout en fournissant à deux de ses garçons « qui ont beaucoup de goût pour la culture et l'élevage et qui n'ont pas travaillé au collège... une *fazenda* qui [...] permette seulement de les mettre au courant, de les habituer peu à peu au travail de la terre[2] ». C'est avec beaucoup d'entrain, malgré les

1. *Bul.*, nº 41, p. 6-7.
2. Extrait de lettre à Virgilio de Mello Franco, cité dans *L'Herne*, p. 148.

difficultés, qu'il aborde ses nouvelles tâches : « Cinq chevaux à nourrir, à panser, à soigner, à monter, les selles et les brides à entretenir, cela vaut déjà bien des sermons, écrit-il le 23 novembre. Et puis on est ici tellement près de la terre, il faut se défendre contre la pluie, le vent, la boue, les sales bêtes, un tas de choses. Le mot de maison reprend son sens, celui de famille le retrouvera peut-être aussi ? A la grâce de Dieu [1]. » Il écrit également. Délaissant momentanément le manuscrit de *Nous autres, Français*, il reprend une préface qu'il avait commencé de rédiger pour des Morceaux choisis de Drumont, que le R. P. Brückberger devait publier chez Gallimard. L'évocation du maître de sa jeunesse ravive sa rancœur contre ceux qui ont trahi, au nom d'un prétendu réalisme, les promesses de renouveau et les semences d'héroïsme qu'il avait découvertes chez l'auteur de *La Fin d'un monde*. En supputant une fois de plus les responsabilités du maurrassisme, Bernanos aborde de front le problème de l'abaissement de la France, provoqué par la perte du sens de l'honneur et par l'habitude du mensonge. La montée du national-socialisme et l'aggravation des persécutions antisémites ne se prêtant guère à la publication d'une apologie de Drumont, il ne sera pas difficile à l'éditeur d'isoler, dans cette préface, ce qui a trait directement à l'actualité [2]. Le livre sera publié en 1939 sous le titre de *Scandale de la vérité*.

Bernanos ne reste que peu de temps à Juiz de Fora. Dès février 1939, il s'installe dans une petite ferme plus à l'intérieur des terres, à Vassouras. Dans la propriété, ruisselante des pluies de l'été tropical, il a choisi, pour s'isoler, une minuscule cabane de torchis couverte de paille, ayant naguère servi d'habitation à un esclave nègre : « L'entrée en était si exiguë, écrit le Dr Bénier, qu'il lui était nécessaire de s'incliner très bas pour la franchir et que ses épaules touchaient le chambranle ; il s'y tenait avec peine debout et une fois qu'une table y fut placée, il n'y restait plus guère d'espace. Par l'étroite fenêtre, il n'avait d'échappée que sur un fragment de paysage, l'angle blanc d'un mur sous les bougainvillées, un pan de frondaison, l'ébauche d'un vallonnement herbeux, quelques tiges d'une énorme botte de bambous et l'immense, le dur silence inhumain qui baignait son travail [3]. » C'est là qu'il termine *Nous autres, Français*, où il achève de dire ce qui le sépare de Maurras et de la politique de l'Église et où, s'adressant directement au comte

---

1. *Béguin*, p. 128-131.
2. Les passages laissés de côté ont été publiés dans le n° 47 du *Bulletin*. Ils sont très utiles pour faire le point sur l'antisémitisme de Bernanos à cette époque.
3. *Bul.*, n° 41, p. 9.

de Paris, il essaie de lui ouvrir les yeux sur les impostures qu'il lui faudra combattre.

Installé jusqu'ici dans de petites propriétés, Bernanos se rend bien compte qu'il ne peut espérer que des gains dérisoires. Aussi a-t-il chargé Virgilio de Mello Franco, homme politique et riche propriétaire à qui il a été présenté en septembre par Alceu Amoroso Lima, de lui trouver une exploitation plus vaste, permettant de pratiquer l'élevage à une échelle raisonnable pour le pays. Cet ami obligeant, dont la sollicitude ne devait jamais se démentir, lui trouva une ferme à louer à dix-huit kilomètres de Pirapora, où il avait des terres : la *fazenda* de Santo Antonio. Pirapora, sur le Rio Sâo Francisco, au Nord de la province de Minas Geraes, c'est la dernière gare du chemin de fer.

J'ai laissé le rail derrière moi, j'ai vu finir le rail, ainsi qu'un mince piège d'acier sous la végétation parasite. J'ai vu la dernière gare et le dernier pont. En face de moi, à ma droite ou à ma gauche, le bois trapu rampe et rampe sur des milliers de lieues carrées vers le Matto Grosso, le Paraguay, l'Amazone, et encore au-delà jusqu'au Pacifique [1].

C'est dans ces conditions incroyables d'isolement que Bernanos, ignorant à peu près tout de la langue et des mœurs du pays, va faire, à partir de juillet 1939, le difficile apprentissage du métier de colon et d'éleveur. Il a acheté deux cent cinquante têtes de bétail, huit chevaux. A peu près tout son capital y a passé. En attendant que la *fazenda* soit prête, il a loué, à Pirapora, une maison dépourvue des commodités les plus élémentaires. C'est là que la nouvelle de la déclaration de guerre l'atteint : « Comme nous écoutions les nouvelles à la radio d'un café, raconte Jean Bénier, mes doigts sur les boutons du poste firent, un soir, jaillir *La Marseillaise* et tous les consommateurs, sans exprimer davantage, mais c'était suffisant, leur sympathie et quelque sentiment plus profond aussi, avec nous se levèrent et, debout, nous regardèrent tout le temps que l'hymne retentit. » La réaction de Bernanos à l'événement, c'est l'admirable Journal qui sera publié aussitôt après sa mort sous le titre de *Les Enfants humiliés*. Pendant des jours, du matin au soir, il écrit, sans une minute de sieste, dans la cour dévorée de soleil qu'il a décrite d'une façon inoubliable :

Je ferme chaque soir ce cahier, résolu à ne plus l'ouvrir, du moins avant longtemps. Et chaque matin, je reviens m'asseoir à l'ombre

1. *Enfants*, p. 187.

vite rétrécie du mur, sous un manguier desséché dont les fruits pendent au bout d'un pédoncule mort, et qui tombent un à un, rebondissent sur le sol durci. Un autre mur me fait face, criblé de taches lumineuses immobiles, écaillé, râpé, pelé par le soleil, atteint de cette gale solaire qui restera toujours pour moi comme le signe presque abstrait de l'extrême misère, de la misère sans remède et sans espérance. Au fond de cette courette de soixante pieds de large la chaleur se dépose ainsi qu'une eau dormante par couches successives, horizontales, d'une température sans doute inégale, et que le vent trop faible pousse lentement vers le canal flamboyant de la route qui roule vers le fleuve liquide un autre fleuve d'air embrasé [...]. Je tire la table à moi, je cale mes reins au dossier de la chaise et le dossier de la chaise au mur, car je sais que cette part d'ombre m'est mesurée, qu'il me faudra l'échanger tout à l'heure contre une autre ombre plus malsaine sous l'arbre troué comme une écumoire [1].

A la douleur de l'épreuve subie par la France s'ajoute pour Bernanos le sentiment de la distance non seulement physique, mais morale qui s'est établie entre lui et ses compatriotes :

> Ce qui achevait d'abattre tout mon courage, écrira-t-il en novembre, c'était l'impression – je ne sais pourquoi – d'être oublié par tous, renié par vous tous, absolument incapable de communier avec vous dans une épreuve dont je crains de me faire une idée bien différente de la vôtre, que je n'accepte pas sous le nom qu'on lui donne, et dont je n'attends rien, rien, rien [2].

C'est avant tout cette solitude qui s'exprime à travers les pages brûlantes des *Enfants humiliés*. Bernanos rentre dans la guerre « comme dans la maison de [sa] jeunesse », mais il y rentre sans illusion et avec la certitude de ne pas y trouver sa place, car il se souvient de la façon dont la victoire fut escamotée en 1918 ; l'inutile déploiement de bonnes volontés, la floraison de naïves illusions auxquels il assiste de loin lui montrent que ses compatriotes n'ont rien appris et que les mensonges officiels n'ont fait que gagner en impudence. Pour sa part, il refuse de croire à une guerre qui n'est qu'une « énorme fuite des peuples devant des responsabilités histo-riques qu'ils se sentent incapables d'assumer », qui n'est que la solution de désespoir d'une humanité incapable de construire une vraie paix : « Je ne crois pas à votre guerre, je lui refuse ma foi, je me demande si elle a reçu la foi de personne. Elle était inévitable, soit,

---

1. *Enfants*, p. 105-107.
2. *C. R.*, p. 51.

restons-en là. La vie était devenue si médiocre, vos mensonges si peu séduisants, et vos imposteurs si ennuyeux, que des jeunesses entières lui ont préféré le jeu qu'on ne joue qu'une fois. D'autres jeunesses se lèvent résignées pour leur faire face – c'est bon, cela suffit[1]. » La distance aidant, Bernanos prend une mesure plus exacte de l'imposture, mais il comprend mieux aussi le véritable sens de sa vocation, de cette solitude qu'il est venu chercher si loin, et qui est celle d'un homme qui avance pour ne pas reculer, de cette Pauvreté aussi, qu'il a si souvent célébrée dans ses livres et qui se révèle maintenant à lui sous un jour plus rigoureux, mais plus abandonné, et par là même plus ouvert à l'espérance. C'est sur la victoire du Pauvre, de la patience du Pauvre, que se termine ce livre commencé dans le découragement et dans l'angoisse.

Au moment où il écrit cette fin, en janvier 1940, il est installé depuis deux mois à la *fazenda*. Il y habite cette étrange maison qu'il décrit dans les dernières pages :

> Les portes n'y ont pas de serrures, les fenêtres pas de vitres, les chambres pas de plafond, et l'absence de plafond fait qu'on y découvre tout ce qui dans les autres est caché, le vénérable envers des poutres, poutrelles et chevrons, le pâle ou gris taché de rose des douces tuiles usées, les grands pans d'ombre que le jour rogne à peine et qui semblent noircir encore à la lumière de nos lampes, la crête inégale des murs où courent des rats fantômes que nous ne voyons jamais ailleurs[2]...

Le départ de son neveu, Guy Hattu, qui a beaucoup aidé à son installation, et du Dr Bénier, mobilisés l'un et l'autre, rend plus lourde sa tâche de chef d'exploitation, d'autant plus lourde qu'il a compris, dès la fin de 1939, qu'il ne réaliserait pas les profits escomptés : « Je vois bien que même en travaillant beaucoup, il est difficile de gagner plus de cinq ou six contas par an. Je ne serais peut-être pas venu si loin pour si peu, mais puisque j'y suis, j'y reste, et j'y reste parce que ça me plaît[3]. » En février, son fils aîné, Yves, a eu une crise d'hémoptysie. En revanche, le second des garçons, Michel, s'adapte bien à la vie de vacher, et son père observe avec satisfaction ses progrès dans l'art de maîtriser les bêtes. Ces soucis ne l'empêchent pas d'écrire. De février à mai 1940, il compose le dernier chapitre de *M. Ouine*.

Les mois de juin et de juillet sont particulièrement funestes. Les nouvelles consternantes de France ont ancré Bernanos dans le

1. *Enfants*, p. 130.
2. *Ibid.*, p. 210.
3. *Béguin*, p. 131-132.

sentiment de sa solitude : « Du pays qui m'entoure, je n'attends pas grande assistance, cela va sans dire. Il serait vain de prétendre intéresser au sort de la Cathédrale de Chartres les millions de kilomètres carrés d'une forêt qui n'a jamais servi à rien depuis le commencement du monde[1]. » A la pensée des malheurs de son pays, le travail qu'il fait lui paraît de plus en plus dérisoire : « J'ai l'impression du prisonnier qui creuse un petit tunnel dans la terre, sans savoir où ce tunnel le conduira[2] » ; « Tout ce que je puis faire je le fais, en pensant à vous tous, accablé par le sentiment du ridicule, de la disproportion entre les événements et mon misérable effort pour rester quand même à ma table, travailler, travailler, travailler[3]. »

A la *fazenda* Santo Antonio, c'est aussi la débâcle. S'étant définitivement convaincu que son entreprise n'est pas viable, Bernanos se résigne à perdre trois ans de bail payés d'avance. A la fin de juin, il est retourné à Rio, il a séjourné à Belo Horizonte, où il a vu les passants pleurer dans la rue à la nouvelle de la capitulation de Paris. Il a compris qu'il peut encore servir son pays en écrivant dans les journaux brésiliens qui s'ouvrent généreusement à lui, à condition de quitter ce coin de terre perdu où il ne communique avec le monde que par un mauvais poste de radio, qui donne à chaque instant l'impression de rendre l'âme. En juillet, il liquide son troupeau, sans se soucier de récupérer les vingt têtes de bétail qu'un vacher indélicat lui a soustraites, et il s'installe dans la propriété de Cruz das Almas (La Croix des Âmes) que son ami Virgilio de Mello Franco lui a trouvée, à 4 km de la petite ville de Barbacena, non loin d'une de ses fermes, la Granja das Margaridas.

Cette installation marque le début d'une phase nouvelle, un peu moins rude, dans l'existence de Bernanos au Brésil. La proximité d'un ami éprouvé, qui devait l'aider de toutes les manières, la facilité plus grande des communications avec Rio, l'existence, dans la région, d'un monastère de bénédictins, dont l'un des moines, dom Paul Gordan, devait devenir son conseiller spirituel, contribuèrent à lui rendre l'existence à Barbacena plus supportable. Renonçant aux charmes douteux de l'architecture tropicale, il fait aménager la ferme en s'inspirant des maisons paysannes de l'Artois. Dom Paul Gordan nous a laissé une description très précise de cette demeure : « La maison était située sur une petite hauteur dominant la ville, au bord d'un chemin de traverse ; elle était entourée de maigres pâturages à l'abandon ; quelques dépendances, reliées par des murs,

1. Mai 1940. *Béguin*, p. 132.
2. *Ibid.*, p. 133.
3. 4 juin 1940. *C. R.*, p. 54.

semblaient à dessein reproduire l'image d'une ferme française. Au-dessus de la porte principale, qui, grande ouverte, laissait apercevoir au fond du vestibule le drapeau tricolore avec la Croix de Lorraine, une statuette de la Vierge, placée dans une niche, servait de signe distinctif à la maison du 'Francez' [...]. Partout de vieux bâtiments, des étables, des pigeonniers avaient été transformés en chambres à l'usage de sa nombreuse famille. Une petite pièce étroite servait de salle à manger ; dans une autre aile, une salle spacieuse, à la fois simple et élégante, avec une cheminée en maçonnerie, faisait songer à quelque vieux château! En un tel lieu, en présence de cet homme, les siècles semblaient se confondre. Au haut de la cloison, face à la cheminée, une fenêtre s'ouvrait au-dessus d'un arc en ogive. Il y avait là une sorte de tourelle qui servait d'appartement à Madame Bernanos, l'écrivain occupant lui-même la pièce inférieure, basse de plafond. On accédait par deux marches à cette chambre carrée, qui ressemblait à une crypte ou aux catacombes : au milieu, une petite table ; le long du mur, un lit de camp ; et une chaise devant la fenêtre basse d'où l'on voyait la mer des collines s'étendre jusqu'au blanc rivage de la ville lointaine[1]. »

Telle est du moins la maison après les embellissements que Bernanos, s'apprêtant visiblement à l'habiter longtemps, lui a fait subir durant l'été de 1942[2]. Mais dès le début de son séjour, le cadre plus accueillant dans lequel il vit lui a permis de prendre des habitudes de travail régulières. Tous les matins, il descend à Barbacena sur son cheval Oswaldo – un magnifique cheval blanc que lui a procuré Mello Franco – et, après avoir entendu la messe dans l'église dont le style baroque ne lui paraît guère favorable au recueillement de la prière, il attache sa monture à la façade du Bar Colonial. Là, installé à une petite table, il se met au travail. Ce qu'il écrit, c'est, le plus souvent, des articles destinés à la chaîne de journaux que dirige Assis Chateaubriand. Il y commente la situation en France, le déroulement de la guerre, les perspectives d'avenir ouvertes par les initiatives des grandes puissances. La plupart d'entre eux seront réunis en 1948 dans le recueil intitulé *Le Chemin de la Croix des Âmes*[3]. D'autres ont été publiés depuis dans le

1. *Bernanos au Brésil*, dans *Bul.*, n° 5, p. 4.
2. Cf. sa lettre du 16 juin 1942 à Amoroso Lima : « Dans quinze jours ou trois semaines, il y aura enfin chez moi de quoi recevoir un ami et même plusieurs, car j'ai fait agrandir ma maison » (*Esprit*, août 1950) et la lettre du 13 juillet 1942 : « Après avoir été maçon comme Mussolini, je deviens peintre en bâtiments comme Hitler » (*Béguin*, p. 137).
3. Publié d'abord à Rio en 4 volumes entre 1942 et 1945, puis à Paris en 1948.

Bulletin de la Société des Amis de Georges Bernanos[1]. Il rédige également des messages pour la B.B.C., non sans hésitations ni inquiétudes, car il se méfie de la radio et des initiatives des censeurs[2]. Il compose aussi, à partir de décembre 1940, un essai sur la tradition chrétienne française que lui a demandé la *Dublin Review*. L'essai achevé et envoyé, il éprouve le besoin de prolonger sa réflexion, et il écrit le livre qu'il intitulera *Lettre aux Anglais* et que l'éditeur Charles Ofaire s'empressera de publier à Rio, en français, en 1942.

Ce labeur régulier n'amène pourtant, dans la vie de Bernanos, qu'un calme très relatif. Les vieilles crises d'angoisse l'ont repris avec une telle vigueur qu'il se décide, en avril 1942, à consulter son ami le poète Jorge de Lima, qui est aussi médecin. « Je crois souffrir principalement des maux que le déshonneur de la France me transmet de l'âme, lui écrit-il[3]. » Une lettre adressée à Mme Raul Fernandes le 9 septembre 1943 montre que son état n'a fait que s'aggraver par la suite. Cherchant à lui expliquer son silence, il lui écrit :

> Hé bien, c'est vrai que depuis six mois, dix mois, – je ne sais plus – je n'ai cessé de ressentir un besoin irrésistible, indicible, de silence et de solitude, au point que si je n'avais pas été retenu ici par un devoir évident, indiscutable, je serais parti je ne sais où, le plus loin possible. Que j'aie vécu si longtemps dans cet état de crise intérieure sans éveiller l'attention ni l'inquiétude de personne, cela m'étonne un peu maintenant, quand j'y pense. Vous me direz peut-être que je suis en train – comme disent mes confrères imbéciles – de « mûrir » un nouveau livre. Mais pas du tout! Ou s'il « mûrit », rien ne me révèle cet état de grossesse, je le porterai alors dix ans, comme les éléphants... Lorsque j'essaie de voir au fond de moi, je n'y trouve qu'une espèce de pressentiment vague, diffus, mais absorbant, d'épreuves redoutables pour mon pays, pour ma croyance, où je me trouverai engagé à fond, jusqu'au bout, jusqu'à la fin, jusqu'à la mort[4].

Ce Bernanos des mauvais jours, Dom Paul Gordan l'a connu lui aussi, jusqu'à la veille du départ de l'écrivain pour la France :

1. Cf. n° 2-3 ; 15-16 ; 23 ; 27 ; 49.

2. On trouvera ceux de ces messages qui n'ont pas été publiés dans *Le Chemin de la Croix-des Âmes* dans les n°s 23 et 24-25 du *Bulletin*, avec les lettres à Sir Geoffrey Knox, Ambassadeur d'Angleterre à Rio, qui les accompagnent. Le n° 24-25 contient également les messages envoyés en 1944, de Rio, pour Radio Brazzaville, avec les lettres d'envoi à Pierre Arbousse-Bastide. Sur la méfiance de la radio, cf. *Enfants*, p. 239-240.

3. *Lettres inédites de Georges Bernanos*, Rio de Janeiro, 1953, p. 40.

4. Guy GAUCHER, *Le thème de la mort dans l'œuvre de Bernanos*, p. 126.

De mystérieux états d'angoisse, écrit-il, venaient, telle une chape de plomb, s'abattre sur cet homme d'ordinaire si débordant de vie – lourde rançon, sans doute, des dons prophétiques qui conféraient leur force visionnaire à ses créations romanesques, aussi bien qu'à ses essais. Durant ces crises, il était en quelque sorte son propre spectateur ; il s'observait lui-même, enregistrant et analysant toutes ses sensations avec une lucidité qui ne faisait qu'accroître sa souffrance. Rien ni personne ne pouvait alors lui venir en aide : seule le soulageait la patience avec laquelle les autres le supportaient, et il l'acceptait sans fausse honte, avec la plus simple gratitude [1].

Lorsque ses deux fils Yves et Michel furent partis, comme son neveu, rejoindre les Forces Françaises Libres, Bernanos, supportant moins bien la solitude de Barbacena, fit de fréquents séjours à Rio, où ses amis lui louèrent un pied-à-terre. En 1943-1944, il séjourne plusieurs mois dans l'île de Paqueta, au milieu de la baie de Rio, puis il revient à Barbacena. C'est là qu'il apprend la nouvelle de la libération de la France. Le général De Gaulle lui ayant demandé, par télégramme, de revenir dans son pays, il hésite longuement. Obsédé par le souvenir de 1918, il observe en effet, dans la paix qui se prépare, tous les symptômes de cette escroquerie morale, de cet escamotage des vrais problèmes, de cette anesthésie des consciences, qu'il n'a cessé de dénoncer à la suite de la dernière guerre ; l'enthousiasme qu'il avait manifesté pour la Résistance combattante fait place à une méfiance insurmontable à l'égard des « Résistants qui tiennent à rester ministres [2] ». Il faut l'insistance du général De Gaulle, le prestige que revêt aux yeux de Bernanos le chef de la France Libre, et les conseils de Dom Gordan, d'autant plus désintéressés que celui-ci est allemand, pour décider l'auteur de la *Lettre aux Anglais* à aller affronter une réalité dont il n'attend rien de bon. Finalement, en juin 1945, il se décide à quitter le Brésil. Avant de partir, il avait proposé au Comité Central de la France Libre à Rio, pour le remercier de l'aide qu'il en avait reçue, de lui offrir en toute propriété un manuscrit qu'il était en train de finir et qu'il s'était d'abord proposé d'intituler *Hymne à la Liberté*. Quelqu'un lui ayant suggéré *La France contre les Robots*, Bernanos adopta d'enthousiasme ce nouveau titre. Le Comité avait accepté l'offre et convenu de verser à l'auteur le bénéfice de l'édition de luxe, tirée à 250 exemplaires, pour l'aider à couvrir les frais de son retour et de sa nouvelle installation en France. Mais c'est seulement en août 1946 que le tirage en fut achevé.

1. *Bul.*, n° 6, p. 3.
2. Lettre de juin 1944 à P. Arbousse-Bastide, *Bul.*, n° 24-25, p. 31.

Il ne saurait être question pour nous de donner une idée, même incomplète, de l'œuvre abondante et riche de pensée que Bernanos a écrite au Brésil. Commandée le plus souvent par l'événement, composée en grande partie pour défendre l'honneur de la France, pour entretenir l'espérance en la France dans un pays où celle-ci était loin de ne compter que des amis, cette œuvre, parfois un peu hâtive, parfois d'une étonnante profondeur, échappe, dans un certain sens, à la littérature. Jamais, d'ailleurs, Bernanos n'a eu, comme à cette époque, le sentiment, déjà exprimé dans la préface des *Grands Cimetières*, d'être autre chose qu'un écrivain. Il le déclare, dès son arrivée, au journal « A Noite » de Rio de Janeiro [1], il le répète, en février 1939, au correspondant de « O Jornal » de Juiz de Fora [2], il le dit à Alceu Amoroso Lima dans sa lettre du 13 mars 1940 [3], il l'écrit, avec un bonheur d'expression particulier, au début de la *Lettre aux Anglais* :

> Je m'excuse de donner à ces pages le ton de la confidence. A la vérité, je n'en connais pas d'autre. J'ai commencé d'écrire à plus de quarante ans, et l'extrême bienveillance du public à mon égard, depuis onze ans, ne me convaincra pas d'être un écrivain professionnel. Mon œuvre vaut ce qu'elle vaut, mais ce n'est pas un théâtre bien administré où les spectateurs viennent pour se distraire, et où je vais moi-même pour tâcher de les distraire, c'est-à-dire pour gagner ma vie. Mon œuvre, c'est moi-même, c'est ma maison ; je vous parle la pipe à la bouche, ma veste encore fraîche de la dernière averse, et mes bottes fument devant l'âtre. Pour m'adresser à vous, je n'ai même pas la peine de passer d'une pièce dans l'autre, je vous écris dans la salle commune, sur la table où je souperai tout à l'heure, avec ma femme et mes enfants. Entre vous et moi il n'y a pas même l'ordinaire truchement d'une bibliothèque, car je n'ai pas de livres. Entre vous et moi, il n'y a vraiment rien que ce cahier de deux sous. On ne confie pas de mensonges à un cahier de deux sous. Pour ce prix là je ne peux vous donner que la vérité [4].

Ainsi, nul doute que l'éloignement du monde littéraire et la simplicité des conditions dans lesquelles il vit n'aient renforcé chez lui la conviction d'être appelé à un témoignage plus direct que celui de l'écrivain de métier, à un témoignage pour ainsi dire dispensé de la médiation de l'art et grâce auquel le lecteur entrerait de plain-pied dans son existence. Nulle part il n'exprime mieux ce

1. *Bul.*, nº 22, p. 5.
2. *Ibid.*, p. 8.
3. *Esprit*, août 1950, p. 202.
4. *Lettre*, p. 20-21.

sentiment que lorsqu'il compare sa vie, dans *Les Enfants humiliés*, à la maison de Pirapora, dont les portes n'ont pas de serrures, les fenêtres pas de vitres et les chambres pas de plafond :

> Pour une maison ouverte, on peut dire de cette maison qu'elle est ouverte! Elle s'ouvre sur un pays lui-même ouvert, béant, où les rares clôtures ne sont que de fil barbelé, un couloir large de quatre cents lieues, long de mille. Vient à nous qui veut, par le chemin qu'il veut, – les vachers en haillons sur leurs hautes selles plus haillonneuses qu'eux-mêmes, avec des harnais de ficelle, l'unique éperon bouclé au pied nu – les Bayanais couleur de vieux cuir, – les nègres errants couleur de poussière, ou le voisin qui a fait soixante kilomètres à cheval pour ramener une vache ferrée à notre marque et ne demande en retour qu'une assiette de feijâo. Ils arrivent à l'aube, au soir, qu'importe! Le foyer de briques conserve la braise sur laquelle bout le haricot rouge, et l'eau du rio, dorée par l'argile, reste au frais dans les jarres. Entre ces passants et nous, il n'y a rien, rien qu'un mur de terre qui, du coucher au lever du soleil, aspire par tous les orifices, grands ou petits, l'air nocturne. Nous sommes dans les mains du passant, à sa merci. Le pas des chevaux sans fer ne sonne pas sur les cailloux, les pieds nus trompent jusqu'à la vigilance des chiens. Nous sommes dans les mains du passant comme dans les mains de Dieu. Puissions-nous toujours ensemble, moi et mes livres, être à la merci des passants[1]!

C'est au prix de ce dépouillement, et à cause de cette conviction grandissante d'une communication ouverte entre sa vie et son art, que s'opère en lui une réconciliation avec sa condition, sinon son métier, d'écrivain : « Après avoir tant travaillé depuis vingt ans, dit-il encore dans *Les Enfants humiliés*, je commence seulement à croire que je ne me suis pas trompé, que j'étais réellement condamné à cette espèce de langage conventionnel qui est celui de l'écrivain » ; et, ayant comparé son instrument à un vieil orgue de Barbarie, il continue :

> D'ailleurs, ce n'est plus sous vos fenêtres que je joue, réfléchissez à cela aussi. Le vieux bonhomme à changé de trottoir, le vieux bonhomme en a fini avec les concierges et les flics. Je n'attends plus qu'un visage ami apparaisse derrière les vitres, je ne suis plus tenté de loucher vers les premiers étages opulents ou la mansarde à géraniums. Ma musique vous arrive du bout du monde, ainsi que le témoignage non pas de mon art, mais de ma constance[2].

1. *Enfants*, p. 210-211.
2. *Enfants*, p. 189-190.

Il a fallu la solitude de l'exil, la rupture avec tout ce qui pouvait paraître un reste de complaisance envers le public, et finalement cette incertitude de l'homme qui « parle comme à tâtons[1] » pour que Bernanos fût débarrassé de ses derniers doutes au sujet d'une vocation qui ne fait qu'un avec sa vie, parce qu'elle traverse sa vie de part en part :

> Si je me jouais à moi-même la comédie d'une certaine simplicité, écrit-il à Amoroso Lima, je ne serais qu'un imposteur, je ferais semblant de ne pas savoir lire ni écrire pour éviter d'être jugé sur ce que j'ai lu et écrit, je ne tromperais pas le Bon Dieu. Il faut que ma vocation, mon travail et ma vie ne fassent qu'un, que je soulève tout cela jusqu'à Lui[2].

Il me semble que cette justification permet seule d'apprécier à sa juste valeur ce que Bernanos a écrit au Brésil. Devant la démission de tout ce qui aurait dû incarner l'honneur de la France, il a l'impression d'être la seule voix française qui reste, un peu comme Hugo, dont il aime relire les œuvres de l'exil[3], a eu le sentiment d'être la dernière voix libre. Ce qu'il offre alors à son lecteur, c'est moins une idéologie, une doctrine ou une propagande qu'une vie traversée par l'événement, une conscience tour à tour indignée, angoissée, espérante, soupçonneuse. Je voudrais me borner à dégager de la masse de l'œuvre écrite au Brésil quelques unes des expériences dans lesquelles cette conscience est plongée.

Et tout d'abord celle du pays lui-même. Bernanos a été tout autre chose – et il en a eu le sentiment, et il s'en est glorifié – qu'un hôte de passage observant curieusement un pays étranger à travers les vitres d'un palace ou d'une automobile américaine. S'il n'avait été que cela, dit-il dans *Les Enfants humiliés*, s'il avait dû se borner à confier à l'imprimeur des « choses vues », il aurait gardé le silence : « Je me suis même abstenu de dire un mot de ce pays aussi longtemps que, nouveau venu, je me sentais libre à son égard, spectateur bénévole, simple témoin. Je me sens le droit d'en parler maintenant parce que ma destinée se trouve humblement liée à la sienne, mon

---

1. *Ibid.*, p. 258.
2. *Esprit*, août 1950, p. 202.
3. Cf. ce que le frère de Virgilio de Mello Franco raconte d'une lecture d'*Aymerillot* à Barbacena : « Debout, appuyé à la cheminée où il avait accroché ses deux cannes, le vieux Bernanos prit le livre et commença de lire, comme s'il s'était agi d'un texte sacré » (*L'Herne*, p. 126).

effort à son effort, ma pauvreté à sa pauvreté[1]. » C'est sur cette communauté de souffrance qu'il insiste encore dans le dernier texte publié par la presse brésilienne avant son départ : « Sympathie! L'étymologie de ce mot en dit assez long sur son véritable sens – souffrir avec. Qui songe à souffrir avec vous[2]? » Une telle sympathie ne va pas sans heurts : « bien des choses m'ont déçu au Brésil », confie-t-il à Amoroso Lima le 13 mars 1940[3] ; mais elle permet seule une véritable connaissance.

Cette connaissance, c'est avant tout celle du paysan brésilien. Bernanos a eu de grands amis parmi les intellectuels du pays, mais il a souvent souffert de la distance qu'établissaient entre eux et lui les sources auxquelles ils avaient puisé la culture française. Opposants à la dictature de Vargas, ils se rattachent à des traditions libérales ou démocrates-chrétiennes pour lesquelles Bernanos est sans tendresse. Raul Fernandes, futur ministre des Affaires Étrangères, admire le scepticisme d'Anatole France ; Alceu Amoroso Lima est disciple de Maritain et membre actif de l'Action catholique. Ce que Bernanos aime dans ces intellectuels, c'est moins les idées qu'ils prétendent tenir de la France que l'usage qu'ils en font pour défendre une certaine manière d'être autochtone, et le lien qui les unit eux-mêmes à leurs origines paysannes :

> L'expérience la plus émouvante que j'ai faite parmi vous, et qui m'a sans doute le plus rapproché de votre âme, écrit-il en s'adressant aux Brésiliens dans la préface de sa *Lettre aux Anglais*, c'est bien celle qui me découvrait peu à peu, au jour le jour, combien – en dépit des apparences, et souvent même à leur insu, vos élites sociales les plus raffinées restaient près de leurs origines paysannes par mille traits profonds ou charmants ; ce qui ne saurait se dire, hélas! à présent dans mon pays que d'un petit nombre d'aristocrates[4].

Chez le paysan brésilien, Bernanos a apprécié, bien sûr, la gentillesse, l'hospitalité légendaire par laquelle sont frappés tous ceux qui ont l'occasion de sortir un peu des chemins tracés, mais surtout une certaine manière, courageuse, patiente et désarmée, de se mesurer humainement avec la nature. L'auteur de *La Grande Peur* reconnaît en effet dans cet affrontement la force qui a constitué son propre pays.

---

1. *Enfants*, p. 186.
2. *Adieu au Brésil*, dans *Chemin*, p. 500.
3. *Esprit*, août 1940, p. 201.
4. *Lettre*, p. 12.

Votre peuple, dit-il encore dans la *Lettre aux Anglais*, grandit sans
le savoir – comme nous avons grandi nous-mêmes jadis – ce qui
est bien la meilleure manière de se développer régulièrement, sans
risquer de perdre ses proportions originelles, d'être tôt ou tard
une tête de géant sur des jambes de nain. Ici, comme jadis en Europe,
l'homme et la terre réagissent l'un sur l'autre, se perfectionnent
l'un par l'autre, dans une lutte incessante dont on ne perçoit pas
d'abord le caractère implacable. Ici, l'homme conquiert la terre
sauvage, par ses seules forces, les mains nues. Que cela fasse rire
les marchands de quincaillerie mécanique, je le veux bien. Ils ne
riront pas toujours. Je veux bien que cela coûte beaucoup de temps,
beaucoup de morts. Mais c'est ainsi que se forment les grands peuples, les peuples libres ; c'est ainsi que toutes les forces et toute la
patience de la terre passent dans les muscles et les cœurs des hommes [1].

Nul doute que le spectacle quotidien de cette lutte à main nue, à
hauteur d'homme, que Bernanos oppose à l'inhumaine exploitation
des richesses du globe par une civilisation technicienne, n'ait
contribué à nourrir cette rancœur contre le machinisme – la machi-
nerie, comme il dit avec mépris – qui s'exprime de façon un peu
simpliste dans *La France contre les Robots* [2].

Mais les faiblesses mêmes de sa pensée dans ce dernier livre
témoignent de ce qu'il a engagé de lui-même dans son expérience
brésilienne. S'il attribue, malgré d'opportunes restrictions [3], une
trop grande responsabilité au développement des techniques dans
la faillite du monde moderne, c'est en grande partie dans la mesure
où le contact avec la terre brésilienne lui à donné l'impression
– qu'il retrouve chez le paysan, ou qu'il projette sur lui – de mener le
combat avec les seules armes sur lesquelles le diable n'ait pas de prise.
Les admirables évocations de la nature tropicale qui ponctuent *Les
Enfants humiliés* ne fournissent pas seulement un cadre au journal
de Bernanos, elles dessinent un paysage spirituel où nous reconnaissons, modelées par le soleil, par l'orage, par l'assaut de la forêt
naine, par le silence du *sertâo* inhabité, les attitudes intérieures
de l'écrivain : volonté de lutter jusqu'au bout, découverte d'un
dépouillement plus grand, d'une pauvreté plus radicale que celle
dont il avait jusqu'ici l'expérience.

Rappelons-nous, par exemple, la page où il décrit la cour, mangée
par le soleil, dans laquelle il écrit à Pirapora, et la lutte qu'il y mène

1. *Ibid.*, p. 14.
2. « ... de beaucoup le plus faible de ses livres », dit avec raison Emmanuel
Mounier (*Un surnaturalisme historique*, dans *C. R.*, p. 129).
3. Cf. en particulier *Robots*, p. 64.

pour trouver un peu d'ombre. Ce combat le dos au mur lui offre tout à coup l'image même de son destin ; elle traduit pour lui, mieux qu'aucun commentaire, la nécessité de « faire face », le besoin de fuite en avant qui l'a conduit à la lisière du Matto Grosso :

> Je n'ai pas choisi cette place et elle ne m'a pas été imposée davantage, je m'y traîne aisément sur mes deux cannes, voilà tout. Le temps est passé pour moi d'aller plus loin, où irais-je ? Ce qui seul importe à mon âge, c'est de ne plus reculer. Je n'écris nullement cela par gloriole, Dieu le sait ! L'idée du recul m'inspire, hélas, un autre sentiment que celui d'une noble indignation. Elle me fait peur. Si je marche à ma fin, comme tout le monde, c'est le visage tourné vers ce qui commence, qui n'arrête pas de commencer, qui commence et ne se recommence jamais, ô victoire ! Chaque pas en arrière me rapproche de la mort, ou de ce qu'il est à peine permis d'appeler de ce nom, la seule que puisse redouter un homme libre, dont le Christ a brisé les chaînes – la fatalité des vies manquées, perdues, le destin, *fatum* – toutes les fatalités ensemble, celles du sang, de la race, des habitudes, et celles encore de nos erreurs ou de nos fautes, la Fatalité à quoi nul n'échappe qu'en se jetant en avant. Je ne me suis pas plus souvent jeté en avant qu'un autre, bien sûr, mais je n'ai jamais cru être arrivé, je me trouve peut-être plus loin que je ne pense. Et maintenant, pris ainsi entre la table et le mur, je suis toujours certain de ne pas reculer d'un pouce... Alors j'avance la main vers mon cahier, faute de mieux, faute d'une autre prise possible, afin de ne pas la refermer dans le vide [1].

Le soleil tropical, c'est aussi, pour Bernanos, la nécessité d'une certaine simplification : « La chaleur ne fait pas fondre que la graisse, elle altère aussi profondément l'image qu'on se forme de soi-même, elle en dissout les parties molles. Ma propre image n'a jamais pesé bien lourd, ni tenu beaucoup de place, mais elle est maintenant réduite à l'extrême, elle ne me gêne plus. Je n'éprouve nullement le besoin de lui conformer ma vie, ou seulement de lui sacrifier quoi que ce soit [2]. » Sentiment qui se traduit ailleurs par une autre image : celle d'un dédoublement, d'une séparation d'avec soi-même, comme si, en choisissant l'exil, il n'avait pas seulement quitté son pays, mais aussi une part disgraciée de son être :

> Car une part de moi-même, dit-il, est restée de l'autre côté de l'eau, je pense à elle, je pense à moi, je pense à cette créature délaissée, comme à un parent lointain. Elle m'est devenue mille fois plus étrangère que l'enfant dont nous descendons pourtant

1. *Enfants*, p. 107-108.
2. *Ibid.*, p. 111.

tous les deux, plus étrangère que mon enfance. Je me demande
ce que fait là-bas ce vagabond ? Mes amis ne sont pas tout à fait les
siens, ils ne l'ont du moins jamais aimé qu'à cause de moi, puisque
ce n'est pas lui qui signe mes livres, bien que s'y reflète à chaque
page, ainsi que dans la glace d'une devanture, son visage harassé.
Ils ne le reconnaîtraient certainement pas, il n'est même pas sûr
qu'ils le rencontrent, ils ne doivent pas fréquenter le même trottoir
de la solitude. Qu'ils se gardent donc de le chercher! Pour moi,
je ne regrette rien. Quand nous devrions mourir chacun de notre
côté, lui et moi, je ne regretterais rien. Après tant d'années passées,
il ne nous restait pas grand'chose à dire, et comme il s'est toujours
réservé les embêtements, c'est moi qui suis parti. Dieu le bénisse [1]!

Illusion d'optique produite par la distance, sans doute, car il y a
beau temps que ce Bernanos-là, muré sur lui-même, irréconciliable,
ami du malheur, est, sinon mort, du moins pris en charge par celui
qui a compris que « tout est grâce ». Et pourtant c'est vrai que les
années d'exil, si grande qu'y ait été la part d'angoisse, sont marquées
par un nouveau progrès dans le sens du dépouillement libérateur.
   Comment préciser, parmi tant de manifestations contradictoires,
les symptômes de cette évolution? Disons qu'elle se marque tout
d'abord par une découverte des limites et des dangers de la violence.
La chose peut étonner, de la part d'un homme dont tous ceux qui
l'ont approché à cette époque soulignent le caractère colérique,
explosif, intraitable. N'allons pas croire pourtant qu'il se félicite
de cette violence et la supporte allégrement.

Il me semble, écrit-il à Amoroso Lima, que vous vous trompez
lorsque vous me croyez capable d'exiger, ou même seulement de
souhaiter chez les autres ce que vous devez appeler ma violence.
Si je suis violent, c'est plutôt pour épargner aux autres de l'être.
En revanche, je crois qu'ils me devraient le témoignage d'une
compassion fraternelle. Lorsqu'on a dit non pas seulement ce qu'on
pense, mais tout ce qu'on pense, on connaît une forme très amère
de la solitude intérieure. Ceux qui savent garder jalousement une
part de la vérité dont ils disposent peuvent du moins s'en nourrir
en secret. Les autres, ayant tout donné, se sentent bien vides [2].

La violence est à la fois une vocation et un risque surnaturel,
un signe tragique sur certaines destinées que le spectacle du mal
détourne de la voie de la prière, de la souffrance rédemptrice et de
l'effusion charitable. C'est parce que Bernanos a connu cette tentation

---

1. *Enfants*, p. 180-181.
2. 5 mars 1939, *Esprit*, août 1950, p. 190.

qu'il peut jeter un regard si fraternel et si compatissant sur Martin Luther, auquel il consacre, en 1943, un essai malheureusement inachevé :

> Je me méfie de mon indignation, de ma révolte, y écrit-il, l'indignation n'a jamais racheté personne, mais elle a probablement perdu beaucoup d'âmes, et toutes les bacchanales simoniaques de la Rome du XVIe siècle n'auraient pas été de grand profit pour le diable si elles n'avaient réussi ce coup unique de jeter Luther dans le désespoir, et avec ce moine indomptable, les deux tiers de la douloureuse chrétienté [...]. L'Église n'a pas besoin de réformateurs, mais de saints [1].

Il faut savoir combien Bernanos est en garde contre le danger qu'il dénonce ici pour comprendre la liberté avec laquelle il critique l'Église. Ayant discerné en Amoroso Lima une âme inquiète, mauriacienne, qui adhère d'autant plus à la discipline qu'elle ne se sent pas née pour elle, il se définit comme l'espèce de chrétien exactement opposée : « Je n'ai jamais été une âme inquiète, et contrairement à ce que pensent de pauvres prêtres, je me sens, de toute ma nature grossière, grossièrement à l'aise dans l'obéissance et la discipline, elles ne m'apportent nullement l'ivresse (ou l'apaisement) d'une difficulté surmontée, d'une humiliation consentie. C'est probablement pourquoi je semble en faire bon marché. Je me sens chez moi dans l'Église [2]... » Entendons bien que l'obéissance qui lui est naturelle ne concerne que le dépôt de la foi. C'est parce qu'il se sait incapable de le mettre en cause qu'il peut critiquer si librement l'action temporelle de l'Église sans crainte d'être entraîné, comme Luther, à rejeter son magistère spirituel.

Un autre danger de la violence, sur lequel Bernanos a médité durant son exil, est qu'elle risque de durcir l'âme dans des attitudes de haine et d'orgueil. C'est pour échapper à cette forme démoniaque de l'impuissance qu'est la haine, nous l'avons vu, qu'il a quitté la France, mais là où il est, il est encore guetté par le mépris, qui a été la grande tentation de sa jeunesse. Or il comprend mieux, maintenant, que le mépris est la revanche de la faiblesse, le stigmate du désespoir : « Le mépris ne me vaut rien, dit-il dans la *Lettre aux Anglais;* il est toujours chez moi le signe d'une dépression momentanée [3]. » Et dans *Les Enfants humiliés :* « Qui méprise,

1. *Frère Martin*, dans *Esprit*, octobre 1951, p. 440.
2. *Esprit*, août 1940.
3. *Lettre*, p. 125.

commence par se mépriser lui-même, se met ainsi hors de jeu. On méprise d'en bas [1]... » Ce mépris de soi-même, dans lequel nous reconnaissons la vieille tentation de la haine de soi, est très différent de l'humilité, c'en est même exactement le contraire, si bien que le vrai remède contre le mépris est de s'accepter comme on est et de prendre modestement sa place parmi la foule des imbéciles qui nous ressemblent comme des frères. Bernanos achève ici le mouvement qu'il avait amorcé dans le *Journal d'un curé de campagne* et dans *Les Grands Cimetières*. Il ne renonce pas à l'indignation, mais il cesse de la considérer comme une preuve de supériorité, et il éprouve une sorte de réconfort à se ranger dans le troupeau de ceux qui sont éternellement dupes. L'imbécile lui apparaît moins comme un coupable que comme une victime du scandale permanent que constitue l'existence des hypocrites et des imposteurs. C'est parce que ceux-ci l'ont dépossédé de l'Esprit que l'imbécile se réfugie dans la lettre et qu'il accepte tout en bloc, ce qui est une manière de tout refuser. « L'imbécile expie pour le pharisien comme le pauvre pour le riche [2]. » Dès lors, comment Bernanos ne se considérerait-il pas comme l'un d'eux ? « Comme vous l'avez déjà deviné sans doute, je ne me distingue plus très bien du troupeau et, s'il faut l'avouer, je m'aime mieux ainsi. J'ai d'abord été aux imbéciles un peu comme les femmes du monde vont au peuple, mais c'est fini maintenant, je ne m'y regarde plus aller. J'y vais même avec tant de naturel que je m'y retrouve parfois sans savoir comment j'y suis venu – les mains vides [...]. De l'autre côté de la gigantesque vitrine illuminée, j'ai repris place parmi les badauds. Je souffre un peu quand même, comme tous les clochards qui m'entourent, mais c'est de froid, et je suis tenté de saisir à pleines mains la gamelle tendue, en me disant : 'Qu'importe ? Qu'est-ce que cela fait ? Cela me réchauffera toujours' [3]. »

Sans doute serait-il illusoire de vouloir unifier le Bernanos des dernières années autour d'une image de ce genre. Il n'en faudrait pas beaucoup pour qu'un pareil aveu prenne la teinte du désespoir, car Satan a barre sur le pécheur jusqu'au dernier jour et peut profiter de ses plus authentiques mouvements d'humilité pour le faire trébucher. Mais il ne paraît pas douteux que nous soyons ici au cœur du débat dont son âme est le prix, au point où la grâce de Dieu peut tout pour le sauver, et cette grâce, c'est encore une fois dans le visage de la Pauvreté qu'il la contemple :

1. *Enfants*, p. 215.
2. *Ibid.*, p. 177.
3. *Ibid.*, p. 179-180.

La Pauvreté m'a toujours comblé de bienfaits dont il m'est arrivé d'ailleurs de méconnaître un temps le prix, car je ne me flatte évidemment pas d'avoir le cœur aussi magnanime que le sien. Mais c'est pour sa charité que je l'aime, pour sa tendre clairvoyance, sa sollicitude exquise [...]. Chaque pauvre a sa pauvreté particulière faite à son image et ressemblance, son ange gardien, son Ministre angélique de la Pauvreté. Vous pensez bien que je n'ai pas la prétention d'avoir reçu la même que saint François d'Assise? Ma Pauvreté est évidemment d'une condition beaucoup plus modeste, mais précisément à cause de cela nous sommes, elle et moi, de plain-pied, nous finissons généralement par nous comprendre[1].

Il y a, dans cette personnification, beaucoup plus qu'une image. La rencontre du chrétien avec la pauvreté risque de demeurer inachevée tant qu'il n'a pas compris qu'elle n'est pas un statut social interchangeable ou un dépouillement abstrait, mais cet événement particulier qui le prive de sa liberté, cette maladie qui lui interdit d'envisager l'avenir avec confiance, cette déception qui l'oblige à renoncer à des certitudes rassurantes. Que la vie de Bernanos au Brésil ait été tissée d'expérience de ce genre, nous ne pouvons plus en douter, et il nous est permis de penser qu'il n'y a pas vu, comme il l'aurait fait peut-être quelques années auparavant, les signes d'élection d'une destinée exceptionnellement dure, mais les paroles murmurées par un Dieu d'amour à un fils dont Il connaît les forces et les faiblesses.

C'est pourquoi il est plus que jamais convaincu que les pauvres connaissent seuls le secret de l'espérance, que leur mission sur la terre est de rapprendre l'espérance à un monde qui en a oublié le chemin. Dans l'unique fragment de sa *Vie de Jésus*, qu'il a composé au Brésil en 1943, il écrit : « Si nous pouvions disposer de quelque moyen de détecter l'espérance comme le sourcier découvre l'eau souterraine, c'est en approchant des pauvres que nous verrions se tordre entre nos doigts la baguette de coudrier. » Et toute la fin des *Enfants humiliés* est un magnifique cri de confiance dans la vocation du pauvre à régénérer le monde et dans la victoire finale de la pauvreté :

Le monde moderne n'a pas le temps d'espérer, ni d'aimer, ni de rêver. Ce sont les pauvres gens qui espèrent à sa place, exactement comme les saints aiment et expient pour nous. La tradition de l'humble espérance est entre les mains des pauvres, ainsi que les vieilles ouvrières gardent le secret de certains points de dentelles que les mécaniques ne réussissent jamais à imiter [...]. L'image

1. *Enfants*, p. 243-244.

que vous vous faites de la vie est devenue si grossière à votre insu, que vous croyez avoir trouvé dans la violence le dernier secret de la domination, alors que l'expérience démontre chaque jour que l'humble patience de l'homme a constamment mis en échec, depuis des millénaires sans nombre, les forces hagardes de la nature. Vous ne triompherez pas de la patience du pauvre – *patientia pauperum non peribit in aeternum*[1].

Parce qu'il s'efforce de conserver en lui-même cette espérance des pauvres, Bernanos, dans les pires moments de son exil, connaît la joie. Il ne la ressent pas, mais il l'aime, il sait qu'elle existe et qu'elle l'attend quelque part, même s'il en est momentanément séparé par des tonnes de tristesse et d'inquiétude. « Nous aimons la vie, dit-il en parlant au nom des chrétiens de France à un auditoire brésilien. Nous croyons en elle. Nous savons qu'elle ne nous a pas menti, qu'elle ne faillira pas à ses promesses[2]. » Aucune confidence de Bernanos n'est plus émouvante peut-être, aucune en tout cas ne témoigne mieux de cette paradoxale veille de l'espérance dans la nuit la plus noire que ce qu'il écrit à Alceu Amoroso Lima à la fin d'une lettre particulièrement sombre :

Pardonnez-moi de vous parler avec un peu d'amertume. Je lutte aujourd'hui contre la tristesse et l'inquiétude qui me dévore. Il fait en ce moment un orage de véritable tonnerre de Dieu. Qu'il y a de joie dans le monde, quelle furie de joie, quelle joie furieuse! C'est vrai qu'elles sautent comme des béliers, les montagnes! Il me semble que j'ai appris peu à peu à regarder humblement cette joie. Elle n'est pas faite pour moi, elle ne me connaît pas, mais moi, je la connais, je l'aime.
C'est beau, tout de même, de se dire que perdue dans ce gouffre de la joie universelle, la souffrance humaine continue de parler avec le Bon Dieu, de sa voix douce – la douce souffrance humaine, si réfléchie, si patiente, et toujours bien attentive à faire sa tâche jusqu'au bout, jusqu'à la fin, jusqu'au naïf avènement de la gloire, jusqu'au premier Matin[3].

« Le Brésil, l'immense Brésil, déclarait Bernanos en 1939 à un journal de Juiz de Fora, a été pour moi, dès le premier jour, la terre de l'espérance, un des lieux du monde où l'on espère le mieux, où l'espérance n'est plus, comme en Europe, un acte volontaire et méritoire, mais l'exercice d'une faculté naturelle et comme la

1. *Enfants*, p. 251-254.
2. Discours du 14 juillet 1944, *Robots*, p. 133.
3. 1er mars 1940, *Esprit*, août 1950, p. 200.

respiration même de l'âme. » A qui interpréterait cette espérance comme une hypothèque sur la victoire, une attente confiante et sereine des lendemains qui chantent, il pourrait paraître que Bernanos, ce jour-là, s'était lourdement trompé. Mais nous savons que l'espérance n'est pas seulement pour lui l'attente de la victoire ou de la libération de son pays. C'est vraiment pour lui une respiration de l'âme, et tout nous autorise à croire que l'air du Brésil lui a été favorable.

Chapitre XIII

Monsieur Ouine

Lorsque Bernanos rentre en France, en juin 1945, peu de ses lecteurs savent qu'il a publié au Brésil un nouveau roman deux ans plus tôt, et le nombre de ceux qui en ont eu le texte sous les yeux est certainement infime. C'est seulement en mars 1946 que le public français put prendre connaissance de ce texte, dans une version, d'ailleurs très défectueuse, publiée par la maison Plon. Ce retard nous amène à parler seulement maintenant d'un roman dont il faudra toujours se souvenir qu'il fut composé, dans sa presque totalité, avant le départ pour l'Amérique du Sud. L'atmosphère qui le baigne, les préoccupations qu'il exprime risquent de correspondre à une étape de la vie de Bernanos qu'on peut considérer comme achevée. Mais il ne faudrait pas que le souci d'historicité nous amène à méconnaître ce qu'il y a de permanent et même d'intemporel dans la vision du monde que nous propose ce dernier roman. C'est sans doute à ce caractère que Bernanos fait lui-même allusion, lorsqu'il écrit à un critique, le 28 mars 1946 : « Je n'aurais voulu publier ce livre qu'à titre posthume [...]. Il vient trop tard ou trop tôt[1]. » Le fait est que jamais, à notre connaissance, il n'a exprimé au sujet de ce roman – comme à propos de tous les autres, sauf le *Journal d'un curé de campagne* – de réserves laissant supposer qu'il s'en considérait comme détaché. A la réflexion, il n'y a là rien d'étonnant. *M. Ouine* nous présente pour ainsi dire le négatif de l'univers spirituel dans lequel Bernanos fait mouvoir habituellement ses personnages. A la différence du monde de la grâce qui se dévoile à lui progressivement, à mesure que son expérience simplifie sa vision et la rend plus pénétrante, le monde de la disgrâce, qui est celui de *M. Ouine*, a quelque chose de fixe et de définitif que Bernanos peut à tout moment saisir, à condition qu'il descende assez profondément en lui-même et qu'il poursuive cette exploration avec les moyens appropriés. De là singularité de ce roman, tant du point de vue du contenu que de celui de la technique.

De là aussi, sans doute, le caractère extrêmement laborieux de

---

1. *Ouine*, p. 312.

sa genèse. Sa lenteur ne saurait en effet s'expliquer entièrement par les difficultés matérielles que Bernanos a connues entre 1930 et 1940. La vérité est que plus qu'aucun autre ce livre, de par son sujet même, a exigé de lui un travail tâtonnant, une plongée périlleuse et incertaine au-delà de tous les repères familiers, une attention obstinée à rejoindre une intuition initiale qui pouvait se dérober pendant de longues périodes, et à rouvrir des sources d'images qu'il ne dépendait pas entièrement de lui de déchaîner. Ce qu'il écrit, au début de *Frère Martin*, à propos de tous ses livres, a bien des chances d'avoir été particulièrement vrai pour celui-ci :

> Depuis bien des années, je n'écris jamais ce que je suis le plus impatient d'écrire, et c'est là sans doute une grande grâce que Dieu m'a faite, la plus grande peut-être. Lorsque le moment de me mettre au travail est venu, le temps du désir est passé, l'amour est mort – en apparence du moins – car il me semble parfois qu'il s'est seulement retiré au plus profond de mon être, au dernier recès de la conscience. Je n'aime plus mon livre quand je commence à l'écrire, mais je le veux d'une volonté invincible, et s'il m'était permis sans ridicule d'employer une telle expression à propos d'œuvres aussi modestes que les miennes, d'une volonté tragique, d'une volonté nue, réduite à l'essentiel, ainsi qu'un paysage dévoré par le soleil. Oui, lorsque je commence d'écrire un livre, il y a déjà longtemps que j'en suis détaché, mais je l'écris précisément pour retrouver coûte que coûte la source perdue, le mouvement de l'âme dont il est né [1].

Grâce à une remarquable étude d'Albert Béguin, rectifiée et complétée par M. l'Abbé Pézeril et par William Bush à la suite de la découverte de vingt et un cahiers de travail de Bernanos [2], il est maintenant possible d'avoir une idée exacte du cheminement long, complexe et discontinu grâce auquel l'auteur de *M. Ouine* a poursuivi et rejoint son intuition première. Nous n'en donnerons ici que les grandes lignes.

C'est au moment où il vient de commencer *Un Mauvais Rêve* et désespère de le mener à bien que Bernanos, nous l'avons vu, s'est brusquement attaqué à un autre sujet, celui de *La Paroisse morte*, en février 1931. La mise au point de *La Grande Peur des Bien-Pensants*, les installations successives à Toulon et à Hyères, la polémique avec Maurras, la maladie entravent considérablement son travail. En décembre 1932 (la date est donnée par le brouillon d'une lettre sur l'un de ses cahiers), il a composé les cinquante-trois

---

1. *Esprit*, octobre 1951, p. 435.
2. *Ouine*, p. 289-315 ; *Bul.*, n° 35-36 et 48 ; *Ét.*, n° 5.

premières pages du roman [1], c'est-à-dire la scène d'ouverture entre Philippe, sa mère et Miss, la rencontre de Philippe avec Mme de Néréis, la première conversation entre Philippe et M. Ouine, la scène entre Philippe et le petit boiteux Guillaume, et une partie de la scène dans la maison du maire, où l'on vient d'apporter le cadavre du petit vacher.

De décembre 1932 à juin 1933, il avance assez rapidement, malgré d'immenses difficultés. Soixante-neuf pages sont composées durant cette période (*Pl.*, p. 1402-1471). Elles comprennent la fin de la scène chez le maire, avec l'arrivée de Mme de Néréis apportant les vêtements du petit, la tentative de meurtre de Jambe-de-Laine sur Philippe, leur retour au château et leur conversation, la nuit du vieux De Vandomme, la conversation entre le maire et sa femme, une nouvelle scène entre Philippe, sa mère et Miss, la visite du vieux De Vandomme à sa fille et sa rencontre avec l'infirme, enfin une partie de la visite de M. Ouine au curé. La difficulté du travail de Bernanos est attestée par ses lettres à Vallery-Radot, dont nous avons déjà cité des extraits [2]. Pourtant, malgré le dégoût avec lequel il lui parle du « fumier de Job » sur lequel il est installé, il a une conscience lucide de la valeur de l'œuvre entreprise : « Évidemment, écrit-il, vous me croyez tous crevé, mais vous verrez ce que je suis capable de faire – quand j'ai trouvé, comme dit l'autre, 'le lieu et la formule'. Et c'est vrai qu'autrement je ne puis rien, n'étant pas fabricant pour deux sous [3]. »

En juillet 1933, au cours d'un séjour à Avallon, il fait à Vallery-Radot une lecture de ce qu'il a déjà composé. C'est en se rendant d'Avallon en Suisse, où l'un de ses enfants est pensionnaire, qu'il a, à Montbéliard, son accident de motocyclette. Alors qu'il comptait finir son roman rapidement – si rapidement qu'il avait autorisé, en juin, le lancement d'une souscription pour un tirage de luxe – il va être arrêté dans son travail pour une longue période. Autre cause de retard : en avril, au cours d'un voyage entre Marseille et Aix, il a perdu quinze feuillets de son manuscrit qui se trouvaient dans une sacoche de sa moto et qui comprennent « la nuit du vieux. L'entrevue avec le maire. Conversation avec la fille [4] » (cf. *Pl.*, p. 1426-1442 et 1453-1458).

1. *Pl.*, p. 1399-1402. Nos décomptes prennent pour base l'édition de la Pléiade, où se trouve le seul texte correct de *M. Ouine* actuellement accessible. Inutile de dire que ces décomptes sont très approximatifs, puisqu'ils ne tiennent pas compte des remaniements introduits par Bernanos après la première rédaction.

2. Cf. *supra*, p. 174.

3. *Ouine*, p. 294.

4. Indication portée sur l'un des cahiers de travail. Cf. *Bul.*, n° 35-36, p. 2.

Pourtant, malgré les douleurs que lui cause sa blessure lente à guérir, il se remet courageusement au travail. Après avoir fait en juillet à Vallery-Radot une nouvelle lecture, dont celui-ci nous a laissé le souvenir ébloui[1], il s'efforce, entre juillet 1933 et janvier 1934, de refaire de mémoire les pages perdues, tout en continuant sa rédaction jusqu'à la fin du discours du maire, dans la scène de l'enterrement. Ayant enfin reconstitué les pages égarées et opéré des remaniements dans deux des premiers chapitres, il achève, entre janvier et mars 1934, la scène de l'enterrement (*Pl.*, p. 1457-1503), compose la scène entre le docteur, le curé et la mairesse (*Pl.*, p. 1503-1513) et commence la scène entre le curé et le maire (*Pl.*, p. 1513-1517).

Les causes de la longue interruption qui se produit alors dans son travail nous sont déjà connues : entreprise alimentaire d'*Un Crime*, avec toutes ses vicissitudes, rédaction ininterrompue du *Journal d'un curé de campagne*. C'est seulement en avril-mai 1936, à Majorque, qu'il reprend *M. Ouine* pour y ajouter la fin de l'entrevue du curé et du maire, avec la disparition de ce dernier après l'arrivé du docteur, et les scènes qui se déroulent au chevet de M. Ouine moribond (*Pl.*, p. 1517-1545).

Le retour en France, la rédaction des *Grands Cimetières* et le départ pour le Paraguay provoquent de nouveau une longue interruption. C'est à Pirapora, de février à mai 1940, qu'est composée la scène finale, l'agonie de M. Ouine.

La guerre et l'éloignement n'ont pas seulement apporté un supplément d'entraves à cette dernière étape du travail de Bernanos, ils sont aussi responsables de l'état très défectueux dans lequel fut d'abord publié le roman. A mesure qu'il le rédigeait, l'auteur en envoyait un texte correctement mis au net aux éditions Plon, qui possédaient ainsi, au moment de son départ pour l'Amérique du Sud, un bon manuscrit de l'ensemble, sauf le dernier chapitre. Celui-ci, composé à Pirapora, parvint à Paris dans de bonnes conditions malgré les difficultés créées par la guerre. Mais lorsque l'éditeur Charles Ofaire parvint à décider Bernanos à publier d'abord son roman au Brésil, il fit établir, en l'absence du manuscrit définitif détenu par Plon, une copie dactylographiée à partir du texte que l'auteur avait gardé avec lui. Non seulement cette copie comportait de nombreuses fautes de frappe, que Bernanos, absorbé par d'autres soucis, négligea de corriger (« Mettez ce que vous voudrez », répondait-il aux questions de son éditeur), mais elle omettait une page capitale dans le sermon du curé de Fenouille, et le contenu

1. Cf. *Ouine*, p. 295-296.

de tout un cahier, que Charles Ofaire n'avait pas reçu, au début du dernier chapitre. C'est dans ces conditions que l'édition brésilienne fut publiée, en septembre 1943. Lorsque les éditions Plon, en 1946, publièrent à leur tour le roman, elles ne purent disposer de leurs archives, éloignées de Paris par suite de la guerre et non reclassées, et elles prirent pour base l'édition très défectueuse de Rio. C'est seulement en 1955 qu'Albert Béguin fut en mesure de publier, au Club des Libraires de France, un texte conforme au manuscrit définitif, retrouvé chez Plon.

L'accueil du public et de la critique, au moment où le roman parut en France pour la première fois, fut généralement très défavorable. Seuls Albert Béguin et Claude-Edmonde Magny en discernèrent toute la portée et osèrent l'égaler ou même le préférer aux œuvres les plus réussies du même auteur.

Sans doute les coquilles innombrables et les lacunes qui rendaient souvent inintelligible un texte déjà difficile par lui-même contribuèrent-elles à égarer les lecteurs. Mais ceux-ci furent surtout déconcertés par une technique et une conception du roman qui étaient très en avance sur leurs habitudes. Le public, en grande majorité catholique, qui avait fait le succès des romans précédents de Bernanos, ne pouvait guère admettre qu'un roman ne racontât pas une histoire, n'obéit pas à une certaine logique, et les œuvres anglaises, américaines ou même françaises qui auraient pu lui ouvrir d'autres horizons ne lui étaient guère familières[1].

Or ce qui différencie avant tout *M. Ouine* des autres romans de Bernanos, c'est l'audace avec laquelle l'auteur, renonçant à l'armature parfois laborieusement réaliste dans laquelle il insérait ses visions, se confie aux seules ressources du rêve pour tisser ce filet dans lequel viennent se prendre quelques unes des images les plus révélatrices de la destinée surnaturelle de l'homme. Le poète Jorge de Lima ayant qualifié *M. Ouine* d'*onirique* dans un article écrit après sa parution à Rio, Bernanos le félicite de sa clairvoyance et insiste sur le sens qu'il faut donner à cet adjectif : « Vous l'avez classé magistralement : onirique. Je voudrais bien que le premier critique venu ne l'appelle pas surréaliste. Rien n'est plus réel, ni plus objectif que le rêve. Mais il y a beaucoup de gens bornés qui n'admettent que les réalités de Zola. Comme le monde est donc bête, bête à faire pleurer, mais dans la contingence de se voir sauvé par l'infinie Miséricorde ! Ne comprend-on pas comment les choses

---

1. Michel Estève insiste beaucoup sur ce qui apparente la technique de *M. Ouine* à celle du « nouveau roman », tout en ajoutant avec beaucoup de prudence que ces rapprochements valent « au plan des recherches formelles », non « au niveau des intentions » (*op. cit.*, p. 69-75).

logiques peuvent devenir oniriques, logiquement en hypnose, dans
les romans ? C'est que rien n'est aussi lucide que le rêve. Et y aura-t-il
quelque chose de plus conscient que l'ivresse de l'art ? Ah, mon cher
Jorge, la vie est imaginative, et en elle [sont] les bonnes images,
comme celles des intelligences lumineuses comme la vôtre. D'ici
je vous envoie mes salutations affectueuses de dormeur éveillé[1]. »
Ce qu'il écrit à Claude-Edmonde Magny en la remerciant de son
article de *Poésie 46* n'est pas moins révélateur :

> Je suis un romancier, c'est-à-dire un homme qui vit ses rêves,
> ou les revit sans le savoir. Je n'ai donc pas d'intentions, au sens
> qu'on donne généralement à ce mot. Mais vous me rendez intel-
> ligible ce monde où j'ai avancé jadis, de page en page, dans les
> ténèbres, guidé par une espèce d'instinct analogue à celui de
> l'orientation des oiseaux, peut-être... Vous l'éclairez, ce monde,
> vous le pénétrez de lumière, je le vois, je le reconnais, je découvre
> le chemin que j'ai fait jadis à tâtons. Je suis fier de votre amitié.
> Je vous offre la mienne de tout cœur. C'est comme si nous avions
> parcouru côte à côte une longue route, une très longue route[2].

Ces deux très importantes lettres nous indiquent la voie à suivre.
Comprendre M. Ouine, ce sera pénétrer dans les rêves de Bernanos,
l'accompagner dans son cheminement de « dormeur éveillé », non
pas pour interpréter de l'extérieur les symboles dont son récit
fourmille, ni pour y découvrir des « intentions » qu'il déclare
n'avoir pas eues, mais pour essayer de saisir cette logique du rêve,
ce *réalisme* onirique qu'il oppose, peut-être un peu injustement,
à l'arbitraire des constructions surréalistes.

Prenons tout d'abord, pour cela, la mesure de ce domaine du
rêve où nous introduit le roman. A première vue – et c'est peut-être
cela, en partie, qui a trompé les premiers lecteurs – l'action de
M. Ouine ne se situe pas dans un autre climat que celui auquel
Bernanos nous avait accoutumés depuis *Sous le Soleil de Satan*,
non seulement parce que nous y retrouvons la même campagne de
l'Artois, les mêmes chemins détrempés par la pluie, les mêmes
paysans buveurs de genièvre, mais aussi parce que le récit y obéit,
jusqu'à un certain point, aux mêmes lois que dans les autres romans
bernanosiens. Il n'est pas impossible d'y découvrir et d'y suivre de
chapitre en chapitre les éléments d'une intrigue vaguement policière,
centrée autour de l'assassinat du petit vacher, et rebondissant, au

---

1. *Ouine*, p. 312.
2. *Ibid.*, p. 314.

moment de l'enterrement de la victime, grâce à un nouveau crime, public et collectif celui-là, le lynchage de Jambe-de-Laine. En outre, la plupart des scènes, prises séparément, sont construites de façon parfaitement cohérente et ne paraissent pas relever d'une technique visant à plonger le lecteur dans un état d'hypnose ou d'hallucination. Mais justement, ce qui crée d'abord le malaise, dans *M. Ouine*, c'est moins ce que Bernanos nous dit que ce qu'il ne nous dit pas : les lacunes, les trous que le récit révèle au lecteur, s'il cherche à y trouver la consistance et la plénitude d'un fragment de réalité. La principale de ces lacunes est l'ignorance dans laquelle nous demeurons quant à l'identité du meurtrier et plus que cela : l'égale improbabilité des deux solutions envisagées. Que le crime ait été commis par le braconnier, cela heurte la vraisemblance morale, et les mobiles de l'acte demeurent obscurs ; mais la culpabilité de M. Ouine n'est guère plus vraisemblable. En dehors de sa promenade nocturne, le seul indice relevé contre lui (le paquet d'habits trouvé dans un placard par Jambe-de-Laine), fait long feu lorsque les patrons du vacher révèlent que l'enfant ne portait plus ces vêtements depuis l'été[1]. Dans un cas comme dans l'autre, Bernanos s'efforce visiblement de brouiller les pistes[2] : au moment où le braconnier va dire à sa femme s'il est coupable ou non, celle-ci l'arrête, et la garde de M. Ouine affirme que la police en saurait sans doute long si elle ouvrait une certaine armoire, mais l'armoire ne sera pas ouverte. Il y a là beaucoup plus que le désir d'égarer le lecteur. Le crime n'existe pas quelque part, bien réel, avec un assassin déterminé, mais caché à nos yeux par la malignité du romancier. Il cette existence à la fois obsédante et imprécise, en porte à faux sur le réel, qu'ont certaines actions rêvées, et il agit moins sur le village par sa réalité, par ses conséquences, par son poids que par cette sorte de vide qu'il creuse dans la substance d'une vie déjà étrangement poreuse. D'autres mystères non élucidés viennent accentuer le caractère lacunaire de cette réalité. Nous ne saurons jamais si le père de Philippe a été tué à la guerre ou s'il vit encore, si le « petit homme vert » qui a semé des germes d'orgueil nobiliaire dans l'imagination des De Vandomme a dit la vérité ou même a simplement existé, si les paroles de M. Ouine agonisant ont

---

1. En outre les paroles prononcées par M. Ouine agonisant dans sa dernière grande tirade – si c'est bien lui qui les prononce – excluent l'idée d'une participation active aux événements.
2. Cette intention est devenue plus évidente encore depuis que Henri Debluë a révélé que dans une première version de *M. Ouine*, que Daniel Pézeril est en train de déchiffrer, « Bernanos indique clairement que M. Ouine a tué le petit vacher » (*op. cit.*, p. 171).

été réellement prononcées ou rêvées par Philippe dans les fumées du porto. Les faits qui se cachent derrière ces énigmes n'ont pas d'importance, puisque, réels ou non, ils n'en font pas moins sentir leurs effets dans la vie des personnages : hantise de l'image du père qui amène Philippe à prendre la relève du soldat disparu et à nourrir en son âme les dispositions qu'y lit le petit infirme : « Votre avidité, votre dureté, votre passion de revanche – cette rage à vous contredire, à vous renier, comme si vous aviez fait déjà de grandes choses, des choses mémorables, et qu'elles vous eussent déçu[1]... » ; et, du côté du vieux De Vandomme, orgueil délirant, qui pousse le gendre et la fille au désespoir et craque de façon si pathétique dans la scène de l'enterrement. Plus encore que leur réalité supposée, ce qui donne à ces faits leur influence décisive sur l'action, c'est le mystère dans lequel ils restent enveloppés, et l'incertitude qu'ils répandent sur le monde dans lequel ils s'insèrent. Comme le dit Claude-Edmonde Magny, « les énigmes matérielles dont fourmille *M. Ouine* sont sans importance, car elles participent de la dérision du charnel, où rien n'arrive jamais qui soit vraiment *réel*, où personne ne meurt ni ne vit véritablement, où même la population déchaînée du village ne parvient pas à tuer en la lynchant Jambe-de-Laine, qui finalement meurt à l'hôpital de révolte et de déracinement bien plus que de ses blessures[2] ».

On commence à entrevoir dans quel sens *M. Ouine* peut être qualifié d'onirique. Il s'agit moins d'une structure ou d'une technique permettant à l'auteur d'obtenir l'équivalent du rêve, que d'un facteur d'irréalité et d'impondérabilité qui mine insidieusement les fondements d'un récit par ailleurs assez réaliste et en fait vaciller par moments les perspectives.

Mais la place royale que Bernanos a faite au rêve dans l'élaboration de son roman apparaît de manière beaucoup plus évidente encore dans l'image qu'il nous donne de l'univers intérieur de ses personnages. Tous, sauf la mère de Philippe, son amie et le docteur, sont des rêveurs, c'est-à-dire des êtres capables d'accorder plus d'attention et de soumettre davantage leurs vies à des images inconsistantes qu'à la réalité. Cela est vrai non seulement des protagonistes du roman, mais aussi des paysans les plus simples, les plus terre-à-terre. « On ne devrait jamais jouer avec l'imagination des gens d'ici », dit la sage-femme[3]. En effet, la proximité avec la terre ne saurait les prémunir contre les rêves, car ceux-ci ne hantent

---

1. *Pl.*, p. 1389.
2. *Monsieur Ouine, le dernier roman de Bernanos*. Poésie 46, n° 33, p. 109.
3. *Pl.*, p. 1538.

pas seulement les espaces immatériels, la terre en est pleine, et les bêtes elles-mêmes y sont soumises : « Les bêtes rêvent à leur manière, dit Philippe. Si on pouvait lire dans leur cervelle, on y verrait sans doute qu'elles désirent aussi ce qu'elles n'ont pas, et elles ne savent quoi au juste. C'est cela rêver[1]. »

C'est précisément à ce rêve des bêtes que fait penser l'attitude de la foule au début de la cérémonie dans l'église : « Non, personne n'eût pu croire que ce petit village boueux avait une âme et pourtant il en avait une, si pareille à celle des bêtes, lente, rêveuse, toute travaillée d'une curiosité sans objet, pleine d'images à peine distinctes et dont le déroulement presque insensible s'accélère tout à coup, affole et martyrise le cerveau[2]. » En effet, toute la scène qui suit va se dérouler comme un songe. Non pas que l'auteur la présente comme telle. Sa technique est, encore une fois, réaliste. Il décrit les événements comme pourrait le faire un observateur objectif, notant avec précision les réactions de l'assistance et empruntant volontiers, pour accentuer cette objectivité, le ton du chroniqueur ou de l'enquêteur qui a collationné les témoignages et qui tente de remonter, à partir d'eux, jusqu'aux raisons psychologiques des faits observés. C'est là qu'il rencontre le rêve. Les violences qui vont se déchaîner s'expliquent parce que les événements qui précèdent ont été vécus comme en songe. Dès le début du sermon, « un sourd grondement monta des profondeurs de l'église, qui ressemblait moins à un murmure d'impatience qu'à cette sorte de gémissement arraché au dormeur enseveli dans son rêve[3] ».

Le sermon lui-même échappe au contrôle du prêtre qui parle. Il ne gardera aucun souvenir des paroles qu'il a prononcées, et on peut même se demander s'il les a prononcées consciemment : « Peut-être ne furent-elles à ses propres oreilles qu'une rumeur inintelligible en réponse à cette autre rumeur qui venait sur lui et à laquelle il fallait faire face coûte que coûte[4]. » On peut également se demander si l'auditoire réagit davantage aux idées développées dans le sermon, ou aux simples images, dont le curé n'a pas mesuré « la puissance et le péril », ou encore à on ne sait quelle maligne influence de l'atmosphère chaude, humide et oppressante qui règne dans l'église, ce qui fera dire au forgeron : « Positivement, lorsque le curé a parlé, l'air s'est mis à manquer, monsieur, parole d'honneur ! L'air était devenu chaud et gras comme celui de notre fournil

---

1. *Pl.*, p. 1537.
2. *Ibid.*, p. 1482-1483.
3. *Ibid.*, p. 1483.
4. *Ibid.*, p. 1484.

quand je tue mon cochon[1]. » De même, dans les événements qui
suivent, ceux qui ont une influence décisive sur le comportement de
la foule sont ceux qui, par leur caractère étrange ou saugrenu
enfoncent davantage ces hommes et ces femmes dans le rêve où
ils sont plongés. D'abord l'intervention de personnages qui sont
eux-mêmes dans une sorte d'état second : le maire, s'écroulant à
genoux aux premiers mots de son discours parce qu'il a l'impression
que l'heure de découvrir au monde le fond de son âme est arrivée ;
Jambe-de-Laine, apparaissant tout à coup dans le cimetière comme
« une vraie somnambule », et jurant de venger l'enfant. Ensuite le
grotesque de certaines attitudes : le curé tombant dans la boue au
bord de la fosse et déchaînant un rire où éclate tout à coup la haine
sourde du village contre le prêtre, l'inspecteur d'Académie bre-
douillant son discours. Enfin, et peut-être surtout, le caractère
insolite ou obsédant de certains détails sensibles : personne ne
reconnaît tout d'abord la voix de l'adjoint, « qui semblait partir de
tous les coins du cimetière » ; Jambe-de-Laine passe sur sa figure
ses doigts blessés par un coup de pelle du fossoyeur, et son visage
livide apparaît au-dessus des têtes « barbouillé de rouge comme
celui d'un clown », sa bouche fait « un drôle de bruit », qui ressemble
« à une espèce de soupir, sur une seule note tremblée, très basse,
une plainte assurément plus animale qu'humaine » ; lorsqu'elle a
échappé une première fois à la foule, sa jument vient à sa rencontre,
sans que personne sache d'où est sortie l'étrange bête, et il y a
quelque chose de presque surnaturel dans l'agilité avec laquelle la
comtesse échappe à ses poursuivants et s'élance dans sa voiture,
qui « sautait çà et là comme une grenouille, à cause de l'essieu faussé ».

Si le rêve a une puissance suffisante sur l'âme des simples pour
transformer en une troupe de criminels la paisible assistance d'un
enterrement, quelle place n'occupe-t-il pas dans l'existence de ceux
qui, pour une raison ou pour une autre, ont laissé s'installer en
eux-mêmes ce vide que seuls des fantômes parviennent à combler !
La chose est encore plus frappante lorsqu'il s'agit d'êtres que rien
ne semblait prédisposer à pareille maladie. Avant de rencontrer
M. Ouine, Anthelme était un joyeux luron, grand videur de chopes,
solide coureur de bécasses, intrépide trousseur de filles. Depuis
que le professeur de langues vivantes lui a mis dans la tête qu'il
devait se cultiver, protéger les artistes, devenir un grand musicien,
toute son existence s'écoule par la plaie béante du rêve. Chez le
maire aussi, qui passe encore aux yeux de ses concitoyens pour
l'image même de la réussite sociale, du bonheur en affaires, de l'apti-

1. *Ibid.*

tude à profiter de la vie, le rêve a peu à peu tout envahi. L'obsession
de la pureté l'amène à ressasser inlassablement ses anciennes fredai-
nes et à s'en attribuer d'imaginaires, avec une éloquence et une
agilité contagieuses : « Cette nuit encore, il a parlé des heures, dit sa
femme. Il raconte sa vie posément, le vrai et le faux mêlés, si bien
mêlés que je m'y laisse prendre chaque fois, c'est comme un rêve[1]. »
Le vieux De Vandomme, enfin, représente le type même de l'homme
que l'on croirait inaccessible aux séductions de l'imaginaire : solide
comme un roc, avec cette lenteur de gestes, cette assurance, cette
résolution inflexible qui annoncent l'habitude de la réflexion et de
la maîtrise de soi. Il n'en est pas moins l'esclave d'un rêve, d'autant
plus nocif qu'il est auréolé du prestige de l'histoire et qu'il a les
couleurs de la légende : il y a presque cent ans un mystérieux « petit
homme vert », revenant d'accompagner Charles X en Écosse, a
révélé ou fait croire à son grand-père que les De Vandomme étaient
d'ascendance illustre. A la fin de son récit, le paysan avait eu « ce
frisson douloureux, puéril, d'un dormeur réveillé à l'improviste[2] ».
Mais, en fait, les De Vandomme ne se sont jamais complètement
réveillés, et depuis ce jour, ils traînent dans leur mémoire cette
fierté, cette horreur de la mésalliance qui fait du mariage de la
fille du vieux avec un braconnier un opprobre ineffaçable. Victime
de l'étrange manie, le jeune couple n'est pas pour autant soustrait
aux atteintes de l'irréel. Au moment d'affronter la mort, la femme a
un mouvement de recul. Ne vaudrait-il pas mieux s'enfuir ? Et
comme son mari la rappelle durement à la réalité, elle explique
comment cette idée lui est venue : « Je parlais de tout cela sans y
croire [...]. Mais j'ai rêvé tous ces temps-ci d'une grande forêt
très haute, rien que des troncs, des troncs comme des colonnes,
tout droits, tout noirs, et je croyais voir la mer à travers, très loin,
une frange bleue... Du moins, je croyais que c'était la mer, puisque
je ne l'ai jamais vue[3]. »

C'est surtout sur les trois personnages principaux du roman,
Jambe-de-Laine, Philippe et M. Ouine que le rêve exerce son
emprise ; et comme une grande partie de l'action est vue à travers
eux ou en fonction d'eux on comprend que beaucoup de scènes se
déroulent dans une atmosphère hallucinatoire.

Comment expliquer la conduite étrange de la châtelaine de
Néréis ? Le docteur de Fenouille, qui est un sot, a vite fait de la
cataloguer parmi les malades relevant de l'hôpital psychiatrique :

---

1. *Pl.*, p. 1504.
2. *Ibid.*, p. 1379.
3. *Ibid.*, p. 1477.

« Ici, en face de moi, lui dit-il, vous n'êtes qu'un cas, et banal encore, vous n'êtes rien[1]. » Mais son diagnostic, fût-il juste scientifiquement, serait simplement un constat de carence. La conduite de Jambe-de-Laine est irrationnelle, elle n'est ni arbitraire, ni in-signifiante, comme le pense le docteur. Elle obéit à cette logique du rêve dont Bernanos parle en connaissance de cause dans sa lettre à Jorge de Lima. Mieux encore, elle tire du rêve son dynamisme et son orientation inflexible. La châtelaine nous apparaît sans cesse soulevée au-dessus de terre, emportée en pleine vitesse par un souffle venu de l'au-delà : « Ginette court les routes derrière sa grande jument normande, on la croirait poursuivie par des spectres[2]. » Philippe n'a pas plus tôt mis le pied dans sa voiture qu'il est emporté, lui aussi, au galop de la grande jument, dans la même quête haletante d'on ne sait quoi : « C'est la première fois que Steeny voit de près cette bête fameuse, et il n'a d'yeux cependant que pour la bizarre compagne qui vient de s'emparer de lui par surprise, l'entraîne au rythme accéléré, farouche, d'un rêve probablement insensé, dont il ignore tout[3]. » Nous aussi, nous ignorons tout de ce rêve, nous ne le connaissons que par ses effets, mais c'en est assez pour faire de Jambe-de-Laine un personnage sacré, à la fois victime dérisoire d'un destin dont la clé est ailleurs et prêtresse d'une religion de sang et de larmes, avec l'animal fabuleux qui l'emporte au-delà de ce monde. Le malheureux docteur ne voit en elle qu'une folle, les paysans la méprisent et se vantent de l'avoir culbutée dans les granges, mais même dans les postures les plus humiliantes, lorsqu'elle ressemble à un insecte à mandibules et à carapace, ou à un monstrueux jouet disloqué, elle conserve la grandeur de l'être marqué par le destin pour être un signe parmi ses semblables : « Peut-être la haïssaient-ils, et probablement à leur insu. Peut-être voyaient-ils en elle, sans la reconnaître, l'image mystérieuse de leur propre abjection[4] ? » Aucun romancier, à part Dostoïevsky, n'a réussi à réunir à ce point, dans le même être, les stigmates de l'avilissement et le rayonnement d'une noblesse qui ne tient ni à sa naissance, ni à son esprit, mais à l'intensité de son égarement et à l'insatisfaction fondamentale dont cet égarement témoigne.

L'admiration du créateur pour sa créature sacrifiée se manifeste parfois de façon presque fortuite : « Déjà elle avançait vers lui de son pas magnifique[5]. » Mais c'est surtout par l'intermédiaire de

Philippe qu'il parvient à nous la communiquer. Malgré sa méfiance ou son dégoût pour l'étrange châtelaine, celui-ci comprend, avec l'intuition de l'enfance et la sympathie fraternelle de l'adolescent qui se risque hors des chemins battus, qu'il y a quelque chose de sacré dans l'élan qui emporte Jambe-de-Laine. C'est dans ses mains, véritable miroir de l'âme pour Bernanos, que Philippe lit la destinée de la folle : « Son pauvre visage taché de rouge ne s'anime pas, le regard cerné de bleu, en pleine lumière, laisse voir sa flétrissure. Mais les mains croisées sur les rênes n'ont pas molli. Où Philippe a-t-il déjà vu ces mains-là ? Est-ce parce que les manches découvrent un poignet trop grêle ? Comme elles sont nues !... Philippe remarque, en outre, que la cire des guides les a un peu noircies, qu'elles ressemblent à des mains d'écolière, tachées d'encre. Un ongle cassé saigne encore. Étranges mains comme suspendues entre ciel et terre, emportées dans un vol silencieux, derrière la bête farouche ! D'où viennent-elles ? Où vont-elles ? Vers quelle fatalité ? Tout à coup, Philippe appuie dessus ses lèvres [1]. » Ce n'est pas par hasard qu'au moment où elle croit sa mort venue Jambe-de-Laine appelle à son secours le seul être qui l'ait comprise.

Philippe, lui aussi, vit dans un univers où le rêve fait loi. Disons plutôt qu'encore maître de son destin, et seul dans le roman à en être encore maître, il s'y plonge volontairement avec une ivresse accrue par le sentiment du risque. Il laisse derrière lui, aux premières pages du roman, les certitudes familières, la maison rassurante – ce cube que soleil ni pluie n'arrivent à fondre et à la place duquel il souhaite de ne retrouver qu'une mare de chaux et de mortier –, la mère habituée à contourner les obstacles et qui a pour le rêve une sorte d'horreur physique (« Tu rêves, Steeny, pouah [2] ! »). Réfugié dans la chambre de M. Ouine, il sent avec volupté le monde connu, le monde détesté vaciller sur ses bases : « Le merveilleux silence de la petite chambre paraît seulement s'ébranler, virer doucement autour d'un axe invisible. Il croyait le sentir glisser sur son front, sur ses paumes, sur sa poitrine, ainsi que la caresse de l'eau. A quelle profondeur descendrait-il, vers quel abîme de paix [3] ? » Abîme de paix... Il ne faudrait pas prendre l'expression au pied de la lettre. Philippe sait fort bien que cette paix n'est pas celle que l'âme atteint lorsqu'elle a trouvé son centre et son repos, mais celle d'une chute libre, sans entrave et sans espoir de rémission.

Il faut bien saisir l'ambiguïté des perspectives qui s'ouvrent à lui dans cet instant décisif. D'un côté l'infini des possibles, la merveille

1. *Pl.*, p. 1361.
2. *Ibid.*, p. 1365.
3. *Ibid.*, p. 1369.

rencontrée à chaque pas, les limites du monde miraculeusement écartées : « Depuis ce matin – on ne peut pas expliquer ça – ce qui m'arrive est extraordinaire. Le jardinier bourrant sa pipe, un char vide qui passe, il semble que tout me fasse signe, m'appelle... Comme cela s'est élargi brusquement autour de moi ! Comme la vie est belle et profonde ! Jamais la mort ne m'a fait moins peur que ce soir[1]. » Ne pas craindre la mort, tel a été aussi le vœu du petit Bernanos. C'est en apprenant à renoncer à lui-même, à perdre sa volonté dans celle de Dieu, qu'il a peu à peu surmonté cette angoisse. S'évader dans le rêve est aussi, pour Philippe, une manière de se renoncer et de se perdre. Mais est-ce dans la volonté de Dieu qu'il se perd ? Il est à craindre que non : « Le monde de la paresse et du songe qui avait jadis englouti le faible aïeul, l'horizon fabuleux, les lacs d'oubli, les voix immenses, lui était brusquement ouvert et il se sentait assez fort pour y vivre entre tant de fantômes, épié par leurs milliers d'yeux, jusqu'au suprême faux-pas. 'Chez nous, aucune chance de vaincre, il faut tomber ; M. Ouine lui-même tombera.' Ainsi parlaient toutes les bouches d'ombre[2]. » Bernanos avait longuement développé, dans son cahier de travail, le parallélisme des deux chutes, dont le texte définitif ne laisse à peu près rien soupçonner. Après avoir évoqué à nouveau ces images de chute, de glissade, de faux pas, Philippe confiait à M. Ouine qu'il souhaitait parfois n'être qu'un dévot, et il lui faisait cette confidence qui nous met en alerte, si nous songeons à l'enfance de Bernanos, et à l'amitié de son père pour les ecclésiastiques : « J'[envie] les prêtres. Papa. Il paraît que Papa aimait les prêtres. » Pourquoi Philippe les envie-t-il et se méfie-t-il pourtant d'eux ? Parce qu'ils connaissent une autre chute que la sienne, une chute terrible : ils tombent en Dieu. L'ébauche continue ainsi :

Oh ! je me méfie [...]. D'une manière ou d'une autre, je me méfie de Dieu. Monsieur Ouine, il me serait facile de tituber en Dieu. Mais Dieu. Mais je me méfie de Dieu. Telle est ma manière de l'honorer.
Il vida machinalement un verre.
– Tomber n'importe où [...] plutôt qu'en Dieu. Tomber en Dieu, ce doit être une terrible aventure. Quelle terrible, effrayante aventure, Monsieur Ouine ? Connaissez-vous Anthelme. Octave. (Camille) [suivent d'autres noms entre lesquels Bernanos a hésité avant de choisir Guillaume].
– L'infirme ?

1. *Pl.*, p. 1364-1365.
2. *Ibid.*, p. 1366.

– C'est mon. Il est mon ami, répliqua Philippe sèchement [...].
Je le crois. Je crois. Le seul ami que j'ai jamais eu. Peut-être est-il,
lui. Lui, tombé en Dieu? (Lui?)! (Redoutez) de tomber entre les
mains du Dieu vivant [1].

Faut-il en conclure que Bernanos voue son jeune héros à une
perdition irrémédiable? Ce serait méconnaître la parenté qui existe,
dans son esprit, entre tous les insatisfaits, entre tous les assoiffés
d'absolu, dans quelque direction que cette soif les projette. La dernière conversation entre le curé d'Ambricourt et Chantal nous en a
déjà donné la preuve.

Or, Philippe est bien un frère de Chantal. « Jetez-vous donc en
avant tant que vous voudrez, disait à celle-ci le curé d'Ambricourt,
il faudra que la muraille cède un jour, et toutes les brèches ouvrent
sur le ciel [2]. » C'est bien la même attitude que Philippe décrit à son
ami le petit boiteux Guillaume : « Je fonce devant moi, toujours.
Si la vie n'est qu'un obstacle à forcer, je la force, je sortirai de
l'autre côté tout écumant, tout sanglant [3]. » Et comment ne pas
rapprocher la prophétie du curé de celle que la gouvernante fait
à l'adolescent après leur bataille : « Je vous connais, je connais votre
race damnée! Une race d'hommes plus durs que l'enfer. Regardez-
vous dans la glace : vous ressemblez à un chat qui vient de tremper
le nez dans la jatte de crème. Dieu! je crains que rien ne vous rassasie
jamais, ni le lait ni le sang. Comme on dit en France – vous resterez
sur votre soif, mon cher [4]. » A cette race que rien n'arrête, Jambe-
de-Laine appartient également. Lorsqu'elle a essayé de le tuer, en
fonçant sur lui avec sa voiture, Philippe comprend enfin la puissance
de l'élan aveugle auquel elle obéit : « Steeny pense à la grande jument
jetée droit vers le talus, à toute vitesse... 'Elle non plus, rien ne
l'arrêtera', se dit-il. Elle est capable de charger contre un mur.
Mais pour qui? pourquoi [5]? »

Ainsi le personnage de Philippe, encore indéterminé dans la
mesure où ses choix décisifs sont encore à venir, vit-il le rêve sous
sa double forme de moyen de salut et d'instrument de perdition.
Suspendu entre ciel et terre, il se rend parfaitement compte du
caractère tout provisoire de sa position : « Pour quelques semaines
encore, se disait-il, pour quelques jours peut-être, je dispose de
moi... » Il ne s'abandonne qu'avec plus de délice à tout ce qui lui

1. *Pl.*, p. 1866.
2. *Ibid.*, p. 1226.
3. *Ibid.*, p. 1381.
4. *Ibid.*, p. 1453.
5. *Ibid.*, p. 1417.

ouvre une porte vers l'inconnu : contact du vêtement de son père découvert au fond d'un placard, ivresse du vin, familiarité trouble de M. Ouine. Mais nulle part le rapport entre le rêve où il se plonge et l'évasion libératrice n'est marqué avec plus de profondeur que dans la scène où il s'avance, entièrement livré à l'instant qui passe, sur une de ces routes chères à l'imagination de Bernanos :

> La belle route! La chère route! Vertigineuse amie, promesse immense! L'homme qui l'a faite de ses mains pouce à pouce, fouillée jusqu'au cœur, jusqu'à son cœur de pierre, puis enfin polie, caressée, ne la reconnaît plus, croit en elle. La grande chance, la chance suprême, la chance unique de sa vie est là, sous ses yeux, sous ses pas, brèche fabuleuse, déroulement sans fin, miracle de solitude et d'évasion, arche sublime lancée vers l'azur. Il l'a faite, il s'est donné à lui-même ce jouet magnifique et sitôt qu'il a foulé la piste couleur d'ambre, il oublie que son propre calcul en a tracé d'avance l'itinéraire inflexible. Au premier pas sur le sol magique arraché par son art à l'accablante, à la hideuse fertilité de la terre, nu et stérile, bombé comme une armure, le plus abandonné reprend patience et courage, rêve qu'il est peut-être une autre issue que la mort à son âme misérable... Qui n'a pas vu la route à l'aube, entre ses deux rangées d'arbres, toute fraîche, toute vivante, ne sait pas ce que c'est que l'espérance [1].

Dans cet espace sacré, qui tend avec la rectitude du désir vers un ailleurs plein de promesses, il avance comme dans un songe, soulevé par un enthousiasme lucide : « L'ivresse de la veille, l'insomnie, le contact des vêtements encore humides entretenaient dans ses veines une légère fièvre, une espèce d'angoisse physique à fleur de peau d'où il pouvait tirer l'illusion d'une lucidité souveraine. » Le choc de la jument de Jambe-de-Laine emportée à pleine vitesse ne le tire pas de son hallucination, mais l'y plonge au contraire plus profondément. Il passe sans transition du rêve à l'évanouissement et de l'évanouissement au rêve : « Il essaie de détacher du sol une main, puis l'autre, creuse violemment les reins, se jette en arrière. Peine perdue! C'est tout le paysage à présent qui glisse jusqu'au creux de la houle, chavire. Et la plaine apparue par intermittences, verte et grise, se gonfle sous l'immense coupole bleue, bat de plus en plus vite, comme la gorge d'un crapaud. » Toute la scène paraît ainsi se dérouler dans un autre monde, dans cet autre monde dont Philippe cherche instinctivement la porte parce qu'il sait qu'y est inscrite l'image énigmatique de sa destinée : « Comme tout cela ressemble à un rêve! » « C'est un fil qui se déroule, pense Philippe,

---

1. *Pl.*, p. 1408-1409.

on croit qu'il va casser, et il ne cassera jamais... Cassera-t-il ?
Irai-je jusqu'au bout de la bobine ? Et d'ailleurs a-t-elle un bout [1] ? »
L'ambivalence du rêve, dans le cas de Philippe ou de Jambe-de-
Laine comme dans celui d'Arsène ou d'Anthelme, provient de ce
qu'il exprime à la fois la nostalgie de l'intégrité, la soif de l'absolu,
et l'attirance de l'irréel, le vertige du néant. Dans la vie de M.
Ouine, il ne peut jouer que le dernier de ces deux rôles. Rêver,
pour les personnages que nous venons d'énumérer, c'est en effet
désirer, aspirer à autre chose, s'élancer, dans un oubli total de soi,
contre les murs de la prison humaine. M. Ouine, lui, n'aspire pas
à autre chose, il aspire : il engloutit tout ce qui passe à sa portée
avec l'avidité d'une bouche d'ombre, avec l'insatiabilité d'un trou
ouvert sur le néant :

> On ne me remplira plus désormais, remarque le professeur avec
> gravité. Ç'aurait été un grand travail que de me remplir, et ce
> travail n'est même pas encore entrepris. Vainement me suis-je
> ouvert, dilaté, je n'étais qu'orifice, aspiration, engloutissement,
> corps et âme, béant de toutes parts [...]. Je désirais, je m'enflais de
> désir au lieu de rassasier ma faim, je ne m'incorporais nulle substance,
> ni bien ni mal, mon âme n'est qu'une outre pleine de vent. Et voilà
> maintenant, jeune homme, qu'elle m'aspire à mon tour, je me sens
> fondre et disparaître dans cette gueule vorace, elle ramollit jusqu'à
> mes os [2].

Comprenons bien qu'il y a deux manières de désirer : celle de
Philippe ou de Jambe-de-Laine, qui les emporte hors d'eux-mêmes
avec la rectitude d'une pierre lancée à toute volée, et celle de M.
Ouine, qui tente vainement de suppléer à la vacuité de son être en
s'assimilant une substance qui devient néant à partir du moment où
elle pénètre en lui. A ces deux manières de désirer correspondent
deux manières de rêver. Selon l'une le rêveur pénètre dans le rêve,
s'y abandonne, s'y baigne ; selon l'autre, celle de M. Ouine, le
rêve pénètre en lui et achève de le dissoudre. « Aujourd'hui, dit
Philippe en parlant du professeur, il prétend qu'il s'ouvre au rêve
comme un vieux bateau pourri s'ouvre à la mer [3]. » Et M. Ouine
lui-même déclare, à propos de ses « secrets », qui, faute de consistance et d'intériorité, ont acquis la vaine complication des rêves :
« Sont-ce là seulement des secrets ? Peut-être jadis m'ont-ils fait
honte. Je voudrais maintenant les haïr, mais je ne les hais ni ne les

---

1. *Pl.*, p. 1417.
2. *Ibid.*, p. 1551-1552.
3. *Ibid.*, p. 1537.

aime, la malice s'en est lentement affaiblie à mon insu. Ils ressemblent à ces trop vieux vins sans saveur, d'un rose livide, qui avant de mourir ont dévoré le liège du bouchon et mordu jusqu'aux flancs du verre [1]. »

Nous reviendrons plus loin sur la signification du vide que M. Ouine introduit ainsi au sein d'une réalité elle-même prête à se disloquer. Mais on aperçoit déjà comment la présence du rêve presque à chaque page du roman définit la menace qui pèse sur toute vie, et en même temps la chance qui lui est offerte.

Si la place faite au rêve nous aide à comprendre le sens de l'œuvre, elle nous permet également d'apprécier l'originalité et la puissance des moyens par lesquels Bernanos nous met en contact avec le surnaturel. Plus que dans ses autres romans, le surnaturel, qui reste ici constamment une absence, une exigence non remplie, un appel inentendu, est l'objet d'une expérience physique, d'un contact charnel. Le rêve, dans lequel presque tous les personnages du roman pénètrent tôt ou tard, a en effet pour résultat de dépouiller l'expérience sensible de ses significations utilitaires, tournées vers l'action ou la jouissance immédiate, et de la rendre réceptive, avec l'obscurité et l'ambiguïté nécessaires, aux injonctions d'un au-delà, en présence duquel l'homme évolue ordinairement sans le savoir. Certes, ce n'est pas là un fait entièrement nouveau dans l'œuvre d'un romancier qui nous a accoutumés dès le début à considérer les images comme des moyens d'accès privilégiés à ces zones de la conscience que le langage des concepts décrit imparfaitement. Mais ici, ce n'est plus tellement par le jeu des images que Bernanos nous suggère l'inexprimable. Comparaisons et métaphores sont certainement moins nombreuses dans *M. Ouine* que dans les romans qui précèdent, mises à part peut-être les images tirées du règne animal, sur lesquelles nous reviendrons dans un instant. Cette raréfaction des images va de pair avec la diminution de la présence de l'auteur, qui s'insinue ici plus rarement à l'intérieur de ses personnages, les observe davantage de l'extérieur, et les laisse plus souvent sentir et s'exprimer par eux-mêmes. Mais précisément, si le surnaturel est évoqué moins souvent par l'intermédiaire et grâce à l'équivalent des images, c'est qu'il est appréhendé ou pressenti de façon plus directe, à portée de sensation, pourrait-on dire, tant est intense la pression que le monde invisible exerce sur le corps de ces « dormeurs éveillés ». Il en résulte qu'on pénétrera mieux le sens de *M. Ouine* en explorant les réseaux de sensations ou les zones

1. *Pl.*, p. 1553.

d'expérience sensible au milieu desquels évoluent ces personnages qu'en prenant une vue abstraite de leur « psychologie » et de leurs coordonnées spirituelles. Un passage du dialogue entre le docteur et le curé de Fenouille fera mieux comprendre le bien-fondé de cette approche :

> Oui, monsieur, dit le curé, l'heure vient (peut-être est-elle déjà venue ?) où le désir qu'on croit avoir muré au fond de la conscience et qui y a perdu jusqu'à son nom va faire éclater son sépulcre. Et, si toute autre issue lui est fermée, il en trouvera une dans la chair et le sang – oui, monsieur – vous le verrez paraître sous des formes inattendues et, j'ose le dire, hideuses, horribles. Il empoisonnera les intelligences, il pervertira les instincts et... qui sait ? pourquoi le corps, notre misérable corps sans défense, ne paierait-il pas une fois de plus la rançon de l'â... de l'autre ? une nouvelle rançon ?
> – C'est de la folie, remarqua le médecin de Fenouille, de la folie pure. Les trois vertus théologales passant du monde invisible au monde visible, transformées en tumeurs malignes, je suppose ? Monsieur, il est permis de se demander ce qu'on penserait en haut lieu de ces extraordinaires divagations [1].

C'est donc au niveau du sensible que nous avons le plus de chances de saisir, dans *M. Ouine*, les traces du débat de l'être humain avec ce qui le dépasse. Les images elles-mêmes, dans leur majorité, sont moins des figures inventées par un auteur qui s'interpose entre ses personnages et le réel que des perceptions de ces personnages eux-mêmes, déformées par la peur, l'angoisse ou le dégoût. Ainsi de ces images animales dont le nombre avait tellement frappé Albert Béguin qu'il en avait dressé une liste, en vue d'un vaste commentaire de *M. Ouine*, malheureusement resté à l'état d'ébauche [2]. Prenons les plus intéressantes, celles qui se rapportent à Jambe-de-Laine et à M. Ouine. Elles expriment le plus souvent la vision qu'un personnage a de la comtesse ou du vieux professeur, et, plus que la vision, cette sorte de contact virtuel qui abolit la distance et fait de la perception une prise immédiate sur l'existant. Jambe-de-Laine est ainsi décrite à plusieurs reprises sous la forme d'un insecte, qui laisse deviner son action maléfique, à la fois obstinée, répugnante et dangereuse.

> Un insecte, j'te dis, voilà ce qu'elle est, dit à Philippe le bûcheron qui vient d'assister à sa tentative de meurtre contre l'adolescent [...].

---

1. *Pl.*, p. 1509-1510.
2. Ce « bestiaire de *M. Ouine* » a été publié dans le n° 31 du *Bulletin de la Société des Amis de G. Bernanos*.

Y a pas pire, mon homme. Y a pas de bête féroce pour valoir ça.
Point de dégât, point de misère, rien d'apparent, rien qui déclenche
les gendarmes, le commissaire, les juges et tout leur tonnerre de
Dieu, rien. Rien qu'un petit coup de dard en passant, tu te grattes
et t'y penses plus. Oh! Oh! Jour et nuit, ils l'entendent bourdonner
d'un bout à l'autre du pays, comme une grosse mouche[1].

Philippe reprend, quelques pages plus loin la même image : « Le
type avait raison, c'est épatant ce que vous ressemblez à une bête,
une vraie – un grand insecte. Des saletés à antennes, à carapace,
avec des mandibules et des pinces[2]. » Il arrive aussi à Jambe-de-
Laine de se regarder elle-même avec ce regard des autres, plein
de répugnance : « N'est-ce pas que je suis ridicule dans cette espèce
de fourreau de soie, et mes longues pattes grêles ? J'ai l'air d'une
araignée noire à tête blanche[3]. » Mais il est un autre aspect de la
comtesse, sensible surtout à Philippe, qui s'exprime par d'autres
images animales. C'est celui que lui donne son rôle de victime.
La voici métamorphosée en oiseau blessé : « Philippe pense à un
gigantesque oiseau blessé qui marche sur ses ailes[4]. » Puis en bête
prise au piège : « le regard trahit le même entêtement obscur,
exténué, d'un animal pris au fer et qui – Philippe le sait – après
une nuit, un jour et encore une nuit d'efforts immenses, traînant
derrière lui le piège et la chaîne, face à la deuxième aube, toujours
fatale, agonise debout[5]. » C'est encore comme un animal blessé
que Philippe la voit, après l'accident, lorsque, par sa manière de
se traîner en biais et par secousses, elle lui rappelle « l'agonie de
Kim, le vieil épagneul retrouvé jadis presque à la même place,
les reins brisés par la trique d'un chemineau[6] ».
L'être de M. Ouine se manifeste bien entendu aux yeux et, si
j'ose dire, au toucher des autres personnages, par des images d'animaux tout différents. Selon le jardinier Florent, « il trotte d'un étage
à l'autre sur ses pattes de velours, un vrai matou, bien luisant,
bien gras[7] ». Au milieu de son agonie, Philippe le déclare « aussi
vivant qu'une portée de petits chats[8] », et Mme Marchal l'a vu

---

1. *Pl.*, p. 1412-1413.
2. *Ibid.*, p. 1416.
3. *Ibid.*, p. 1357.
4. *Ibid.* L'image de l'oiseau peut d'ailleurs exprimer également l'aspect
maléfique du personnage. « Elle est bien capable d'avoir reniflé notre mort
de là-bas, de son perchoir, comme une corneille », dit la mairesse (p. 1401).
5. *Ibid.*, p. 1418.
6. *Ibid.*, p. 1411.
7. *Ibid.*, p. 1535.
8. *Ibid.*, p. 1549.

sortir de l'église comme un vieux renard qui flaire le vent. Ces images expriment bien la ruse, la douceur feutrée et traîtresse du personnage. Mais M. Ouine, lorsqu'il se définit lui-même se voit sous un jour plus inquiétant encore. La passivité avide avec laquelle il pompe la vie d'autrui se traduit par cette image étonnante : « Comme ces gelées vivantes, au fond de la mer, je flotte et j'absorbe[1]. » C'est encore son avidité qu'il veut faire sentir lorsqu'il se décrit « enfoui dans la provende comme un bœuf[2] », et la même image du ruminant lui sert pour se représenter à lui-même le dédoublement dans lequel il a toujours vécu : « J'ai plutôt parlé pour éviter de m'entendre, je me disais n'importe quoi, cela m'était devenu aussi naturel qu'au ruminant la regurgitation du bol alimentaire. Peut-être ai-je deux âmes, comme ces animaux ont deux estomacs[3] ? » Cette même idée de dédoublement est encore présente dans l'image du serpent : « Je m'épuise en efforts, non pour me retrouver : pour me rejoindre. Oui, pour me rejoindre ainsi que les deux parts d'un serpent tranché par la bêche[4]. »

Si proches qu'elles soient du sensible, ces images sont des moyens presque trop indirects encore pour faire apparaître ce que la pure perception arrive parfois à dévoiler. Il arrive souvent, dans *M. Ouine*, qu'un simple geste, une simple attitude d'un personnage saisis en dehors de toute signification utilitaire, nous permettent de plonger profondément dans le fond mystérieux d'un être. Ainsi, lorsque M. Ouine a prononcé cette phrase révélatrice et lourde de sens : « Chacun de nous peut aller jusqu'au bout de soi-même », Philippe le voit se figer « le buste incliné en avant, le cou un peu tordu portant la tête vers l'épaule dans une attitude incommode, presque effrayante, comme si la parole qu'il venait de prononcer l'avait lui-même cloué sur place[5] ». Un peu plus tôt, le professeur de langues vivantes a exécuté un autre geste révélateur, intensément et obscurément révélateur, comme tout ce qui s'enracine au fond de l'âme. C'est au moment où il a déclaré à l'enfant, « avec une autorité prodigieuse », qu'il était son ami et a été saisi par une sorte d'hésitation : « Son regard pâlit un peu tandis qu'il presse discrètement des cinq doigts de la main restée libre, le haut de sa poitrine, à la naissance du cou. Rien d'autre, sinon peut-être la teinte grise des joues, leur affaissement, ne parut marquer cette défaillance, et pourtant l'instinct de Philippe, avec une force inouïe, l'avertit d'un danger proche,

1. *Pl.*, p. 1368.
2. *Ibid.*, p. 1552.
3. *Ibid.*, p. 1547.
4. *Ibid.*, p. 1548.
5. *Ibid.*, p. 1371.

certain, hideux[1]. » Non moins significatifs sont certains gestes usuels de M. Ouine, comme de frotter le revers de sa veste[2], ou son chapeau[3], ce chapeau melon qui est comme une partie de son corps – « couche-t-il avec ? » se demande Philippe – douée d'une personnalité maligne et presque obscène, avec « sa coiffe jadis grenat, un mince croissant rose, pareil à une gueule délicate[4] ». Le caractère félin, méticuleux, oblique du personnage, se trouve ainsi souligné. Et quoi de plus parlant encore, que l'attitude, déjà notée par Claude-Edmonde Magny, dans laquelle l'a surpris le jardinier Florent :

« Il s'intéresse aussi beaucoup aux fleurs, seulement il ne les cueille pas lui-même, je choisis les plus avancées, il les écrase au creux de ses deux mains jointes, il incline dessus sa grosse face ronde, et il reste ainsi longtemps, les yeux tournés de plaisir[5]. »

Mais point n'est besoin de gestes : son corps lui-même, son corps immobile, suffit à avertir d'un danger, qui attire et repousse à la fois l'imprudent Philippe, en lui faisant entrevoir les abîmes d'humiliation où il souhaite obscurément s'engloutir :

Peut-on jouer avec ce vieil homme ? Où est le point sensible, vulnérable, de ce cou trop épais, proconsulaire, de la poitrine massive, des cuisses courtes posées gauchement sur le bord du lit – de ce corps, enfin, que l'on devine gras et fragile, pareil à celui d'une femme mûre ? [...] Un autre sentiment déjà l'emporte, surgi du fond le plus obscur, la part demi-morte et croupissante de l'âme, où veille une pitié difforme, élémentaire, aussi vorace que la haine[6].

M. Ouine n'est évidemment pas le seul à révéler par son corps des secrets que nulle analyse psychologique ne permettrait d'atteindre. Les gestes de Jambe-de-Laine, avec « on ne sait quoi de vague, d'inutile et d'inachevé comme ceux d'un nageur épuisé qui coule[7] », sa démarche lorsqu'elle monte l'escalier « de ce long pas souple, un peu sauvage, dangereusement articulé, et qui fait penser à une danse de guerre[8] » ; les attitudes du curé durant son sermon, tantôt levant les bras à son insu « avec une lenteur solennelle, [...] comme d'un nageur épuisé qui ne se défend plus, coule à pic », tantôt « la tête penchée vers la droite, le corps déjà incliné pour la fuite », et finalement demeurant là, « bouche ouverte, les bras tombants,

1. *Pl.*, p. 1363.
2. *Ibid.*, p. 1463.
3. *Ibid.*, p. 1363, 1469.
4. *Ibid.*, p. 1368.
5. *Ibid.*, p. 1535.
6. *Ibid.*, p. 1369-1370.
7. *Ibid.*, p. 1416.
8. *Ibid.*, p. 1418.

la tête inclinée sur l'épaule[1] » : autant de signes faisant de l'univers de *M. Ouine* une sorte de miroir où viennent se refléter, avec parfois un comique sinistre sur lequel il nous faudra revenir, les éclairs d'une bataille livrée très loin au-delà du regard des hommes. On s'étonnera moins de voir jouer un rôle analogue aux regards, qui ont été considérés de tout temps comme les fenêtres de l'âme. Encore faut-il souligner l'abondance extraordinaire des notations qui les concernent[2] et l'ampleur des perspectives qu'ils nous ouvrent sur l'intérieur des personnages. Celui de Malvina, la femme du maire, « ce regard aigu comme un éclat de jais, ce regard d'oiseau[3]... » est dur, inquisiteur, sans cesse en mouvement : « noir et dansant », il « saute d'un coin à l'autre de l'immense pièce, scrute chaque pouce des murs nus[4] ». Les yeux de Miss, « ses yeux merveilleux, ses yeux d'ange », ont une pâleur suspecte, une sorte de fadeur qui donne la nausée. C'est sur eux que s'ouvre le roman : « On dirait qu'ils s'effacent peu à peu, se retirent... Les voilà maintenant plus pâles encore, d'un gris bleuté, à peine vivants, avec une paillette d'or qui danse. 'Non! non! s'écrie Steeny. Non!' Et il se jette en arrière, les dents serrées, sa jolie figure crispée d'angoisse, comme s'il allait vomir[5]. » Ces yeux, nous les retrouvons dans la scène où Miss affronte Philippe dans un corps-à-corps que précède un véritable duel de regards[6]. « Je me demande, remarque pensivement l'adolescent, quelle est la couleur de vos yeux, ou même s'ils en ont une, c'est de la fumée[7]. » Si le regard de Miss est celui d'un être qui se dérobe, qui se fait diaphane pour ne rien livrer de lui-même, celui du maire, « vague et comme laiteux, pareil à celui des très petits enfants[8] », permet de suivre d'une manière tragique le naufrage de

1. *Pl.*, p. 1485-1491.
2. Voici, pour en donner une idée, une liste approximative des pages où l'on trouvera des notations relatives au regard : pp. 1349, 1350, 1351, 1353, 1355, 1356, 1357, 1361, 1363, 1365, 1366, 1368, 1370, 1376, 1377, 1380, 1381, 1382, 1384, 1386, 1387, 1382, 1401, 1406, 1415, 1417, 1419, 1421, 1424, 1441, 1444, 1448, 1450, 1452, 1468, 1473, 1517, 1530, 1534, 1545. L'importance du regard chez Bernanos et en particulier dans *M. Ouine* a été souligné dans l'étude de Brian T. Fitch, *Bernanos précurseur de Sartre : aspects sartiens de la dialectique du regard dans l'univers bernanosien,* dans *Ét.*, n° 6 (1965), p. 25-41.
3. *Ibid.*, p. 1441.
4. *Ibid.*, p. 1397.
5. *Ibid.*, p. 1349.
6. Cf. les expressions : « elle hésite juste le temps de prendre le regard de Philippe dans son regard pâle », « il vient de saisir au vol un bref regard anxieux, un vrai coup de sonde ».
7. *Pl.*, p. 1452.
8. *Ibid.*, p. 1401.

l'intelligence : « Sa voix se brisa tandis que son regard, comme ouvert
sur une autre âme, [...] continuait de sourire. Un moment, le prêtre
lutta contre l'absurde tentation de laisser là ce misérable, de s'enfuir,
puis les larmes lui vinrent aux yeux. Il comprit qu'il lui avait été
donné de voir briller la suprême lueur d'une raison déjà entrée
dans les ténèbres. Il pensa au dernier hublot éclairé d'un bâtiment
qui coule à pic, sous la pluie, par une nuit noire[1]. » Ce n'est pas
exactement la folie, mais l'affolement de l'animal traqué que trahit
le regard de Jambe-de-Laine, qui « va et vient comme la navette
du tisserand[2] », « regard farouche, éperdu de honte, de terreur, et
pourtant plein de ruse[3] ». Il flambe, après l'accident, d'une « flamme
haute et fixe » que Philippe n'a jamais vue ailleurs, et si intense que
la comtesse a le mouvement de baisser les paupières, comme
pour l'éteindre. Quant à M. Ouine, son regard « extraordinaire,
trop bon, trop chargé de connaissance et de bonté, trop lourd[4] »
a une sorte de densité liquide et opaque qui pèse à distance sur celui
qu'il observe. Philippe en éprouve l'effet dès la première minute :
« Le regard triste qu'il sent peser sur lui l'écarte déjà peu à peu,
comme d'une pression mystérieuse[5]... » Guillaume le qualifie de
« regard dormant [...] qui a l'air de flotter au ras d'une eau grise[6] »,
ce qui l'apparente de façon inquiétante à celui de ce professeur
– « regard inconnu, vide et fixe, comme d'un mort » – que M. Ouine
lui-même a senti, un jour décisif de son enfance, « sur lui, sur son
propre regard, au bord même de ses cils[7] ».

Cette approche charnelle de l'au-delà que *M. Ouine* réalise de
façon inégalée requiert enfin l'intervention du moins contemplatif
de tous les sens, de celui qui assure la compénétration la plus intime
et la plus troublante entre le sujet percevant et l'objet perçu :
l'odorat. La signification symbolique de son hypertrophie chez le
maire obsédé par la nostalgie de la pureté a à peine besoin d'être
élucidée. Son nez légendaire, grâce auquel « il a humé, flairé, reniflé
[...], possédé sa jeunesse » provoque maintenant chez lui un phénomène de saturation qui est comme la racine physique du remords :

> Jamais, non jamais ses narines maudites n'ont mieux goûté, savouré,
> filtré au travers d'invisibles cils, les trillions de houppes nerveuses,

1. *Pl.*, p. 1517.
2. *Ibid.*, p. 1392.
3. *Ibid.*, p. 1406.
4. *Ibid.*, p. 1419.
5. *Ibid.*, p. 1363.
6. *Ibid.*, p. 1386. Philippe, lui, croit « voir glisser comme une eau trouble
sur le globe des yeux » de M. Ouine (p. 1371).
7. *Pl.*, p. 1472.

un air plus riche, plus dense, chargé d'odeurs qui glissent les unes sur les autres, ou se pénètrent sans se confondre jusqu'au cœur du jour quand la force de midi les étale en une seule nappe épaisse, toute bouillonnante sous le soleil comme ces grasses eaux, pleines de bulles. Alors, à l'abri du mur, le chapeau rabattu sur les yeux, il connaît une sorte de répit dans la saturation des cinq sens, le repos noir de l'ivresse. Nul ne se doute que le dégoût, sinon le remords, des plaisirs hélas ! désormais sans retour a pris chez le bonhomme vicieux, tout environné du pressentiment de la mort, la forme de ce délire cocasse [1].

Dans la mesure où il représente une forme, exacerbée et dévoyée, de participation à l'être, l'odorat peut être, en même temps qu'instrument de péché et parce qu'instrument de péché, instrument de salut. Rien d'étonnant à ce que M. Ouine éprouve envers lui une méfiance proportionnelle à la peur qu'il éprouve d'être ébranlé, violé dans son parti pris d'impassibilité et de non-participation :

– Aimez-vous les odeurs, jeune homme ? demande-t-il à Philippe. Moi, je les hais.
– Quelles odeurs ?
– N'importe. Peu de spectacles sont capables d'ébranler mes nerfs ; mais une certaine puanteur m'épouvante, je l'avoue [2].

Même lorsqu'elles ne provoquent pas d'ébranlements aussi redoutables, les odeurs qui flottent autour des personnages sont comme une émanation atmosphérique de leur essence intime. Ainsi, la vieille marquise Destrées sent le cuir et le carnier ; Jambe-de-Laine répand une odeur d'éther et d'ambre, mais ses mains, dont on connaît déjà le symbolisme spirituel, sentent le chèvrefeuille ou l'anis. A l'approche de la mort, Anthelme, confit dans l'alcool qu'il a absorbé durant toute sa vie, a l'odeur miellée d'un moût, alors que l'agonie de M. Ouine fait flotter dans sa chambre « une drôle d'odeur [...]. Drôle peut-être, mais pas désagréable sûrement. L'odeur des fruitiers de Fenouille, lorsque les pommes de la dernière récolte commencent à se faner sur les planches [3] ».

1. *Pl.*, p. 1395.
2. *Ibid.*, p. 1366. La fin de la réplique de M. Ouine : « Oui, jeune homme, l'épouvante entre pas à pas en moi par les yeux » est en contradiction avec ce qui précède et doit être le résultat d'une erreur de lecture. Nous proposons de lire : « n'entre pas en moi par les yeux. » Cette aversion pour les odeurs, quelles qu'elles soient, est aussi en contradiction avec l'attitude dans laquelle le jardinier Florent nous montre M. Ouine, respirant une fleur écrasée. Remarquons toutefois que l'idée de non-participation est sauvegardée par le fait que M. Ouine ne cueille jamais la fleur lui-même.
3. *Ibid.*, p. 1544.

Tels sont, pour l'essentiel, les moyens par lesquels Bernanos, dans *M. Ouine*, fait passer le lecteur du monde visible au monde invisible qu'il se propose de décrire. A mesure que nous les analysions, le sens du roman s'est précisé dans notre esprit, car dans un tel langage, signifié et signifiant sont absolument indissociables. Il ne s'agit pas de la traduction d'un donné qui existerait en dehors des signes qui nous le manifestent, mais d'une lecture à travers les signes et *dans* les signes. Si nous voulons essayer maintenant de prendre de ce sens une vue plus synthétique, nous ne devrons pas abandonner pour autant ce niveau de l'expérience charnelle du surnaturel où nous avons essayé de nous maintenir. Le sens de *M. Ouine*, dont nous ne saurions prétendre faire le tour, se manifeste à nous dans un certain nombre de thèmes, qui sont moins des thèmes intellectuels que des thèmes existentiels, c'est-à-dire des expériences privilégiées convergeant vers la révélation d'un mystère : celui de la présence du mal dans le monde et de son action dans les âmes.

Cette action, disons-le tout de suite, ne saurait être assimilée à celle qui fait le fond d'une épopée ou d'une tragédie, et c'est pourquoi *M. Ouine* est, de toutes les œuvres de Bernanos, la plus proche du « roman pur », c'est-à-dire du roman qui, selon le souhait d'André Gide, emprunterait le moins possible aux techniques des autres genres littéraires. Épopée et tragédie supposent en effet que le destin a une direction, qu'il comporte des nœuds posant des problèmes et offrant des prises à l'action humaine, celle-ci dût-elle inéluctablement jouer perdante. Or l'action, dans *M. Ouine* (meurtre du petit vacher, suicide d'Eugène et de sa femme, lynchage de Jambe-de-Laine, agonies d'Anthelme et de M. Ouine, disparition du maire), ne fait jamais que manifester, à la surface des choses, les remous des profondeurs, où rien ne se noue ni ne se dénoue. Elle échappe à toute causalité, naturelle et peut-être surnaturelle. Elle n'a pas sa place, comme celle de *L'Imposture* ou du *Journal d'un curé de campagne*, dans l'histoire du salut de l'humanité. Comment préciser, par exemple, le mode d'intervention de M. Ouine dans la vie du village ? Rien de commun, à coup sûr, entre son action et celle d'un Cénabre, dont le péché provoquait, dans les deux sens du verbe, le sacrifice rédempteur de Chevance et de Chantal et mettait ainsi en branle la machine qui ne devait s'arrêter qu'à l'assassinat de la jeune fille. L'action de M. Ouine, au contraire, reste toujours en marge. Son extraordinaire confession essaie de préciser, au mépris du principe de contradiction, c'est-à-dire d'une manière qui défie notre logique et ne peut satisfaire entièrement notre intelligence, le caractère infaillible et pourtant totalement élusif de sa prise sur les âmes :

Je ne souhaitais pas faire d'elles ma proie. Je les regardais jouir et souffrir ainsi que Celui qui les a créées eût pu les regarder lui-même, je ne faisais ni leur jouissance ni leur douleur, je me flattais de donner seulement l'imperceptible impulsion comme on oriente un tableau vers la lumière ou l'ombre, je me sentais leur providence, une providence presque aussi inviolable dans ses desseins, aussi insoupçonnable que l'autre [...]. La sécurité de ces âmes était entre mes mains, et elles ne le savaient pas, je la leur cachais ou découvrais tour à tour. Je jouais de cette sécurité grossière comme d'un instrument délicat, j'en tirais une harmonie particulière, d'une suavité surhumaine, je me donnais ce passe-temps de Dieu, car ce sont bien là les amusements d'un Dieu, ses longs loisirs... Telles étaient ces âmes. Je me gardais de les changer, je les découvrais à elles-mêmes, aussi précautionneusement que l'entomologiste déplie les ailes de la nymphe [1].

Rien, dans tout cela, que les âmes n'eussent pu accomplir par elles-mêmes ; rien qui suppose la pesée d'une volonté étrangère sur la leur, l'interposition d'un obstacle entre leurs désirs et leurs actions. Rien qu'une lumière leur apprenant à se connaître sous un jour nouveau et qui, à la limite, pourrait exister sans que sa source existât. L'action d'un tel personnage ne saurait se comparer à celle d'aucun personnage romanesque. Ni acteur ni témoin, il fait sortir de l'ombre et y rentrer, alternativement, ce qui se cache dans les profondeurs de l'être humain, comme un projecteur qui sonderait les grands fonds sous-marins et leur donnerait conscience, l'espace d'un instant, de leur vie monstrueuse, en attendant d'entrer lui-même dans l'ombre.

Quelles sont les expériences privilégiées qui nous révèlent, dans *M. Ouine*, le mystère de la présence du mal dans le monde, ou qui nous mettent à même d'en mieux percevoir l'action ?
Il en est une qui constitue une sorte de préalable. C'est celle de l'hérédité : non pas la transmission, pour ainsi dire mécanique, de tares ancestrales, comme se l'imaginent les romanciers de l'école naturaliste, mais le point d'interrogation inscrit dans la mémoire de la race, le secret non dévoilé, le possible intact dont j'hérite, sans savoir si, en le réalisant, je recommence le geste d'un de mes ancêtres ou je développe ce qu'il y a de plus personnel en moi-même. L'hérédité, dans *M. Ouine*, est toujours une question qu'on se pose. « De qui, se demande l'auteur à propos du petit Guillaume, de quel ancêtre, de quel maître farouche tenait-il ce petit visage barbare, avec ses pommettes mongoles, la dépression profonde des orbites

1. *Pl.*, p. 1558-1559.

sous le double arc frontal, la bouche impérieuse, presque sauvage, et ces crins noirs[1] ? » Et, à propos de la manie d'Arsène : « Quoi donc! elle est là, quelque part, sous son crâne, l'imperceptible meurtrissure héritée d'un aïeul inconnu, le repli enflammé où l'épouvante a pondu son œuf, ainsi qu'une mouche bleue[2]! » Mais c'est surtout Philippe et les De Vandomme qui s'interrogent avec angoisse sur l'énigme d'une hérédité dont la connaissance leur permettrait enfin de donner un sens – rassurant ou atroce – aux gestes qu'ils font en aveugles. Si le petit homme vert a menti, comme le dit l'infirme avec la lucidité que donne la souffrance, s'il n'y a jamais eu d'ancêtres nobles dans la famille De Vandomme, tout l'orgueil sur lequel était bâtie la vie du vieux s'écroule : « Plus rien, jamais plus rien. » Découverte qui conduira le redoutable géant à la galopade honteuse vers l'église devant tout le village rassemblé, et à l'affirmation, si pathétique d'humilité, de l'innocence de son gendre au milieu du sermon. Quant à Philippe, ce qu'il a hérité de son père n'est pas seulement, comme le pense Michelle, la propension au rêve, ou, comme le lui affirme Guillaume, l'avidité insatiable du « héros » fauché en pleine révolte, mais cette chose plus mystérieuse qui rend si redoutables, si elles sont vraies, les révélations d'Anthelme et de Miss : son père vivant, recueilli dans un asile, puis évadé, errant à l'aventure, c'est la menace de la folie sur sa propre vie, c'est tout un faisceau de significations catastrophiques venant éclairer ses actes présents et futurs, et les marquant du sceau de l'irrémédiable. L'hérédité creuse ainsi au cœur de chaque être une interrogation qui mine sa foi en lui-même et le rend vulnérable à toutes les suggestions du néant.

La sexualité constitue une autre expérience qui, sans avoir le mal pour objet, présente avec lui les affinités les plus troublantes. La sexualité est si loin d'être le mal dans *M. Ouine* que nous y trouvons, pour la première et unique fois dans l'œuvre de Bernanos, un couple d'amants pleinement charnels et unis par un amour humain pur de tout alliage maléfique : le braconnier Eugène et sa femme, la fille du vieux De Vandomme, qui s'unissent dans la mort plutôt que de vivre séparés par la honte ou le soupçon. Mais le contraste ne fait que rendre plus frappantes les formes troubles ou dévoyées de la sexualité qui fourmillent dans le reste du roman. Ne disons rien des souvenirs d'Arsène, sur lequels nous reviendrons. Mais autour de la personne de Philippe se tisse toute une série de

1. *Pl.*, p. 1375-1376.
2. *Ibid.*, p. 1395.

relations fortement sexualisées, qui font de son contact avec Miss, avec Jambe-de-Laine, avec M. Ouine des épreuves à la fois pleines d'attraits et lourdes d'obscures menaces.

Ce qui domine toutes ces expériences, c'est le pressentiment d'une humiliation indicible, d'une libération à la fois hideuse et pleine de douceur dans la mesure où elle annihile l'amour de soi et précipite l'être qui s'y prête dans des abîmes insondables de dégoût. Tel est l'effet des caresses de Miss, « ces caresses féroces qui le bouleversent de curiosité, de terreur, d'une sorte d'écœurement inexprimable[1] ». En face de la jeune fille qu'il a manqué étrangler et qui pleure de surprise, de douleur, d'humiliation, il retrouve d'instinct – nouvel effet de l'hérédité – le masque, le sentiment, et presque les paroles d'un autre : « Il ne voyait du visage que le front, les oreilles délicates et l'attache si pure des mâchoires avec l'imperceptible creux d'ombre où il eût voulu poser ses lèvres. Une pitié inconnue, mêlée ou comme voilée d'un peu de mépris – une sorte de satiété charnelle inexprimable, inexplicable, gonflait son cœur et il cherchait en vain les mots oubliés toujours vivants au plus profond, au plus secret de sa mémoire – laquelle? – des mots prononcés jadis – mais où? mais quand? en un autre temps peut-être, un autre monde – d'une mémoire sans date et sans nom[2]. » Loin de lui donner un sentiment de force, cette agression meurtrière, qui est un substitut évident de l'acte sexuel, laisse en son âme l'impression d'une déperdition irréparable, d'une plaie qui ne doit jamais se refermer : « Une part de sa vie, aussi petite qu'on la suppose – n'importe! – venait de lui échapper pour toujours, une part de lui-même avait été, lui vivant, frappée de mort, abolie. Par quelle blessure mystérieuse, par quelle brèche ouverte de l'âme avait-elle ainsi glissé au néant? Il semblait qu'avec elle se fût évanouie toute sécurité, toute certitude et que la conscience, ainsi qu'une citerne crevée, ne laissât plus désormais monter à la surface qu'une eau limoneuse, chargée d'angoisse. Une sorte de calme épouvante, une terreur aussi fade que le dégoût filtrait goutte à goutte de cette plaie noire et pourrie[3]. »

Les mêmes composantes sadiques jointes au même vertige d'humiliation se retrouvent dans son attitude à l'égard de Jambe-de-Laine après l'accident. Après l'avoir contemplée « un long moment, muet de terreur, de dégoût, d'un autre sentiment trouble[4]... », Philippe s'évanouit, et il est réveillé par sa voix :

1. *Pl.*, p. 1351.
2. *Ibid.*, p. 1452.
3. *Ibid.*, p. 1451.
4. *Ibid.*, p. 1411.

Voix profonde, si ferme, si grave. Lorsqu'elle se brise sur une syllabe
trop dure, il croit toujours l'entendre se prolonger en une sorte de
plainte farouche, caresse ou menace, à peine humaine et qui vibre
dans sa propre poitrine, épouse chaque fibre de son être, le hérisse
d'une espèce de curiosité plus forte que la peur, comme à la vue
et à l'odeur du sang. Pourquoi ne s'en est-il pas avisé d'abord!
Ne serait-ce pas cette voix-là qu'il aime? Aimée ou haïe, qu'importe! Il en éprouve la puissance comme une injure, elle blesse
sauvagement son orgueil... Heureux l'enfant qu'a mis debout,
haletant de surprise et de colère, prêt à faire face, le premier outrage
du désir [1].

Que le désir soit lié à l'humiliation, non seulement parce qu'il est
humiliant de désirer, mais parce que l'humiliation constitue l'objet
même du désir, ou tout au moins une de ses composantes essentielles,
c'est ce qui ressort des paroles de Jambe-de-Laine, qui sait de quoi
elle parle :

Qu'est-ce qu'un désir qui n'a pas surmonté le dégoût, forcé la
nature, assuré sa prise dans le remords et dans la honte [2]?

Mais c'est encore une fois M. Ouine qui exprime le plus complètement ce que les autres personnages nous font entrevoir. Dans
la mesure où Bernanos le considère comme un personnage doué
d'une « psychologie » (nous verrons quelles réserves il convient de
faire sur ce point), il attribue un rôle décisif, dans son étrange vocation, à la première expérience homosexuelle que lui a fait faire,
lorsqu'il était encore au collège, un sordide professeur d'histoire.
Et ce n'est certes pas par hasard que cette expérience se présente au
moment où l'enfant se crispe de toutes ses forces pour comprendre
Spinoza, bien qu'il ne ressente « nul appétit de vérité, quelle qu'elle
fût », car ce qu'il va rencontrer sur les genoux du gros Normand
narquois, ce n'est pas seulement l'action libératrice de la honte, que
nous connaissons déjà, mais une sorte de mensonge fondamental,
charnel, qu'il n'aura pas assez de toute sa vie pour développer :

Et lui, Ouine, pour la première fois de sa vie – la dernière sans
doute – essaie de faire comprendre, d'expliquer, tandis que les
mots semblent jaillir d'une part oubliée, tout à coup retrouvée, de
son âme, jaillissent comme d'une source intarissable. A peine sa
bouche a-t-elle le temps de les prononcer que d'autres se pressent
au fond de sa gorge, qu'il ne peut retenir, éclatent en sanglots

1. *Pl.*, p. 1415.
2. *Ibid.*, p. 1424-1425.

discordants. Dieu! que ces larmes sont douces! Oui, que la chaude honte en est douce, libératrice! Elles coulent plus abondantes et plus faciles encore que les mots, il les laisse ruisseler sur ses joues, elles inondent sa bouche de leur sel tiède[1].

Une scène équivalente, moins sordidement charnelle, plus lucide et plus volontaire de la part de l'enfant, mais pourtant parente de celle-ci par sa signification, se déroule entre Philippe et M. Ouine lors de leur première rencontre. C'est celle, déjà évoquée un peu plus haut, où devant le corps de M. Ouine gauchement posé sur le bord du lit, Philippe est envahi par le sentiment d'un danger imminent.

Quel triomphe facile, continue Bernanos, vaudrait la joie déchirante, l'ébranlement intérieur d'une victoire remportée sur le dégoût, la soumission volontaire à une sorte de grandeur humiliée, méconnaissable, presque repoussante? Il prend la grosse main molle, la presse doucement sur sa poitrine, puis sur ses lèvres, et il éclate en sanglots.
– Mon enfant, répète deux fois M. Ouine, sans hausser la voix mais avec une force effrayante[2].

Pourtant la fascination sexuelle que M. Ouine exerce sur Philippe dure peu. Steeny possède la grâce de la jeunesse. Le même élan qui le pousse à affronter le risque incalculable de glisser enfin sur une pente, de sentir la terre manquer sous ses pas, lui permet de se délivrer de l'angoisse par un fou rire, une pirouette ou une trop grande rasade de madère. Sa « surnaturelle insolence[3] » lui présente à l'esprit « son demi-dieu bedonnant », avec son absurde chapeau, au moment même où il l'accepte pour maître. Les noirs fantômes du sexe n'ont pas de prise – pour combien de temps encore? – sur cette âme libre comme le vent.

L'expérience du pur et de l'impur nous offre une autre voie d'accès vers le mystère du mal. Le symbolisme de la pourriture, de la fermentation, de l'ordure, si fréquent dans l'œuvre de Bernanos, est sans cesse présent dans cette histoire d'un village en décomposition. C'est à lui que le curé a recours lorsqu'il évoque, précisément,

1. *Pl.*, p. 1473. Même équivalence entre l'homosexualité et le mensonge dans les paroles qu'arrache à Philippe l'attitude équivoque de Miss avec sa mère : « Menteuse, menteuse » bégaye-t-il pour lui seul à mi-voix. Pourquoi, menteuse...? » (p. 1351).
2. *Pl.*, p. 1370.
3. *Ibid.*, p. 1419.

dans son sermon, la réalité de la paroisse morte. Non pas qu'il rêve
d'un monde sans péché. Comme le curé de Torcy, il sait que le
péché fait partie de la chrétienté. Seulement, une paroisse vivante,
comme une grande ville, aspire par tous ses pores, la nuit venue,
l'ordure du jour qui vient de finir, alors que lui, dans sa paroisse
où la pitié de Dieu ne circule plus comme une sève, il voit, il touche
presque « ces montagnes d'excréments, ces lacs de boue », et il essaie
de rendre ses auditeurs sensibles à la vision qui l'absorbe entièrement :
« Si Dieu ouvrait nos sens au monde invisible, qui de nous ne tom-
berait mort – oui, mort – à l'aspect... au seul aspect des hideuses...
des abominables proliférations du mal. » Le crime a révélé, a fait
sortir toute cette pourriture : « Un crime, ça ne regarde que la
justice et les journalistes, pas vrai ? N'importe ! il ne faut qu'un
grain de levain en trop pour faire surir toute la pâte. Le mal était
déjà en vous, mais il s'est mis comme à sortir de la terre, des murs.
Et d'abord, ça ne vous a pas déplu, n'est-ce pas, mes amis ? Vous
vous sentiez bien, vous aviez chaud [1]. » En parlant ainsi, il ne fait
d'ailleurs que reprendre à peu près l'image – à peine une image,
est-il précisé – dont M. Ouine s'est servi lorsqu'il est venu l'entretenir des événements : celle du bourbier en pleine fermentation :
« La vase de celui-ci, disait le professeur de langues vivantes, paraît
diablement active, depuis quelque temps. On croit l'entendre bouil-
lir et siffler, remarquez que ceci est à peine une image, cher ami.
Nous connaîtrons un jour les lois encore mystérieuses qui règlent
– accélèrent ou ralentissent – ces sortes de fermentation [2]. »

Si nous scrutons, guidés par M. Ouine, cette décomposition,
nous rencontrons le pouvoir dissolvant du mal. La pitié, devant ce
que le curé croit être le malheur des hommes ne saurait, selon lui,
résister à la contagion : « A la première égratignure de cette main
compatissante, je crains bien que toute cette saleté ne vous remonte
jusqu'au cœur... Oh ! Oh ! la sympathie, la compassion, συμπαθεῖν,
souffrir avec. Pourrir avec plutôt [...]. Vous ne serez pas déçu,
mais dissous, dévoré ! » C'est que M. Ouine aperçoit, à l'œuvre
dans cette pourriture, le grand principe par lequel le néant entre
dans l'âme humaine et l'absorbe, l'ennui :

> ... il n'y a pas de malheur des hommes, monsieur l'abbé, il y a l'en-
> nui. Personne n'a jamais partagé l'ennui de l'homme et néan-
> moins gardé son âme. L'ennui de l'homme vient à bout de tout,
> monsieur l'abbé, il amollira la terre.
> Les gros doigts firent le geste de pétrir une argile imaginaire.

1. *Pl.*, p. 1487-1489.
2. *Ibid.*, p. 1465.

Ce principe dissolvant, il le retrouve en lui-même au moment où, essayant de comprendre sa vie, il se rend compte que ses secrets, ses remords, tout ce qui aurait pu lui conserver une intériorité, lui permettre de se rassembler autour d'un centre, si réduit soit-il, s'est mystérieusement délié : « Je ne puis plus concevoir ce dédoublement de moi-même, ce désaveu, cette décomposition bizarre[1]... » Mais le corps de M. Ouine, qui laisse deviner, comme partout dans le roman, le travail secret de l'âme, est habité depuis longtemps par cette pourriture : sa main est « gonflée sans doute du même liquide séreux qui coulait intarissablement de ses paupières[2] » ; ses « poumons crevés achèvent de pourrir[3] » ; sa gorge est « gonflée par le pus[4] ». Sans doute est-ce pour se soustraire à la menace qu'il affecte une propreté méticuleuse, qu'il redoute les odeurs, qu'il a pourchassé la crasse de sa chambre jusque dans les moindres fentes des pavés. Ses efforts – s'ils ne sont pas de simples alibis – ne sauraient aboutir, car il est lié à la pourriture par une complicité secrète, comme le prouvent son goût pour les fleurs à la limite de la décomposition, ou son horreur pour l'aube et sa préférence pour l'air du soir : « A cette heure du crépuscule, la terre harassée dégorge une vapeur tiède et grasse, une espèce de sueur qu'il faudra toute la nuit pour dissoudre. Ce qui reste de l'aube dans l'air y est pris comme une mouche dans la glu[5]. »

Mais il est d'autres personnages qui réagissent contre la pourriture et contre le mal dont elle est le signe avec des dispositions moins mêlées. Servi par son odorat monstrueux, le maire la détecte au-delà du corps, au-delà de la vie, dans les abîmes de l'âme et de la mémoire :

D'ailleurs, tout le monde pue, les hommes, les femmes, les bêtes, la terre, l'eau, l'air que je respire, tout, la vie entière pue. Des fois l'été, quand le jour n'en finit pas, devient mou, s'étire comme de la pâte, c'est à croire qu'il pue aussi, le temps. Et nous, donc! Tu me répondras qu'on pourrait laver, rincer, gratter, bernique! Il y a de la malice dans mon cas, d'accord. L'odeur que je veux dire n'est pas véritablement une odeur, ça vient de plus loin, de plus profond, de la mémoire, de l'âme, est-ce qu'on sait? L'eau n'y fait rien, faudrait autre chose.
Il met contre la joue de la mairesse fascinée sa grosse moustache.

---

1. *Pl.*, p. 1553.
2. *Ibid.*, p. 1493.
3. *Ibid.*, p. 1529.
4. *Ibid.*, p. 1530.
5. *Ibid.*, p. 1528.

– A mon âge, on devrait pouvoir curer sa mémoire ; juste comme tu cures ton puits, tout pareil. La vase qui sèche au soleil, plus de secrets [1].

C'est cet espoir d'une délivrance totale par la mise au jour de ce qui est caché au fond de sa mémoire qui pousse le maire à tenir sa femme éveillée pour lui confesser des fautes en partie imaginaires, et à s'effondrer à genoux dans le cimetière devant tout le village assemblé, parce qu'il croit le moment venu de se débarrasser « de cette chose fade et fétide qui colle à l'âme comme à la peau, de cette crasse », et « d'offrir, de jeter à pleines mains sa joie, son innocence retrouvée [2] ». Mais le salut qu'il a entrevu en cette minute ne saurait l'atteindre, car la révélation du mal ne fait pas évanouir le mal, elle ajoute plutôt à ce monceau d'immondices que seule peut dissoudre la pitié de Dieu circulant comme une sève dans une paroisse, dans une chrétienté, dans une Église encore vivantes. La confession réduite à l'aveu, la confession sans la grâce s'épuise dans la rumination mentale, la névrose de culpabilité et la folie. Le maire, d'ailleurs, n'est pas sans le pressentir. Lorsque le curé, dans leur dernière conversation lui parle du besoin de pureté qui existe au cœur de chaque homme, de la grâce de Dieu qui fait du plus endurci un petit enfant, de la possibilité de renaître après avoir reçu l'absolution de ses péchés, le malheureux obsédé ne le comprend pas, car ces mots usés, appartenant au vocabulaire traditionnel de l'Église, n'éveillent en lui aucune image. Mais tout à coup le souvenir du vieux curé qui le menaçait jadis du feu de l'enfer fait lever dans sa mémoire un autre souvenir : « J'ai vu à Boulogne des gars en train de démolir un vieux cargo, des tôles d'acier qu'on avait repeintes des fois et des fois, avec des écailles aussi grosses que ma main – une vraie ordure! Eh bien! le type apporte son chalumeau, et voilà cette saleté de tôle qui se met à siffler et cracher comme un dragon. En un clin d'œil, vous auriez cru un soleil, elle pissait des rayons de soleil la tôle! J'aurais dû comprendre ce jour-là que l'eau ne pouvait rien sur mes misères, qu'il n'y avait rien au-dessus du feu. Le feu, c'est Dieu, que je me dis [3]. »
Mais le feu, ou cet amour de Dieu plus puissant encore dont le feu est l'image, a-t-il encore prise sur le village qui n'offre plus de voie au passage de la grâce? Si tel était le cas la « paroisse morte » serait l'enfer, et on pourrait croire qu'elle l'est réellement, tant l'idée même de conversion y paraît inconcevable, si Bernanos n'y

1. *Pl.*, p. 1440.
2. *Ibid.*, p. 1496-1497.
3. *Ibid.*, p. 1522.

avait pas ménagé une place, si infime soit-elle, pour l'espérance. Cette part de l'espérance, elle réside d'abord dans la nostalgie de la pureté qu'Arsène n'est pas le seul à ressentir : « Ils n'ont tous au fond qu'un désir, allez, dit le curé, un désir, qui va s'exaspérant avec l'âge, les infirmités, les maladies – et ils ont beau lui donner des noms, des noms qui ménagent leur orgueil – ils désirent être délivrés de leurs péchés, voilà tout[1]... » Cette nostalgie met en échec les efforts que déploient les techniciens du monde moderne pour réconcilier l'homme avec lui-même au prix d'une lâche résignation :

> Il vous plaît, dit le curé au docteur, de reconnaître dans la sourde révolte contre le désir, la crainte entretenue depuis tant de siècles par les religions, servantes sournoises du législateur et du juge. Mais l'amour de la pureté, voilà le mystère! L'amour chez les plus nobles, et chez les autres la tristesse, le regret, l'indéfinissable et poignante amertume plus chère au débauché que la souillure elle-même[2].

Mais la nostalgie ne suffit pas plus que l'aveu à régénérer le monde, et le curé lui-même n'exclut pas l'hypothèse d'une fermeture totale et définitive de l'humanité à ce souvenir du « Royaume perdu de la Joie » qui la préserve de sombrer dans l'abrutissement des mécaniques : « Le proche avenir, dit-il au docteur, se chargera de nous départager. »

S'il est un point par où la grâce qui purifie et qui régénère semble pouvoir entrer encore dans le monde perdu de la « paroisse morte », c'est du côté de Philippe qu'il faut le chercher. La véritable antithèse de la pourriture n'est pas le besoin de pureté, qui suppose souvent, chez celui qui le ressent, d'obscures complaisances envers son mal, mais la jeunesse. Non que celle-ci soit plus pieuse que les âges suivants – « je me méfie de Dieu », dit Steeny – ni moins portée vers le mal. Mais il y a en elle une santé naturelle, un pouvoir de rebondissement, un goût pour le risque, qui la préservent, même dans ses fautes, des fermentations du vice ou de l'ennui. « L'enfance est le sel de la terre. Qu'elle s'affadisse, et le monde ne sera bientôt que pourriture et gangrène[3] », proclame, en connaisseur, M. Ouine. Et plus énergiquement encore Malvina : « Le monde est en train de pourrir par les vieux[4]. » C'est justement parce qu'il subodore

---

1. *Pl.*, p. 1469.
2. *Ibid.*, p. 1526.
3. *Ibid.*, p. 1492.
4. *Ibid.*, p. 1511. Cf. l'étude de Sœur RAYMOND-MARIE, *L'enfant, présence de choc*, dans *Ét.*, n° 5.

dans la jeunesse cette incorruptibilité qui lui est à jamais refusée que M. Ouine a tant besoin de son contact : « Une vraie jeunesse, dit-il à Philippe, est aussi rare que le génie, ou peut-être ce génie même, un défi à l'ordre du monde, à ses lois, un blasphème. Un blasphème. La Nature qui tire parti de tout, ainsi qu'une ménagère horrible, la couve d'une haine vigilante, entrouvre amoureusement ses charniers. Mais la jeunesse saute par-dessus, s'envole... Quand tout s'altère, se corrompt, retourne à la boue originelle, la jeunesse seule peut mourir, connaît la mort[1]. » Rapprochement qui peut surprendre, mais qui souligne à merveille cette intégrité et cette intensité de la jeunesse, qui ne peut être que frappée de plein fouet, qu'atteinte en plein vol. De même que l'idée de la mort, dont ils sont pleins, fait, selon Malvina, pourrir les vieux, la plénitude de vie et de rêve, dont il fait l'expérience dans les premières pages du roman, amène Philippe à penser à la mort non seulement sans crainte[2], mais avec une sorte d'attente émerveillée :

> La pensée lui revenait sans cesse d'une vie toute neuve, toute brillante, intacte – intacte, immaculée – miraculeusement remise entre ses mains, à son bon plaisir, et que la plus légère caresse, le moindre attouchement souillerait pour jamais, jusqu'à ce que l'image de la mort, d'une mort aussi différente que possible de celle qu'il avait jadis rêvée, l'image radieuse de la mort éclatât d'elle-même, à la cime de sa joie[3].

Sans doute cette jeunesse ivre de sa pureté et qui en vient à souhaiter la mort pour préserver l'extase de l'instant unique n'est-elle pas la grâce ; sans doute peut-elle même pousser Philippe à refuser la grâce et à tâter des noirs breuvages que lui offre M. Ouine. Mais par elle et en elle une part de cet univers est encore soustraite à la fatalité des décompositions et des pourritures.

La dernière expérience dont il nous reste à parler révèle non seulement, comme celles qui précèdent, la présence et l'action du mal, mais encore, de la manière la moins inadéquate qu'il est possible, sa nature même. Cette expérience est celle du vide, de l'absence, de la non-participation, et on a déjà compris que M. Ouine en est le centre.

Que le personnage ait été conçu, au départ, comme une sorte de caricature d'André Gide, et que son nom même évoque la per-

1. *Pl.*, p. 1369.
2. « Jamais la mort ne m'a fait moins peur que ce soir » (p. 1365).
3. *Pl.*, p. 1409-1410.

sonnalité protéiforme du grand écrivain, sa tendance à se complaire
simultanément ou successivement dans le oui et dans le non[1],
cela importe assez peu en somme. Le professeur de langues ressemble
certes par plus d'un trait de caractère et de langage à l'auteur de
L'Immoraliste : son amitié suspecte pour la jeunesse, l'avidité insatiable avec laquelle il s'est repu de toutes les nourritures terrestres, le
conseil qu'il donne à son disciple d'aller jusqu'au bout de lui-même,
le style même des exhortations qu'il lui prodigue (« Ah! Philippe
[...], souhaitez de connaître la pitié, avant que l'expérience du
dégoût en ait empoisonné la source[2]! », etc...). Mais s'il s'était
contenté d'accumuler des traits de ce genre, Bernanos n'aurait sans
doute réussi à créer qu'une sorte de Saint-Marin supérieur. Son
projet de satire s'est bien vite estompé pour faire place à une entreprise autrement difficile : inventer un personnage qui incarne non
seulement le mensonge et l'imposture, comme son nom pourrait le
faire croire, mais le néant lui-même.

Incarner le néant, l'expression est tellement contradictoire
qu'elle nous oblige à poser une question à laquelle nous ne pourrons
peut-être pas donner de réponse satisfaisante : M. Ouine est-il un
vrai personnage ou un mythe? Autrement dit, Bernanos le considère-t-il comme un être doté d'un psychisme humain, d'une histoire,
d'une âme à sauver ou à perdre, ou bien est-ce une création dont
la signification l'emporte sur la réalité, et qui n'est introduite dans
le monde romanesque que pour permettre d'établir les coordonnées
métaphysiques d'une situation humaine? Selon qu'on penche pour
l'une ou pour l'autre hypothèse, on donnera de *M. Ouine* une interprétation différente, et pourtant il est difficile de faire un choix,
car Bernanos a visiblement hésité entre les deux conceptions.

Il ne fait pas de doute que le personnage de M. Ouine semble,
par certains de ses traits, placé non seulement au-dessus de la
nature humaine, mais en marge de la réalité. Philippe ne donne-t-il
pas de lui la meilleure définition lorsqu'il dit à Guillaume : « L'épatant, c'est qu'on peut l'imaginer dans n'importe quelle conjoncture
vraie ou fausse, vulgaire ou inouï, tragique ou comique, absurde
– il se prête à tout, il se prête à tous les rêves[3] »? Cette existence
marginale – si conforme au caractère onirique du roman – rend
vaines, comme nous l'avons vu, les questions qu'on se pose normale-

---

1. Cette explication (Ouine = Oui-Non) est d'ailleurs loin d'épuiser
la géniale trouvaille onomastique de Bernanos. La terminaison féminine
ajoute au nom on ne sait quoi de fuyant, de cauteleux, d'inachevé, et le
rend tout proche de « fouine ».
2. *Pl.*, p. 1362.
3. *Ibid.*, p. 1384.

ment sur sa culpabilité dans l'assassinat du petit vacher, et explique l'extraordinaire pouvoir qu'il exerce sur les êtres sans user d'initiative ni manifester de volonté : « Nous le haïssons comme la mort, dit Jambe-de-Laine. Hélas ! il a tant besoin d'être protégé, servi : sa naïveté est extraordinaire, passe toute mesure. Il ne fait rien par lui-même, aussi désarmé qu'un enfant. Servi, voilà le mot. Aveuglément servi – honoré, servi à l'égal d'un dieu. Son caprice dispose de nous. Car, pour sa volonté, n'en parlons pas. Il n'a pas plus de volonté qu'un enfant. » Et Philippe lui ayant objecté qu'elle ne le servirait pas si elle ne l'aimait pas : « Dieu ! l'aimer ! Mais, mon ange, quiconque l'approche n'a justement plus besoin d'aimer, quelle paix, quel silence ! L'aimer ? Je vais vous dire, mon cœur : comme d'autres rayonnent, échauffent, notre ami absorbe tout rayonnement, toute chaleur. Le génie de M. Ouine, voyez-vous, c'est le froid. Dans ce froid, l'âme repose[1]. » Le héros lui-même évoque, durant son agonie, cette manière d'agir sur les hommes en restant pour ainsi dire toujours dans la coulisse, et il ne manque pas de souligner, lui aussi, ce qu'il y a de surhumain (« je me donnais ce passe-temps de Dieu […] ce sont bien là les amusements d'un Dieu ») dans une telle attitude. On dira peut-être que ces traits de M. Ouine nous sont révélés par les divagations d'une folle et par les visions d'un enfant ivre, puisque toute la dernière scène ne s'est probablement déroulée que dans l'imagination de Philippe. Mais n'est-ce pas une preuve supplémentaire du caractère mythique du personnage que cette nécessité où se trouve Bernanos de décoller de la réalité lorsqu'il veut nous faire mesurer les vraies dimensions de son héros ? Comme le note Claude-Edmonde Magny, M. Ouine est toujours présenté indirectement et « comme dérobé par le geste même qui le montre », vu à travers les propos des autres, ou à travers ses propres paroles « qui le masquent plus sûrement que le silence ». La technique même de sa présentation contribue ainsi à en faire autre chose qu'un personnage coïncidant strictement avec « l'ici » et le « maintenant » de l'existence et nous invite à voir en lui une sorte de catalyseur idéal permettant au romancier d'activer toutes les réactions qui signalent la présence du mal dans l'homme.

Et pourtant, il est évident que Bernanos n'a pas voulu aller uniquement dans cette direction. Contrairement à ce qu'affirme Claude-Edmonde Magny, il y a un passage où M. Ouine est présenté directement, vu de l'intérieur, et c'est d'autant plus remarquable que Bernanos a renoncé presque complètement, dans ce livre, à cette vision par le dedans dont il avait abusé dans ses romans

1. *Pl.*, p. 1423.

antérieurs. Ce passage est celui qui suit immédiatement son entrevue avec le curé et qui nous le montre saisi par le froid, puis assis sur une pierre du petit pont, pensant à sa mort prochaine, à son impuissance devant toute réunion d'hommes, et à ce moment si troublant de son passé où il a fait l'expérience du mensonge jusque dans sa chair. Le voilà donc lesté d'une histoire, doté d'une intériorité, encombré d'une âme dont nous sommes bien obligés de nous demander ce qu'elle va devenir au moment de sa mort. Devons-nous croire que son destin est scellé d'avance, qu'il est le seul personnage de Bernanos irrémédiablement perdu ? Comme il le dit lui-même : « Non pas absous ni condamné, notez bien : perdu – oui, perdu, égaré, hors d'atteinte, hors de cause[1]. » Nous ne saurions nous satisfaire de la manière dont Gaëtan Picon justifie cette exception : « Ouine, justement, n'est pas une créature vivante : il est un mythe, l'incarnation du Rien[2]. » Car le passage auquel nous venons de faire allusion devient alors injustifiable. Claude-Edmonde Magny paraît être plus près de la vérité lorsqu'elle déclare que d'aucun des personnages de Bernanos, « si désespéré ou si endurci qu'il semble on n'oserait affirmer qu'il soit damné (bien moins encore qu'il ait été prédestiné à cette damnation) [...] même pas M. Ouine, qui pourrait pourtant bien être le Malin en personne[3] ». Et cependant il semble qu'elle ait tort de placer *M. Ouine* sur le même plan de réalité que les autres romans de Bernanos et de chercher à y lire aussi, *historiquement,* le drame du salut et de la rédemption de l'humanité.

A mon sens, la contradiction entre le mythe et l'histoire dans *M. Ouine* est absolument insoluble parce qu'elle exprime deux exigences opposées que Bernanos veut à toute force maintenir. L'une consiste, comme le dit admirablement Claude-Edmonde Magny, à « montrer le mal en lui laissant son essence de mystère, faire paraître ce qui n'*'est pas'* sans avoir recours au merveilleux », et dans ce sens il faut que M. Ouine se borne à être le support de ce vide, le révélateur de cette absence. Mais l'autre exigence, tout aussi impérieuse, consiste à représenter ce même mal comme l'objet d'une expérience aussi concrète, aussi charnelle que possible, ainsi que nous avons essayé de le montrer dans la plus grande partie de ce chapitre, et pour cela, il faut que M. Ouine compense par l'intensité de sa présence, par l'obsédante pesanteur de son « être-là », ce qu'il pourrait y avoir de trop évanescent dans sa figure.

1. *Pl.,* p. 1557.
2. *Pl.,* Introduction, p. xxv.
3. Article cité, p. 111.

Dirons-nous que ces exigences contradictoires se trouveraient conciliées si l'on admettait que M. Ouine est, pour Bernanos, le Diable lui-même, le diable personnel de la tradition chrétienne et non le mythe romantique du mal? Il faut reconnaître que cette interprétation est la seule qui permette de lui conserver sa grandeur surhumaine sans porter atteinte à son statut de personnage, et l'on ne peut certes pas manquer de rapprocher beaucoup de ses traits de ceux qu'on attribue communément au Malin. Mieux encore, ce que le curé de Fenouille dit du diable et de l'enfer au cours de son sermon s'applique si exactement à M. Ouine qu'il est difficile de voir dans cette rencontre une pure coïncidence. « L'enfer, c'est le froid », dit-il, et nous songeons aussitôt à ce « génie du froid » que Jambe-de-Laine a reconnu dans son hôte. « D'ici la fin du monde, il faudra que le pécheur pêche seul... Le diable, voyez-vous, c'est l'ami qui ne reste jamais jusqu'au bout », dit le curé, et nous songeons à la nature particulière de l'« amitié » de M. Ouine pour Philippe, qui reste seul après sa rencontre avec le maître : « M. Ouine est le premier qui soit entré dans cette solitude sans la briser [1]. » Enfin, nous ne pouvons pas nous empêcher de rapprocher la présence de M. Ouine dans le village de cette prophétie du curé : « Si la dernière paroisse mourait par impossible, il n'y aurait plus d'Église, ni grande ni petite, plus de rédemption, plus rien – Satan aurait visité son peuple [2]. » Et pourtant, identifier M. Ouine à Satan, c'est se heurter aux difficultés que nous avons déjà rencontrées. Si M. Ouine est Satan « en personne », peut-il avoir des souvenirs, une histoire, une enfance? On songerait plutôt à un être humain dont Satan a pris possession de très bonne heure : « Une manière de prêtre de Satan, écrit Albert Béguin, et la figure inversée des prêtres de Dieu auxquels, dans ses autres œuvres, Bernanos a confié sa propre âme [3]. » J'oserai, pour ma part, aller plus loin et dire : une incarnation terrestre, pleinement humaine et pleinement satanique de Satan, comme le Christ est une incarnation terrestre, pleinement humaine et pleinement divine de Dieu, un anti-Christ infernal. Sa mort n'est pas seulement, comme l'écrit Urs von Balthasar, « une descente aux enfers [4] », mais une véritable Passion, l'accomplissement d'une mission, la consommation visible d'une action sacrée : l'absorption d'une âme humaine par le Néant.

1. *Pl.*, p. 1420.
2. *Ibid.*, p. 1488.
3. *Ouine*, p. 315. On songe en particulier au moment où M. Ouine dit au curé : « Il n'y a ici que vous et moi qui nous intéressions aux âmes » (*Pl.*, p. 1466).
4. *Balthasar*, p. 339.

L'admirable est que Bernanos ait réussi à incarner le mal, à rendre Satan visible et présent en évitant les inconvénients du fantastique qui nous sont apparus lorsque nous analysions *Sous le Soleil de Satan*. Révéler le mal dans son essence la plus intime, qui est absence et néant, sans renoncer à en faire l'objet d'une expérience humaine, d'un contact existentiel, représenter Satan à la fois comme séparé d'avec l'être, privé d'être, et comme agissant sur l'homme, telles étaient les données du problème. Il était certes impossible de le résoudre parfaitement, mais Bernanos s'est approché au plus près de la solution idéale en faisant appel aux images qui suggèrent le mieux cette intuition du néant : celles qui impliquent une expérience du vide.

Là où il passe, M. Ouine fait le vide. Sa présence a un mystérieux pouvoir désagrégateur que l'image de la pourriture exprime encore imparfaitement, car toute désagrégation laisse un résidu, alors que là où M. Ouine a passé il n'y a plus rien :

> M. Ouine, dit Philippe, peut parler de n'importe quoi, des choses les plus simples (parfois même vous le croiriez naïf, ou même bête, et il ne le fait pas exprès). Oui, la chose la plus simple, dans sa bouche, on ne la reconnaît plus. Ainsi, par exemple, il ne dit jamais de mal de personne, et il est très bon, très indulgent. Mais on voit au fond de ses yeux je ne sais quoi qui fait comprendre le ridicule des gens. Et ce ridicule ôté, ils n'intéressent plus, ils sont vides. La vie aussi est vide. Une grande maison vide, où chacun entre à son tour. A travers les murs, vous entendez le piétinement de ceux qui vont entrer, de ceux qui sortent. Mais ils ne se rencontrent jamais. Vos pas sonnent dans les couloirs, et si vous parlez, vous croyez entendre la réponse. C'est l'écho de vos paroles, rien de plus. Lorsque vous vous trouvez brusquement en face de quelqu'un, il n'y a qu'à regarder d'un peu près, vous reconnaissez votre propre image au fond d'une de ces glaces usées, verdies, sous une crasse de poussière, pareilles à celles qui sont ici [1]...

M. Ouine, lorsqu'il parle de son action, ne la décrit pas autrement. Il insiste seulement davantage sur ce qu'il y avait de médiocre, de mensonger, d'emprunté, dans les apparences qu'il dissipe, si bien qu'il se glorifie de révéler aux hommes leur néant et de les délivrer des honteux subterfuges par lesquels ils essaient de se le masquer :

> J'ai protégé ces gens contre eux-mêmes, dit-il à Philippe à propos des habitants du château, jugez s'ils me sont connus! Pas une encoignure de ces chambres qui ne me rappelle un effort, une lutte,

1. *Pl.*, p. 1534.

ou quelque piteux mensonge écrasé par hasard, ainsi qu'un insecte.
A présent, la besogne est faite, hélas! – plus rien à tuer. Leurs pauvres secrets traînent partout. Oh! notez bien, ça leur est égal, ils vont
et viennent comme jadis, répètent indéfiniment les mêmes fables,
oublient que la cachette est vide [1].

Telle est encore, au moment de son agonie, l'action qu'il s'attribue sur les âmes, dans lesquelles il a pénétré, comme dans de
petites maisons toutes semblables :

> Je couvais du regard tout ce que ces sortes de maisons offrent inno-
> cemment à l'étranger, au passant – maisons sans âme, âmes sans
> nom – leur ridicule confort, les napperons brodés, les photographies
> pendues au mur [...] oui, je forçais du regard toutes les humbles
> défenses à l'abri desquelles la médiocrité se consomme tranquille-
> ment elle-même [...]. D'une pâte vulgaire, j'ai fait une bulle de
> savon – plus légère, plus impalpable – ces gros doigts que vous voyez
> là ont réussi cette merveille [2].

Pour vider ces âmes de leur substance, il a suffi à M. Ouine de
les contempler d'un regard curieux, d'un regard sans amour. Ce que
Bernanos écrit à ce sujet nous fait songer par bien des traits à
l'analyse sartrienne du regard [3]. Le regard de M. Ouine, comme celui
de l'Autre, d'après Jean-Paul Sartre, s'insinue dans la conscience
de celui qu'il contemple pour désintégrer son univers, pour détruire
la signification des éléments qui le composent en les faisant passer
dans un univers étranger. Comme M. Ouine, le « voyeur » sartrien
n'a pas besoin d'intervenir dans ma vie pour agir sur elle, car en me
regardant d'une certaine façon, il m'oblige à me voir avec ses propres
yeux, à me transformer en objet, à me vider de ma liberté. Mais
Bernanos envisage – avec raison, à notre sens – comme un cas
limite, ce qui est pour J.-P. Sartre le type même de la relation
interhumaine. En effet, le regard de M. Ouine est celui d'un être
capable de tout prendre sans rien donner, d'un observateur *non
engagé* dans le monde où il va chercher ses victimes. Que Bernanos,
ainsi que le suggère Albert Béguin, ait imaginé ce type d'expérience
en donnant des proportions monstrueuses à la tentation qu'il éprou-

1. *Pl.*, p. 1364.
2. *Ibid.*, p. 1558-1559.
3. Toute la tirade de M. Ouine dont je viens de citer un extrait rappelle
Jean-Paul Sartre à la fois par son contenu, par son mouvement et par son
style. On peut se demander si Bernanos, au Brésil, n'avait pas lu *La Nausée*
(publiée en 1938) avant de l'écrire. Notre analyse rencontre sur beaucoup
de points celle de Brian T. Fitch (*Ét.*, n° 6). Toutefois celui-ci ne soulève
pas l'hypothèse d'une lecture de la *Nausée* par Bernanos.

vait lui-même comme écrivain « amateur d'âmes », rien de plus plausible[1]. Mais il est évident que pareil désengagement ne se rencontre jamais, car même l'écrivain le plus dépourvu de compassion et de charité fait partie du même monde que ceux qu'il observe, dépend d'eux en quelque manière, fût-ce par les liens de l'envie ou de la haine, et ne peut donc pas les observer sans être modifié lui-même par le regard dont il les enveloppe.

La force désagrégatrice de la curiosité explique d'une manière assez satisfaisante l'étrange causalité en vertu de laquelle M. Ouine transforme le milieu où il vit en s'abstenant toujours d'y intervenir activement. Mais cette causalité même ne saurait tout expliquer. Disons d'une manière plus générale qu'il y a une sorte de connivence entre le vide dont M. Ouine a le secret et celui qui tend à s'établir partout où la présence de Dieu est refusée. « Que suis-je parmi vous ? demande le curé à ses paroissiens. Un cœur qui bat hors du corps, avez-vous vu ça, vous autres ? Hé bien! je suis ce cœur-là, mes amis. Un cœur, rappelez-vous, c'est comme une pompe qui brasse le sang. Moi je bats tant que je peux, seulement le sang ne vient plus, le cœur n'aspire et ne refoule que du vent[2]. »

Ce vide qui s'établit peu à peu au cœur des choses, et que la présence d'un M. Ouine souligne et active, se manifeste à la conscience des hommes – mais d'une manière physique, encore une fois, viscérale – par le rire. Dans la scène où le vide de la paroisse morte se révèle d'une manière d'autant plus dramatique qu'elle est là tout entière rassemblée il éclate à plusieurs reprises : rire d'Arsène, pendant le sermon du curé, « qui ressemblait moins à un rire qu'à la convulsion d'une attente avide, une énorme aspiration de tout le visage enflammé[3] » ; rire de la foule, ressemblant « au claquement de cinq cents mandibules affamées[4] », lorsque le curé glisse au bord du trou ; « rire énorme » enfin, qui répond au cri de vengeance de Jambe-de-Laine. Mais si le rire de la foule révèle l'état désespéré d'une paroisse qui, pour ainsi dire, « sonne creux », le rire de Philippe qui éclate aussi à plusieurs reprises au début et à la fin du roman[5], est la réaction de défense d'un être encore plein de santé en face d'un personnage qui n'est pas moins vide que le village au cœur duquel il s'est installé.

Car si M. Ouine exerce un tel pouvoir, il est lui-même soumis à l'action dévorante de ce néant dont il est le serviteur, et c'est dans

1. Cf. *Béguin*, p. 79.
2. *Pl.*, p. 1485.
3. *Ibid.*, p. 1488.
4. *Ibid.*, p. 1493.
5. Cf. p. 1368, 1370, 1375, 1532.

ce sens que nous avons pu parler d'une véritable passion. Il faudrait citer toute la scène de l'agonie pour montrer comment s'impose peu à peu à lui l'idée que cette avidité, cette faim, cette aspiration énorme qui faisaient sa force et lui permettaient de vider autrui de tous ses secrets l'ont si parfaitement vidé lui-même qu'il ne lui reste rien à cacher, rien à regretter, rien à *être*. D'image en image, Bernanos approfondit et précise cette intuition d'un être si totalement possédé par le néant qu'il s'exténue, se dévore, s'anéantit lui-même. C'est d'abord l'image de la bouteille vide, à propos de laquelle Philippe a inventé une sorte de petit apologue philosophique : « – Je suis vide, moi aussi, dit M. Ouine [...]. Je me vois maintenant jusqu'au fond, rien n'arrête ma vue, aucun obstacle. Il n'y a rien. Retenez ce mot : rien[1] ! » Vient ensuite l'image de l'orifice, de la gueule, de l'outre béante : « Ç'aurait été un grand travail que de me remplir, et ce travail n'est même pas encore entrepris. Vainement me suis-je ouvert, dilaté, je n'étais qu'orifice, aspiration, engloutissement, corps et âme, béant de toutes parts [...]. Je désirais, je m'enflais de désir au lieu de rassasier ma faim, je ne m'incorporais nulle substance, ni bien, ni mal, mon âme n'est qu'une outre pleine de vent. Et voilà maintenant, jeune homme, qu'elle m'aspire à mon tour, je me sens fondre et disparaître dans cette gueule vorace, elle ramollit jusqu'à mes os[2]. » Puis l'image, que nous avons déjà rencontrée, du vin trop vieux qui ronge le bouchon et le cristal de la bouteille, pour expliquer l'évaporation de tout secret, l'évanouissement de tout remords et l'appétit d'une nouvelle enfance, qui seule pourrait rendre une intériorité intacte à une vie tout entière répandue vers l'extérieur. Puis les images se précipitent, se télescopent : M. Ouine se voit comme une armoire à poisons dont la clef est perdue, dont la porte est ouverte, dont les poisons sont dilués dans l'air, et au lieu de poison il n'y a plus que de l'eau. « De l'eau... de l'eau pure [...]. Non pas pure – insipide, incolore, sans fraîcheur ni chaleur [...] intacte, inaltérable, polie comme un miroir de diamant. » Cette dernière image en appelle une autre. M. Ouine n'a rien gravé sur sa vie. A-t-il seulement inscrit un mot, une syllabe, une ligne sur celle d'autrui ? Puis, après l'extraordinaire tirade sur la curiosité dont il est, littéralement, dévoré, l'image d'une chute, d'un engloutissement au sein de lui-même, au sein de son âme, qui ne lui laisse aucun espoir de salut : « Sans doute a-t-elle achevé de m'engloutir ? Je suis tombé en elle, jeune homme, de la manière dont les élus tombent en Dieu. Nul ne se soucie de me demander

1. *Pl.*, p. 1550.
2. *Ibid.*, p. 1551-1552.

compte d'elle, elle ne peut rendre compte de moi, elle m'ignore, elle ne sait même plus mon nom. De n'importe quelle autre geôle, je pourrais m'échapper, ne fût-ce que par le désir. Je suis précisément tombé là où aucun jugement ne peut m'atteindre. Je rentre en moi-même pour toujours, mon enfant. » Et, pour finir, ces toutes dernières paroles qui contiennent encore une image frappante du vide : « Rentrer en soi-même n'est pas un jeu, mon garçon. Il ne m'en aurait pas plus coûté de rentrer dans le ventre qui m'a fait, je me suis retourné, positivement, j'ai fait de mon envers l'endroit, je me suis retourné comme un gant. »

Jamais sans doute le génie des images – de ces images que Bernanos se promettait de jeter par escadrons dans ses livres –, jamais sa logique profonde de « dormeur éveillé » ne lui ont permis de s'approcher si près de l'indicible, de décrire d'une manière aussi saisissante le négatif du monde spirituel dans lequel il vit. L'agonie de M. Ouine est l'image renversée – et par là-même ressemblante, et par là-même dangereuse comme un miroir trompeur – de l'agonie qu'il souhaite pour lui-même. Tomber en Dieu ou tomber en soi-même, avouer ses péchés ou laisser échapper ses secrets, se convertir ou se retourner, il y a une distance infinie et pourtant une sorte de parenté entre ces attitudes, dont les unes sont dictées par l'espérance de participer à la plénitude de l'être et les autres par le désespoir d'être habité par le néant. Toute la vie de Bernanos a été, d'une certaine manière, une attente de l'heure où il faudra faire ce choix, livrer ce combat, affronter ce risque. Au moment où il met le pied sur la terre française, il ne lui reste plus beaucoup de temps pour s'y préparer. Mais les trois années qu'il a encore à vivre contribueront pour beaucoup à faire de lui un témoin et un compagnon de la Sainte Agonie.

Chapitre XIV

« La mort si difficile... et si facile... »

Trois ans séparent, très exactement, le retour de Bernanos en France de sa mort. Ces trois années sont peut-être les plus sombres de son existence. Non qu'il connaisse à nouveau les difficultés financières des années 30. Il retrouve dès son arrivée un public fidèle et fervent, plein de reconnaissance pour les messages d'espoir qu'il a prodigués depuis l'exil ; les journaux se disputent ses déclarations ; on l'invite à faire des conférences en France et à l'étranger, on le presse d'accepter des distinctions qu'il décline : légion d'honneur, élection à l'Académie. Mais la diminution des soucis matériels ne fait que rendre plus sensible la gravité des souffrances morales dans lesquelles le plonge le spectacle de son pays malade d'une défaite, de quatre ans d'occupation, et d'une libération qui n'est pas une victoire.

Faut-il parler d'une déception? Bien avant son départ, nous l'avons dit, il avait discerné, malgré la distance ou à cause d'elle, tout ce qui risquait de faire de cet après-guerre une période aussi abjecte à ses yeux que l'autre. Aussi est-ce avec beaucoup d'appréhension qu'il revenait vers le pays qu'il avait quitté sept ans plus tôt. André Rousseaux, qui l'a vu à Londres le 27 juin 1945, le lendemain de son arrivée en Europe, nous a laissé là-dessus un témoignage des plus significatifs. L'éminent critique, après avoir fait, à l'Institut français, une conférence où il mettait les maquisards en parallèle avec Péguy et proclamait sa foi en l'avenir, avait brossé, seul à seul avec Bernanos, un tableau moins enthousiaste de la situation et ne lui avait pas dissimulé ses craintes encore confuses. « Je revois Bernanos en face de moi, à la table du restaurant où nous dînâmes le soir, près de Buckingham. 'Je m'en doutais, murmurait-il, je m'en doutais.' Il disait ces mots à mi-voix, comme sous le poids d'une affreuse lassitude. La grande colère qui se déchaînerait quelques semaines plus tard, et qui devait tonner jusqu'à sa mort, n'avait pas encore éclaté. Mais c'est vrai qu'il avait déjà discerné profondément ce qui ne donnait alors à un très petit nombre de Français qu'un obscur malaise[1]. »

1. *Démission de la France*, dans *C. R.*, p. 321.

Une grande colère... Telle nous apparaît en effet la vie de Bernanos
durant ces trois dernières années, non seulement d'après ses écrits
politiques, mais aussi d'après le témoignage de tous ceux qui l'ont
approché. Un nom, un mot, le rappel d'un fait, une omission,
une restriction le font entrer en transes. Il se déchaîne avec une
violence inouïe, à temps et à contretemps. Comme un voyageur
assiégé de fantômes il frappe tout autour de lui – presque au hasard,
dirait-on parfois. « C'était un homme impressionnant dans tous les
sens du mot, a déclaré Albert Béguin dans un entretien à la radio
de Montréal ; il était impressionnant, parfois terrifiant, quand se
déchaînaient ses colères, qui pouvaient être à propos d'un événement
politique, d'un article de journal qu'il avait sous les yeux, d'un propos
que quelqu'un tenait, ou qui pouvaient être déclenchées par rien
du tout, parce que, à ce moment-là, ça montait en lui! Ses colères
étaient irrésistibles et, à ce moment-là, il inventait un vocabulaire
de l'injure, tombant généralement sur son interlocuteur avec des
yeux qui devenaient de flamme, on ne pouvait pas tenir vis-à-vis
de lui! il n'y avait pas moyen de le regarder! on avait l'impression
que des épées partaient de ses yeux[1]! »

Les souvenirs très précis et très vivants qu'a gardés André
Laugier d'une première visite à Bernanos, le 28 mars 1946, nous
permettent de nous représenter ce qu'étaient ces soudaines montées
de la colère chez le vieux lutteur. Son visiteur lui ayant présenté
un cahier de coupures de presse : « Il se met à feuilleter attentivement,
mais tout à coup son visage se rembrunit, un éclair passe dans ses
yeux. Sous la plume d'un de ses amis, il vient de lire : 'Les communistes à tort ou à raison...' Sa voix tonne : 'Qu'est-ce que ça
veut dire? Ou ils ont tort, ou ils ont raison. Ah! celui-là aussi...'
J'essaie bien en vain de prendre la défense de l'accusé... On n'arrête
pas un torrent gonflé par l'orage ; Sancho Pança sans le savoir,
j'ai mis en selle le Don Quichotte intransigeant qui sommeille en
Bernanos ; le voici furieusement lancé dans une effrayante che-
vauchée où je m'essouffle à le suivre : Académiciens, Gens de Lettres,
Généraux, Ministres, Chefs d'École, Chefs d'État, Partis, hommes
d'Église... sa foudre s'abat sur tous, impitoyable[2]. » Que son jeune
interlocuteur proteste timidement lorsqu'il proclame qu'on ne peut
plus vivre en France, qu'il lui dise que certains attendent de lui un
message plus constructif ou bien, simplement, que la conversation
s'oriente vers le « pitoyable XXᵉ siècle » ou le marché noir, aussitôt
Bernanos éclate, tonne, foudroie le contradicteur réel ou imaginaire.

1. *Bul.*, nᵒ 31, p. 6.
2. *Première rencontre*, dans *C. R.*, p. 309.

Les amis qui l'ont fréquenté à cette époque ne comptent pas les exécutions sommaires, les jugements définitifs, les anathèmes pittoresques qu'ils ont entendus tomber de sa bouche. Henri Guillemin a bien voulu nous communiquer quelques-uns de ces « Bernanosiana » qu'il a notés en septembre 1946. Les catholiques de gauche : « Ils me dégoûtent! Ils me font vomir [...]. Des Tartufes! Ils gémissent sur la mauvaise conduite des catholiques autrefois, pendant l'affaire Dreyfus, par exemple ; et maintenant qu'il y a ces horreurs sans nom, du fait des Russes, et des communistes, et le martyre du colonel Passy, ils se taisent! ah! ils ont la bouche bien cousue là-dessus. » La Résistance : « Ce bluff, cette sinistre comédie. – Combien étaient-ils? Une poignée! Et maintenant, tout le monde en fait partie. » Claudel : « Ah! si seulement c'était les femmes, sa passion! mais non! c'est la galette! » Encore Claudel, à propos de sa conversion : « Il était derrière un pilier de Notre-Dame? Allons, ce pharisien aura été, au moins une fois dans sa vie, derrière quelque chose, et pas en avant, pour qu'on l'y voie bien! [...]. Le Bon Dieu devrait bien modérer sa production de convertis. »

Ne nous y trompons pas cependant. Bernanos n'était pas esclave de ses emportements. Il y avait en lui du comédien : capable de se prendre à son jeu, certes, et oubliant tout dans le moment où il se laissait remplir par la colère, mais capable aussi de retrouver presque instantanément la paix lorsque la colère l'avait vidé de son trop-plein d'énergie, ou l'orsqu'il sentait, à l'attitude de l'interlocuteur, qu'elle manquait son effet. Le témoignage d'André Laugier contient également, à cet égard, des indications savoureuses. Après avoir relaté la première sortie de son hôte, il note : « Son ivresse reste d'ailleurs très lucide. Au moment où l'une de ses filles entre dans la pièce et me retient de vive force à déjeuner, l'orage a cessé. Bernanos est en train de me lire une lettre. Dans une langue magnifique, et sur un ton dont la sérénité, après cette tempête, me surprend, il y décline l'offre, que vient de lui faire un de ses illustres confrères, d'entrer à l'Académie. »

La conversation de Bernanos apparaît ainsi comme une suite d'émotions violentes dans les registres les plus variés – indignation, mélancolie, admiration, tristesse, tendresse – auxquelles il s'abandonne, auxquelles il s'ouvre généreusement, sa puissante imagination de romancier lui permettant de revêtir chacune de ses pensées d'un corps visible, de la traduire en scènes animées, qu'il mime parfois à la grande joie de son auditoire. Ainsi à propos de l'offre qui lui a été faite d'entrer à l'Académie : « Il voit sur-le-champ, que dis-je, il vit la scène qu'il se permettrait de jouer s'il était plus jeune, ajoute-t-il malicieusement. Bicorne en tête, l'épée au côté, créant

du scandale au bistrot du coin... La Police viendrait arrêter l'éner-
gumène. Alors, comme le père Faguet : 'Pardon, messieurs, voici
ma carte...' Puis, prenant à témoin sa fille : 'Non, mais tu te rends
compte, Dominique ? Tu me vois dans nos petits trains brinque-
ballants du Brésil, mon épée sur le ventre !' Il contrefait le balance-
ment du train, prend un air faussement sérieux, puis tout à coup
éclate d'un formidable éclat de rire ! » Qu'il vienne ainsi à évoquer
la trahison de l'Angleterre par la France en 1940, la fierté d'être
Français au début du siècle, le martyre de Varsovie ou la Passion
du Christ, Bernanos semble se plonger dans une vision qu'il est
seul à contempler et qui le remplit d'un émoi communicatif.

Ces particularités de l'imagination et de la sensibilité bernanosiennes permettent de mieux comprendre des contrastes qu'on ne
saurait passer sous silence sans défigurer complètement l'homme
qu'il fut peu de temps avant sa mort. Ainsi il est bien vrai que la
colère et la tristesse imprègnent son œuvre journalistique et éclatent
à tout moment dans sa vie. Et pourtant n'allons pas croire qu'il ait
perdu cette gaieté, ce pouvoir d'accueil, cet attachement très simple
et très profond aux joies de l'existence qui plaisaient tant aux amis
de sa jeunesse : « Quand on dit qu'un homme a vécu les yeux sur la
mort, déclare Albert Béguin dans l'entretien déjà cité, quand on dit
qu'un homme a été l'homme de la violence comme l'a été Bernanos,
de la colère, de la fureur, qu'il a été constamment en proie à des
angoisses, à des angoisses tout à fait caractérisées, on imagine qu'il
n'y a eu que tragique, ou même qu'il n'y a eu que tristesse chez lui.
Or Bernanos était l'homme le plus accordé à la vie qu'il y eût, en
dehors de cela. Il avait un rire magnifique, un rire d'enfant qu'il
a gardé jusque tout à la fin, il aimait la vie, passionnément, et les
petites joies de la vie lui étaient beaucoup, puis les grandes joies
intérieures montaient en lui avec la même force que montait la
colère à d'autres moments. » Même avertissement à ceux qui seraient
tentés de ne voir en Bernanos que la tristesse et la colère chez André
Rousseaux : « Ceux qui ne l'ont pas connu ne sauront jamais combien
cet homme, qui a vécu les yeux fixés sur la mort, a paré les joies
terrestres de gentillesse et de rire loyal [1]. »

De même, le nombre et la violence des attaques contre des personnes auxquelles il s'est livré dans ses articles depuis son retour
en France risque de le faire passer pour un cœur rempli sinon de
haine et de mépris – sentiments contre lesquels nous le savons en
garde depuis de nombreuses années – du moins d'une dureté presque
inhumaine à l'égard des faiblesses de ses semblables. Or, sur ce

---

[1]. *Article cité*, p. 320-321.

point encore, les apparences sont étrangement trompeuses. Bernanos ne s'en prend aux individus que dans la mesure où il les identifie, à tort ou à raison, avec des attitudes intellectuelles ou morales derrière lesquelles ils disparaissent, réduits à l'état de symboles, voire de signes linguistiques : Francisque Gay et ses « soldats du Pape », Mounier et ses « affreux petits cancres savants d'*Esprit* » sont moins des individus de chair et d'os que des enseignes sous lesquelles Bernanos a catalogué tel type de compromis ou de démission. Si d'aventure il s'aperçoit qu'en croyant pourfendre un fantoche il a fait saigner un cœur, il en exprime ses regrets avec une humilité et une délicatesse rares chez un polémiste. La chose s'était déjà produite en 1938, lorsque Henri Guillemin lui avait écrit pour lui dire combien il trouvait injuste certain jugement sur Marc Sangnier qu'il avait lu dans *Les Grands Cimetières*. « Votre lettre, lui répondit Bernanos, m'a beaucoup ému, il m'apparaît tout à coup possible que je me sois trompé. Le personnalité de M. Sangnier – ou plutôt le langage qui l'exprime – a toujours agacé mes nerfs. Il serait honteux que je m'en sois vengé à mon insu, étourdiment, par une calomnie dont la gravité ne m'échappe plus, puisqu'elle vous a si profondément blessé. Car l'accent d'un témoignage comme le vôtre vaut toutes les preuves, ou plutôt c'est la seule qui vaille à mes yeux. Je prie l'éditeur de supprimer ce passage dans le prochain tirage, et je vous demande, si vous le jugez bon, d'exprimer mes regrets à votre ami[1]. » De même, Bernanos ayant parlé un peu légèrement, en mai 1946, du sabordage de *Sept*, et Joseph Folliet lui ayant rappelé, dans sa réponse, la gravité du drame de conscience qui avait hâté la mort du Père Bernardot, le romancier s'excusa publiquement de son écart de langage :

J'aime votre article, mon cher Folliet ; pourquoi ne pas commencer par là ? J'aime votre article parce que j'y ai reconnu tout ce que j'aime, et d'abord ce que j'ai peut-être tort d'aimer trop : le premier, l'irrésistible mouvement d'un cœur fier et fidèle. Est-ce que vous me permettez de dire que je m'y reconnais aussi un peu ? Le moins que je devais à des pages d'un tel accent, c'est d'y réfléchir. J'ai réfléchi. Je reconnais que « l'étranglement de *Sept* entre deux courants d'air, dans un corridor noir, par un fantôme inconnu » ne devait pas prêter à sourire, et que j'ai tort d'avoir souri. Je vous

---

1. Lettre du 8 juin 1938, *Bul.*, nº 30, p. 15. Bernanos écrivit le même jour à Belperron pour demander la suppression du passage (*ibid.*, p. 16). Mais l'ordre ne fut pas exécuté et les phrases malheureuses sur Sangnier ne furent pas éliminées des tirages suivants, où elles figurent toujours p. 318. Entre-temps, Bernanos était parti pour l'Amérique.

demande sincèrement pardon de cette étourderie, et je voudrais
qu'il m'en coûtât plus de vous le demander[1].

La vérité est que, comme l'écrit François Mauriac, qui eut,
durant cette période, maintes fois à souffrir de ses agressions, « les
invectives de Bernanos demeurent liées à une nappe souterraine
de charité qui a baigné et embrasé toute sa vie ». Chaque fois qu'il
était en présence d'un homme et non d'une idée incarnée, il savait
trouver d'instinct les paroles et les gestes qu'il fallait pour que cet
homme se sentît enveloppé de bonté et de compréhension. De cette
disponibilité à autrui, même dans les périodes les plus sombres, on
trouvera de multiples preuves dans les lettres qu'il adressait dans
ses dernières années, à des jeunes gens comme Charreyre ou Benoît,
qui lui écrivaient pour lui demander conseil[2]. Mais c'est encore le
témoignage de ceux qui sentirent se poser sur eux ce regard attentif
et tendre qui nous en restitue le mieux la chaleur. Venu l'inviter
à faire une conférence au nom d'une association d'étudiants, André
Laugier, malgré le refus poli de Bernanos, se sent aussitôt en confiance : « Il m'écoute parler longuement, avec une telle sympathie
que j'ai bientôt l'impression de me confier à un vieil ami, attentif
et discret. » L'écrivain le retient à déjeuner puis, l'ayant rencontré
à nouveau dans la ville, il l'invite à dîner et à passer la nuit dans sa
maison, et durant toute une longue soirée, il lui parle, l'écoute,
le conseille. « Quelle surprenante attention, pour celui qui ce matin
même, n'était encore qu'un inconnu ! », note le visiteur, et comme on
le comprend de conclure : « Je n'ai pu que suggérer ici quelle
puissance de vie émanait de lui ; quelle générosité, quelle tendresse
animaient ce cœur[3] !» C'est également le mot de tendresse qui,
pour Albert Béguin, résume le mieux l'impression qui émanait de
Bernanos : « En dehors de ces instants où il était pris par les démons
de la colère, c'était un homme qui était vis-à-vis d'autrui d'une
capacité de tendresse, d'un rayonnement de tendresse que je n'ai
jamais vu à personne. Quand les yeux de Bernanos se posaient
sur un être humain, c'étaient les yeux perspicaces du romancier
qui voit jusqu'au fond des êtres, mais c'était en même temps les
yeux d'un être si pénétré d'amour que cela se voyait, cela partait
de son regard et on ne pouvait y résister[4]. »

1. *Français...*, p. 171. Cf. aussi sur cette question Joseph FOLLIET,
« Bernanos tel que je l'ai lu », *L'Herne*, p. 126-128.
2. Cf. *Bul.*, n° 4, p. 5, 9, 10 et *C. R.*, p. 57.
3. *C. R.*, p. 316-317.
4. *Bul.*, n° 31, p. 6-7.

Il faut à tout prix maintenir la personnalité de Bernanos sous cet éclairage multiple si l'on veut comprendre et apprécier à sa juste valeur son activité de journaliste politique et de polémiste entre 1945 et 1948 et ne pas la dissocier arbitrairement de son évolution intérieure. Qui se plonge aujourd'hui dans les articles réunis sous le titre de *Français si vous saviez*, ou dans les conférences reproduites sous celui de *La liberté pour quoi faire?* risque d'être frappé par le sentiment d'un décalage terrible entre la sphère dans laquelle Bernanos jugeait les événements et celle où ils se déroulaient alors et n'ont pas cessé de se dérouler depuis. A voir comment les choses ont évolué, quelles étaient les forces en présence, et quels les problèmes posés à l'humanité, on mesure combien la voix de Bernanos avait peu de chances d'être entendue, et combien aussi, l'eût-elle été par tous ceux qui étaient capables d'en comprendre le message, elle venait trop tard pour sauver le monde en régénérant une chrétienté qui n'était déjà plus maîtresse du jeu. Cette impuissance tragique à étreindre le réel chez un homme qui ne connaissait de vérité qu'incarnée a été sentie par les commentateurs les plus respectueux de sa pensée. Après une étude où il analyse avec beaucoup de profondeur le « surnaturalisme historique » au nom duquel Bernanos a, au sens propre, prophétisé, Emmanuel Mounier conclut : « Il est vrai qu'à maintenir sa passion fixée à ce plan d'un combat aux multiples niveaux, il a méconnu, oublié ou simplement négligé les médiations nécessaires et les engagements naturels. Il semblait à certains moments ne les concevoir que dans la caricature qui rôde sur tout visage humain, et cette tentation du désespoir a conduit de temps à autre ce prophète de la grandeur à ne pas reconnaître la grandeur [...]. A de moins puissants, à de moins sûrs, on ne saurait trop dénoncer le danger de jouer à Bernanos, de se dispenser par le verbe de se faire chair, ou de répéter ses prophéties sonores du sein de l'imposture, comme on essaya en divers lieux de l'y attirer lui-même depuis la Libération. Le don de prophétie est un don gratuit qui n'enfle pas nécessairement la voix ; celui qui ne l'a pas reçu sous des formes exceptionnelles, qu'il se fasse ouvrier, dans le rang : car il est aussi une façon d'annoncer l'histoire avec ses mains, quand on ne peut se déporter au-dessus d'elle assez haut pour la prévoir du regard[1]. »

Sans doute Mounier considère-t-il Bernanos comme investi de ce don de prophétie. Mais qui oserait affirmer qu'il a toujours vu juste en prenant de la hauteur, et qu'il n'a pas quelquefois « joué à Bernanos » ? De son vivant même, certains de ses amis s'inquiétaient

---

1. *C. R.*, p. 131-132.

de le voir renoncer au roman pour un combat dont l'efficacité ne paraissait pas proportionnée à la passion qu'il y mettait. Albert Béguin se fit – avec infiniment de délicatesse – leur interprète, dans un article sur le livre de Luc Estang, et s'en expliqua dans une lettre : « A la fin de l'article, y disait-il, j'espère que vous n'en serez pas choqué, j'ai voulu dire pourquoi je souhaite, avec beaucoup de vos amis connus et inconnus, que vous reveniez au roman. On comprendra, je pense, que ce n'est pas pour tenter de vous détourner de votre rôle dans le temps, mais au contraire parce que je suis de plus en plus convaincu que par le roman vous pouvez jouer ce rôle de façon plus active et plus en profondeur [...]. Vous avez raison contre tout le monde dans le débat vital qui vous oppose presque seul à l'esprit de cet affreux siècle. Vous avez raison, je n'en doute pas, sur les points même où j'ai du mal, parfois, à vous suivre... Mais ce dont nous avons besoin et que personne, sinon vous, ne peut nous donner, c'est cette présence de l'âme courant les derniers risques, qui ne peut être vraiment communiquée que par vos personnages. Les deux Mouchette m'apprennent plus de choses, sur l'état de l'âme française, que les plus véhéments de vos articles. Et elles peuvent davantage pour la guérison de cette âme, pour la réveiller [1]. »

Cependant, le recul du temps risque de nous rendre injustes, à notre tour. On se représentera mal, dans quelques années, combien pouvait être salubre, malgré ses dangers – ses *risques*, disait-il – l'attitude d'un Bernanos invitant ses compatriotes à ne pas céder à l'euphorie d'une Libération à laquelle ils étaient tentés de prêter des vertus magiques. Ceux-là seuls qui ont vécu ces heures exaltantes mais trompeuses comprendront son cri d'alarme, même s'ils estiment qu'il n'a pas bien vu d'où venait le danger. Et n'est-ce pas cette ambiance même, dans la mesure où Bernanos en subissait involontairement la contagion, qui explique le mieux le manque de réalisme des solutions qu'il préconise? Rêver d'une régénération spirituelle de l'humanité opérée par la restauration de l'honneur français et chrétien, c'était participer, à sa façon, aux enthousiasmes d'une époque où, quoi qu'il en ait pensé, le besoin d'héroïsme gonflait bien des cœurs humiliés et faisait vivre bien des Français au-dessus d'eux-mêmes.

Il n'est pas dans mes intentions d'exposer, et moins encore de discuter les positions prises par Bernanos sur le plan politique après son retour dans son pays. Je me bornerai à en dégager ce qu'il est utile de connaître pour avoir une idée de sa solitude et de l'âpreté de son dernier combat.

1. *Bul.*, n° 47, p. 13-14.

La France avec laquelle il reprend contact lui donne dès l'abord
l'impression d'un avilissement profond, presque irrémédiable.
Une phrase revient sous sa plume comme un refrain : « Les générations actuelles sont les plus médiocres que la France ait connues[1]. »
Au-delà des problèmes politiques, économiques, sociaux, c'est à
une baisse de la qualité humaine qu'il faut faire face. « Il faut refaire
des hommes libres. » Tel est le titre du premier article qu'il publie
dans *La Bataille*, le 26 juillet 1945. C'est cette médiocrité qui rend
la France vulnérable à toutes les tentations du monde moderne :
machinisme, étatisme, dirigisme même, dans lequel Bernanos voit
une insupportable atteinte à la liberté individuelle et un signe
supplémentaire de la démission de l'homme devant les techniques.
Pour remplir sa mission historique, qui était d'apprendre au monde
à rejeter cet asservissement, la France aurait dû extirper d'elle-même,
par un examen de conscience rigoureux, les germes de lâcheté,
de machiavélisme et de mensonge qui avaient entraîné sa défaite.
Or, il se produit un escamotage analogue à celui que Bernanos n'a
cessé de dénoncer depuis 1918 : les leçons de la guerre sont falsifiées
par les profiteurs de la paix. « C'est la même histoire de 1918 qui
recommence[2]. » « C'est ainsi déjà qu'il y a vingt-cinq ans, les
Politiques ont volé notre victoire aux jeunes Français[3]. » Si le mythe
de la Résistance et la tragi-comédie de l'épuration le mettent en
fureur, c'est parce qu'il y voit les deux symptômes majeurs de ce
désir qu'a tout Français d'éluder une responsabilité collective.
« Quoi ! la France de 1940 aurait perdu en vingt ans une victoire,
puis une guerre, subi la plus écrasante défaite de son histoire, englouti dans la catastrophe nos armées, nos escadres, nos finances,
porté au prestige national un coup quasi mortel, et elle voudrait
essayer de se persuader à elle-même que la responsabilité de ces
faits immenses n'incombe qu'à une poignée de salauds ou d'imbéciles
qu'elle n'a d'ailleurs pas eu le courage de fusiller[4] ? »
Plus que jamais, Bernanos a l'impression de vivre dans un
climat d'imposture. Six mois après son retour, l'air de son pays
lui est devenu littéralement irrespirable : « J'ai compris depuis six
mois, écrit-il le 2 janvier 1946, que le poids de l'exil est parfois
moins lourd à porter sur une terre étrangère que dans son propre
pays[5]. » A ses amis, il envoie des appels bouleversants : « Je me
demande si j'ai jamais aimé la solitude ou si elle m'a seulement

1. *Français*, p. 169, 198, 274, 307.
2. *Ibid.*, p. 62 (27-9-45).
3. *Ibid.*, p. 69 (18-10-1945).
4. *Ibid.*, p. 61.
5. *Ibid.*, p. 113.

ensorcelé, écrit-il à André Rousseaux. Ce n'est plus maintenant
la solitude qui m'entoure, c'est le vide. Il me semble que rien ne
me répond plus, ne me répondra plus jamais. Il faudrait pourtant
que j'aille jusqu'au bout de ma tâche, je me demande si cette tâche
n'est pas un chemin sans issue. On découvre parfois ainsi, dans une
vieille caverne inexplorée, au bout d'une galerie, le squelette d'un
pauvre type collé à la paroi comme une mouche desséchée sur une
vitre, et sa pauvre gueule pleine de terre. Mon vieux, ah! vraiment,
je ne peux plus vivre, je n'ose plus. Vous ne me comprenez peut-être
plus, vous aussi[1]. » Un mois plus tard la plainte est plus poignante
encore, et plus belle l'image par laquelle Bernanos essaie de traduire
son chagrin : « Je comprends mieux chaque jour que sans aimer mon
pays mieux qu'un autre, je ne puis supporter d'avoir perdu l'image
que je m'étais formée de lui au temps de mon enfance. Je ne propo-
serai, d'ailleurs, cette souffrance en exemple à personne. Elle doit
ressembler un peu à celle du chien qui ne sent pas très bien ce qui lui
manque, mais cherche partout son maître mort, et va crever sur sa
tombe[2]. »

Au mois d'août il entreprend d'écrire un « Journal de ce temps ».
Ce livre, dit-il, sera un refuge, ce sera comme la maison natale, dans
laquelle il rentrera pour vivre libre : « Car la maison est toujours là,
mais je ne reconnais pas les routes qui m'y menaient jadis ; je vois
bien que ce sont des routes qui ne mènent nulle part, des routes
de vaincus, ouvertes par des lâches. Je ne reconnais pas mon pays.
Depuis onze longs mois, je vais et viens comme en rêve, parmi
des hommes qui approchent leur visage du mien, remuent les
lèvres, émettent des sons qui me paraissent tout à coup intelligibles,
à quoi je m'avise qu'ils parlent ma langue. Mais, à l'exception d'un
très petit nombre, je ne les reconnais pas non plus[3]. » Les routes,
les voix, les visages : ce qui, pour Bernanos reflète le mieux l'espérance de l'homme et sa tendresse, a été souillé, défiguré par
l'acceptation de la défaite. Les êtres aimés qu'il retrouve sont
marqués, comme les autres, de « la même imperceptible flétrissure
qu'on ne [peut] confondre avec celle de l'âge, de la maladie, de la
tristesse ou du remords[4] ».

La suite de ce journal, écrite en décembre 1946 – janvier 1947,
permet de mesurer les progrès du mal. L'expression est à peine
métaphorique, car Bernanos commence à ressentir dans son corps
l'effet des sombres pensées qui occupent sans cesse son esprit.

1. *C. R.*, p. 327.
2. *Ibid.*, p. 329.
3. *Français*, p. 185.
4. *Ibid.*, p. 187.

Déjà touché par la maladie qui l'emportera, mais incapable de lui assigner une cause physique précise, il constate sa fatigue, et il la rapporte aussitôt à l'âme. Il sait bien qu'il n'est pas responsable de cette fatigue, qu'elle lui vient du dehors, qu'elle lui est imposée par la médiocrité d'un monde qu'il n'a pas cessé de dénoncer, mais il a bien trop le sens de la communion des saints et de la solidarité des pécheurs pour ne pas se sentir amoindri et dégradé par une souillure qui n'est pas seulement celle de son pays, mais celle de toute une humanité en proie au vieillissement et à l'usure. Alors, il *demande pardon* à Dieu de cette fatigue qui lui colle à l'âme, et dont Dieu seul peut le délivrer :

> Je suis dans un de ces états de fatigue extrême, de « fatigue morte » dont Péguy ne cessait de se plaindre quelques mois avant la guerre, et dont la guerre l'a délivré [1]. Je dis bien la guerre, non pas la mort, la mort n'est venue qu'après la délivrance – paix sur paix. « Toutes mes impuretés lavées d'un seul coup. » Je connais moi aussi cette fatigue, cette fatigue morte, ce harassement, cet écœurement, ce recueillement du dégoût au fond de l'âme, cette impureté, cette souillure dont la seule pitié de Dieu doit m'absoudre. C'est la honte et le remords de cette fatigue qui pèse sur moi plus que la fatigue elle-même. La fatigue au-dehors comme au-dedans, l'immersion de la fatigue, le péché, le stigmate, la malédiction de la fatigue (la fatigue, cette agonie, cette participation à la honte universelle d'un univers manqué, à la trahison de l'homme envers l'univers) – une espèce de décoloration de l'être par les poisons. Le remords de toutes les fautes non rachetées, de la part non rachetée de toutes les fautes, celles de notre vie, mais aussi de toutes les vies déjà traversées, dont nous avons reçu l'écume au passage, qui ont sans cesse épaissi l'air que nous respirons, même en songe. Il n'y a sûrement de remède à cet encrassement que la prière, mais il encrasse aussi la prière. Ayez pitié de nous! Pardonnez-nous nos fatigues! Purifiez-nous d'elles! Lavez-nous de cette ordure! Nous ne voulons pas rouler morts de fatigue devant votre Face [2]!

---

1. Il y a en effet de frappantes analogies entre l'état que décrit Bernanos et celui de Péguy en 1912-1913. « Je suis depuis cinq semaines dans un bas de fatigue extrême », écrit celui-ci à Joseph Lotte le 3 juin 1912. Et à Romain Rolland, le 16 août 1913 : « Je suis constamment malade et au bas d'une pente que je ne remonterai plus. » Au même, une semaine plus tard : « Mon cher Rolland, de quelque nom qu'on les nomme, nos maladies sont toujours que nous nous sommes épuisés de travail et de peine. » On sait en outre l'importance du thème du vieillissement dans toute la pensée de Péguy, dont Bernanos est si imprégné qu'il va dans cette page jusqu'à pasticher involontairement son style.

2. *Français*, p. 220-221.

Rien d'étonnant, dans ces conditions, à ce que Bernanos regrette
le Brésil et songe à un nouveau départ. Plusieurs fois, dans ses
articles, il encourage les jeunes Français à aller chercher la liberté
là où elle est encore possible. Il semble même, d'après une de ses
lettres de 1946, qu'il ait songé à fonder au Brésil une sorte de
communauté qui leur aurait permis de se regrouper[1]. En attendant
de pouvoir réaliser ce rêve, il cherche vainement le hâvre de paix
qui lui permettra de poursuivre le dialogue avec ses compatriotes
sans sombrer dans le désespoir : à Sisteron d'abord, puis à Bandol,
puis à La Chappelle Vendômoise, et, à partir du début de 1947,
en Tunisie, à Hammamet et à Gabès.

Ne pas sombrer dans le désespoir... N'est-il pas trop tard?
Les plaintes pathétiques que nous venons de lire ne sont-elles pas
d'un désespéré? Soyons sûrs que Bernanos s'est posé la question,
et, ne l'eût-il pas fait, ses lecteurs, ses contradicteurs, ceux que son
pessimisme malmenait ou faisait souffrir se chargeaient de la lui
poser. C'est en leur répondant qu'il a essayé de définir la place
réservée à l'espérance dans une pensée en apparence crispée sur
ses négations. Sa réponse, qu'il formule de différentes manières,
est que l'espérance n'est pas en deçà, mais au-delà du désespoir.
Il faut avoir désespéré d'un monde d'illusion et de mensonge pour
acquérir le droit d'espérer en un monde meilleur : « Ce n'est pas
mon désespoir qui refuse le monde moderne, je le refuse de toute
mon espérance. Oui, j'espère de toutes mes forces que le monde
moderne n'aura pas raison de l'homme[2]. » L'espérance est ainsi
tout autre chose que l'optimisme : « L'optimisme est un ersatz de
l'espérance, qu'on peut rencontrer facilement partout, et même,
tenez, par exemple, au fond de la bouteille. Mais l'espérance se
conquiert. On ne va jusqu'à l'espérance qu'à travers la vérité, au
prix de grands efforts et d'une longue patience. Pour rencontrer
l'espérance, il faut être allé au-delà du désespoir[3]. » Comme toutes
les grandes attitudes humaines, l'espérance est un risque. Ce n'est
pas l'adhésion intellectuelle ou sentimentale à un idéal de progrès.
C'est une réponse à un défi, c'est l'affirmation contre vents et marées,

---

1. « En ce qui concerne un départ possible au Brésil, par exemple,
j'espère pouvoir un jour vous être utile. Mais j'attends que les événements
– c'est-à-dire la volonté de Dieu – me permettent de voir clair. J'ai de grands
projets – grands relativement à ma modeste personne!... – j'ignore encore
s'ils sont réalisables. J'essaierai de les réaliser seulement le jour où je croirai
être sûr qu'il ne me reste pas de meilleur moyen de servir mon pays. Croyez
bien que je penserai alors à vous et à tant d'autres êtres, connus ou inconnus,
que je porte vraiment dans le cœur » (*Bul.*, n° 4, p. 7).

2. *Français*, p. 202.

3. *Liberté*, p. 14.

et au besoin dans l'obscurité la plus totale, de la grandeur de
l'homme :

> Celui qui, un soir de désastre, piétiné par les lâches, désespérant de
> tout, brûle sa dernière cartouche en pleurant de rage, celui-là meurt,
> sans le savoir, en pleine effusion de l'espérance. L'espérance, c'est
> de faire face.
> Que m'importe de savoir si j'ai ou non l'espérance? Il me suffit
> d'en avoir les œuvres.
> Si j'ai les œuvres de l'espérance, l'avenir le dira. L'avenir dira si
> chacun de mes livres n'est pas un désespoir surmonté. Le vieil
> homme ne résistera pas toujours ; le vieux bâtiment ne tiendra pas
> toujours la mer ; il suffit bien qu'il puisse se maintenir jusqu'à la
> fin debout à la lame, et que celle qui le coulera soit aussi celle qui
> l'aura levé le plus haut [1].

L'assimilation entre l'espérance et la foi – la foi qui est, selon
saint Jean de la Croix, une nuit obscure de l'âme – Bernanos
l'explicite dans une lettre du 18 juillet 1946 à Albert Béguin : « Ils
me reprochent tous de pécher contre l'espérance. Mais il en est de
l'espérance comme de la foi, la meilleure est sans consolation sensible [2]. » On ne peut qu'approuver et admirer un tel héroïsme et
une telle rigueur. Mais il n'en faut pas moins signaler le danger
que recèle cette attitude. S'il est vrai qu'une foi sans consolation
sensible est d'une qualité éprouvée, il ne s'ensuit pas que l'absence
de consolation sensible suffise à distinguer la foi authentique de celle
qui ne l'est pas. Bernanos retrouve, au soir de sa vie, la tentation
du tout ou rien qui risqua de faire basculer sa jeunesse dans une
sorte de nihilisme exaltant, mais mortel pour l'âme.

S'il franchit l'obstacle, c'est parce qu'une longue habitude de
l'examen de conscience l'a prémuni définitivement contre les
risques d'orgueil que comporte le refus du réel au nom d'un absolu
qui dévalorise tout le créé. Sa méditation sur la médiocrité trouve
ici son couronnement et sa formulation la plus équilibrée :

> Hélas! écrit-il en août 1947, nous nous ressemblons tous en ceci
> que nous souffrons de la médiocrité des autres DANS notre propre
> médiocrité – si différente qu'elle soit de la leur. Cela m'a tant coûté
> à apprendre! Mais je le sais.
> En somme la médiocrité d'autrui entretient en nous une plaie
> qui ne doit cesser de nous faire souffrir et de suppurer sous peine,
> en se refermant, d'infecter l'organisme tout entier. C'est très joli
> de nous prêcher la résignation à la médiocrité d'autrui, si elle risque

1. *Français*, p. 218.
2. *C. R.*, p. 56.

d'entraîner – ou entraîne infailliblement – l'acceptation de notre propre médiocrité! Quand le spectacle de la médiocrité ne nous torturera plus, c'est que nous serons devenus nous-mêmes médiocres de la tête aux pieds – à moins que la douce pitié de Dieu – qui ne va pas sans malice, ait fait de nous, à notre insu, des saints [1]...

D'un même mouvement, Bernanos justifie l'obstination avec laquelle, jusqu'à la fin, il pourchasse la médiocrité, et il se justifie de l'imputation d'orgueil qu'une telle attitude pourrait faire peser sur lui. En même temps, il laisse entrevoir que la clé du problème est entre les mains des saints, car eux seuls peuvent regarder la médiocrité en évitant à la fois la complicité et le désespoir.

C'est pourquoi Bernanos ne cesse pas d'avoir le regard tourné vers la sainteté. Ce mystère d'iniquité au milieu duquel nous vivons, seuls les saints peuvent l'affronter sans faiblir parce qu'eux seuls savent interroger la création non comme une œuvre de logique, mais comme une œuvre d'amour, et eux seuls savent révérer en l'homme cette part de liberté que Dieu y a mise comme en sa propre image. C'est là le thème central de la merveilleuse conférence que Bernanos fit aux Petites Sœurs de Charles de Foucald, en Algérie, à l'automne de 1947. Si nous considérons le monde comme l'œuvre d'un Dieu horloger, dit-il en substance, nous ne pouvons éprouver que révolte et colère au spectacle de la souffrance, de l'injustice et du mal. Mais voici ce que seuls les saints ou ceux qui s'efforcent de les imiter peuvent comprendre :

> Le scandale de l'univers n'est pas la souffrance, c'est la liberté. Dieu a fait libre sa création, voilà le scandale des scandales, car tous les autres scandales procèdent de lui [...]. Il y a en ce moment, dans le monde, au fond de quelque église perdue, ou même dans une maison quelconque, ou encore au tournant d'un chemin désert, tel pauvre homme qui joint les mains et du fond de sa misère, sans bien savoir ce qu'il dit, ou sans rien dire, remercie le bon Dieu de l'avoir fait libre, de l'avoir fait capable d'aimer. Il y a quelque part ailleurs, je ne sais où, une maman qui cache pour la dernière fois son visage au creux d'une petite poitrine qui ne battra plus, une mère près de son enfant mort qui offre à Dieu le gémissement d'une résignation exténuée, comme si la Voix qui a jeté les soleils dans l'étendue ainsi qu'une main jette le grain, la Voix qui fait trembler les mondes, venait de lui murmurer doucement à l'oreille : « Pardonne-moi. Un jour, tu sauras, tu comprendras, tu me rendras grâce. Mais maintenant, ce que j'attends de toi, c'est ton pardon, pardonne. » Ceux-là, cette femme harassée, ce pauvre homme, se trouvent au cœur du

mystère, au cœur de la création universelle et dans le secret même de Dieu [1].

C'est pourquoi les saints sont, dans le monde comme dans l'Église, les témoins de la liberté de l'Esprit, les instruments de ses « divines extravagances » et les artisans de ces renversements de perspectives, de ces bouleversements de hiérarchies, de ces mystérieuses inversions et infusions de mérites sans lesquels le convoi de la chrétienté, pour employer une image ferroviaire, « ne serait qu'un gigantesque amas de locomotives renversées, de wagons incendiés, de rails tordus et de ferrailles achevant de se rouiller sous la pluie [2] ».

Toutes les révoltes de Bernanos viennent mourir contre cette certitude : une Église où il y a des saints ne peut être qu'une Église humaine, un monde où l'amour est possible ne peut être qu'un monde où le mal est possible :

> Oh ! bien sûr, si le monde était le chef-d'œuvre d'un architecte soucieux de symétrie, ou d'un professeur de logique, d'un Dieu déiste, en un mot, l'Église offrirait le spectacle de la perfection, de l'ordre, la Sainteté y serait le premier privilège du commandement, chaque grade dans la hiérarchie correspondant à un grade supérieur de sainteté, jusqu'au plus saint de tous, notre Saint-Père le Pape, bien entendu. Allons ! vous voudriez d'une Église telle que celle-ci ? Vous vous sentiriez à l'aise ? Laissez-moi rire, loin de vous y sentir à l'aise, vous resteriez au seuil de cette Congrégation de surhommes, tournant votre casquette entre les mains, comme un pauvre clochard à la porte du Ritz ou du Claridge. L'Église est une maison de famille, une maison paternelle, et il y a toujours du désordre dans ces maisons-là, les chaises ont parfois un pied de moins, les tables sont tachées d'encre, et les pots de confitures se vident tout seuls dans les armoires, je connais ça, j'ai l'expérience [3]...

Ainsi au-delà de la révolte, il y a l'amour. L'amour qui a traversé la révolte, l'espérance qui a traversé le désespoir ont pris les véritables dimensions de l'homme et compris que sa condition et sa grandeur est de vivre exposé, de risquer son âme au lieu de la préserver comme un avare, de faire face. Mais l'homme qui a compris cela a compris également que, créé à l'image de Dieu, il peut à chaque instant trouver en lui-même cette source d'amour que son Créateur y a mise et qui consiste à faire, comme le Christ le lui a enseigné, la volonté du Père :

1. *Liberté*, p. 280-281.
2. *Ibid.*, p. 266.
3. *Ibid.*, p. 285.

Le saint est l'homme qui sait trouver en lui, faire jaillir des profondeurs de son être, l'eau dont le Christ parlait à la Samaritaine : « Ceux qui en boivent n'ont jamais soif... » Elle est là en chacun de nous, la citerne profonde ouverte sous le ciel. Sans doute, la surface en est encombrée de débris, de branches brisées, de feuilles mortes, d'où monte une odeur de mort. Sur elle brille une sorte de lumière froide et dure, qui est celle de l'intelligence raisonneuse. Mais au-dessous de cette couche malsaine, l'eau est tout de suite si limpide et si pure! Encore un peu plus profond, et l'âme se retrouve dans son élément natal, infiniment plus pur que l'eau la plus pure, cette lumière incréée qui baigne la création tout entière[1]...

Cette attention à la présence de Dieu en soi-même, animée par la certitude de la rencontrer sous la surface d'un moi encombré d'impuretés, cette écoute de Sa volonté au-delà des désirs contradictoires de l'être fini, font l'objet des méditations quotidiennes de Bernanos au début de 1948, et donnent un prix immense au dernier agenda qu'il ait eu la force de remplir :

19 janvier. – Il n'est pas venu en vainqueur, mais en suppliant. Il est comme réfugié en moi, sous ma garde, et je réponds de Lui devant son Père.

21 janvier. – Je pense à Lui, et c'est moi que peu à peu je découvre, ainsi qu'un autre Lui-même, tout au fond du bourbier où je remue encore.

23 janvier. – Il ne s'agit pas de conformer notre volonté à la Sienne, car Sa volonté c'est la nôtre, et lorsque nous nous révoltons contre Elle, ce n'est qu'au prix d'un arrachement de tout l'être intérieur, d'une monstrueuse dispersion de nous-mêmes. Notre volonté est unie à la Sienne depuis le commencement du monde. Il a créé le monde avec nous... Quelle douceur de penser que même en L'offensant, nous ne cessons jamais tout à fait de désirer ce qu'Il désire au plus profond du Sanctuaire de l'âme!

Cette conformation de la volonté de l'homme à la volonté du Christ doit aller jusqu'au bout : jusqu'à l'acceptation et à l'amour de sa propre mort comme le Christ a accepté et aimé la sienne, jusqu'à l'imitation de la Très Sainte Agonie. C'est à ce prix et à ce moment seulement que nous nous connaissons tels que nous sommes, et non tels que le péché nous fait être :

24 janvier. – Nous voulons réellement ce qu'Il veut, nous voulons vraiment, sans le savoir, nos peines, notre souffrance, notre solitude,

1. *Liberté*, p. 287.

alors que nous nous imaginons seulement vouloir nos plaisirs. Nous nous imaginons redouter notre mort et la fuir, quand nous voulons réellement cette mort comme Il a voulu la Sienne. De la même manière qu'Il se sacrifie sur chaque autel où se célèbre la messe, Il recommence à mourir dans chaque homme à l'agonie. Nous voulons tout ce qu'Il veut, mais nous ne savons pas que nous le voulons, nous ne nous connaissons pas, le péché nous fait vivre à la surface de nous-mêmes, nous ne rentrerons en nous que pour mourir, et c'est là qu'Il nous attend [1].

Comprendre le mystère de l'agonie du Christ, la revivre et s'y incorporer, c'est trouver la plus grande sécurité au sein de la plus grande angoisse, la force au sein de la plus grande faiblesse, l'être au seuil de la mort. L'agonie la plus solitaire est aussi celle où le Christ est le plus sûrement présent : « C'est que le Christ veut bien ouvrir à ses martyrs la voie glorieuse d'un trépas sans peur, mais il veut aussi précéder chacun de nous dans les ténèbres de l'angoisse mortelle. La main ferme, impavide, peut au dernier pas chercher appui sur son épaule, mais la main qui tremble est sûre de rencontrer la sienne [2]... »

De cette méditation sur la rédemption de la peur, Bernanos va faire jaillir, dans les mois qui précèdent sa mort, un dernier chef-d'œuvre, les *Dialogues des Carmélites*.

La place singulière des *Dialogues des Carmélites* dans l'œuvre de Bernanos ne tient pas seulement à ce qu'il s'agit de son unique tentative dans un genre littéraire autre que le roman, mais aussi et peut-être surtout à ce que, pour une fois, le point de départ de son imagination n'a pas été – du moins en apparence – le monde de rêves et de souvenirs qui rattache sa vie présente à son enfance, mais une œuvre issue d'une personnalité très différente de la sienne, et pourvue d'une densité spirituelle qui lui interdisait de la traiter comme un simple prétexte. En outre, cette œuvre ne lui a été présente, durant la période active de son travail, que par l'intermédiaire d'un scénario auquel il était obligé de se conformer. A qui tient compte de toutes ces données la réussite des *Dialogues* paraît tenir du miracle, et surtout le fait que Bernanos ait pu traduire, dans un cadre qui lui était deux fois imposé, quelques-uns des aspects les plus personnels de son débat avec lui-même. Une confrontation minutieuse était donc nécessaire entre les *Dialogues* et leurs différentes sources, moins pour affirmer l'« originalité » de Bernanos que pour faire

1. *Béguin*, p. 146-147.
2. *Liberté*, p. 286.

surgir les thèmes sur lesquels s'est exercée son exigence créatrice. Ce travail a été accompli par une religieuse canadienne, Sœur Meredith Murray, dans un livre qui est remarquable par sa clarté, et sa pénétration critique[1]. On ne peut plus parler des *Dialogues des Carmélites* sans lui devoir beaucoup.

C'est en mai 1947, le 30 exactement, que Bernanos, déjà en Tunisie, reçut une lettre du R. P. Brückberger lui proposant d'écrire les dialogues pour un film tiré d'une nouvelle de Gertrud von Le Fort, *La Dernière à l'échafaud*[2]. Mais à cette date, l'œuvre de la romancière allemande lui était depuis longtemps familière, car le même ami la lui avait prêtée neuf ans plus tôt. Non seulement Bernanos l'avait emportée au Brésil, où Dom Gordan l'a vue parmi les rares livres que l'écrivain avait avec lui, mais il la relisait souvent et la méditait. Ainsi s'expliquent les expressions textuelles de Gertrud von Le Fort qu'on retrouve sous la plume de Bernanos, alors qu'il est à peu près certain qu'il ne disposait, au moment d'écrire, que du scénario, où ces expressions ne figurent pas.

Cette constatation nous permet d'apporter un début de réponse à la question que nous nous posions en commençant Le sujet des *Dialogues* n'a pas été imposé à Bernanos tellement de l'extérieur qu'on pourrait le croire. Au moment où il accepte la proposition du P. Brückberger, *La Dernière à l'échafaud* fait pour ainsi dire partie de sa vie intérieure, il en a assimilé sinon toute la substance, du moins les thèmes qui recoupent sa propre méditation. Car il est évident, quelles que soient les différences de sensibilité, de milieu sociologique, et de formation intellectuelle, qu'il y a une extraordinaire parenté entre les préoccupations de la romancière allemande telles qu'elles s'expriment dans *La Dernière à l'échafaud*, et celles dont témoigne toute l'œuvre antérieure de Bernanos. Ici et là, il s'agit d'une réflexion qui se situe à l'intersection de l'histoire de l'humanité et de l'histoire de l'individu dans ses rapports avec Dieu. Cette réflexion a pour point de départ une prise de conscience extrêmement vive des menaces que fait peser sur l'avenir l'oubli de certaines valeurs humaines et chrétiennes. Gertrud von Le Fort écrit son roman en 1931, au moment où la situation tragique de l'Allemagne laisse pressentir le pire[3]. Pour faire face au déchaîne-

1. *La genèse de « Dialogues des Carmélites »*, Éditions du Seuil, 1963.
2. Paris, Desclée De Brouwer, 1949. Traduction de Blaise Briod.
3. Elle écrit, au sujet de son héroïne : « Née de l'horreur profonde d'un temps que recouvrait en Allemagne l'ombre des pressentiments accourus des destins en marche, cette figure s'est levée devant moi en quelque sorte comme l'incarnation de l'angoisse mortelle d'une époque allant tout entière vers sa fin » (cité par Sœur Meredith, p. 53). Il est cependant excessif

ment des forces du mal, à la dissolution des liens religieux et sociaux, au retour de l'humanité au chaos, elle ne met sa confiance ni dans une meilleure organisation politique, ni dans le respect d'une morale, mais dans la régénération mystique de l'humanité par la conformation parfaite d'un petit nombre d'individus à la personne et au sacrifice de Jésus-Christ. Cet appel à la sainteté, comme seule capable de combler le déficit spirituel accumulé par l'histoire, nous savons qu'il retentit dans toute l'œuvre polémique et romanesque de Bernanos, et nous savons aussi que la forme de sainteté vers laquelle l'auteur de *La Joie* se tourne le plus volontiers est celle qui a le plus de chances d'être méconnue et rejetée par le monde moderne, c'est-à-dire celle qui met au premier plan les valeurs de pauvreté, d'humilité, de silence, celle qui affronte la vie et la mort avec hésitation et angoisse, celle qui n'excite que dérision et mépris chez les hommes, fussent-ils d'Église, solidement installés dans le siècle. Comment le créateur de Chevance, de Chantal et de la seconde Mouchette n'aurait-il pas été profondément ému par la petite héroïne de Gertrud von Le Fort, née, comme nous l'apprend la romancière elle-même, d'une méditation sur l'angoisse contemporaine [1], assumant dans sa faiblesse le poids d'un monde écrasant, broyée par le déchaînement inhumain de la Terreur, à une époque que Bernanos rapproche inlassablement des temps que nous vivons [2]. Comment surtout n'aurait-il pas été frappé par ce nom de « Jésus au Jardin de l'Agonie », que Blanche adopte sur la recommandation de l'évêque, et dont la prédestination se dévoile clairement à elle tout au long de la nouvelle, lui qui avait fait dire à son personnage préféré, le petit curé d'Ambricourt, « la vérité est que depuis toujours c'est au jardin des Oliviers que je me retrouve [3] », et qui avait écrit, dans *La Joie*, ces lignes, qui figurent d'ailleurs en épigraphe en tête des *Dialogues* : « En un sens, voyez-vous, la Peur est tout de même la fille de Dieu, rachetée la nuit du Vendredi-Saint. Elle n'est pas belle à voir – non! – tantôt raillée, tantôt maudite, renoncée par tous... Et cependant, ne vous y trompez pas : elle est au chevet de chaque agonie, elle intercède pour l'homme. »

de dire, comme Sœur Meredith le fait un peu plus loin, qu'« à travers la Révolution française, Gertrud von Le Fort vise le régime hitlérien », car en 1931, Hitler n'avait pas pris le pouvoir.

1. Il est bon de rappeler qu'aucune des seize Carmélites de Compiègne, guillotinées le 17 juillet 1794 ne correspond au personnage de Blanche de la Force. Celui-ci est entièrement de l'invention de Gertrud von Le Fort, et tout le roman a été construit, selon l'auteur, à partir de cette figure imaginaire.

2. Cf. les références données par Sœur Meredith, p. 111, n. 13, 14 et 15.

3. *Pl.*, p. 1187.

Il importe de bien prendre consience de cette parenté d'inspiration pour comprendre combien on risque de fausser le problème en insistant trop, comme l'ont fait certains, sur l'*imitation* de Gertrud von Le Fort par Bernanos, ou, comme l'ont fait d'autres, sur l'*originalité* de l'auteur des *Dialogues*. Les exemples ne manquent pas, dans l'histoire littéraire, de ces *rencontres* dans lesquelles l'« imitateur » s'exprime si spontanément dans le langage de l'« imité », qu'il peut couler ses inspirations les plus personnelles dans des formes qu'il n'a pas inventées.

Un autre élément qui explique la réussite de Bernanos et l'indépendance qu'il a su préserver tout en acceptant honnêtement de rester fidèle à son rôle d'adaptateur, est le scénario du R. P. Brückberger et de Philippe Agostini sur lequel il a travaillé. En élaguant la matière relativement touffue de la nouvelle, en substituant à la présentation indirecte des événements par un narrateur qui les commente une présentation directe centrée autour du personnage de Blanche, les scénaristes permettaient à Bernanos de retrouver les inspirations essentielles de Gertrud von Le Fort, tout en restant suffisamment à distance de son texte pour faire place à une bonne part de création personnelle. Il est très significatif, à cet égard, qu'il n'ait pas utilisé – selon les affirmations formelles de sa secrétaire – l'exemplaire de *La Dernière à l'échafaud* que Denise Bourdet a déclaré lui avoir fait tenir[1] et qu'il n'ait pas ouvert le dossier de témoignages historiques que le P. Brückberger avait mis à sa disposition. Ce scénario ne lui permit pas seulement de rester en contact avec le texte sans en subir trop fortement l'influence. Il lui offrit aussi un bon découpage dramatique de la nouvelle, qu'il n'aurait certainement pas pu réaliser en si peu de temps, vu son manque d'expérience. Le fait que les deux mêmes scénaristes aient, après la mort de Bernanos, massacré son œuvre en la portant à l'écran[2] ne doit pas nous rendre injustes envers leur premier travail, qui adaptait assez heureusement le récit de Gertrud von Le Fort aux exigences de l'art cinématographique. D'une œuvre toute en nuances, chargée de symboles, pleine d'interrogations sur la signi-

---

1. Cf. *Figaro littéraire*, 22 juin 1957. C'est le P. Brückberger qui avait demandé à Mme Bourdet de lui rendre cet exemplaire pour le donner à Bernanos. Mme Armel Guerne, secrétaire bénévole du romancier à cette époque, déclarant n'avoir jamais vu le volume, nous ne savons pas si le P. Brückberger omit de le faire parvenir (ce qui paraît peu probable), s'il se perdit en route, ou (ce qui me semble le plus vraisemblable) si Bernanos lui déclara qu'il n'en avait pas besoin.

2. Cf. à ce sujet la mise au point définitive de M. l'Abbé Pézeril dans *Bul.*, 39-40 : « Le film du P. Brückberger est-il fidèle à Bernanos ? »

fication spirituelle des événements et d'analyses d'états intérieurs, les adaptateurs avaient fait un drame obéissant à une progression facile à suivre, insistant sur le tragique visuel, sur la violence de la persécution, sur le caractère inévitable et obsédant de la peur. Certes, le sujet de la nouvelle, présenté ainsi, manquait d'intériorité, mais cette simplification et ce manque permettaient à Bernanos de réintroduire, par l'intermédiaire du dialogue, une forme d'intériorité assez différente, comme on le verra, de celle de la nouvelle, alors qu'une adaptation trop subtile et trop parfaite cinématographiquement eût sans doute freiné ou placé en porte à faux l'effort créateur du dialoguiste.

Cela ne veut pas dire, d'ailleurs, que toutes les initiatives des scénaristes aient eu d'heureux effets sur l'œuvre de Bernanos. En multipliant les scènes révolutionnaires, évoquées très discrètement par Gertrud von Le Fort, ils incitaient Bernanos à renouer avec la veine juvénile du « Panache », à rouvrir le livre d'images où les bons et les méchants sont figés dans des poses un peu conventionnelles. Tout en atténuant fortement cet aspect du scénario Bernanos, grand lecteur de Lenôtre, n'a pas toujours évité, sur des points heureusement extérieurs à l'action principale, quelques poncifs historiques, dont la scène des aristocrates dans la prison est le meilleur exemple. Mais il est des cas également où la simplification opérée par le scénario a joué dans un sens tout à fait favorable à l'essor de l'imagination bernanosienne. Le passage le plus frappant à cet égard est la mort de la Prieure. A partir de deux indications très brèves de la nouvelle, les scénaristes avaient amplement développé cette scène, pour laquelle ils n'avaient pas prévu moins de huit séquences. Mais c'est l'aspect terrifiant de la mort, son action sur les nerfs de toute la communauté et sur ceux de Blanche en particulier, qui les avait retenus presque uniquement. Seule la sollicitude de la Prieure moribonde pour Blanche permettait d'entrevoir l'arrière-plan surnaturel de ces scènes atroces. Bernanos ne se contente pas de développer le lien surnaturel de la vieille prieure et de la jeune novice, il éclaire toute cette mort de la lumière de Gethsémani : c'est là, c'est dans l'agonie du Christ que se rencontrent la solitude de la Prieure devant la mort et le futur dénuement de Blanche dans l'angoisse du danger ; c'est cette agonie, désertée de toute aide et de toute consolation, qui prémunit Blanche contre la tentation du désespoir en lui enseignant que « [son] honneur est à la garde de Dieu ». Bien plus, grâce à lucidité surnaturelle de Constance de Saint-Denis, nous pressentons que la Prieure a reçu « la mort d'une autre », c'est-à-dire que l'angoisse de Blanche s'évanouira au moment de sa mort, et à ce pressentiment

s'en ajoutent deux autres : celui de la communauté de destin qui
unira Constance et Blanche, et celui des épreuves qui vont s'abattre
sur le Carmel.

Il faut dire également que si Bernanos transforme le scénario
dans le sens de l'intériorité, supprimant telle motivation trop superficielle de la vocation de Blanche, ou coupant, dans la dernière
partie, presque toutes les scènes qui ralentissent ou diluent le drame
spirituel, il a pris fort au sérieux l'aspect cinématographique de
son travail, minuté avec précision la durée de chaque scène et
introduit parfois des indications qui montrent à quel point ses
Dialogues des Carmélites – titre posthume et qui risque d'égarer –
étaient pour lui, autant qu'un beau texte, une succession d'images
significatives. Ainsi la scène du pillage du couvent était résumée,
dans le scénario, de la manière suivante : « Porte intérieure du
couvent. Tumulte à la porte. Ce sont les commissaires qui viennent
prendre les cloches et enlever les grilles pour en faire des piques.
Comme on n'ouvre pas la porte assez vite, elle est défoncée[1]. »
A partir de ces indications sommaires, Bernanos compose une
séquence que le metteur en scène et l'ingénieur du son n'auront
plus qu'à réaliser :

*Le bruit grandit sans cesse, au point que pour se faire entendre, les
sœurs doivent se crier à l'oreille. Les coups commencent à pleuvoir sur
la porte.*

QUELQUES VOIX AFFOLÉES :
« *N'ouvrez pas! N'ouvrez pas!* »

*Le premier mouvement des religieuses est de courir çà et là dans le
petit jardin. Mais on les voit ralentir peu à peu leur marche, l'une
après l'autre, comme honteuses. Enfin, elles se rassemblent au pied de
la statue de la Vierge. On s'explique pourquoi lorsqu'on découvre à
la porte de la chapelle au haut du petit perron, la silhouette de Mère
Marie de l'Incarnation. Une planche de la porte vient de céder, avec
un craquement sinistre. Mère Marie de l'Incarnation fait signe à
Sœur Constance et détache de son trousseau, pour la lui remettre,
la clef du portail.*

MÈRE MARIE :
« *Allez ouvrir, ma petite fille.* »

*On devine plutôt ces paroles au mouvement des lèvres. Le bruit est
maintenant tout à fait assourdissant. La porte est défoncée, etc.[2]...*

1. Meredith, *op. cit.*, p. 104.
2. *Pl.*, p. 1678-1679.

Bernanos bénéficiait ainsi de conditions très favorables pour faire une œuvre de création originale à partir de données qu'il pouvait respecter, dans l'ensemble, sans se faire violence. Mais le plus grand intérêt d'une confrontation, comme celle à laquelle s'est livrée Sœur Meredith, entre les *Dialogues* et leurs sources est de nous permettre d'apercevoir dans quel sens les exigences propres à Bernanos l'amenaient à interpréter, à prolonger ou à infléchir les suggestions de Gertrud von Le Fort et des scénaristes. C'est en examinant comment les thèmes de la pièce (appelons-la ainsi puisque c'est au théâtre que nous en eûmes la révélation) se dégagent de ceux de la nouvelle, que nous aurons quelques chances de comprendre à quelle nécessité intérieure correspondait la création des *Dialogues des Carmélites*.

Le thème central de la pièce est, comme celui de la nouvelle, le thème de la peur. Mais s'agit-il exactement de la même peur ? Dans les deux cas, le personnage qui l'incarne présente des liens très étroits avec son créateur : « Elle reçut le souffle de son être tremblant exclusivement de ma propre intériorité, déclare Gertrud von Le Fort, et elle ne peut absolument pas être détachée de cette origine qui est la sienne [1]. » Or, il ne semble pas que le point d'application de la peur soit exactement le même chez la romancière allemande et chez Bernanos. Sensible avant tout à la menace que fait peser sur l'existence « le chaos qui éternellement gronde au tréfonds des éléments », Gertrud von Le Fort, bouleversée par les poussées instinctives qu'elle sent toutes prêtes à éclater dans son pays, conçoit surtout la peur comme un pressentiment métaphysique de l'assaut des puissances ténébreuses, comme une angoisse indéterminée devant le « mysterium tremendum » que l'être humain ne peut affronter sans l'aide de Dieu. La peur de Blanche devient ainsi le symbole et l'extrême pointe de la peur de toute une époque : « D'où vint, alors, cette brusque poussée de satanisme, cette inquiétante marée d'obscurité et de ténèbre ? Qui l'avait attirée ?... Qui donc força l'humanité si assurée de la victoire à capituler devant cela ?... Car tous, indistinctement, tremblaient : ceux qui voulaient l'horreur et ceux qui désespérément y résistaient [2]. » Le destin de Blanche, née à la suite d'une panique qui préfigure la Révolution, devient ainsi le symbole du destin de son pays, qui symbolise lui-même le destin de l'humanité pécheresse et rachetée : « Je ne supporte pas, dit le narrateur, la vue de ce petit visage,

1. Cité par Meredith, p. 53.
2. *La Dernière à l'échafaud*, p. 88.

couvert de sueur, écrasé par son épouvante, non, par l'épouvante de la France tout entière – non, par l'épouvante de l'amour éternel lui-même[1] ! »

Que Bernanos ait eu, durant toute sa vie, l'expérience de l'angoisse, il est à peine besoin de le rappeler[2]. Mais si variées que soient les manifestations de ce qu'il appelle, dans _Sous le Soleil de Satan_, « un sixième sens[3] », l'angoisse de Bernanos n'a pas les dimensions cosmiques et la « Gründlichkeit » de celle de Gertrud von Le Fort. Elle est toujours liée, d'une manière ou d'une autre, à l'idée de l'anéantissement, à la peur de la mort. L'unité de ses différentes formes apparaît très clairement dans cette réflexion du curé d'Ambricourt : « Je crois de plus en plus que [...] depuis la chute, la condition de l'homme est telle qu'il ne saurait plus rien percevoir en lui et hors de lui que sous la forme de l'angoisse. Le plus indifférent au surnaturel garde jusque dans le plaisir la conscience obscure de l'effrayant miracle qu'est l'épanouissement d'une seule joie chez un être capable de concevoir son propre anéantissement et forcé de justifier à grand'peine, par ses raisonnements toujours précaires, la furieuse révolte de sa chair contre cette hypothèse absurde, hideuse[4]. »

Si telle est la raison de l'angoisse de Blanche de la Force, si, pour elle, « chaque nuit où l'on entre est celle de la Très Sainte Agonie[5] », son histoire individuelle ne saurait avoir le même lien avec l'histoire tout court que dans la nouvelle de Gertrud von Le Fort. Alors que, chez celle-ci, le lien est direct, pour ainsi dire, la souffrance de Blanche se confondant avec sa peur et cette peur la mettant en relation avec les forces obscures qui sont à l'œuvre dans l'histoire, Bernanos interpose entre la peur de Blanche et sa souffrance un maillon intermédiaire d'une extrême importance et qui à vrai dire suffit à changer la signification de l'œuvre : l'honneur. La Blanche des _Dialogues_ souffre beaucoup moins de sa peur que de la flétrissure que cette peur inflige à son honneur de fille de haute naissance. Dès la première scène, son frère nous en avertit : « J'ignore si la bizarrerie de sa nature pourrait entraîner Blanche à quelque action blâmable, du moins selon l'idée qu'elle se fait des devoirs d'une fille de qualité, mais je sens bien qu'elle n'y survivrait pas[6]. » Aussi la

1. _Ibid._, p. 98.
2. Sur la place de l'angoisse dans la vie et dans la pensée de Bernanos, cf. _Balthasar_, p. 436-455.
3. _Pl._, p. 205.
4. _Ibid._, p. 1183-1184.
5. _Ibid._, p. 1575.
6. _Ibid._, p. 1572.

vocation religieuse de la jeune fille se présente-t-elle de façon très différente dans la nouvelle et dans la pièce. L'héroïne de Gertrud von Le Fort cherche au couvent à la fois un refuge contre le danger, et la satisfaction d'un penchant religieux authentique[1], mais qu'il est cependant impossible de distinguer du besoin de vivre préservée des contacts douloureux du monde. L'héroïne de Bernanos, elle, est poussée vers le cloître par « l'attrait d'une vie héroïque[2] », par la conviction qu'« il y a plusieurs sortes de courage[3] », et par l'espoir que celui dont elle fera preuve au couvent ne sera pas plus méprisable que celui dont elle est mystérieusement privée dans la vie ordinaire. Ce qu'elle propose à Dieu est une sorte de marché (« Je lui sacrifie tout, j'abandonne tout, je renonce à tout pour qu'il me rende l'honneur[4] »), dont la vieille prieure a tôt fait de deviner les motivations insuffisamment purifiées. En somme, si elle fuit le monde, c'est moins par peur, que par peur de sa peur[5].

On risque d'être surpris, voire scandalisé ou agacé par la place que Bernanos réserve à un sentiment qui paraît être l'apanage d'une classe sociale et établir ainsi entre les âmes, même en face du sacrifice suprême, une sorte de hiérarchie originelle, réservant aux unes des devoirs auxquels les autres ne sauraient prétendre. L'expression la plus choquante de cette conception aristocratique de la vie morale se trouve dans une réplique de Sœur Constance : « Je voulais dire seulement que, puisque saint Pierre n'était pas soldat, il a eu tort de donner à Notre-Seigneur une parole de soldat... Il était un simple pêcheur. S'il avait donné simplement sa parole de pêcheur, il l'aurait tenue[6]. »

Mais notre compréhension des *Dialogues des Carmélites* risque de rester superficielle tant que nous n'avons pas compris que le drame de Blanche de la Force ne se limite pas aux dimensions d'une histoire individuelle – celle d'une jeune fille de bonne famille obligée par la faiblesse de sa nature de se conduire d'une manière contraire à l'honneur – mais qu'il est en continuité profonde avec le drame que Bernanos n'a pas cessé de vivre depuis qu'il a commencé à réfléchir au destin de son pays, et auquel il a participé, depuis son retour du Brésil, avec l'intensité que nous savons. Si, pour Gertrud

---

1. « Il faut toujours se rappeler que Blanche était véritablement religieuse. » *La Dernière à l'échafaud*, p. 28.
2. *Pl.*, p. 1583.
3. *Ibid.*, p. 1578.
4. *Ibid.*, p. 1579.
5. *Blanche :* « Vous me croyez retenue ici par la peur ! » *Le Chevalier :* « Ou la peur de la peur. » *Pl.*, p. 1630.
6. *Ibid.*, p. 1625.

von Le Fort, le monde est menacé de périr par suite du déchaînement
des forces ténébreuses qui couvent dans l'humanité, il ne fait pas
de doute que pour Bernanos le monde moderne meurt d'avoir perdu
l'honneur : « Le Monde a besoin d'honneur, écrit-il dans *Les Grands
Cimetières*. C'est d'honneur que manque le Monde. Le Monde a
tout ce qu'il lui faut, et il ne jouit de rien parce qu'il manque
d'honneur. Le Monde a perdu l'estime de soi[1]. » La grande menace,
pour Bernanos, n'est pas une sorte de nouvelle Terreur plus bestiale
et plus satanique que la première, mais un avilissement de l'humanité
la conduisant à se soumettre sans combat à la plus impersonnelle
des dictatures.

Ainsi, ce qui le frappe dans la Révolution, c'est moins la menace
du danger, le voisinage de l'horrible, que la tentation de se renier
et de trahir des fidélités sacrées. C'est pourquoi, comme l'a très
bien senti Sœur Meredith, il n'a pas représenté la Révolution
française sous l'aspect un peu impersonnel de « cataclysme de civilisation » qu'elle avait chez Gertrud von Le Fort, mais comme « un
grand tournant de l'histoire de son pays[2] » qui pose à chacun, mais
plus particulièrement aux aristocrates, un problème de fidélité.
Cette fidélité n'est pas pour Bernanos la fidélité à une caste, à laquelle
il s'identifierait au point de faire de ses valeurs des absolus : si
apparentes que soient ses sympathies, il a représenté les révolutionnaires plutôt comme des sots que comme des brutes, et il a pris soin
de donner la parole, à l'intérieur même du couvent, à des religieuses
dont l'âme plébéienne s'exprime avec une ardeur de bon aloi. Ce
qu'il s'agit pour Blanche de préserver, c'est moins un idéal de caste
qu'une certaine estime de soi[3], et c'est par là que son drame rejoint
celui dont Bernanos a si douloureusement porté le poids. La France,
dont la vocation était de restituer l'honneur au monde, a donné et
donne au monde l'exemple du déshonneur. Obéissant à cette peur
que Bernanos avait si profondément analysée dans *Les Grands
Cimetières*[4], elle a sacrifié la fidélité à la parole donnée, rampé
devant ses vainqueurs, léché les mains de ses libérateurs. A cette
France avilie, il faut enseigner la fierté : « Soyez fier! écrit Bernanos
à un jeune correspondant au début de 1948. Le monde regorge
d'humilité, sous ses airs d'orgueil, mais d'une humilité pervertie,
dégradée, qui n'est plus qu'une forme de la lâcheté d'esprit et de
cœur. Nous sommes bas et non humbles. Il faut que le monde refasse

---

1. *Cimetières*, p. 98.
2. Meredith, *op. cit.*, p. 110-111.
3. Qu'elle ne peut conserver que si elle ne trahit pas son idéal de caste :
c'est de là que risque de naître l'équivoque.
4. Cf. *supra*, p. 247-248.

de la fierté comme un être épuisé refait des globules rouges ou des vitamines[1]. » Quel meilleur exemple à méditer que celui d'une héroïne plongée dans ce qui est pour elle le comble de l'avilissement et de l'humiliation, mais aspirant si intensément à la fierté qu'elle lui sera, en fin de compte, surnaturellement rendue ?

Avant de voir comment s'opère cette restitution, et pour comprendre pourquoi elle met forcément en jeu la surnature, interrogeons-nous une dernière fois sur cet honneur auquel la pensée de Bernanos fait une si grande place. Le danger qu'il présente est qu'on risque de le confondre avec l'orgueil, alors qu'il en est aussi éloigné que l'est l'humiliation de la véritable humilité. Si l'on essaie de le dépouiller des significations adventices qu'il doit aux circonstances contingentes grâce auxquelles il a pénétré dans la vie de Bernanos, on arrive à cette intuition, profondément conforme à l'esprit de Péguy, que la nature doit être pourvue d'une certaine consistance pour que la surnature ait prise sur elle, que le Christ n'est pas venu sauver un peuple de purs esprits mais une race d'hommes dont les valeurs avaient besoin d'être confirmées, couronnées et dépassées, mais non abolies[2]. A Mlle Louise chassée du château, à qui il vient de conseiller « Soyez fière », et qui lui a répondu : « Je n'aurais jamais pensé que la fierté fût une des vertus théologales », le curé d'Ambricourt répond : « Il est beau de s'élever au-dessus de la fierté. Encore faut-il l'atteindre[3]. » Et Bernanos écrit, exactement dans le même sens, dans *Nous autres, Français* : « Sans la charité du Christ, un chrétien n'est pas chrétien, mais sans honneur, il n'est qu'un porc[4]. »

L'honneur bernanosien pourrait donc être défini comme l'acceptation des devoirs et des risques découlant de notre condition d'hommes et comme la reconnaissance de la valeur que nous avons en tant qu'êtres créés par Dieu. Bernanos y voit, par là-même, la plus sûre des garanties contre ce mépris ou cette haine de soi qui inspire identiquement le cynisme et l'angélisme. C'est pourquoi la haine de soi est la plus grande tentation à laquelle Blanche doive faire face lorsque l'honneur lui paraît hors de portée : « Il est très difficile de se mépriser sans offenser Dieu en nous », lui dit la Prieure

---

1. *Bul.*, IV, p. 8.
2. Il est significatif, à cet égard, de constater que la phrase de Sœur Constance sur saint Pierre, que nous citions tout à l'heure, fait écho au scandale de Jeannette dans *Le Mystère de la Charité de Jeanne d'Arc* : « Renoncer, non, renoncer. Comment a-t-on pu renoncer le Fils de Dieu ? », et à son affirmation tranchante : « Je dis seulement ceci ; jamais, nous, nous ne l'aurions lâché. »
3. *Pl.*, p. 1203.
4. *Nous autres*, p. 145.

au début de la pièce[1]. « Le malheur, ma fille, n'est pas d'être
méprisée, mais seulement de se mépriser soi-même », lui répète
Mère Marie à la fin[2].

Mais comment concilier cette confiance faite à l'homme pour
juger de ce qui est droit et de ce qui est digne avec l'absolue gratuité
et l'absolue transcendance de l'action divine ? Le problème n'est
nullement théorique, lorsque des circonstances où il faut bien
reconnaître la main de Dieu nous plongent dans l'ignominie. Les
données en sont si contradictoires que la forme dramatique permet
seule à Bernanos de les confronter sans les affaiblir. Seuls le théâtre
ou le drame cinématographique permettent de mettre en œuvre
une dialectique parfaitement ouverte, qui fasse jaillir la solution
du heurt des inconciliables au lieu de l'introduire subrepticement
en escamotant, en minimisant ou en infléchissant l'une des données.
C'est dans *Polyeucte* et peut-être plus encore dans le *Mystère de la
Charité de Jeanne d'Arc* que Bernanos trouvait les meilleurs modèles
de cette manière rigoureuse d'éprouver, comme on éprouve un
métal, des attitudes également respectables et également justes, dont
seul un dépassement vers le haut pouvait surmonter la contradiction :
amour humain et amour divin ; révolte contre le mal et soumission
à la volonté de Dieu.

Dans les *Dialogues des Carmélites* les deux options antagonistes
sont le sentiment de l'honneur, dont nous venons de voir les
exigences, et la vocation sacrificielle d'êtres voués à la prière et
à l'expiation, c'est-à-dire prêts à renoncer à tout l'humain pour le
salut des hommes. C'est pour mettre en valeur cet antagonisme que
Bernanos remodèle les personnages de *La Dernière à l'échafaud*.
Dans ce drame de la force et de la faiblesse, Mère Marie de l'Incarnation représentait non pas l'attachement à l'honneur humain,
mais l'énergie, l'impatience d'agir, la tentation de l'héroïsme.
Aussi son ascendant sur la communauté était-il complet, et la
prieure, Mère Lidoine, femme timide et effacée, sensible par là même
aux difficultés de Blanche, jouait-elle un rôle très secondaire[3].
Dans la pièce, la tentation de Mère Marie n'est pas tant l'activisme
que le mépris. Sans être, comme l'écrit Urs von Balthasar, « bouffie
d'orgueil nobiliaire[4] », elle a du mal à dissimuler son dépit à la
pensée « qu'une fille de grande naissance puisse, le cas échéant,

1. *Pl.*, p. 1601.
2. *Ibid.*, p. 1702.
3. C'est d'autant plus remarquable que Mère Lidoine fut en réalité une
femme très énergique. Sur la véritable histoire des Carmélites de Compiègne,
cf. BRUNO DE JÉSUS-MARIE, *Le Sang du Carmel*, Plon, 1954.
4. *Balthasar*, p. 445.

manquer de cœur[1] » et son dédain à l'égard de celle « dont le manque de caractère peut devenir un péril pour la Communauté[2] ». Aussi sa faute, au moment du vœu, n'est-elle pas tellement d'avoir entraîné toute la communauté au martyre, que de l'avoir fait sans se soucier de la seule qui ne pourrait pas suivre.

En face d'elle, Mère Lidoine ne représente pas seulement, comme on pourrait l'imaginer à ses premières paroles, l'esprit pratique de la paysanne et la volonté de désengagement d'une Église qui entend vivre dans l'éternel. Peut-être Bernanos se l'est-il représentée ainsi au début, car il lui est arrivé de parler, avec une résignation où il y a un peu de désespoir, de l'« opportunisme sacré » de l'Église, « emportée vers l'Éternel dans une trajectoire inflexible », et de sa « sublime infidélité à tout ce qui n'est pas elle[3] ». Mais bien vite en tout cas, Mère Lidoine en est venue à incarner autre chose que cet « opportunisme sacré » pour lequel on ne peut pas imaginer que Bernanos n'ait pas eu quelque dédain. Il met dans sa bouche les paroles qu'il faut pour purifier la conception que Mère Marie se fait de l'honneur de tout ce qu'il y subsiste d'attachement aux jugements du monde : soit qu'elle proclame que « le Carmel n'est pas un ordre de chevalerie[4] », soit qu'elle invite ses religieuses à penser au péché des bourreaux plutôt qu'à la gloire des victimes, ou qu'elle dénonce ce qu'il y a de présomptueux dans le souhait du martyre chez des êtres voués à l'humilité, ou enfin qu'elle affirme combien est futile la distinction entre la peur et le courage « lorsqu'on les considère de ce jardin de Gethsémani où fut divinisée, en le Cœur Adorable du Seigneur, toute l'angoisse humaine[5] », elle exprime, à n'en pas douter, les exigences de la plus authentique spiritualité.

Est-ce à dire que Bernanos veuille lui donner raison contre Mère Marie et renonce par sa bouche à sa religion de l'honneur ? Absolument pas : pas plus que Péguy ne donne raison, contre la juste révolte de Jeannette, à la juste soumission à la Providence que prêche Madame Gervaise. Ni Mère Lidoine ni Mère Marie ne peuvent avoir raison parce qu'il y a les événements et parce qu'il y a Blanche. Les événements donnent raison à Mère Marie, non dans son reste d'attachement aux valeurs mondaines, mais dans l'intuition qu'elle a eue du tragique de l'histoire, et du caractère inéluctable d'une fin héroïque. Il faut d'ailleurs souligner que les conditions dans lesquelles elle fait prononcer le vœu sont beaucoup

1. *Pl.*, p. 1599.
2. *Ibid.*, p. 1617.
3. *Nous autres*, p. 138.
4. *Pl.*, p. 1616.
5. *Ibid.*, p. 1653.

moins contraires à l'obéissance que celles dans lesquelles le même personnage prenait cette initiative dans la nouvelle[1] : elle ne fait, de toute façon, qu'anticiper sur les événements, dont le cours ne sera pas modifié par la résolution tout intérieure des Carmélites. La conduite de Mère Lidoine, mise en face de la nécessité, ne sera pas moins héroïque que celle que Mère Marie eût souhaitée pour elle-même, et l'on comprendra alors, si on en doutait encore, combien était justifiée l'assimilation, si chère au cœur de Bernanos, entre la France aristocratique et la France paysanne, par laquelle Mère Lidoine concluait sa première altercation avec la sous-prieure : « En France, il ne faut pas gratter beaucoup de l'ongle une fille de grande seigneurerie pour retrouver la paysanne, et la plus mijaurée des duchesses a la même santé de corps ou d'âme que sa fermière[2]... »

Mais l'existence de Blanche fait que Mère Marie ne saurait avoir complètement raison : si héroïque que soit la fidélité d'une Carmélite au vœu du martyre, il y a un degré d'abnégation supérieur, il y a une conformité plus grande avec le délaissement de Jésus au Jardin de l'Agonie : c'est cette souffrance humiliée et solitaire dans laquelle Mère Lidoine, dans la pièce comme dans la nouvelle, reconnaît infailliblement la vocation particulière de Blanche de la Force.

Nécessité de l'honneur, valeur religieuse de l'humiliation : faut-il se contenter de considérer l'un à côté de l'autre, sans espoir de les concilier ou de les dépasser, ces deux impératifs qui semblent s'exclure ? Blanche ne sera-t-elle sauvée dans l'autre monde qu'à condition de se sentir jusqu'au bout totalement perdue dans celui-ci ? A ce qui serait l'issue tragique, la constatation du divorce radical entre le temps et l'éternité, Bernanos, en homme de foi, a substitué l'assomption du drame sur le plan religieux en faisant intervenir deux réalités mystiques qui, à la vérité, n'en font qu'une, la participation à la Communion des Saints, et l'identification à l'agonie et à la mort de Jésus-Christ.

De toutes les œuvres de Bernanos, dans lesquelles il est à peine besoin de rappeler le rôle que joue le thème de la communion des saints, la dernière est certainement celle où il occupe le plus de place : « Sur ce thème, écrit excellemment Urs von Balthasar, les *Dialogues des Carmélites* jouent une fugue si admirablement construite que ses entrelacements échappent en partie à l'analyse du plus habile contrapuntiste et que cette complication même met

1. Mère Marie, chez Gertrud von Le Fort, n'est que maîtresse des novices, alors qu'elle est, chez Bernanos, investie de l'autorité de la Prieure absente, et impressionnée par la proximité du danger.
2. *Pl.*, p. 1618.

parfaitement en lumière les jeux de miroirs indéfinis de la solidarité rédemptrice[1]. » Saisir toutes les nuances de cette réciprocité serait en effet une tâche impossible. Mais il suffira d'en mesurer le domaine et d'en dégager les principaux mécanismes pour comprendre comment Blanche peut passer de cette nuit du Vendredi-Saint où elle s'enfonce tous les soirs à l'unique matin de la Résurrection qui brille pour toujours.

Les *Dialogues*, œuvre où une personnalité déchirée mais assurée se récapitule dans l'affirmation d'une foi sans défaillance, sont placés d'un bout à l'autre sous le signe de la complémentarité. A un niveau qui n'est pas encore celui de l'échange mystique, mais celui des solidarités naturelles, Bernanos a rassemblé, dans les murs du Carmel de Compiègne et de l'Hôtel de la Force, une collection de types humains – grand seigneur, soldat, prêtre, paysannes, filles nobles, petites bourgeoises – qui correspondent à l'idée à la fois une et diverse qu'il se fait de la France. A travers leurs oppositions, que la vie religieuse ne fait pas disparaître, ces personnages présentent les similitudes de tempérament et de race auxquelles nous avons vu Mère Lidoine faire allusion il y a un instant. Mais ils ne sont pas seulement les membres d'une même communauté naturelle. La commune vocation de la plupart d'entre eux les destine à une vie de prière et d'expiation dont le principe est exposé à Blanche par la vieille prieure lors de leur première entrevue : « Si la croyance en Dieu est universelle, ne faut-il pas qu'il en soit autant de la prière? Eh bien, ma fille, Dieu a voulu qu'il en soit ainsi, non pas en faisant d'elle, aux dépens de notre liberté, un besoin aussi impérieux que la faim ou la soif, mais en permettant que nous puissions prier les uns à la place des autres. Ainsi chaque prière, fût-ce celle d'un petit pâtre qui garde ses bêtes, c'est la prière du genre humain. *(Court silence.)* Ce que le petit pâtre fait de temps en temps, et par un mouvement de son cœur, nous devons le faire jour et nuit[2]. »

Appelées ainsi, par une vocation spéciale, à prendre en charge le destin surnaturel de leurs frères, et cela d'une manière d'autant plus impérieuse que les malheurs des temps sont plus grands, les Carmélites pratiquent également les unes envers les autres cette loi de substitution qui découle de l'unité du corps mystique et de la réversibilité des mérites de chacun de ses membres sur tous les autres : substitution et non pas assistance, encouragement, conseil, ce qui serait encore faire fond sur les forces de l'homme. Si, au

---

1. *Balthasar*, p. 466.
2. *Pl.*, p. 1586.

risque de choquer la jeune postulante, la vieille prieure l'avertit fermement que la maxime de son ordre, « Chacun pour Dieu! », ressemble un peu à la maxime du monde, « Chacun pour soi », c'est pour bien lui faire comprendre que tout ce qu'elle peut attendre de ses sœurs lui vient de Dieu et doit passer par Dieu pour lui être donné ; si bien que la bénéficiaire du don ignore presque toujours quelle en est l'origine et que celle qui se sacrifie ne sait pas toujours qui doit bénéficier de son sacrifice.

Bien que cette loi de substitution joue également dans d'autres directions (par exemple lorsque Mère Lidoine prend sur elle le vœu de la communauté) c'est le personnage de Blanche qui, à cause de sa fragilité, constitue le foyer de ce réseau d'échanges. La grâce qui circule à pleins bords dans la petite communauté menacée est ainsi appelée sur elle par la faiblesse du plus faible de ses membres autant que par l'abnégation et l'appétit de martyre des plus forts.

Trois personnages principaux répondent pour Blanche et prennent sur eux une part du fardeau qui menace de l'entraîner dans le désespoir. Le premier est la petite Sœur Constance de Saint-Denis. Avec la lucidité que donne l'innocence, elle a pressenti dès le premier regard que Sœur Blanche et elle seraient associées dans la mort. Il n'y aurait là, sans doute, qu'une prémonition tragique si nous ne devinions pas qu'elle ne mourra pas seulement *en même temps que* mais *avec* Blanche, et que celle-ci bénéficiera mystérieusement de sa confiance dans la vie et de son acceptation enfantine de la mort. De là l'importance du contraste entre leurs personnalités où, comme le dit Albert Béguin, « il faut voir moins une opposition de deux caractères que le lien qui les associe et les rend l'une à l'autre indispensables[1] ». Contraste et complémentarité d'autant plus significatifs que Sœur Constance est une vraie création de Bernanos : la nouvelle de Gertrud von Le Fort n'a guère fourni que le nom du personnage et l'indication de sa « naïveté[2] ». Bernanos met en elle le courage, la simplicité, la fidélité dans les petites choses, l'esprit d'enfance dont il avait comblé une Chantal de Clergerie, et il y ajoute une gaîté, une exubérance juvénile et un rien d'outrecuidance aristocratique qui la rendent très proche de son cœur[3]. En face de

1. *Le Théâtre contemporain*, p. 135-136, cité dans *Bul.*, 12-13, p. 20.
2. A noter, d'ailleurs, que la vraie Sœur Constance (Marie-Geneviève Meunier), encore novice au moment de l'exécution, était d'origine paysanne. C'est évidemment pour la rapprocher de Sœur Blanche et pour multiplier les points de comparaison entre les deux personnages que Bernanos en a fait une aristocrate.
3. On remarquera que Sœur Constance se laisse tout naturellement « tomber en Dieu ». « Nous ne pouvons tomber qu'en Dieu ! » dit-elle

Blanche qui exprime l'aspect tragique et délaissé de la sainteté bernanosienne, Constance exprime ainsi son aspect lumineux et confiant. Grâce à elle, nous rencontrons une dernière fois le regard d'enfant avec lequel Bernanos, malgré son angoisse, n'a pas cessé d'attendre la mort. « Il pouvait comme Sœur Blanche, écrit Albert Béguin, se considérer comme voué à la Sainte Agonie qui ne cessa pas de figurer au centre de sa vie spirituelle. Mais en même temps qu'il se livrait à cette puissance terrible, il gardait en lui-même une part d'enfance qu'expriment merveilleusement les répliques de Sœur Constance. Et naturellement, deux thèmes aussi profonds, aussi innés, ne devaient pas rester sans liaison intérieure. Bernanos ne les a guère séparés, et son regard toujours tourné vers la mort était un regard d'enfant, ou mieux le regard d'un homme qui espérait rejoindre l'enfance à l'heure de sa mort[1]. »

Le lien qui unit Blanche à Mère Marie est plus formel encore et plus clairement posé que celui qui l'unit à Sœur Constance. C'est la vieille prieure elle-même qui, au nom de l'obéissance, lui confie la postulante craintive : « Vous me répondrez d'elle devant Dieu », ajoute-t-elle, et elle précise, comme pour justifier ce choix qui peut surprendre, étant donné l'incompatibilité de leurs natures : « Il vous faudra une grande fermeté de jugement et de caractère mais c'est précisément ce qui lui manque et que vous avez de surcroît[2]. » Rien de tel, dans la nouvelle. Le seul rapport particulier qui existe, chez Gertrud von Le Fort, entre Mère Marie et Sœur Blanche, l'autorité que celle-là exerce sur celle-ci comme maîtresse des novices, est brusquement interrompu par Mère Lidoine, désireuse de protéger la trop faible recrue. Le lien que Bernanos établit ainsi entre les deux Carmélites est d'ailleurs loin de se révéler dès l'abord dans toute son étendue. Mère Marie peut croire au début qu'il ne s'agit que de conseils, de prières, de sacrifices, et elle en offre généreusement au moment où Mère Lidoine décide contre son avis d'autoriser Sœur Blanche à prendre le voile. Ce n'est que plus tard que la nouvelle Prieure, surnaturellement inspirée, laisse entrevoir à Mère Marie qu'il lui faudra souffrir dans son honneur pour permettre à celle qui lui a été confiée de retrouver le sien :

MÈRE MARIE

[...] Ne serait-ce pas un affreux malheur pour nous toutes de voir faillir celle d'entre nous qui porte précisément le nom de la Très

(p. 1672). C'est exactement le geste d'abandon que Philippe, dans le brouillon de *M. Ouine*, se refuse à accomplir.
1. *Bul.*, nᵒ 12-13, p. 20.
2. *La Dernière à l'échafaud*, p. 127.

Sainte Agonie ? Dans la bataille, c'est aux plus braves que revient l'honneur de porter l'étendard. Il semble que Dieu ait voulu remettre le nôtre entre les mains de la plus faible et peut-être de la plus misérable. N'est-ce pas là comme un signe du Ciel ?

LA PRIEURE

Je crains que ce signe ne soit donné que pour vous. C'est vous, ma fille, qui serez sacrifiée à cette faiblesse et peut-être substituée à ce mépris.

MÈRE MARIE

J'y consentirai de bon cœur.

Mesure-t-elle bien, à ce moment-là, l'étendue du sacrifice qu'elle accepte, et l'accepte-t-elle tout à fait sincèrement ? On peut en douter. C'est seulement lorsque son exclusion du martyre lui aura arraché le pathétique cri du cœur « Je suis déshonorée » qu'elle comprendra à quel prix il lui faut payer le salut de Blanche. Ici encore, la différence avec la nouvelle est très significative. Le drame de Marie de l'Incarnation, pour Gertrud von Le Fort, n'est pas le drame de l'honneur mondain obligé de passer par la nuit de l'humiliation, mais le drame de l'héroïsme humain, de l'énergie psychique obligés de se faire faiblesse pour laisser agir la grâce imprévisible et la puissance insondable de Dieu. Aussi Gertrud von Le Fort insiste-t-elle à peine sur la substitution de Blanche à Marie. Celle-ci, malgré son désir de joindre son chant à celui de ses compagnes marchant au supplice, accepte, comme le prêtre l'y engage, à sacrifier sa voix « pour la dernière de toutes [1] », mais elle ignore que cette dernière de toutes sera Blanche. Ce qui importe, c'est qu'elle ait accepté « le silencieux anéantissement de ce que toute une vie humaine avait considéré comme sa raison d'être ; [...] le sacrifice du sacrifice lui-même [2] » !

Mais c'est surtout la mort de la vieille prieure qui nous fait comprendre la mystérieuse substitution en vertu de laquelle Blanche de la Force sera arrachée au désespoir et sauvée, car c'est par cette mort et en elle qu'elle communique et qu'elle communie avec l'agonie du Christ. La réalité de cet échange mystique a été devinée dès le premier instant par Sœur Constance. « Pensez, dit-elle, à la mort de notre chère Mère, Sœur Blanche ! Qui aurait pu croire qu'elle aurait tant de peine à mourir, qu'elle saurait si mal mourir [3] !

---

1. *La Dernière à l'échafaud*, p. 127.
2. *Ibid.*, p. 124.
3. Cf. le mot de Sainte Thérèse de Lisieux : « Jamais je ne vais savoir mourir ! » (*Novissima Verba*, Carmel de Lisieux, 1926, p. 88).

On dirait qu'au moment de la lui donner, le bon Dieu s'est trompé de mort, comme au vestiaire on vous donne un habit pour un autre [...]. On ne meurt pas chacun pour soi, mais les uns pour les autres, ou même les uns à la place des autres, qui sait[1] ? » Il est vain, sans doute, de vouloir sonder jusqu'au fond le mystère de cette compensation, mais on aurait tort de se la représenter comme une simple infusion de force permettant à une créature désarmée de passer un cap qu'elle estimait infranchissable. Ce que la prieure prend sur elle en mourant de la sorte, c'est moins la faiblesse de Blanche et son horreur instinctive devant la mort que sa peur humiliante et le déshonneur de ne pas « faire face ». On peut se demander si la terreur que Bernanos a ressentie devant la mort n'est pas due avant tout à ce que la mort représente pour lui le degré suprême de l'humiliation, qui a toujours été pour lui, avec ses corollaires, la haine de soi et le désespoir, la tentation la plus grave[2]. Les agonies de ses saints, à part celle de Chantal dont nous ne savons rien (mais au sujet de laquelle il est permis de soupçonner le pire), sont des agonies non seulement solitaires et douloureuses, mais aussi essentiellement humiliées, à la fois parce qu'elles sont complètement dépourvues, dans leurs circonstances et dans leurs cadres, de cette dignité et de cette tenue qui font, pour beaucoup, la majesté de la mort, et parce que l'agonisant perd toujours, à un certain moment, la détermination, le courage, l'élévation de sentiments que la sainteté de sa vie faisait attendre : « J'ai médité sur la mort chaque heure de ma vie, et cela ne me sert de rien! » dit la Prieure. Mais c'est justement au moment où elle fait cette constatation désespérante qu'elle découvre la prédestination qui unit son sort à celui de la petite postulante. Ce nom de l'Agonie du Christ, sous le patronage duquel Sœur Blanche s'est placée, a été jadis le sien, et au moment où elle allait l'adopter, la Prieure de l'époque lui a dit : « Interrogez vos

---

1. *Pl.*, p. 1613.
2. Les origines de cette hantise de l'humiliation sont mystérieuses et complexes. Il faut certainement faire entrer en ligne de compte le décalage entre l'origine très modeste des parents de Bernanos et le milieu dans lequel leur fils a été amené à grandir. Il y a eu chez lui, de très bonne heure, une tendance à l'évasion dans le sublime, à l'identification avec une France et une chrétienté héroïques et idéales, qui explique aussi bien son adhésion à l'Action française que ses amères déceptions en face de la France et de l'Église réelles. Mais ces explications peuvent rendre compte des *éléments* d'une destinée ; elles ne nous apprennent rien sur sa *signification*, qui reflète le choix d'une liberté à partir de ces éléments qu'elle n'a pas choisis. L'humiliation aurait pu faire de Bernanos le « raté » que Claudel a peu charitablement vu en lui. Elle en a fait l'auteur des *Dialogues des Carmélites* et – avec la collaboration de Dieu – de sa propre mort.

forces. Qui entre à Gethsémani n'en sort plus. Vous sentez-vous le courage de rester jusqu'au bout prisonnière de la Très Sainte Agonie[1]? »

Ainsi c'est au moment où sa mort la fait participer pleinement à l'humiliation de la Très Sainte Agonie qu'elle reconnaît que la vocation de Blanche est de vivre cette humiliation tous les jours de sa vie et de dépasser, en remettant son honneur « à la garde de Dieu[2] », la contradiction, qu'elle croit insurmontable et dont elle est écrasée, entre l'honneur du monde et la Croix du Christ : « Dès notre première rencontre, en m'avouant le nom qu'elle avait choisi, Blanche de la Force s'est placée pour moi sous le signe de la Très Sainte Agonie [...]. Ah! ma Mère, dans l'humiliation où je me trouve, il m'est plus facile de comprendre qu'il en est de la règle de l'honneur mondain à l'égard des pauvres filles du Carmel comme de l'ancienne loi pour le Seigneur Jésus-Christ et ses apôtres. Nous ne sommes pas ici pour l'abolir, mais au contraire pour l'accomplir en la dépassant[3]. » Intuition que Mère Lidoine ne fera que reprendre à son compte lorsqu'elle rappellera à Sœur Marie que « c'est dans la honte et l'ignominie de sa Passion que les filles du Carmel suivent leur Maître[4] », ou lorsqu'elle dira à ses religieuses rassemblées : « Lorsqu'on les considère de ce jardin de Gethsémani où fut divinisée, en le Cœur Adorable du Seigneur, toute l'angoisse humaine, la distinction entre la peur et le courage ne me paraît pas loin d'être superflue et ils nous apparaissent l'un et l'autre comme des colifichets de luxe[5]. »

Telle est la profonde et l'unique raison de l'assurance avec laquelle la voix de Blanche s'élèvera de la foule au moment où celle de la dernière de ses compagnes se sera éteinte. L'assistance surnaturelle de la joyeuse petite Constance, la substitution mystique de Marie de l'Incarnation, la mort prophétique de la Prieure n'ont été possibles que parce que Jésus, au jardin de l'Agonie, a épuisé une fois pour toutes le calice d'humiliation que Blanche croyait trouver devant elle au moment de mourir. Aussi n'est-ce pas, comme chez Gertrud von Le Fort, « une personnalité détruite jusqu'au tréfonds » et uniquement habitée par « la presque inconcevable grâce de Dieu » qui gravit avec assurance les marches de l'échafaud, mais une personnalité régénérée, libérée de ses liens, restituée à elle-même, rendue à l'enfance.

1. *Pl.*, p. 1598.
2. *Ibid.*, p. 1601.
3. *Ibid.*, p. 1599-1600.
4. *Ibid.*, p. 1648.
5. *Ibid.*, p. 1653.

Dans la préface des *Grands Cimetières sous la Lune*, Bernanos voit le petit garçon qu'il fut l'attendant au bout d'une de ces routes terrestres qu'il a tant aimées, prenant la tête de ses créatures imaginaires et les aidant à passer dans la Maison du Père. Nous savons maintenant que ce petit garçon donnait la main à la dernière d'entre elles, à Blanche de la Force, dont l'image, née de l'humiliation de la France et de l'humiliation de la mort, allait aider son créateur à surmonter la dernière angoisse.

Un récit de la mort de Bernanos ne saurait être qu'un résumé ou un commentaire de la bouleversante relation que l'abbé Pézeril en a faite dans le numéro spécial des *Cahiers du Rhône* consacré au grand écrivain. La sympathie de l'homme et l'intuition de l'artiste s'y unissent à la charité du prêtre pour éclairer les derniers jours qu'il passa sur cette terre de la lumière même qui baigne les plus belles pages de son œuvre.

Il ne fait pas de doute que les conditions dans lesquelles Bernanos composa ses *Dialogues* hâtèrent sa mort, en ruinant sa santé déjà ébranlée. Alors qu'il espérait en avoir fini rapidement (il se mit au travail à la fin d'octobre 1947 alors que la date convenue pour la livraison du manuscrit était au plus tard la fin de décembre de la même année), il retrouva, devant un sujet qui le captivait, les mêmes difficultés et les mêmes exigences que devant ses romans. L'impatience des réalisateurs, qui avaient engagé des frais, retenu d'avance des studios, fit peser sur son travail, dès le mois de janvier 1948, une menace qui alla en s'aggravant jusqu'à la remise définitive du manuscrit, le 8 avril, et qui dut être particulièrement éprouvante pour un homme dont le foie était gravement atteint. Aussitôt son travail terminé, Bernanos s'alita, et son état devint vite si inquiétant qu'on fut obligé de le ramener d'urgence à Paris, au début du mois de juin, pour tenter une opération désespérée.

C'est à la veille de celle-ci que l'abbé Pézeril fut appelé à l'hôpital américain de Neuilly pour lui administrer l'extrême-onction. Après l'opération, il revint tous les jours donner au malade la communion, que celui-ci recevait avec un extraordinaire recueillement, et s'entretenir quelques instants avec lui.

Durant la période où Bernanos n'a pas encore besoin de toutes ses forces pour lutter contre la mort, ces entretiens roulent souvent sur sa *Vie de Jésus*, à peine commencée au Brésil, puis interrompue par les exigences de la littérature de combat. Bernanos ne cesse pas d'y penser ; il se fait prêter par l'abbé Pézeril la *Vie de Jésus* de Bérulle, qui le déçoit ; il interroge tel de ses visiteurs sur des questions d'exégèse, il réfléchit à l'image très humaine qu'il voudrait donner des apôtres et de la Sainte Vierge. Mais derrière ces réflexions et ces projets se dissimule un choix infiniment plus grave. Depuis qu'il recommence à s'intéresser à l'actualité, Bernanos est repris par le dilemme qu'il s'est efforcé de repousser durant les dernières années. Continuer à s'adresser à ses compatriotes, à essayer de leur ouvrir les yeux, à leur crier « casse-cou » ? Une visite de Malraux, une autre de Pierre Bourdan, l'y encouragent : « Bernanos, on a besoin de vous. » Ou bien tout sacrifier à une œuvre essentielle, cette *Vie de Jésus*, où les dons du romancier ne feront plus que donner un langage à la charité surnaturelle du chrétien ? Le choix est difficile, car Bernanos a déjà commencé une *Encyclique aux Français*, où il fait parler le Pape, comme il faisait, dans ses derniers messages, parler le Général de Gaulle. Mais le mercredi 30 juin, sa décision est prise : « C'est une inspiration... J'ai cru que c'était une inspiration... cette nuit, j'ai dit : oui... Il me semble que le Seigneur me demande ce dépouillement total, le pensez-vous ? » Et son confesseur l'ayant confirmé dans cette résolution, qui est une vraie grâce, il lui confie : « Maintenant j'ai des raisons de vivre. » Désormais, Bernanos, dont la tentation a été jusque-là de se laisser aller, de se laisser « tomber en Dieu », va faire face à la mort. Son agonie sera un vrai combat. Il se « verra mourir », comme il l'a toujours souhaité.

« La mort, si difficile... et si facile. » Ce vers d'Eluard, qu'il citait aux Petites Sœurs de Foucauld semble avoir été écrit pour lui. Il a connu de grandes souffrances. « Oui... Père... Père... par votre fils Jésus-Christ ne me faites plus mal... » lui arrive-t-il de répéter après la dernière demande du *Pater*. Les images, dont il a tant pris de plaisir naguère à guider l'essor, l'enveloppent maintenant, incohérentes, de leur tourbillon hallucinatoire. Et pourtant il n'a pas eu l'agonie humiliée, farouche, confinant à la révolte et au désespoir, qu'il a prêtée à quelques-uns de ses personnages. Ceux-ci l'ont vécue à sa place, ou plutôt le Christ les a toutes vécues d'avance, toutes prises dans la sienne. « Voici que je suis pris dans la Sainte Agonie », dit Bernanos avant d'entrer dans cette nuit du dimanche 4 au lundi 5 juillet, qui sera la dernière. « Du Jardin au Calvaire, avait-il écrit à un ami en 1919, sache que notre Seigneur a connu et exprimé par avance toutes les agonies, même les plus humbles, les plus désolées [1]. » Chantal, dans *La Joie*, exprime avec plus de splendeur encore la même conviction : « Lui, cependant, bénissant les prémices de sa prochaine agonie, ainsi qu'Il avait béni ce jour

1. *C. R.*, p. 38.

même la vigne et le froment, consacrant pour les siens, pour la douloureuse espèce, son œuvre, le Corps sacré, Il l'offrit à tous les hommes, Il l'éleva vers eux de ses mains saintes et vénérables, par-dessus la large terre endormie dont Il avait tant aimé les saisons. Il l'offrit une fois, une fois pour toutes, encore dans l'éclat et la force de sa jeunesse, avant de le livrer à la Peur, de le laisser face à face avec la hideuse Peur, cette interminable nuit, jusqu'à la rémission du matin[1]. »

Bernanos a connu cette rémission du matin ; il a contemplé une dernière fois cette aube dont il avait fait bien des fois le symbole de l'entrée dans l'éternité. « O mort si fraîche, ô seul matin[2] ! » C'est dans la lumière du petit jour qu'il est mort, après avoir prononcé une dernière fois le prénom de sa femme. Lorsqu'il eut rendu son dernier souffle, son beau visage souriait.

---

1. *Pl.*, p. 684.
2. *Jeanne*, p. 69.

Bibliographie sommaire

La bibliographie la plus complète à ce jour est celle qui figure à la fin du *Bernanos* de Michel Estève. On s'y reportera pour plus de détails, en la complétant grâce aux articles d'Henri Giordan et d'Ernest Beaumont parus dans le n° 7 des *Études bernanosiennes* (*Bernanos et la critique*, 1946-1966).

I. OUVRAGES DE BERNANOS

A. ŒUVRES ROMANESQUES

L'édition la plus commode et la meilleure des œuvres romanesques est celle qui a été publiée en 1961 par la N. R. F., dans la *Bibliothèque de la Pléiade*. Elle comprend la totalité des romans et des nouvelles de Bernanos, y compris les nouvelles publiées dans « Le Panache », les *Dialogues des Carmélites*, les *Lettres* à l'Abbé Lagrange, des variantes établies par Albert Béguin, des Notes et Notices de Michel Estève, et une préface de Gaëtan Picon. Les œuvres romanesques de Bernanos ont été publiées dans l'ordre suivant :

Madame Dargent. Revue hebdomadaire, 1922. Cahiers libres, 1928. Plon (in *Dialogue d'Ombres*), 1955.
Sous le Soleil de Satan. Plon, 1926.
L'Imposture. Plon, 1927.
Une Nuit. Revue hebdomadaire, 1928. Cité des Livres, 1928. Plon (in *Dialogue d'Ombres*), 1955.
Dialogue d'Ombres. Cité des Livres, 1928. Plon, 1955.
La Joie. Revue universelle, 1928. Plon, 1929. Club du meilleur livre, 1954 (édition critique établie par Albert Béguin).
Un Crime. Plon, 1935.
Journal d'un curé de campagne. Revue hebdomadaire, 1935-1936. Plon, 1936. Le livre de poche, 1964.
Nouvelle Histoire de Mouchette. Plon, 1937.
Monsieur Ouine. Rio de Janeiro, Atlantica, 1943. Plon, 1946. Club des libraires de France, 1955 (édition critique établie par Albert Béguin).
Un Mauvais Rêve. Plon, 1950 (édition courante et édition critique! établie par Albert Béguin).

B. THÉÂTRE

Dialogues des Carmélites. Éditions du Seuil, 1949.

C. HAGIOGRAPHIE

Saint Dominique. Revue universelle, 1926. Éditions de la Tour d'Ivoire, 1927. Gallimard, 1939.
Jeanne, relapse et sainte. Revue hebdomadaire, 1929. Plon, 1934.

D. OUVRAGES DE COMBAT

La Grande Peur des Bien-Pensants. Grasset, 1931.
Les Grands Cimetières sous la lune. Plon, 1938.
Scandale de la Vérité. Gallimard, 1939.
Nous autres, Français. Gallimard, 1939.
Lettre aux Anglais. Rio de Janeiro, Atlantica, 1942. Alger et Genève, 1944. Gallimard, 1946.
La France contre les Robots. Rio de Janeiro, 1944. Laffont, 1947. Club français du livre (édition critique établie par Albert Béguin), 1955.
Les Enfants humiliés. Gallimard, 1949.

E. ARTICLES, CONFÉRENCES, DIVERS

Un certain nombre des articles publiés par Bernanos ont été reproduits par le *Bulletin de la Société des Amis de G. Bernanos.* D'autres ont été publiés séparément ou groupés :

Écrits de combat. Beyrouth, 1942-1944.
Le Chemin de la Croix-des-Âmes. Rio de Janeiro, 1943-1945 (4 vol.). Gallimard, 1948. (Recueil d'articles publiés au Brésil.)
Réflexions sur le cas de conscience français. Alger, Éditions de la revue Fontaine, 1945. (Texte d'une conférence prononcée à Rio.)
Dans l'amitié de Léon Bloy, in *Présence de Bernanos,* Plon, 1947.
Autobiographie. La Nef, 1948.
La Liberté pour quoi faire ? Gallimard, 1953. (Recueil de conférences faites en 1946-1947.)
Frère Martin (fragment d'un essai sur Luther). *Esprit,* octobre 1951.
Vie de Jésus (fragment), in *Bernanos par lui-même,* Seuil, 1952.
La poésie, « écho de la plainte humaine répercuté par les cieux ». Actualité religieuse dans le monde, 1er janvier 1954.
Le Crépuscule des Vieux. Gallimard, 1956. (Recueil d'articles, de conférences et d'inédits écrits entre 1909 et 1939.)

Français, si vous saviez... Gallimard, 1961. (Recueil d'articles écrits entre 1945 et 1948.)

F. CORRESPONDANCE

On trouvera un grand nombre de lettres de Bernanos, publiées intégralement ou par extraits, dans :

Georges Bernanos. Essais et témoignages. Éditions du Seuil. Collection des Cahiers du Rhône. 1949.
Albert BÉGUIN, *Bernanos par lui-même.* Éditions du Seuil, 1952.
Bulletin de la Société des Amis de G. Bernanos. Cf. en particulier Nᵒˢ 1, 2, 3, 4, 5, 11, 15-16, 17-20, 23, 24-25, 28-29, 30, 46, 47, 51-52, 53-54, 55-56.
Un Mauvais Rêve, édition critique.
Monsieur Ouine, édition critique.

Voir aussi :

Lettre à G. Duhamel. Médecine de France, 1949, nᵒ 1.
Lettres à Alceu Amoroso Lima. Esprit, août 1950.
Lettres à Jorge de Lima. Rio de Janeiro, 1953.
Lettre à Jean Guiraud. La Croix, 31 juillet 1953.
Lettres à Raymonde Laborde. Esprit des Lettres, mai-juin 1955.
Lettres à Anna de Noailles. Ibid.
Guy GAUCHER, *Le thème de la Mort dans les romans de Bernanos.* Minard, 1955.
Das Sanfte Erbarmen. Briefe des Dichters. Geleitwort von Albert Béguin, ausgewählt und übertragen von H. U. von Balthasar. Johannes Verlag, 1951.
Die Geduld der Armen. Neue Briefe. Auswahl, Übertragung und Einleitung von H. U. von Balthasar. Johannes Verlag.

II. PRINCIPALES ÉTUDES SUR BERNANOS

A. VOLUMES

Frédéric LEFÈVRE, *Georges Bernanos.* Éditions de la Tour d'Ivoire, 1926.
Luc ESTANG, *Présence de Bernanos.* Plon, 1947.
Gaëtan PICON, *Georges Bernanos.* R. Marin, 1948.
Albert BÉGUIN, *Bernanos par lui-même.* Éditions du Seuil, 1952.
Guy GAUCHER, *Le Thème de la Mort dans les Romans de Bernanos.* Minard, 1955.
Jean SCHEIDEGGER, *Georges Bernanos romancier.* Attinger, 1956.

Hans URS VON BALTHASAR, *Le Chrétien Bernanos*, traduit de l'allemand par M. de Gandillac. Éditions du Seuil, 1956.

Michel ESTÈVE, *Le Sens de l'Amour dans les Romans de Bernanos*. Minard, 1959.

Pasquale MACCHI, *Bernanos e il problema del male*. Varese. Edizione « La Lucciola », 1959.

Dom Paul GORDAN, *Freundschaft mit Bernanos*. Cologne, Herder, 1959.

Hans AARAAS, *Georges Bernanos*. Bind I. 1888-1935. Gyldendal Norsk Forlag, 1959. (En suédois.)

Jessie Lynn GILLESPIE, *Le Tragique dans l'œuvre de Bernanos*. Droz-Minard, 1960.

William BUSH, *Souffrance et Expiation dans la Pensée de Bernanos*. Minard, 1961.

Guy GAUCHER, *Georges Bernanos ou l'Invincible Espérance*. Plon, 1961.

Sr. Meredith MURRAY, O. P., *La Genèse de « Dialogues des Carmélites »*. Éditions du Seuil, 1963.

Jean de FABRÈGUES, *Bernanos tel que je l'ai connu*. Mame, 1963.

Sœur MARIE-CÉLESTE, *Le Sens de l'agonie dans l'œuvre de Georges Bernanos*. Lethielleux, 1962.

Magdelene PADBERG, *Das Romanwerk von G. Bernanos als Vision des Untergangs*. Hamburg, Cram-De Ruyter, 1963.

André ESPIAU DE LA MAËSTRE, *Bernanos und die menschliche Freiheit*. Salzburg, Otto Müller, 1965.

Henri DEBLUË, *Les Romans de Georges Bernanos ou le défi du rêve*. Neuchâtel, La Baconnière, 1965.

Michel ESTÈVE, *Bernanos*. Gallimard, 1965 (Collection « La bibliothèque idéale »).

Gerda BLUMENTHAL, *The Poetic Image of Georges Bernanos*. Baltimore, John Hopkins Press, 1965.

B. RECUEILS D'ARTICLES ET DE TÉMOIGNAGES

Georges Bernanos. Essais et Témoignages. Éditions du Seuil. Collection des Cahiers du Rhône, 1949.

L'Herne. Numéro spécial consacré à Bernanos. 1961.

Bulletin de la Société des Amis de G. Bernanos. 252, r. St Jacques.

Études bernanosiennes. Nᵒˢ 1, 2 (Autour du *Journal d'un curé de campagne*), 3-4 (Témoin de l'homme – témoin de Dieu), 5 (Autour de *M. Ouine*), 6 (Confrontations), 7 (Bernanos et la critique, 1946-1966, résultats et perspectives).

C. ARTICLES

M.-J. CONGAR, « L'Église selon G. Bernanos », *La Vie Intellectuelle*, 25 juin 1936.

Pie DUPLOYÉ, « Le Prophète des Grands Cimetières sous la Lune », *La Vie Intellectuelle*, 10 juin 1938.

Claude-Edmonde MAGNY, « Monsieur Ouine », *Poésie 46*. (Repris dans *Ét.*, n° 5.)

Albert BÉGUIN, « Bernanos », *Critique*, septembre 1948.

Albert BÉGUIN, « Bernanos au travail. Histoire d'un roman », *La Table Ronde*, octobre 1948.

Roger PONS, « Dialogues des Carmélites », *Cahiers Universitaires Catholiques*, novembre 1950.

Pierre EMMANUEL, « Un Mauvais Rêve », *La Nef*, Mars 1951.

Roger PONS, « Bernanos héraut de l'enfance », *Terre humaine*, novembre 1951.

Dina DREYFUS, « Imposture et authenticité dans l'œuvre de Bernanos », *Mercure de France*, 1er septembre 1952.

Alfred SIMON, « Les Dialogues des Carmélites », *Esprit*, juillet 1952.

Albert BÉGUIN, « Histoire d'un roman », *La Table Ronde*, février 1952.

André BLANCHET, « Un nouveau type de prêtre dans le roman contemporain », *Études*, février-mars 1954.

Albert BÉGUIN, « Bernanos et la raison », *L'Esprit des Lettres*, janvier 1955.

Albert BÉGUIN, « Les Dialogues des Carmélites », in *Le Théâtre contemporain. Recherches et Débats*. Fayard, 1957.

Xavier TILLIETTE, « Bernanos et Gertrud von Le Fort », *Études*, mars 1959.

Georges POULET, « Le temps d'un éclair », *La Nouvelle Revue Française*, 1er juillet et 2 août 1964.

André ESPIAU DE LA MAËSTRE, « Le thème de la route dans l'œuvre romanesque de Bernanos », *Les Lettres romanes*, 1963, nos 3 et 4, et 1964, nos 1 et 2.

D. CHAPITRES DE LIVRES

R. P. BRÜCKBERGER, *Ligne de Faîte*. Gallimard, 1942.

René Marill ALBÉRÈS, *La Révolte des Écrivains d'aujourd'hui*. Corréa, 1949.

P. de BOISDEFFRE, *Métamorphose de la Littérature*. Alsatia, 1950.

Pierre-Henri SIMON, *Témoins de l'Homme*. Armand Colin, 1951.

André ROUSSEAUX, *Littérature du XXe siècle*, t. I. Albin Michel, 1952.

Charles MOELLER, *Littérature du XXe siècle et Christianisme*, t. I. Casterman, 1953.

Emmanuel MOUNIER, *L'Espoir des Désespérés*. Éditions du Seuil, 1953.

Pierre-Henri SIMON, *L'Esprit et l'Histoire*. Armand Colin, 1954.

André BLANCHET, *Le prêtre dans le roman d'aujourd'hui*. Desclée De Brouwer, 1955.

André GERMAIN, *Les Croisés modernes. De Bloy à Bernanos*. Nouvelles Éditions latines, 1958.

Henri MASSIS, *De l'Homme à Dieu*. Nouvelles Éditions Latines, 1959.
Henri MASSIS, *Maurras et notre Temps*. Plon, 1961.
Philippe SOUPAULT, *Profils perdus*. Mercure de France, 1963.
Marcel SCHNEIDER, *La Littérature fantastique en France*. Fayard, 1964.

Tables

Index
des noms de personnes

AARAAS (Hans) : 164 n. 3.
AGOSTINI (Philippe) : 354.
ALAIN : 43.
ANDRIEU (Cardinal) : 111, 112, 114, 115.
ARBOUSSE-BASTIDE (Pierre) : 274 n. 2, 275 n. 2.
ARTAUD (Antonin) : 148.
AURY (Dominique) : 96 n. 2.

BALTHASAR (Hans Urs von) : 13 n. 2, 21, 30, 64, 75, 93 n. 1, 96, 104, 136, 165 n. 5, 163 n. 4, 191 n. 2, 328, 358 n. 2, 362, 364.
BALZAC (Honoré de) : 17, 27, 34, 71, 126, 127.
BARBEY D'AUREVILLY (Jules) : 34, 55, 95.
BARRÈS (Maurice) : 11, 44.
BAUDELAIRE (Charles) : 27, 223, 260.
BÉGUIN (Albert) : 9, 12 n. 2, 24, 26 n. 1, 64, 67 n. 2, 169, 179, 180 n. 1, 184, 187, 242 n. 1, 252, 253, 258, 290, 293, 307, 328, 330, 336, 338, 340, 342, 347, 366, 367.
BELPERRON (Pierre) : 175, 176, 182, 183, 201, 339 n. 1.
BÉNIER (Dr Jean) : 266, 267, 268, 269, 271.
BENOIT : 340.
BERL (Emmanuel) : 233, 234.
BERNADOT (Le P.) : 339.
BERNANOS (Mme, née Clémence

MOREAU), mère de Georges : 12, 20.
BERNANOS (Jean-François, dit Émile), père de Georges : 12, 20, 24, 121.
BERNANOS (Mme, née TALBERT D'ARC) : 42, 51, 53, 54, 55, 56, 61, 62, 266, 273.
BERNANOS (Chantal) : 52.
BERNANOS (Dominique) : 338.
BERNANOS (Yves et Michel) : 275.
BÉRULLE (Cardinal de) : 371.
BESSE (Dom) : 44, 50, 51, 53, 54, 55, 56, 61, 62, 64, 504, 154.
BLANCHET (Le P. André) : 205.
BLOY (Léon) : 55, 241.
BLUMENTHAL (Gerda) : 68 n. 1, 262 n. 1.
BO (Carlo) : 187.
BOISSELOT (Le P.) : 237.
BOUGRAT (Abbé) : 28 n. 6.
BOURDAN (Pierre) : 372.
BOURDEL (Maurice) : 121, 185.
BOURDET (Denise) : 354.
BOURGET (Paul) : 34.
BOUTEILLER (Guy de) : 36, 48, 177, 265.
BREMOND (Abbé Henri) : 124.
BRIOD (Blaise) : 352 n. 2.
BROUTCHOUX : 38.
BRUCKBERGER (Le P.) : 267, 268, 352, 354.
BRUNO DE JÉSUS-MARIE (Le P.) : 366 n. 3.
BUISSON (Ferdinand) : 38, 114.
BUSH (William) : 290.
BYRNES (Robert F.) : 166 n. 3.

CALMETTE : 43.
CAILLAUX : 43.
CARNEIRO : 67.
CASTEX (Pierre-Georges) : 95 n. 2.
CHABOT (Jacques) : 117 n. 1, 119 n. 2.
CHAIGNE (Louis) : 26 n. 3.
CHARREYRE : 340.
CHATEAUBRIAND (Assis) : 273.
CHATEAUBRIAND (François-René de) : 34.
CHIAPPE (Jean) : 233.
CLAUDEL (Paul) : 103, 104, 258, 337, 369 n. 2.
CLÉRISSAC (Le P. de) : 118, 229.
COLLEVILLE (Maxence de) : 26, 36, 48, 177, 265.
COLLEVILLE (Yves de) : 26, 36.
CONGAR (Le P. M. J.) : 205.
CONRAD (Joseph) : 66.
CORNÉLIUS (Georges) : 18.
COTY (François) : 156, 169, 170, 171, 172, 233.
CROZET (Léo) : 39 n. 2.

DAOUST (Joseph) : 42 n. 4.
DARD (Michel) : 21, 37 n. 4, 63, 175, 180.
DAUDET (Léon) : 41, 42 n. 2, 44, 54, 62, 66, 97, 110, 171, 173, 186.
DEBLÜE (Henri) : 136 n. 3, 178 n. 4, 188 n. 2, 191 n. 1, 204 n. 3, 223 n. 1, 295 n. 1.
DEGUY (Michel) : 156 n. 1.
DELATTRE (Pierre) : 26 n. 4.
DOSTOÏEVSKY : 66, 97, 128, 138, 244, 300.
DREYFUS (Dina) : 137.
DRUMONT : 21, 22, 34, 38, 155, 163-169, 238, 268.
DUMAS (Georges) : 266.
DUMAY : 113.

ELUARD (Paul) : 372.
ESPIAU DE LA MAËSTRE : 140 n. 1, 222 n. 1.

ESTANG (Luc) : 97 n. 3, 156 n. 1, 342.
ESTÈVE (Michel) : 10, 25, 70 n. 1, 97 n. 3, 156 n. 1, 164 n. 3, 178 n. 3, 191 n. 1, 195 n. 3, 196, 229 n. 3, 293 n. 1.

FABRÈGUES (Jean de) : 34 n. 2, 116 n. 2, 169 n. 2.
FAURE (Sébastien) : 38.
FERNANDES (Raul) : 279.
FERNANDES (Mme Raul) : 274.
FEUILLET (Octave) : 34.
FITCH (Bryan T.) : 311 n. 2, 330 n. 3.
FLAUBERT (Gustave) : 33.
FOLLIET (Joseph) : 339.
FOURNIER (Alain) : 11, 14, 15.
FRANCE (Anatole) : 279.
FRANCO (Général) : 239.
FRANÇOIS D'ASSISE (Saint) : 248, 285.
FREUD (Sigmund) : 66, 97.
FUMET (Stanislas) : 110.

GAFFRE (Le P.) : 39.
GANDILLAC (Maurice de) : 163 n. 4.
GAUCHER (Guy) : 65 n. 1, 144, 145 n. 4, 217, 156 n. 1, 274 n. 4.
GAULLE (De) : 26 n. 1.
GAULLE (Général de) : 275, 372.
GAY (Francisque) : 339.
GHÉON (Henri) : 82.
GIDE (André) : 14, 96 n. 6, 128, 314, 324.
GIORDAN (Henri) : 111, 113 n. 2.
GIULIANI (Le P. Maurice) : 26 n. 1.
GORDAN (Dom) : 64, 272, 274, 275.
GREEN (Julien) : 14.
GUESDE (Jules) : 167.
GUILLEMIN (Henri) : 337, 339.
GUIZOT : 233.

HALÉVY (Daniel) : 110.
HATTU (Guy) : 271.

HEIDEGGER (Martin) : 70 n. 1.
HELLO (Ernest) : 34.
HERRERA : 232.
HERRIOT (Édouard) : 172.
HITLER : 249, 250, 353.
HOFFMANN (E. T. A.) : 96 n. 2.
HOGG (James) : 96 n. 2.
HUBERT (Étienne-Alain) : 219, 223 n. 1.
HUGO (Victor) : 34, 232, 278.

JAMET (Henry) : 169.
JAMET (Mme Henry) : 217 n. 2.
JEAN DE LA CROIX (Saint) : 347.
JEANNE D'ARC (Sainte) : 144, 147, 250.

KAFKA (Franz) : 89.
KIERKEGAARD (Sören) : 70 n. 1.
KNOX (Sir Geoffrey) : 274 n. 2.

LAGRANGE (Abbé) : 28, 33, 34, 40, 47.
LAMENNAIS (Félicité) : 39, 157.
LAUGIER (André) : 336, 337, 340.
LEFÈVRE (Frédéric) : 27, 67, 77 n. 2, 79, 80, 82, 84, 92, 95 n. 1, 97 n. 3, 110.
LE FORT (Gertrud von) : 352-370.
LE GRIX (François) : 37 n. 2, 177 n. 4.
LE NÔTRE (Georges) : 355.
LÉON XIII : 211.
LÉVY-BRUHL (Lucien) : 81.
LIMA (Alceu Amoroso) : 267, 268, 273 n. 2, 276, 278, 279, 282, 283, 286.
LIMA (Jorge de) : 274, 293, 294, 300.
LUTHER (Martin) : 211, 283.

MAGNY (Claude-Edmonde) : 293, 294, 296, 310, 326, 327.
MAÎTRE (J.-B.) : 52, 54, 57, 65, 70.
MALIBRAN (Charles de) : 36.

MALIBRAN (Ernest de) : 36, 38, 41, 48.
MALRAUX (André) : 138 n. 2, 372.
MANN (Thomas) : 96 n. 2.
MARITAIN (Jacques) : 110, 113, 114, 157, 267, 279.
MASSIS (Henri) : 21 n. 2, 107 n. 2, 109, 113, 115, 116, 118, 119, 121, 122, 124 n. 2, 134, 252.
MAURIAC (François) : 99, 157, 340.
MAURRAS (Charles) : 29, 34, 38, 39, 40, 43, 44, 62, 112, 113-119, 124, 156, 161, 168-172, 233, 268, 290.
MELLO FRANCO (Virgilio de) : 267 n. 2, 269, 272, 273, 278 n. 3.
MICHAELIS (Cecil) : 199.
MICHELET (Jules) : 34.
MISTRAL (Frédéric) : 44.
MONNIN (Abbé Alfred) : 102 n. 1 à 5, 103 n. 1.
MONTHERLANT (Henri de) : 134.
MORÈS (Marquis de) : 38.
MORIZOT (Georges) : 37, 38.
MOUNIER (Emmanuel) : 280 n. 2, 339, 341.
MOZART : 249.
MURRAY (Sœur Meredith) : 352, 357, 360.
MUSSOLINI : 239.

NOAILLES (Anna de) : 40.
NODET (B.) : 102 n. 3, 103 n. 2, 104 n. 3.
NOUE (Mme de La) : 17 n. 1, 18.

OCAMPO (Victoria) : 267.
OFAIRE (Charles) : 11, 274, 292, 293.
ORAIN (Chanoine) : 26 n. 2.

PARIS (Comte de) : 268.
PASCAL (Blaise) : 34.
PASSY (Colonel) : 337.
PÉGUY (Charles) : 11, 13, 50, 66, 120, 163, 168, 210, 218, 335, 345, 361, 363.

PÉZERIL (Abbé Daniel) : 26, 178, 195, 196, 207 n. 2, 290, 295 n. 2, 354 n. 2, 371.
PICON (Gaëtan) : 97 n. 3, 127, 327.
PIE X : 112.
PIE XI : 111, 118.
PIRANDELLO : 66.
POINCARÉ (Raymond) : 60.
POSTIS (Ludovic de) : 36.
POULET (Georges) : 140 n. 1, 142 n. 2.
PRÉVOST (Marcel) : 39.
PROUST (Marcel) : 14, 66, 97, 128.

RACINE (Jean) : 66.
RAYMOND-MARIE (Sœur) : 323 n. 4.
RECK (R.-D.) : 193 n. 4.
REINE : 267.
RENAN (Ernest) : 128.
RIMBAUD (Arthur) : 111, 219.
RIVIÈRE (Jacques) : 11 n. 3.
ROBLES (Gil) : 231.
ROPS (Daniel) : 231.
ROUSSEAU (Jean-Jacques) : 64.
ROUSSEAUX (André) : 156 n. 2, 163 n. 3, 258, 335, 338, 344.

SALLERON (Louis) : 234.
SANGNIER (Marc) : 43, 339.
SARRAUT (Albert) : 43.
SARTRE (Jean-Paul) : 330.
SCHEIDEGGER (Jean) : 36 n. 3.

SCHMITT (Auguste-Frédéric) : 267.
SCOTT (Walter) : 240.
SIGNARGOUT (Abbé) : 28.
STAROBINSKI (Jean) : 64.
SOREL (Cécile) : 267.
STORELV (Sven) : 164 n. 3.

TALBERT D'ARC (Mme) : 42.
THALAMAS : 37.
THARAUD (Jérôme et Jean) : 163 n. 2.
THÉRÈSE DE L'ENFANT JÉSUS (Sainte) : 145, 198, 217, 248, 368 n. 3.
TILLIETTE (Henri) : 37, 38.
TOLSTOÏ (Léon) : 41.
TOULET (P.-J.) : 78.
TOURNAY (Docteur) : 116 n. 2.
TRIBOUT DE MOREMBERT (H.) : 12 n. 1.

VALLERY-RADOT (Robert) : 43, 64-67, 77, 79, 80, 82, 86, 97 n. 3, 107, 108, 109, 122, 156, 157, 174, 177, 187, 195, 291, 292.
VAURY (Georges) : 42 n. 4.
VERHAEREN (Émile) : 44.
VIANNEY (Jean-Marie, Curé d'Ars) : 92, 102, 103, 248.
VILLIERS DE L'ISLE-ADAM : 55, 95.

WINTER (Nicole) : 204.

ZOLA (Émile) : 293.

Index des œuvres

(Figurent dans cet index les titres des œuvres et articles de Bernanos qui ont été étudiés ou cités dans cet ouvrage ; seules les citations présentant un intérêt spécial ont été retenues.)

Autobiographie : 11.

Chemin de la Croix-des-âmes (Le) : 273.
Crime (Un) : 155, 173, 175, 178-195, 201, 219, 257 n. 2, 292.

Dialogues d'ombres : 67, 70-75.
Dialogues des Carmélites : 105, 119, 351-371.

Encyclique aux Français : 372.
Enfants humiliés (Les) : 13, 49, 58, 59, 134, 262, 269, 270, 277, 278, 280, 283, 285.
Entretien avec Frédéric Lefèvre : 111, 121.

Français, si vous saviez : 341.
France contre les robots (La) : 275, 280.
Frère Martin : 283, 290.

Grande Peur des Bien-pensants (La) : 58, 60, 155-172, 242, 246, 290.
Grands Cimetières sous la lune (Les) : 11, 16, 18, 21, 23, 71, 187, 231, 235-251, 265, 276, 284, 292, 339, 360, 371.
Leurs gueules : 111.

Imposture (L') : 11, 38 n. 1, 110, 121-155, 172, 173, 185, 194, 201, 225, 314.

Jeanne relapse et sainte : 143, 147, 216 n. 1.
Joie (La) : 121-155, 173, 176, 185, 188, 201, 219, 225, 353, 372.
Journal de ce temps : 344.
Journal d'un curé de campagne : 17, 22, 46, 66, 119, 175, 178, 187, 195-229, 231, 239, 243, 244, 246, 256, 257 n. 1, 259 n. 3, 284, 289, 292, 314.

Lettre aux Anglais : 265, 274, 276, 280, 283.
Liberté, pour quoi faire ? (La) : 341.

Madame Dargent : 67, 70-72.
Marianne (Articles publiés dans) : 233-234.
Mauvais Rêve (Un) : 11, 46, 173, 174, 178-195, 222, 257 n. 1, 258, 290.
Message aux jeunes Français : 158.
Monsieur Ouine : 46, 119, 173, 174, 175, 178, 179, 180, 187, 188, 195, 196, 199, 222, 251, 257, 271, 289-333, 366 n. 3.

Mort avantageuse du chevalier de Lorges (La) : 45.
Muette (La) : 45.

Nous autres, Français : 25, 267, 268, 361.
Nouvelle Histoire de Mouchette : 251-262.
Nuit (Une) : 67-71.

Organisons la peur : 250.

Panache (Nouvelles publiées dans Le) : 35, 355.

Réaction (Articles publiés dans) : 155, 158, 161.

Saint Dominique : 121, 143.
Scandale de la vérité : 265, 268.
Sept (Articles publiés dans) : 231-240, 339.
Sous le soleil de Satan : 12, 46, 63, 72, 77-107, 111, 122, 123, 124, 125, 130, 135, 143, 144, 149, 155, 174, 185, 198, 200, 206, 219, 225, 257, 294, 329, 358.
Soyons libres (Collaboration à) : 39.

Tombe refermée (La) : 45, 72.

Vie de Jésus : 263, 285, 371, 372.
Virginie ou le plaisir des champs : 45.

Index des thèmes

Abandon à Dieu : 57, 147-148, 177-178, 350-351.
Action française (Cf. Maurras, Daudet) : 111-120. *Accord avec l' – :* 33, 36-38, 39-40, 44, 117-118. *Divergences avec l' – :* 38, 62, 116-117, 168-172.
Agonie (Cf. Mort) : 64-65, 67-68, 70, 148-149. *– du Christ :* 65, 149, 154, 229, 370, 372-373. *Lucidité dans l' – :* 68, 70, 372.
Amour : 46, 72-73, 316.
Amour de la vie : 66, 218-221, 286, 338.
Angoisse (Cf. Mort, Agonie) : 63-65, 161, 274, 358.
Antisémitisme : 164, 166, 268 n. 2.
Après-guerre (Déceptions de l') : 58-60, 79, 270, 335, 343.
Aristocratie : 215, 360.
Armée : 49, 159, 167, 215-216, 235.

Capitalisme : 167-168, 211, 233.
Chevalerie : 215.
Chrétienté : 210, 341.
Cinéma : 67, 351, 354-357.
Classicisme : 66-67.
Colère (Cf. Polémiste) : 235, 282, 336-338.
Communion des saints (Cf. Complémentarité du saint et du pécheur) : 78, 149-150, 248, 364-366.
Communisme : 212-213, 249.
Complémentarité du saint et du pécheur : 82, 87, 101, 149-150.
Connaissance d'autrui (Cf. Curiosité, Lucidité surnaturelle, Psychanalyse) : 84, 98.
Création romanesque (Cf. Enfance, Rêve) : 70, 79, 82, 290. *– et ascèse :* 83, 107-109. *– et compensation :* 191, 199. *Difficultés de la – :* 110-111, 174. *– et pitié :* 257-259. *Responsabilités de la – :* 70-72, 181-182.
Curiosité : 84, 91, 100, 104, 330-331.

Dandysme : 29.
Dépouillement : 56, 65, 177, 282, 285. *– et sainteté :* 104-105, 147-148.
Désespoir : 52, 78, 259, 346-347.

Église : *Compromissions de l' – :* 129, 159-160, 167, 208, 231, 243-244. *– et péché :* 209-210. *– et politique :* 111-114, 123, 124, 129, 159-160, 166, 214. *– et sainteté :* 105, 208, 349-350. *– et société :* 166-167, 207, 209-210, 211-212, 246.
Enfance : *– et création romanesque :* 16-19, 189, 200, 250. *Fidélité à l' – :* 15. *– et rêve :* 15, *– et sainteté :* 14, 145.
Ennui : 73, 222-223, 224.
Espérance (Cf. Désespoir) : 177, 209, 244, 285-286, 323-324.

Guerre : 215, 242, 270-271.
Guerre 1914-1918 : 49-60, 80-81.

Haine (Cf. Mensonge) : 52, 132-133, 283.
Haine de soi : 72-75, 83, 135, 192-194, 204.
Hérédité : 315-316.
Honneur : 162, 259, 358-362.
Humiliation (Cf. Haine de soi) : 59, 72-73, 74, 214, 254-255, 260, 317-319, 361, 369.
Humilité : 56, 145, 284.

Images : *Animaux :* 86 n. 5, 307-309. *Boue :* 53, 224. *Brèche :* 140, 226, 303, 317. *Chute :* 87, 256, 302. *Eau :* 68, 142-143, 224, 301. *Espace :* 87, 89, 304. *Froid :* 326. *Lumière :* 150-154. *Mains :* 218, 259, 301. *Odeurs :* 312-313. *Paysage :* 89, 90, 219-221, 270, 276-277, 280-282. *Pourriture :* 223, 305, 319-322. *Regards :* 311-312. *Route :* 16, 220-221, 304. *Sons :* 88. *Ténèbres :* 141-142. *Visage humain :* 250-252.
Imagination : 86, 174-175, 337.
Imbéciles (Cf. Médiocrité) : 284.
Imitation de Jésus-Christ : 149, 229, 350-351, 370.
Impureté (Cf. Sexualité) : 53, 319-324.

Jésuites : 24-25.
Jeunesse (Cf. Vieillesse) : *Appel à la – :* 161-162, 323-324. *Peinture de la – :* 186, 188.
Joie (Cf. Amour de la vie) : 148, 209.

Langage et surnature : 84-85, 92, 201-203, 226.
Liberté : 78.
Lucidité surnaturelle : 102, 104, 227-228.

Médiocrité (Cf. Imbéciles) : 197-199, 343, 347-348.

Mensonge : 78, 84-85, 100, 123, 318-319. *Aspects sociaux du – :* 128-133. *– et haine :* 132-133. *– et haine de soi :* 135, 140, 194. *– et homosexualité :* 184, 318-319. *– et imposture :* 133-136.
Monde moderne : 168, 207, 213, 215, 280, 285.
Mort (Cf. Agonie) : 35, 45, 67, 260-261. *Peur de la – :* 30-31, 229, 302, 368-369.

National-socialisme : 249-250.
Néant (attirance du) : 47, 74, 193, 305-306, 324-333.
Non-écrivain : 276-278.

Ordre-désordre : 50-51, 214, 238, 241.
Orgueil (Cf. Humilité) : 56.

Paroisse : 206, 207, 225, 320, 322-323.
Pauvreté : 251, 285. *– et Église :* 211-215. *– et espérance :* 285-286. *Respect de la – :* 23-24, 168, 212-213, 259. *– et sainteté :* 147, 217-218.
Péché : *– et néant :* 99. *– et séparation :* 99.
Peur (Cf. Angoisse) : 247-249, 353, 357-358.
Polémiste (Cf. Colère) : 42-43, 156-159, 231, 342, 372.
Prophétie : 120, 341.
Psychanalyse : 95-96.
Pureté (Cf. Impureté, sexualité) : 252.

Race (Cf. Antisémitisme) : 12.
Réconciliation avec soi-même (Cf. Haine de soi) : 204, 284.
Rêve : 65, 98, 293-306. *– et création romanesque :* 18-19, 70, 83, 190-191, 294. *Mauvais – :* 83, 191.

Révolte : 21-22, 50, 78, 211, 241, 283.

Rire : 100, 139, 331.

Risque : 72, 282, 301, 342, 346.

Roman policier : 187-188, 294-295.

Romantisme : 32-33, 39, 46, 52.

Royalisme (Cf. Action française) : 23, 35, 234.

Sainteté (Cf. Complémentarité, enfance, humilité, pauvreté, simplicité) : 14-15, 73, 79-80, 85, 143-149, 348-350.

Satan : 75, 81, 85, 328. – *comme*

père du mensonge : 100, 138-140. – *et le fantastique :* 95-96.

Satire sociale : 126-127, 159-160.

Sexualité : 254-256, 316-319. – *et péché :* 99, 108.

Simplicité : 91, 145-147, 216-217, 224-225.

Solitude : 161, 172, 178, 282, 343-344.

Structures romanesques : 92, 94, 314-315, 326.

Temps et roman : 93-94.

Vieillesse (Cf. Jeunesse) : 60, 162, 208, 209, 323.

Table des illustrations

après la p. 16

1888
Georges Bernanos avec sa nourrice

après la p. 32

Georges Bernanos avec sa mère et sa sœur
Avec son père et sa sœur dans le salon de Fressin

après la p. 40

Fressin. A gauche, la maison des Bernanos
La maison des Bernanos à Fressin
Georges Bernanos adolescent
A Fressin

après la p. 128

Lettre à l'abbé Lagrange
Manuscrit de *La Joie*

après la p. 144

Manuscrit d'*Un Mauvais Rêve*
Signature de Georges Bernanos

après la p. 280

Au micro de Radio-Rio
A Rio
Aux rencontres internationales de Genève (1946)
Genève

Les photos ont été reproduites grâce à l'extrême obligeance de Daniel Pézeril.

Table des matières

Abréviations 7
Préface 9
Chapitre I. « L'ENFANT QUE JE FUS... » 11
Chapitre II. LES « HOMMES DE GUERRE » 35
Chapitre III. LA GUERRE DES HOMMES 49
Chapitre IV. « JE ME BATS AVEC LES IMAGES... » 51
Chapitre V. SOUS LE SOLEIL DE SATAN 77
Chapitre VI. « LA MISÉRICORDIEUSE ÉPREUVE » 107
Chapitre VII. L'IMPOSTURE ET LA JOIE 121
Chapitre VIII. « A DIEU, MAURRAS... » 155
Chapitre IX. UN CRIME ET UN MAUVAIS RÊVE 173
Chapitre X. LE JOURNAL D'UN CURÉ DE CAMPAGNE 195
Chapitre XI. LA GUERRE D'ESPAGNE 231
Chapitre XII. « LA TERRE DE L'ESPÉRANCE » 265
Chapitre XIII. MONSIEUR OUINE 289
Chapitre XIV. « LA MORT SI DIFFICILE... ET SI FACILE... » . . . 335
Bibliographie sommaire 375
Index des noms de personnes 383
Index des œuvres 387
Index des thèmes 389
Table des illustrations 393

Imprimé en Belgique

ACHEVÉ D'IMPRIMER SUR LES PRESSES
DE L'IMPRIMERIE SAINT-AUGUSTIN
À BRUGES, LE 29 SEPTEMBRE 1967
POUR LES ÉDITIONS
DESCLÉE DE BROUWER

Temps et visages

JACQUES MADAULE
Le drame de Paul Claudel (nouvelle édition, entièrement mise à jour)

JEAN STEINMANN
Richard Simon et les origines de l'exégèse biblique

JEAN STEINMANN
Pascal (nouvelle édition)

PIERRE SMULDERS
La vision de Teilhard de Chardin (3ᵉ édition)

JEAN MESNARD
Pascal et les Roannez (2 volumes)

KARL RAHNER
Science, Évolution et Pensée chrétienne

MAX MILNER
Georges Bernanos

D/1967/0075/68
109.01.08